LA POUSSIÈRE DU TEMPS

DU MÊME AUTEUR

Saga Le Petit Monde de Saint-Anselme :
Tome I, *Le petit monde de Saint-Anselme, chronique des années 30*, roman, Montréal, Guérin, 2003, format poche, 2011.
Tome II, *L'enracinement, chronique des années 50*, roman, Montréal, Guérin, 2004, format poche, 2011.
Tome III, *Le temps des épreuves, chronique des années 80*, roman, Montréal, Guérin, 2005, format poche, 2011.
Tome IV, *Les héritiers, chronique de l'an 2000*, roman, Montréal, Guérin, 2006, format poche, 2011.

Saga La Poussière du temps :
Tome I, *Rue de la Glacière*, roman, Montréal, Hurtubise, 2005, format compact, 2008.
Tome II, *Rue Notre-Dame*, roman, Montréal, Hurtubise, 2005, format compact, 2008.
Tome III, *Sur le boulevard*, roman, Montréal, Hurtubise, 2006, format compact, 2008.
Tome IV, *Au bout de la route*, roman, Montréal, Hurtubise, 2006, format compact, 2008.

Saga À l'ombre du clocher :
Tome I, *Les années folles*, roman, Montréal, Hurtubise, 2006, format compact, 2010.
Tome II, *Le fils de Gabrielle*, roman, Montréal, Hurtubise, 2007, format compact, 2010.
Tome III, *Les amours interdites*, roman, Montréal, Hurtubise, 2007, format compact, 2010.
Tome IV, *Au rythme des saisons*, roman, Montréal, Hurtubise, 2008, format compact, 2010.

Saga Chère Laurette :
Tome I, *Des rêves plein la tête*, roman, Montréal, Hurtubise, 2008, format compact, 2011.
Tome II, *À l'écoute du temps*, roman, Montréal, Hurtubise, 2008, format compact, 2011.
Tome III, *Le retour*, roman, Montréal, Hurtubise, 2009, format compact, 2011.
Tome IV, *La fuite du temps*, roman, Montréal, Hurtubise, 2009, format compact, 2011.

Saga Un bonheur si fragile :
Tome I, *L'engagement*, roman, Montréal, Hurtubise, 2009, format compact, 2012.
Tome II, *Le drame*, roman, Montréal, Hurtubise, 2010, format compact, 2012.
Tome III, *Les épreuves*, roman, Montréal, Hurtubise, 2010, format compact, 2012.
Tome IV, *Les amours*, roman, Montréal, Hurtubise, 2010, format compact, 2012.

Saga Au bord de la rivière :
Tome I, *Baptiste*, roman, Montréal, Hurtubise, 2011, format compact, 2014.
Tome II, *Camille*, roman, Montréal, Hurtubise, 2011, format compact, 2014.
Tome III, *Xavier*, roman, Montréal, Hurtubise, 2012, format compact, 2014.
Tome IV, *Constant*, roman, Montréal, Hurtubise, 2012, format compact, 2014.

Saga Mensonges sur le Plateau Mont-Royal :
Tome I, *Un mariage de raison*, roman, Montréal, Hurtubise, 2013.
Tome II, *La biscuiterie*, roman, Montréal, Hurtubise, 2014.
Rééditée en un seul tome en format compact, 2015.

Le cirque, roman, Montréal, Hurtubise, 2015.

MICHEL DAVID

LA POUSSIÈRE DU TEMPS

TOME 2 : RUE NOTRE-DAME

Hurtubise

Catalogage avant publication de Bibliothèque et Archives nationales du Québec et Bibliothèque et Archives Canada

David, Michel, 1944-2010

La poussière du temps

Édition originale : 2005-c2006.

Sommaire : t. 1. Rue de la Glacière -- t. 2. Rue Notre-Dame -- t. 3. Sur le boulevard -- t. 4. Au bout de la route.

ISBN 978-2-89723-981-7 (vol. 1)
ISBN 978-2-89723-982-4 (vol. 2)
ISBN 978-2-89723-983-1 (vol. 3)
ISBN 978-2-89723-984-8 (vol. 4)

I. David, Michel, 1944-2010. Rue de la Glacière. II. David, Michel, 1944-2010. Rue Notre-Dame. III. David, Michel, 1944-2010. Sur le boulevard. IV. David, Michel, 1944-2010. Au bout de la route. V. Titre.

PS8557.A797P68 2017   C843'.6   C2016-942217-8
PS9557.A797P68 2017

Les Éditions Hurtubise bénéficient du soutien financier du gouvernement du Québec par l'entremise du programme de crédit d'impôt pour l'édition de livres et de la Société de développement des entreprises culturelles du Québec (SODEC). L'éditeur remercie également le Conseil des arts du Canada de l'aide accordée à son programme de publication

Financé par le gouvernement du Canada | Canadä

Conception graphique : René St-Amand
Illustration de la couverture : Luc Normandin
Maquette intérieure et mise en pages : Andréa Joseph [pagexpress@videotron.ca]

ISBN 978-2-89723-982-4 (version imprimée)
ISBN 978-2-89647-539-1 (version numérique PDF)
ISBN 978-2-89647-655-8 (version numérique ePub)

Dépôt légal : 1er trimestre 2017
Bibliothèque et Archives nationales du Québec
Bibliothèque et Archives Canada

Diffusion-distribution au Canada :
Distribution HMH
1815, avenue De Lorimier
Montréal (Québec) H2K 3W6
www.distributionhmh.com

Diffusion-distribution en France :
Librairie du Québec / DNM
30, rue Gay-Lussac
75005 Paris
www.librairieduquebec.fr

Imprimé au Canada
www.editionshurtubise.com

On vieillit et le temps passe.
Le vent balaie les souvenirs.
Pour gagner, il te faut perdre ;
Et pour vivre, il te faudra mourir.

Le temps passe
Tex Lecor

Les principaux personnages

LA FAMILLE DIONNE

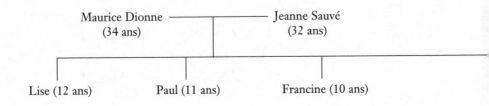

Maurice Dionne ——————— Jeanne Sauvé
(34 ans)   (32 ans)

Lise (12 ans)   Paul (11 ans)   Francine (10 ans)

LES PARENTS DE JEANNE

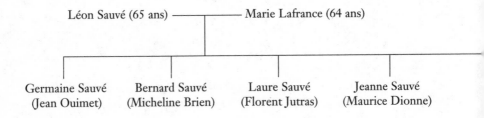

Léon Sauvé (65 ans) ——————— Marie Lafrance (64 ans)

Germaine Sauvé   Bernard Sauvé   Laure Sauvé   Jeanne Sauvé
(Jean Ouimet)   (Micheline Brien)   (Florent Jutras)   (Maurice Dionne)

LES PARENTS DE MAURICE

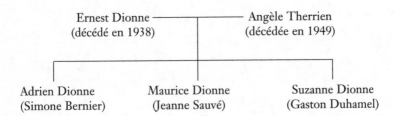

Ernest Dionne ——————— Angèle Therrien
(décédé en 1938)   (décédée en 1949)

Adrien Dionne   Maurice Dionne   Suzanne Dionne
(Simone Bernier)   (Jeanne Sauvé)   (Gaston Duhamel)

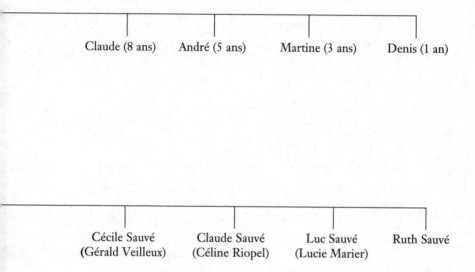

Claude (8 ans)   André (5 ans)   Martine (3 ans)   Denis (1 an)

Cécile Sauvé   Claude Sauvé   Luc Sauvé   Ruth Sauvé
(Gérald Veilleux)   (Céline Riopel)   (Lucie Marier)

* Entre parenthèses, l'âge de chaque personnage au début du roman (1954).

Chapitre 1

La honte

Dring! Dring!

Durant un instant, les deux brefs coups de sonnette figèrent les quatre enfants en train d'écrire et de colorier, sagement assis autour de la table de la salle à manger. Seul Denis, le bébé d'un peu plus d'un an, continua à jouer avec son hochet dans son parc.

— Jeanne, ça sonne en avant, cria Maurice Dionne à sa femme occupée à laver la vaisselle avec ses deux filles dans la cuisine. Veux-tu ben me dire qui vient nous déranger à cette heure-là?

— Ça doit être la Saint-Vincent-de-Paul, dit la jeune femme en s'essuyant les mains sur son tablier et en replaçant une mèche de cheveux.

— Comment ça, la Saint-Vincent-de-Paul? demanda Maurice, étonné. Qu'est-ce qu'ils viennent faire ici, eux autres? On leur a rien demandé! Sacrement, on n'est pas des quêteux!

— Énerve-toi pas, fit sa femme en se dirigeant vers le couloir. J'ai entendu dire que cette année, ils donnaient des paniers de Noël à toutes les grosses familles de la paroisse.

En cette soirée de décembre 1954, il fallait que ce soit un visiteur peu au fait des habitudes des gens de la maison pour venir sonner à la porte du 2321, rue Notre-Dame, là où habitait la famille Dionne depuis plus de deux ans. En temps ordinaire, on passait par la cour arrière.

— Bout de Christ! ils pourraient pas passer en plein jour comme tout le monde, jura Maurice en se levant de sa chaise berçante. Juste à l'heure de *Séraphin*! ajouta-t-il avec humeur en se levant pour éteindre la radio posée sur le réfrigérateur dans le coin de la salle à manger.

— Maudit qu'on n'est pas chanceux! pesta tout bas Paul, l'aîné des garçons. Ça aurait été trop beau qu'ils passent pendant le chapelet!

— Je suppose que t'aimerais mieux que les voisins en profitent à notre place, répliqua la mère de famille à l'adresse de son mari en s'engageant dans le long couloir qui menait à la porte d'entrée.

— Occupe-toi d'eux autres; moi, je veux pas les voir, répliqua Maurice.

Sur ces mots, l'homme à la calvitie naissante se dirigea vers la chambre des garçons située à l'autre extrémité de l'appartement.

Dring! Dring!

— Paul, dit Jeanne à son fils de onze ans, va fermer les portes du salon et de notre chambre pour qu'ils refroidissent pas toute la maison. Et vous autres, dit-elle aux trois fillettes qui s'étaient avancées à sa suite dans le couloir, enlevez-vous de là. On gèle dehors. Vous allez attraper votre coup de mort.

Jeanne referma à moitié la porte du petit vestibule derrière elle et écarta le rideau qui masquait la large fenêtre de la porte d'entrée avant d'ouvrir à deux inconnus chargés chacun d'une grosse boîte de victuailles.

À trente et un ans, Jeanne Sauvé faisait beaucoup plus que son âge. Ses sept maternités en douze ans l'avaient usée prématurément. Comme son mari, elle était de taille moyenne; mais ses cheveux bruns et ternes, ses joues creuses ainsi que son teint très pâle ne trompaient personne. De toute évidence, c'était une femme épuisée dont la santé laissait à désirer.

— Bonsoir, madame Dionne. Nous passons pour la Saint-Vincent-de-Paul, dit le plus âgé des deux visiteurs avec un large sourire. Est-ce qu'on peut vous laisser un petit cadeau de Noël?

À la vue des deux grosses boîtes remplies de nourriture, le visage de la mère s'illumina et elle invita les deux hommes à entrer.

— On voudrait pas salir vos planchers, dit l'autre en se tassant derrière son compagnon dans l'étroit vestibule pour que leur hôtesse puisse fermer la porte derrière lui. Il neige à plein ciel. Est-ce qu'un de vos enfants est assez grand pour porter les boîtes?

— Bien sûr, dit Jeanne, gênée de ne pas l'avoir offert avant. Paul! Lise! appela-t-elle en ouvrant la porte du vestibule, venez chercher les boîtes.

Les deux enfants de onze et douze ans, terriblement mortifiés d'avoir à afficher leur pauvreté, s'avancèrent en traînant un peu les pieds et aidés par leur frère Claude et leur sœur Francine, ils transportèrent les deux colis sur la table de la salle à manger.

Pendant ce temps, Jeanne Dionne remerciait avec effusion les généreux bénévoles puis elle referma la porte d'entrée derrière eux.

Quand elle revint dans la salle à manger, son mari était déjà sorti de sa retraite et il avait repris sa place habituelle dans la chaise berçante placée à l'extrémité de la table, près de l'unique fenêtre étroite de la grande pièce.

— Touchez à rien, commanda-t-il sèchement aux enfants qui cherchaient à voir le contenu des boîtes. Votre mère va s'en occuper.

— Tassez vos crayons et vos cahiers, les enfants ; j'ai besoin de la place, dit Jeanne en s'approchant de la table.

Elle pencha son visage amaigri et creusé par la fatigue vers la première boîte dont une bonne moitié était occupée par une grosse dinde.

— Elle pèse au moins vingt livres ! s'exclama-t-elle avec une satisfaction évidente en la tirant de la boîte pour la montrer à son mari. On est chanceux, on va manger de la bonne dinde à Noël. Tiens, Paul, va la porter sur le comptoir dans la cuisine. On va la faire dégeler. Demain, je vais la faire cuire.

Le garçon prit le paquet que lui tendait sa mère et l'emporta dans la petite pièce voisine.

— Donnez-moi un coup de main pour placer tout ça, dit-elle à ses enfants, sinon on va manquer le chapelet.

— Et ça nous ferait ben de la peine, ajouta Paul à mi-voix.

— Qu'est-ce que tu viens de dire, toi ? lui demanda son père avec brusquerie.

— Rien, p'pa. Je me disais qu'on avait ben le temps.

— Ouais ! Essaye surtout pas de répondre à ta mère, le finfin, parce que tu vas avoir une claque sur les oreilles, le menaça son père.

Paul se tut et s'empressa de transporter les boîtes de conserve que lui tendait sa mère.

Aidée par cinq de ses sept enfants, Jeanne rangea le gâteau aux fruits, les pains et les sacs de biscuits que l'organisme paroissial lui avait envoyés. Pendant ce temps, Maurice alla ajouter quelques bûches dans la fournaise située dans un renfoncement du couloir et dans le vieux poêle à bois qui occupait à lui seul le tiers de la petite cuisine.

Lorsque la table fut libérée, Jeanne retourna dans la cuisine placer dans l'armoire la vaisselle déjà essuyée et les enfants reprirent la place qu'ils occupaient avant le coup de sonnette des visiteurs. Maurice ralluma la radio.

— Bon, grouillez-vous de finir vos devoirs, fit leur père à l'endroit de ses quatre enfants les plus âgés. Il reste dix minutes avant sept heures. André, ajouta-t-il, dis à ta mère que Denis a sali sa couche et que ça sent mauvais.

Un peu grassouillet, le petit garçon de cinq ans quitta calmement sa chaise et alla rejoindre sa mère dans la cuisine pendant que Martine, sa cadette âgée de trois ans, venait s'installer sur les genoux de son père pour se faire bercer.

Un instant plus tard, Jeanne Dionne se pencha sur le parc placé entre le réfrigérateur et sa machine à coudre, et elle prit son dernier-né qui commençait à rechigner.

— Viens, mon bébé, dit-elle à l'enfant d'un an. Maman va te changer et te mettre en pyjama. Après, tu vas sentir bon.

Elle emporta l'enfant dans sa chambre à coucher.

Quelques minutes plus tard, en entendant la musique annonçant l'entrée en ondes du cardinal Paul-Émile Léger qui, comme chaque soir, allait diriger la récitation du chapelet dans les foyers québécois, Jeanne revint dans la pièce. De plus ou moins bonne grâce, tous les enfants, même la petite Martine, s'agenouillèrent un peu partout sur le plancher froid de la salle à manger.

— Je ne veux pas en voir un assis sur ses talons pendant le chapelet, avertit sévèrement la mère avant de faire le signe de la croix et d'entreprendre la récitation du *Je crois en Dieu* en même temps que le cardinal.

Les bras solidement appuyés sur le dossier d'une chaise, Maurice dit le chapelet avec les siens, donnant nettement l'impression d'avoir hâte d'être débarrassé de cette corvée.

Quinze minutes plus tard, les genoux endoloris, chacun se releva sur un dernier signe de croix.

— Préparez-vous à aller vous coucher, dit le père à ses enfants. Dans un quart d'heure, je ne veux plus en voir un debout.

C'était la routine. Durant la semaine, l'heure du coucher était fixée à sept heures trente. Les vendredis et samedis soir, les aînés jouissaient de trente minutes supplémentaires.

Les enfants rangèrent leurs affaires et se dirigèrent, l'un après l'autre, vers l'une ou l'autre des deux chambres à coucher. Ils revinrent tous, à tour de rôle, embrasser leur père et leur mère avant d'aller se mettre au lit. Paul se contenta d'embrasser sa mère avant de souhaiter bonne nuit à ses parents. Son père lui avait clairement fait comprendre l'année précédente qu'il était devenu trop vieux pour ces enfantillages.

Chez les Dionne, la toilette du soir se réduisait à passer une chemise de nuit pour les filles et à enlever sa chemise, son chandail et son pantalon pour les garçons. Ces derniers se mettaient au lit en «combinaison», sorte de long sous-vêtement d'une seule pièce qu'ils portaient durant tout l'hiver. On ne changeait de sous-vêtement que le samedi soir, après l'unique bain hebdomadaire. Comme on n'avait pas d'eau chaude dans l'appartement, il fallait faire chauffer l'eau dans une bouilloire sur le poêle à bois, avant d'aller la verser dans l'antique baignoire sur pattes de la salle de bain. C'était une opération qui exigeait du temps et de la patience.

— Vous allez tous aux toilettes avant de vous coucher, ordonna Jeanne, portant Denis dans ses bras. Il manquerait plus que vous pissiez au lit.

— Et que j'en entende pas un parler, les prévint Maurice d'un ton menaçant. Si je dois me lever une seule fois, vous allez le regretter.

Cinq minutes plus tard, le silence était tombé sur l'appartement des Dionne.

Jeanne revint dans la salle à manger vêtue d'une épaisse robe de chambre qu'elle avait passée sur sa chemise de nuit. Elle déposa quelques vêtements et sa trousse de couture sur un coin de la table en poussant un soupir de lassitude. Ensuite, elle approcha de la table la seconde chaise berçante avant de s'y asseoir.

Son mari lui lança un regard excédé.

— Si t'es pour coudre une partie de la soirée, lui dit-il, agacé, je suis aussi ben de rouler mes cigarettes.

— Il faut que ce soit fait pour demain matin, fit sa femme. Les pantalons de Claude sont déchirés aux deux genoux et il manque trois boutons aux combinaisons d'André.

Maurice alla chercher sa boîte de tabac Player's et ses tubes de papier à cigarette dans l'armoire de la cuisine. En passant, il prit un vieux journal dans l'énorme coffre à bois placé dans un coin de la salle à manger, près de la porte de la cave. Il étala les feuilles du journal sur la table. Ensuite, il attrapa sur le réfrigérateur le petit tube en métal lui servant à fabriquer ses cigarettes avant de s'asseoir. Il étendit le tabac sur le journal pour le faire sécher un peu avant de se mettre à confectionner des cigarettes qu'il plaçait avec soin dans sa boîte de tabac métallique après avoir coupé le surplus de tabac aux deux extrémités. Il savait par expérience qu'il pouvait fabriquer un peu plus de deux cents cigarettes avec le tabac contenu dans une boîte.

Durant de longues minutes, on n'entendit plus dans la pièce que le tic-tac familier de la vieille horloge suspendue au mur de la salle à manger. Parfois, un chuchotement se faisait entendre en provenance de la chambre des garçons. Quand Maurice se leva pour aller jeter une bûche dans le poêle de la cuisine, le silence revint immédiatement dans la chambre où étaient couchés les trois garçons.

Les enfants avaient appris depuis longtemps à craindre les violentes colères de leur père. Ce dernier était si prompt à frapper que Jeanne avait dû développer une nette tendance à lui cacher les rares incartades de ses enfants pour les protéger.

Maurice revint prendre sa place à la table de cuisine.

— Le printemps prochain, il va falloir faire encore un grand ménage, dit-il à Jeanne en reprenant son occupation. Les plafonds sont tout jaunes.

La mère ne dit rien, sachant fort bien qu'il aurait été inutile de chercher à le persuader de se contenter de laver les plafonds et les murs. Son mari avait toujours préféré repeindre que laver. Elle se contenta de jeter un coup d'œil autour d'elle.

⁓

L'appartement de six pièces était situé au rez-de-chaussée d'une vieille maison construite au milieu du siècle précédent. Cette dernière prenait place au centre d'un pâté de sept demeures délabrées en brique rouge de deux et trois étages, coin Fullum et Notre-Dame, face au parc Bellerive et au petit stationnement de la Dominion Oilcloth. Ces maisons ne semblaient tenir debout que par miracle et donnaient l'impression de s'appuyer les unes contre les autres pour ne pas s'écrouler. Depuis dix ans déjà, leur propriétaire, la compagnie Dominion Oilcloth, menaçait de livrer ces bâtiments vétustes aux pics des démolisseurs pour créer un grand terrain de stationnement. Pourtant, bon an mal an, les baux étaient renouvelés chaque printemps et, pour un loyer très modique, les locataires avaient un toit sur la tête pour douze mois additionnels.

Pour vingt-deux dollars par mois, la famille Dionne jouissait d'un appartement décrépit dont la porte d'entrée s'ouvrait directement sur le trottoir de la rue Notre-Dame. Les six pièces construites en enfilade étaient fort différentes les unes des autres. En effet, les quatre premières, avec leur plafond d'une hauteur de douze pieds, présentaient un plancher à la pente fort prononcée. Par contre, la cuisine, la minuscule salle de bain et la petite chambre à coucher des garçons situées à l'autre extrémité de l'appartement avaient un plafond bas et ces pièces n'étaient dotées, à l'arrivée des Dionne, que d'un plancher en terre battue. Il avait fallu que Maurice fasse du chantage pour que Smith, le responsable de l'entretien de l'immeuble, accepte de construire un plancher avec de minces feuilles de contreplaqué dans ces pièces. Ce parquet grossier était si dépourvu de tout isolant qu'on retrouvait une bonne épaisseur de glace au bas des murs et dans les fenêtres durant la saison froide. Certains matins d'hiver, il fallait déglacer la porte qui donnait sur la cour arrière avec de l'eau bouillante pour parvenir à l'ouvrir.

Par conséquent, il ne fallait pas s'étonner que la petite fournaise ronde du couloir et le poêle à bois de la cuisine aient beaucoup de peine à maintenir une chaleur suffisante dans l'endroit. Les parents devaient continuellement voir à ce que les enfants ne se baladent pas pieds nus dans la maison. Si Maurice laissait habituellement s'éteindre le poêle de la cuisine à l'heure du coucher, il n'en restait pas moins qu'il devait se lever plusieurs fois chaque nuit pour alimenter en bois ou en charbon la fournaise du couloir.

— Aïe! Arrête! dit une voix en provenance de la chambre des garçons.

— Chut ! répliqua une autre voix.

Il y eut un bruit de choc.

Sans perdre un instant, Maurice se leva et se dirigea vers la chambre des garçons à laquelle on accédait par un étroit couloir d'une longueur d'environ six pieds, situé au bout de la cuisine et sur lequel s'ouvrait la porte des toilettes.

La petite pièce sans porte ni électricité était encombrée par un lit double superposé et la vieille laveuse à tordeur dans laquelle on entassait le linge sale de la famille durant toute la semaine. Comme il était impossible d'ouvrir la fenêtre dont une bonne partie était obstruée à l'intérieur par le lit et, à l'extérieur, par une butte de terre, il se dégageait de l'endroit une forte odeur désagréable de vêtements malpropres.

— Qu'est-ce qui se passe ici ? hurla le père en entrant dans la pièce.

Aucun des trois garçons n'osa répondre. Paul avait pris la précaution de se mettre hors de portée de la main de son père en se poussant au fond du lit du haut, près du mur. Il avait été imité par ses deux jeunes frères couchés dans le lit du bas.

— Si je vous entends encore, dit Maurice, menaçant, vous vous coucherez à sept heures tous les soirs, la semaine prochaine.

Sur ces mots, il tourna les talons et revint s'asseoir dans la cuisine sans rien ajouter.

— As-tu pensé que Noël était dans une dizaine de jours ? lui demanda Jeanne en enfilant une aiguille.

— Oui, puis après ? fit sèchement Maurice, immédiatement sur la défensive.

— Qu'est-ce qu'on fait pour les cadeaux des enfants ?

— Quoi, les cadeaux ? On n'a pas une maudite cenne à dépenser en bébelles cette année, affirma son mari avec force. Ça prend tout pour les nourrir. Penses-tu qu'avec quarante-cinq piastres par semaine, j'ai les moyens de jeter l'argent par les fenêtres? On va avoir de la misère à leur acheter de quoi mettre dans leur bas de Noël. Demande-moi rien; je peux pas faire plus.

— Tu peux pas laisser passer Noël de même, fit Jeanne. Déjà que t'as pas voulu qu'ils aillent voir la parade du père Noël chez Dupuis il y a quinze jours.

— Pour qu'ils aillent attraper la grippe à geler sur le bord du trottoir pour voir passer des chars allégoriques. Es-tu malade, Jeanne Sauvé? C'est pas le temps de leur mettre des idées de cadeau dans la tête. On n'a pas d'argent, un point, c'est toute!

— Bien sûr! Mais t'en trouves de l'argent pour t'acheter du tabac et du Coke, par exemple, se révolta Jeanne.

— Oui, j'en trouve, dit Maurice en élevant la voix. C'est mon argent! C'est moi qui le gagne! J'ai pas de comptes à te rendre. Si t'es pas contente, t'as juste à aller travailler au lieu de rester à rien faire toute la journée dans la maison.

— Parce que tu trouves que c'est rien faire que d'entretenir la maison, d'habiller et de nourrir sept enfants, Maurice Dionne?

Maurice s'enferma dans un silence boudeur et Jeanne l'imita. Cependant, quelques minutes plus tard, elle reprit:

— OK, j'ai rien dit. Depuis le temps, je devrais savoir que c'est toujours la même histoire chaque année. Il y a jamais une cenne pour faire plaisir aux enfants.

— Ben oui, Christ! C'est toujours la même histoire parce que je gagne toujours le même maudit salaire. L'argent, je l'imprime pas. Je viens de te dire que j'ai juste quarante-cinq piastres par semaine pour conduire un ascenseur au Keefer Building, pas une cenne de plus. Ça allait quand on avait juste Lise et Paul, mais à cette heure, on en a cinq autres.

Un an à peine après l'emménagement des Dionne dans leur appartement de la rue Notre-Dame, Maurice avait perdu son emploi de gardien-concierge à la Dominion Oilcloth. Il avait cependant eu la chance de trouver un travail de garçon d'ascenseur dans un immeuble commercial de la rue Sainte-Catherine quelques jours plus tard pour un salaire équivalent.

Évidemment, si elle tombait enceinte aussi souvent, c'était sa faute à elle. Lui, il n'avait rien à voir dans tout ça. Soudainement, Jeanne se sentit trop fatiguée pour commencer une dispute. Elle préféra se taire, impatiente tout à coup que dix heures et demie arrive pour aller se coucher.

Près de deux heures plus tard, elle alla réveiller ses trois fils pour les envoyer aux toilettes pendant que son mari mettait du charbon dans la fournaise. Ensuite, sans allumer la lumière, le couple pénétra dans sa chambre, une pièce de taille moyenne encombrée d'un lourd mobilier de chambre à coucher en érable, cadeau de noces des parents de Jeanne. Comme il n'y avait pas de mur mitoyen entre cette pièce et le salon, Jeanne avait placé le lit de bébé de Denis entre le salon et leur chambre à coucher.

Avant de se mettre au lit, Jeanne prit soin de couvrir soigneusement son dernier-né. Lorsqu'elle se coucha, Maurice l'avait devancée, tourné vers le mur. Avant de s'endormir, elle poussa un soupir de satisfaction. Elle se promit d'appeler le curé Perreault le lendemain avant-midi pour le remercier. La visite qu'elle avait faite en cachette trois semaines auparavant au presbytère de la paroisse avait porté fruit.

Chapitre 2

Le secret de Jeanne

Le presbytère de la paroisse Saint-Vincent-de-Paul était un beau bâtiment en pierre grise d'un étage érigé au coin des rues Fullum et Sainte-Catherine. Ses dimensions modestes ne lui enlevaient rien de son apparence cossue. Ses larges fenêtres s'ouvraient sur la rue Sainte-Catherine et sur une cour arrière ombragée par des érables et cernée par une haute clôture en bois de près de douze pieds de hauteur. En outre, c'était le seul édifice du quartier dont le sous-sol était en partie transformé en un garage intérieur. Bref, rien ne laissait deviner que cette maison dont l'étroite pelouse était protégée par une petite clôture en fer forgé abritait le presbytère de l'une des paroisses les plus pauvres de Montréal. Luxe remarquable, chacune des six marches de l'escalier extérieur conduisant à la porte d'entrée était couverte d'un épais tapis en caoutchouc.

En ce dernier lundi de novembre, le ciel charriait de gros nuages gris et le froid était mordant. Il ne faisait aucun doute que la neige allait se mettre à tomber sous peu. Au presbytère, l'atmosphère était lourde dans la salle à manger. Pendant son dîner, le curé Perreault, assis au bout de la longue table de chêne, n'avait pas adressé la parole une seule fois à ses deux vicaires. Il arborait sa mine renfrognée des mauvais jours.

À la vue de la ride profonde qui barrait son front, les abbés Laverdière et Dufour se faisaient aussi discrets que possible, tout en sachant fort bien qu'ils n'échapperaient pas à la colère de leur supérieur s'il avait quelque chose à leur reprocher.

Damien Perreault était le maître des lieux et il ne le laissait ignorer à personne. Ce grand curé âgé d'une cinquantaine d'années, au ventre avantageux et à la voix puissante, avait la réputation justifiée d'être hautain et intransigeant.

Fils unique d'une famille à l'aise d'Outremont, il était persuadé que l'archevêché gaspillait ses dons exceptionnels d'organisateur et d'administrateur en le maintenant depuis près de dix ans à la tête de cette paroisse défavorisée. Il rêvait encore d'un poste à la hauteur de ses compétences. En attendant, il s'attachait à maintenir une distance acceptable entre ses deux vicaires et lui. Ils étaient ses subordonnés, et ces deux fils d'ouvriers n'appartenaient pas au même monde que lui. D'ailleurs, le curé Perreault ne fraternisait avec aucun de ses paroissiens. Quand arrivait sa journée de congé hebdomadaire, il sortait du garage la grosse Buick noire offerte par ses parents et il prenait la direction de son chalet de Contrecœur.

Yvon Dufour, un jeune prêtre d'à peine trente ans, replia sa serviette et la déposa près de son assiette. Il esquissa ensuite le geste de repousser sa chaise pour se lever.

— Restez assis, l'abbé! lui intima son curé en levant soudainement la tête. Je ne me souviens pas vous avoir dit que le repas était terminé.

Le petit vicaire blond, qui arborait un magnifique œil au beurre noir, suspendit son geste et rougit violemment.

— J'aurais aimé aller lire mon bréviaire avant la réunion des Filles d'Isabelle, fit l'abbé avec un certain courage.

Il aperçut au même moment le sourire un peu moqueur de René Laverdière, son aîné d'une dizaine d'années, assis en face de lui.

— Vous lirez votre bréviaire tout à l'heure, le coupa Damien Perreault en fixant tour à tour ses deux vicaires. J'ai deux mots à vous dire et je n'ai pas le temps aujourd'hui de vous rencontrer l'un après l'autre dans mon bureau. D'abord vous, monsieur Dufour. Qu'est-ce qui vous est encore arrivé ? D'où vient cet œil au beurre noir ?

Cette remarque provoqua un petit ricanement de l'abbé Laverdière, qui cachait une partie de sa calvitie en étalant soigneusement vers l'avant le peu de cheveux qui lui restaient.

Un regard froid de son curé le figea.

— Et alors, l'abbé, allez-vous me répondre aujourd'hui ?

— C'est arrivé hier soir, monsieur le curé. J'ai joué au hockey dans le sous-sol de l'église avec les scouts et j'ai reçu accidentellement un coup de bâton, fit Yvon Dufour, piteux.

— Dites donc, l'abbé ! s'exclama son curé. Vous ne trouvez pas qu'il vous arrive pas mal de choses, vous ? Il me semble que ça fait des semaines que vous avez toujours un bobo… Si ça continue, je vais vous demander de vous promener avec une canne blanche ! Dans la paroisse, on va finir par croire qu'on vous bat ici. Vous avez toujours des marques partout. Au début de l'automne, vous avez glissé et vous vous êtes promené avec des béquilles pendant deux semaines. Un mois plus tard, vous avez manqué une marche et vous vous êtes décroché la clavicule. La semaine passée, vous aviez un gros pansement à une main. Là, vous avez un œil au beurre noir. Seigneur ! Si vous êtes si fragile, restez assis ou faites-vous placer dans une châsse. Vous savez, être aumônier des scouts ne vous oblige pas à jouer avec eux. Je veux que vous fassiez attention, est-ce que c'est clair ?

— Oui, monsieur le curé, murmura Yvon Dufour. Mais c'était juste de la malchance et…

— On dit ça, l'interrompit le curé, tournant la tête vers l'abbé Laverdière pour lui signifier qu'il en avait fini avec lui. Bon, à vous, l'abbé, maintenant. Vous vous doutez de ce que j'ai à vous dire ?

— Un peu, monsieur le curé, fit l'abbé qui avait perdu de son air frondeur.

— L'abbé, vous êtes chargé de dire la messe de sept heures le matin ce mois-ci. En trois semaines, vous êtes arrivé quatre fois en retard.

— Je pense que trois fois, ce serait plus proche de la vérité et…

— Ne m'interrompez pas, monsieur ! le coupa le curé Perreault, furieux et hautain. Que vous vous soyez levé en retard trois fois plutôt que quatre ne change rien à l'affaire. Une fois aurait déjà été de trop. En plus, on m'a dit que vous étiez souvent en retard aux réunions des Dames de Sainte-Anne. Ici, l'abbé, ce n'est pas un hôtel. Vous avez un ministère à remplir. Couchez-vous donc le soir. Comme ça, vous serez en mesure de faire votre travail convenablement.

— Je m'en souviendrai, monsieur le curé, fit l'abbé Laverdière, faussement humble, en jetant un coup d'œil à Yvon Dufour qui fixait ses mains posées devant lui, sur la nappe.

— Ce n'est pas tout, continua le curé. Sœur Sainte-Anne est encore passée se plaindre avant le dîner. Il paraît qu'elle a encore été obligée de réparer la dentelle de trois surplis d'enfant de chœur et il manquait aussi des boutons à des soutanes. Qu'est-ce qui se passe avec les enfants de chœur ? Vous n'êtes pas capable de les discipliner ? Elle dit qu'elle n'a jamais eu autant d'ouvrage que depuis que vous vous occupez d'eux.

— Ils sont jeunes, monsieur le curé, voulut se défendre René Laverdière, et ils aiment se chamailler. Quand j'en attrape un, je le punis.

— C'est insuffisant, trancha Damien Perreault. Vous allez faire le ménage là-dedans. On n'a besoin que d'une quinzaine d'enfants de chœur. Je pense que vous en gardez trop. En plus, organisez-vous donc pour faire des répétitions avec les thuriféraires et les cérémoniaires. À la grand-messe, ça fait pitié. Ils sont toujours tout mêlés.

— D'accord, monsieur le curé.

— Lequel de vous deux s'occupe de l'accueil cette semaine ?

— Moi, monsieur le curé, répondit Yvon Dufour.

— Bon. S'il y a quelque chose, je serai dans mon bureau, dit le curé en se levant de table.

Damien Perreault quitta la pièce avec la majesté d'un grand paquebot quittant le port, sans saluer ses deux subordonnés.

— La semaine commence bien, constata l'abbé Dufour en s'emparant de son bréviaire abandonné sur la desserte avant le repas.

— Énerve-toi pas avec ça, fit son aîné. Il est pas méchant. Il aime juste montrer qu'il est le boss de temps en temps. Il jappe, mais il mord pas.

Sur ces mots, l'abbé Laverdière quitta la pièce à son tour.

❧

Cet après-midi-là, Jeanne voulut profiter de la présence de sa fille Lise à la maison pour faire une course qu'elle remettait depuis une semaine. L'adolescente, même grippée, pouvait facilement s'occuper des trois plus jeunes. Denis et Martine faisaient une sieste. André s'amusait avec des craies de couleur dans la salle à manger.

— Je serai pas longtemps partie, dit-elle à sa fille en boutonnant son manteau de drap gris. Dans une heure, je vais être revenue.

Depuis le début de l'automne, la mère de famille se rendait compte qu'elle ne parvenait plus à joindre les deux bouts avec le maigre salaire de son mari. Nourrir neuf personnes avec vingt dollars par semaine, cela tenait de la prouesse et du miracle. De plus, comment arriver à trouver suffisamment d'argent pour habiller et chausser les enfants ? Comment payer leurs médicaments et leurs fournitures scolaires ? Son mari n'avait jamais l'air de s'inquiéter de ce genre de problème. Il semblait trouver normal qu'elle accomplisse des prodiges quotidiens avec aussi peu d'argent. Or, ce manque de ressources la minait, l'angoissait.

Finalement, mettant sa fierté et son amour-propre de côté, elle avait décidé d'aller demander un panier de Noël au curé de la paroisse. L'idée lui était venue huit jours auparavant en entendant le curé Perreault annoncer en chaire que la Saint-Vincent-de-Paul, dirigée par Louis Richard, avait l'intention de consacrer une partie de l'argent amassé durant l'année à la confection de paniers de Noël qui seraient remis aux familles les plus démunies de la paroisse. Le prêtre avait conseillé aux personnes intéressées de s'inscrire au presbytère.

Il ne fallait surtout pas que Maurice apprenne sa démarche. Il en ferait une maladie.

C'est pourquoi la mère de famille, un peu honteuse, choisit de sonner à la porte du presbytère ce lundi après-midi-là. La servante, une femme d'une soixantaine d'années vêtue d'une stricte robe bleu foncé, vint lui ouvrir et

la fit passer dans la petite salle d'attente après avoir vérifié
que la visiteuse avait bien enlevé ses bottes.

— Ce ne sera pas long, madame, dit-elle. On va venir
s'occuper de vous.

La porte de la pièce se referma sur elle. Deux minutes
plus tard, le jeune abbé Dufour se présenta à la porte et
l'invita à le suivre dans un petit bureau aux vitres dépolies.

— Assoyez-vous, madame ?

— Madame Maurice Dionne, monsieur l'abbé.

— Qu'est-ce que je peux faire pour vous, madame
Dionne ? demanda le prêtre en lui adressant un sourire
chaleureux.

— J'aurais aimé rencontrer monsieur le curé, si c'est
possible, dit Jeanne d'une voix un peu hésitante.

— Je vais voir s'il peut vous recevoir, fit le vicaire en se
levant immédiatement. Je reviens tout de suite.

Le jeune prêtre quitta la pièce. Il y eut des chuchote-
ments dans le couloir voisin. Puis un instant plus tard,
l'abbé fit signe à Jeanne de le suivre jusqu'à la porte capi-
tonnée du bureau du curé Perreault où il la laissa en lui
disant :

— Il est au téléphone, madame. Mais ce ne sera pas
long, il va vous recevoir.

Sur ces mots, il rentra dans la petite pièce qu'ils venaient
de quitter.

— Entrez, dit Damien Perreault de sa grosse voix
quelques secondes plus tard.

Jeanne poussa doucement la porte du bureau en serrant sa bourse contre elle.

À sa vue, le gros prêtre se leva. Il écarta de son oreille
l'écouteur de son téléphone sur lequel il posa une main.

— Assoyez-vous, madame Dionne. J'en ai pour une
minute.

Il lui indiqua l'une des deux chaises placées devant son bureau avec un sourire un peu contraint.

Pendant que le prêtre terminait sa conversation téléphonique, la jeune mère jeta un regard discret aux beaux meubles en chêne blond de la pièce et, surtout, aux deux grandes bibliothèques vitrées : de beaux livres reliés en cuir vert et noir étaient rangés sur les étagères.

Le curé Perreault raccrocha et se décida finalement à accorder toute son attention à sa paroissienne.

— Bon. Quel est le problème, madame Dionne ? demanda-t-il en éloignant un peu son fauteuil de son bureau.

Cette dernière douta soudainement du bien-fondé de sa démarche et elle hésita à franchir le pas.

— Allons, madame Dionne, fit le prêtre d'une voix un peu plus compréhensive. Dites-moi ce qui ne va pas.

— Bien, monsieur le curé, c'est au sujet des paniers de Noël, dit avec difficulté Jeanne Dionne. Ça nous aiderait bien gros d'en recevoir un.

Damien Perreault examina sa visiteuse d'un œil inquisiteur durant un bref moment. Selon toute apparence, elle n'était pas riche.

— Vous savez, madame, qu'il y a beaucoup de misère dans notre paroisse et que la Saint-Vincent-de-Paul ne pourra pas satisfaire toutes les demandes. Votre mari ne travaille pas ?

Jeanne rougit.

— Oui, il travaille, monsieur le curé ; mais on a sept enfants et on n'arrive pas à joindre les deux bouts. Avec quarante-cinq piastres par semaine, c'est difficile, même si je fais bien attention de pas dépenser pour rien.

Le prêtre perçut tout à coup combien il semblait pénible à sa paroissienne de venir demander de l'aide.

— Je comprends, madame. Ne vous inquiétez pas. Je vais vous inscrire sur la liste tout de suite. Ça me fait plaisir de venir en aide à une famille méritante. Si je ne me trompe pas, vous êtes une bonne pratiquante. Il me semble que je vous vois souvent à l'église.

— Merci, monsieur le curé, dit Jeanne, reconnaissante. Cette aide-là va nous faire pas mal de bien.

— C'est pour du bon monde comme vous que c'est fait, conclut le curé Perreault en se levant de son fauteuil pour indiquer que l'entrevue était terminée.

— Excusez-moi, monsieur le curé, mais est-ce que je peux vous demander une autre faveur? demanda Jeanne en se levant à son tour.

— Si je peux.

— Est-ce qu'il serait possible de pas dire à mon mari que je suis venue demander ce panier-là? Ça l'enragerait s'il le savait. Vous savez, il a sa fierté et il me le pardonnerait pas.

— Je comprends ça, fit Damien Perreault. Vous n'aurez qu'à lui dire que le panier de Noël est offert à toutes les familles nombreuses de la paroisse… Et ce ne sera qu'un demi-mensonge.

— Merci beaucoup.

Le curé Perreault la raccompagna jusqu'à la porte de son bureau. Au moment où Jeanne allait sortir, une idée traversa l'esprit de l'ecclésiastique.

— Un instant, madame Dionne, dit-il à mi-voix en la retenant par la manche de son manteau. C'est bien beau un panier de Noël, mais ce n'est pas éternel et ça ne règle pas tous les problèmes.

Jeanne s'arrêta sur le pas de la porte, ne sachant pas trop où le prêtre voulait en venir.

— Connaissez-vous sœur Thérèse de Rome?

— Non.

— C'est une religieuse qui travaille à l'hospice Gamelin, rue Dufresne. Avec une infirmière, elle vient en aide aux familles en difficulté de la paroisse. C'est du vrai travail social. Ces deux-là pourraient vous donner un sérieux coup de main. Au sous-sol de l'hospice, elles ont mis sur pied une espèce de vestiaire où on trouve des vêtements usagés en bon état et elles distribuent même de la nourriture que leur laissent gratuitement certaines compagnies.

— Oui, mais mon mari… commença Jeanne.

— Laissez faire votre mari, dit le curé assez sèchement. Le bien de vos enfants d'abord. Quand vous connaîtrez sœur Thérèse de Rome et sa compagne, vous allez vous rendre compte qu'elles sont capables de faire pas mal de choses pour vous aider. Si vous êtes d'accord, je vais leur parler de vous et elles vous contacteront.

— Merci, monsieur le curé, fit Jeanne d'une petite voix, trop intimidée pour repousser ouvertement cette offre.

Sur le chemin du retour à la maison, la jeune mère de famille se demanda, angoissée, si elle avait été bien inspirée d'aller demander de l'aide au presbytère. Elle pouvait expliquer à Maurice le panier de Noël, s'ils en recevaient un; mais quelles raisons pourrait-elle donner si la Saint-Vincent-de-Paul commençait à les visiter?

Chapitre 3

Un vendredi comme les autres

À cinq heures, le lendemain de la réception du panier de Noël, Paul se leva au premier appel de sa mère qui s'empressa de retourner se mettre au chaud dans son lit après avoir déposé une bûche dans la fournaise et allumé le néon installé au-dessus du lavabo de la cuisine. L'appartement était glacial.

Le garçon de onze ans sortit de sa chambre d'autant plus rapidement que chaque soir, il avait l'habitude de glisser sous ses couvertures le pantalon et la chemise qu'il allait porter le lendemain. Le matin venu, cela lui évitait de chercher ses vêtements dans le noir, et cette précaution lui permettait surtout de les retrouver chauds lorsqu'il se levait. Il les mit et il passa dans la cuisine où il se prépara un bol de gruau froid auquel il ajouta un peu de lait et beaucoup de sucre. Il avala le contenu de son plat en toute hâte.

Rassasié, il se lava la figure et se peigna avant d'endosser son manteau. Il quitta la maison par la porte arrière à cinq heures vingt-cinq pile.

Paul avait les cheveux bruns de sa mère, mais il était sec et nerveux comme son père.

Comme on était vendredi, il dut transporter sur le trottoir de la rue Fullum les deux grandes poubelles en métal toutes bosselées remplies de déchets et de cendres froides. Pour un garçon de sa taille, cela représentait un exercice exténuant puisqu'il lui fallait parcourir avec cette lourde charge une centaine de pieds à travers la cour commune après avoir quitté la petite cour des Dionne.

L'arrière des maisons de la Dominion Oilcloth présentait un caractère assez particulier. L'appartement des Dionne et celui de leurs voisins de droite, les Thériault, avaient été curieusement allongés de trois pièces (la cuisine, la salle de bain et une petite chambre à coucher) qui empiétaient sur la cour, commune à une certaine époque. Comme cette construction d'une longueur d'environ quinze pieds n'avait été érigée qu'au rez-de-chaussée, les balcons des locataires du premier étage avaient pris la forme d'un L inversé. Cette excroissance avait d'ailleurs incité Maurice Dionne, puis ses deux voisins de gauche, les Couture et les Ménard, à se créer, sans en avoir le droit d'ailleurs, une petite cour privée et clôturée prise à même la cour commune non pavée.

La cour principale avait, elle aussi, la forme d'un grand L. Chacun de ses deux tronçons mesurait près de cent cinquante pieds de longueur et quatre-vingt-dix pieds de largeur. L'un aboutissait à la rue Fullum, tandis que l'autre conduisait à la rue Archambault, une petite artère pittoresque bordée d'une trentaine de maisons vieillottes à un et deux étages qui prenait fin à l'étroite ruelle Grant serpentant derrière l'église Saint-Vincent-de-Paul.

Après avoir déposé les contenants à déchets près d'une dizaine d'autres poubelles plus ou moins bien alignées sur le trottoir enneigé, le jeune Dionne enfonça ses mains dans ses poches et se mit résolument en marche vers la rue Sainte-Catherine.

La rue Fullum était sombre et tranquille, à peine éclairée par quelques lampadaires. Comme une neige fine s'était mise à tomber, Paul dut relever le collet de son manteau pour éviter que les flocons ne lui gèlent le cou. À aucun moment il ne tourna la tête vers le trottoir opposé qui longeait la cour et les bâtiments de la Dominion Oilcloth. Tête baissée, il traversa la petite rue Emmett, puis la rue Riendeau avant d'arriver à la rue Sainte-Catherine, la grande artère commerciale du quartier, pratiquement déserte à une heure aussi matinale. Il la traversa et parcourut encore une centaine de pieds en direction de la rue De Montigny avant de s'arrêter devant la porte massive de la maison-mère des Sœurs de la Providence, un énorme édifice de deux étages en pierre grise. Il n'eut pas à sonner; la porte était déverrouillée. Comme tous les matins, la vieille sacristine l'attendait en haut du long escalier en chêne qui conduisait à la chapelle où il allait servir la messe célébrée par l'aumônier à six heures.

La petite religieuse le regarda enlever ses bottes dans l'entrée et accrocher son manteau à la patère sans dire un mot. Quand Paul monta l'escalier, elle le précéda dans la traversée de la chapelle et dans la sacristie où il flottait une odeur entêtante d'encens et de cire. Le garçon salua la sacristine et il endossa sa soutane noire et son surplis empesé avant de s'asseoir durant quelques minutes, le temps que l'aumônier revienne des étages où il était allé, comme chaque matin, donner la communion aux religieuses trop malades pour descendre à la chapelle.

Même si on était vendredi, dernière journée d'école de la semaine, Paul Dionne était maussade. La seule pensée qu'il lui faudrait accompagner sa mère pour faire des emplettes à la fin de l'après-midi suffisait à lui gâcher les quelques joies que cette journée lui réservait habituellement.

Ainsi, la perspective d'écouter son professeur lui lire, après la récréation de l'après-midi, un autre chapitre du roman *Une de perdue, deux de trouvées* ne le réjouissait même pas. Pourtant, il adorait par-dessus tout plonger dans les aventures palpitantes vécues par les personnages de ce roman. Même la joie de recevoir son salaire hebdomadaire de servant de messe était amoindrie par cette sortie qu'il détestait entre toutes.

Bien sûr, il allait empocher sans hésitation la somme de un dollar cinquante que la sacristine allait lui remettre dans une petite enveloppe scellée après la messe. Il en avait besoin autant pour se procurer des articles scolaires que pour acheter des cadeaux à ses parents pour Noël. C'était d'ailleurs l'unique raison qui l'avait poussé à faire des pieds et des mains pour obtenir l'emploi, trois mois auparavant. La plupart des servants de messe de la paroisse avaient tenté d'avoir ce travail. Il faut dire que les vingt-cinq cents offerts pour chaque messe servie étaient un appât qui en avait fait saliver plus d'un. Le salaire versé par les religieuses dépassait de beaucoup le montant offert à l'église paroissiale où on ne donnait que vingt cents pour la messe célébrée à sept heures, quinze cents pour celle de sept heures et demie et dix cents pour la messe de huit heures.

Durant son attente, Paul ne songea qu'à cette sortie avec sa mère à la fin de l'après-midi. Il en oublia même sa lutte quotidienne avec Alain Cholette, le meilleur élève de sa classe, la 6e année A. Si, depuis le début de l'année, Cholette s'était emparé des feuilles de laurier en or attribuées chaque mois au premier de la classe, le fils de Maurice Dionne était certain de les lui ravir au mois de décembre. À son tour, Cholette n'aurait que le médaillon en argent à exhiber pour la durée des fêtes.

Pourquoi fallait-il qu'il soit le garçon le plus âgé de la famille? Pas moyen d'éviter cette corvée humiliante... Tirer le traîneau sur lequel les boîtes d'épicerie seraient déposées ne le dérangeait pas. Il fallait bien que quelqu'un aide sa mère à ramener les provisions à la maison… Là n'était pas le problème! S'il avait pu demeurer à l'extérieur des magasins, cela l'aurait même amusé de le faire. Non, ce qui gâchait cette journée était le fait qu'il lui faudrait affronter encore une fois le regard apitoyé de certaines clientes à la fruiterie et à la biscuiterie quand le marchand lui tendrait une boîte de fruits à demi avariés ou un sac de biscuits brisés. Cette seule pensée lui donnait des sueurs froides. Il était certain que tout le monde le regardait et le prenait en pitié à ce moment-là.

L'arrivée de l'aumônier précédé d'une religieuse qui agitait une clochette pour prévenir du passage des saintes espèces tira Paul Dionne de ses pensées moroses. Il se leva pour aider le vieux prêtre à revêtir ses habits sacerdotaux.

Malgré tout, la journée passa assez rapidement et Marcel Beaudry, le professeur titulaire de Paul, fut assez content de ses élèves pour leur faire la lecture du cinquième chapitre du roman qu'il avait promis de leur lire chaque vendredi après-midi quand leur conduite était satisfaisante.

Quand Paul revint à la maison, sa mère, le manteau déjà sur le dos, l'attendait. Jeanne avait enfoui au fond de sa bourse les vingt dollars que Maurice lui tendait chaque vendredi matin pour l'achat de la nourriture de la famille pour la semaine. Avant de quitter la maison où elle avait laissé les plus jeunes sous la garde de Lise, son aînée, la jeune femme vérifia si elle avait bien en sa possession les trois dollars que les sœurs Rochette lui avaient donnés la veille pour avoir ajusté durant la semaine leurs robes achetées pour les fêtes.

— Surveille bien Denis et Martine, dit Jeanne à sa fille, et épluche les patates pour le souper. J'ai mis du bois dans le poêle et la fournaise. Ça devrait suffire jusqu'à ce que ton père revienne de travailler. Il va être là dans une heure.

— ...

— Lise, veux-tu sortir de la lune quand je te parle? Tu m'écoutes, oui?

— Ben oui, m'man, je vous écoute, fit l'adolescente aux longs cheveux châtains bouclés en sursautant.

— Bon, fais attention et ouvre pas à du monde que tu connais pas. Ça sera pas long.

Une fois à l'extérieur, Jeanne respira à fond avec un plaisir évident. Même si la neige était devenue grise et que l'air était empuanti par la fumée qui sortait des cheminées de la Dominion Rubber, l'usine voisine, elle se sentait soudainement libérée. C'était sa première sortie depuis la messe du dimanche précédent. Pour elle, aller faire les emplettes le vendredi après-midi représentait presque des vacances.

En compagnie de Paul qui tirait un vieux traîneau en bois, la femme au visage blafard remonta la rue Fullum jusqu'à la rue Sainte-Catherine et tourna à droite. Ils passèrent devant le presbytère, l'église Saint-Vincent-de-Paul et le couvent des sœurs de la congrégation Notre-Dame avant de traverser la rue Dufresne. Ils se rendirent jusqu'au coin de la rue D'Iberville où se trouvait l'épicerie Tougas.

— Entre le traîneau dans le magasin, conseilla Jeanne à son fils. Si on le laisse dehors, on va se le faire voler.

— Le bonhomme Tougas aime pas ben ça, m'man. Ça prend pas mal de place proche de la caisse.

— Ça fait rien, fais-le pareil. Il manquerait plus qu'on soit obligés de porter toute la commande dans nos bras jusqu'à la maison.

Paul fit ce que sa mère lui demandait, même si l'épicerie n'occupait qu'un local étroit où il était malaisé de se déplacer entre les étagères. Paul ne détestait pas suivre sa mère chez Tougas parce qu'elle achetait et payait comme les autres clientes. Il y avait bien la demande d'os gratuits pour la soupe, mais il s'était rendu compte que d'autres clientes en faisaient autant.

Cet arrêt chez Tougas était toujours le plus long parce que c'était là où Jeanne dépensait la plus grande partie de l'argent qu'elle consacrait à ses emplettes hebdomadaires de nourriture. L'obscurité était tombée au moment où la mère et le fils sortirent de l'épicerie avec deux boîtes remplies de divers produits que Paul déposa sur le traîneau.

Au départ de l'épicerie, le scénario était invariable et le garçon le connaissait bien. Dès sa sortie de chez Tougas, sa mère arborait un air préoccupé. Pendant qu'elle marchait, elle s'abîmait dans des calculs complexes visant à étirer au maximum le maigre reliquat de son allocation. À ses côtés, Paul tirait lentement le traîneau en faisant attention de ne pas laisser tomber une boîte. Tout en marchant, il cherchait du regard les premières décorations lumineuses chez les commerçants de la rue Sainte-Catherine. Dans une ou deux vitrines, il découvrit une mince guirlande de lumières multicolores disposée autour d'un père Noël hilare en carton.

Au coin de la rue Dufresne, il s'arrêta brusquement devant la vitrine de la pharmacie Charland. C'était une véritable merveille ! Tout l'espace vitré était pratiquement occupé par un grand arbre de Noël illuminé au pied duquel on avait entassé une pile impressionnante de cadeaux enveloppés dans du papier doré et argenté. Le plus saisissant était un énorme bas de Noël en résille rouge, rempli d'une foule de jouets et de sacs de bonbons tous plus alléchants les uns que les autres.

— Regardez le bas, m'man, s'écria Paul à l'adresse de sa mère après avoir collé son nez sur la vitrine pour mieux voir son contenu. Il doit bien mesurer cinq pieds.

— À peu près. Ils vont le faire tirer, affirma Jeanne sans manifester le moindre intérêt.

— Quand ?

— La veille de Noël.

— Est-ce qu'on a une chance de le gagner, nous autres ?

— Si on vient acheter des remèdes, oui. Bon, arrive Paul, on n'a pas fini et ton père va s'énerver si on prend trop de temps.

La mère et le fils traversèrent la rue Dufresne pour s'arrêter quelques pas plus loin à la fruiterie Decelles.

Paul laissa sa mère pénétrer seule dans le magasin bien éclairé par deux grandes vitrines où étaient exposés divers fruits et légumes. Debout près de son traîneau, il suivait ses évolutions dans le magasin tout en priant qu'elle achète si peu qu'elle soit capable de sortir de là en portant elle-même ses achats. Mais il savait par expérience que cela avait peu de chance de se produire.

Par la vitrine, il vit sa mère s'adresser au vieux marchand bougon sans se préoccuper des deux ou trois clientes impatientes qui tâtaient des fruits et des légumes exposés dans des boîtes ouvertes le long des murs. Paul devinait ce qu'elle lui disait.

Il vit le commerçant à moitié chauve prendre une boîte vide et faire le tour de son magasin, suivi de près par sa mère. Il savait ce que l'homme était en train de faire. Il déposait dans la boîte des fruits et des légumes défraîchis ou qui commençaient à se gâter. De retour derrière son comptoir, Omer Decelles laissa tomber dans la boîte un régime de bananes à la pelure noircie qu'il prit par terre, à ses pieds.

Sa mère discuta un certain temps avec le marchand avant de venir frapper à la vitrine et lui faire signe d'entrer prendre la caisse qu'elle venait d'acheter. Paul ne mit aucune hâte à pénétrer dans les lieux. Il avait vu deux clientes jeter un regard apitoyé à sa mère. La scène qu'il avait craint toute la journée se produisait exactement telle qu'il l'avait envisagée. Cela le fit bouillir.

— Maudit! jura le garçon en poussant la porte, elle pourrait pas attendre d'être toute seule dans le magasin pour faire ça. Comme si c'était pas assez gênant, il faut en plus qu'elle marchande!

Il finit par entrer, rouge de honte. Il prit la boîte sans regarder personne et il s'empressa de sortir avec son fardeau.

Une minute plus tard, sa mère le rejoignit et, sans échanger un mot, ils se rendirent deux portes plus loin, à la biscuiterie Rialto.

Paul reprit sa faction près de son traîneau pendant que sa mère pénétrait dans le commerce violemment éclairé. Au moins, là, il n'aurait pas à entrer pour affronter les regards de pitié du commerçant ou des clients sur place. Cinq minutes plus tard, Jeanne Dionne sortit et déposa un gros sac dans la boîte de fruits et de légumes. Paul savait que sa mère venait d'acheter pour deux fois rien quelques livres de biscuits brisés que le propriétaire du Rialto lui gardait chaque semaine. Comme les biscuits étaient vendus en vrac dans de grandes boîtes en carton munies d'une fenêtre plastifiée, il était inévitable qu'un bon nombre soient brisés par les diverses manipulations du commerçant ou des clients.

— Bon. Je pense qu'on a à peu près tout ce qu'il faut, déclara Jeanne Dionne en poussant un soupir de soulagement.

La mère et le fils se mirent en route. Le traîneau était, comme chaque vendredi, dangereusement surchargé. Il fallait que le garçon garde un œil sur sa charge en la tirant parce que les boîtes avaient une nette tendance à glisser traîtreusement sur le trottoir au moindre cahot.

— On n'aurait pas tout ce trouble-là si p'pa venait chercher la commande avec son char, dit Paul avec mauvaise humeur en redressant pour la dixième fois une boîte qui menaçait de basculer dans la gadoue couvrant le trottoir.

— Tu connais ton père, fit Jeanne à son fils. Il aime pas attendre.

Vers cinq heures et demie, Jeanne et son fils rentrèrent à la maison par la porte arrière. Lise, Francine et Claude s'empressèrent de venir les aider à décharger le traîneau aussitôt qu'ils entendirent la porte s'ouvrir.

— Où est votre père ? demanda Jeanne en ne voyant pas son mari assis dans sa chaise berçante devant la fenêtre.

— Dans le salon ! cria Maurice.

Jeanne enleva ses bottes et vit que ses enfants les plus jeunes, tout excités, s'étaient entassés dans l'entrée du salon, pièce où il ne leur était pas permis d'entrer. Lorsqu'elle s'avança dans le couloir, une forte odeur de sapinage lui fit deviner ce qu'elle allait trouver. Parvenue à la porte de la pièce, elle aperçut son mari, manches de chemise relevées, en train d'installer tant bien que mal, entre le salon et leur chambre à coucher, un sapin de Noël haut de plus de huit pieds dans un support métallique.

— J'ai tassé le lit du petit dans le coin, dit Maurice à sa femme en train de déboutonner son manteau. Qu'est-ce que tu penses de l'arbre ? Pas mal, non ?

— Oui, il est pas mal fourni, approuva Jeanne en retirant son manteau.

— Est-ce qu'il est planté droit ? demanda Maurice en reculant pour lui permettre de bien voir.

— Il en a bien l'air, mais je pense que t'es mieux de lui attacher la tête au cas où il tomberait.

— OK. Après le souper, on va avoir juste à installer les lumières et si j'ai le temps, je m'occuperai du village et de la crèche pendant que tu poseras les boules, les brillants et les cheveux d'ange.

Après le repas, la vaisselle fut lavée en un tour de main tant les enfants avaient hâte d'assister à la décoration de l'arbre.

Paul et Lise manifestaient pas mal moins d'enthousiasme que leurs cadets quand ils virent leur père descendre les boîtes de décorations du haut de l'armoire de la chambre des filles où il les remisait chaque année. Ils se doutaient de ce qui allait se produire.

À six heures et demie, il y eut une courte pause pour permettre aux plus jeunes d'écouter CKAC où un lecteur énumérait d'une voix profonde les prénoms des enfants sages que le père Noël récompenserait comme il se doit le jour de Noël. André et Martine, réunis près du réfrigérateur sur lequel la radio était posée, écoutaient la voix avec une attention touchante. Les aînés, eux, se lançaient des regards supérieurs, heureux de ne plus croire à toutes ces inepties. Ce soir-là, seul le nom de Martine fut cité, pour la plus grande joie de la fillette aux joues rebondies. La mère consola son fils déçu de ne pas avoir été nommé en lui promettant que le père Noël ne l'oublierait probablement pas le lendemain soir s'il continuait à être sage.

— Il nous reste vingt minutes avant le chapelet, fit Maurice Dionne en tirant un écheveau de fils électriques tout emmêlés d'une boîte déposée sur la table.

C'était le moment tant redouté par sa femme et ses deux aînés. Le petit homme nerveux n'apprenait rien d'une année à l'autre. Chaque fois, on assistait à la même crise. Quand venait le temps de ranger les décorations de Noël après les fêtes, il le faisait toujours sans aucun soin, trop pressé de se débarrasser de la corvée. C'est pourquoi il retrouvait toujours ses séries de lumières de couleur inextricablement emmêlées. Comme prévu, en quelques minutes, l'homme perdit tout contrôle et se mit à blasphémer. Il oubliait la présence de ses enfants à qui il défendait même de prononcer un juron aussi anodin que «maudit». Ce n'était vraiment pas le temps de lui faire remarquer qu'il donnait un drôle d'exemple aux siens.

— Maudit sans-dessein! hurla-t-il à son fils aîné. Tu me nuis plus qu'autre chose. Tiens donc les fils comme du monde, sacrement!

Au comble de l'exaspération, Maurice triturait dans tous les sens les fils encore enchevêtrés, risquant à tout moment de les rompre et de les rendre ainsi inutilisables.

Jeanne, habituée aux rages soudaines de son mari, se mit à transporter les boules, les glaçons en plastique et les cheveux d'ange au salon avec l'aide de ses filles. Elle allait être prête à décorer l'arbre aussitôt que les lumières y seraient installées.

— Christ! Veux-tu ben me dire comment ça se fait que tout est poigné comme ça? lui demanda son mari avec une évidente mauvaise foi en secouant sous son nez son paquet de fils emmêlés. Pour moi, les enfants sont venus jouer là-dedans.

La radio joua l'indicatif musical annonçant la récitation du chapelet.

— Laisse faire, dit Jeanne. T'as les doigts trop gros pour démêler ça. Après le chapelet, je vais m'en occuper.

Après la prière, il suffit de quelques minutes à la mère de famille pour dénouer l'écheveau. Elle tendit alors chacune des séries à Maurice qui n'eut plus qu'à aller les installer dans l'arbre. Lorsqu'il les alluma la première fois, il y eut un «oh!» d'émerveillement des plus jeunes enfants. Denis, le bébé d'un an, tendit même ses menottes vers les petites ampoules multicolores dans l'espoir de les toucher.

Pendant que Jeanne et ses filles accrochaient dans l'arbre les boules et les glaçons, Maurice demanda à ses fils de l'aider à installer au pied de l'arbre la crèche et le village, soit une église et une demi-douzaine de petites maisons aux teintes pastel réparties sur une couche de ouate blanche. Après avoir glissé une lumière de couleur dans un orifice situé dans le mur arrière de chacune des maisons, on installa une minuscule clôture de plastique blanc et un petit traîneau conduit par un père Noël et tiré par des rennes.

Lorsque les boîtes vides eurent repris leur place sur l'armoire de la chambre des filles, toute la famille se réunit dans le salon pour admirer l'arbre décoré et illuminé. Il était absolument magnifique. Les enfants étaient aussi fascinés par les lumières en forme de bougie que par les boules sur lesquelles étaient peints des paysages.

— Regardez, dit leur mère en leur montrant six grands bas beiges identiques à ceux portés par les couventines. Je mets sur le divan votre bas de Noël. Si vous êtes fins, ils seront remplis la veille de Noël.

Tous les enfants, même les plus âgés, eurent un sourire en pensant aux trésors que contiendrait leur bas.

— Bon, ça va faire, conclut Maurice en éteignant l'arbre. Il est huit heures. C'est l'heure d'aller vous coucher. C'est pas parce qu'on a un arbre de Noël que vous allez venir traîner dans le salon. Je veux pas en voir un dépasser le seuil, c'est compris ?

Chapitre 4

Les préparatifs des fêtes

Le lendemain matin, un peu avant neuf heures, Jeanne Dionne mit son manteau gris et ses bottes, à la plus grande surprise de ses enfants.

— Où est-ce que vous allez, m'man ? lui demanda Lise, curieuse.

— Faire une ou deux commissions, répondit sa mère.

— Je peux y aller avec vous ?

— Non, j'ai pas besoin de personne et ce sera pas long. T'es ben mieux de rester en dedans. On gèle dehors. Regarde l'épaisseur de glace dans les vitres. Non, tu vas être bien plus utile ici. Quand je vais revenir, je veux que tous les lits soient faits, dit-elle à ses enfants.

Avant de sortir de la maison, elle se dirigea vers sa chambre à coucher où son mari était occupé à fouiller dans un tiroir de son bureau.

— J'espère que tu vas être revenue pour le dîner ? demanda ce dernier.

— Inquiète-toi pas, répondit Jeanne avec une certaine rancœur. Avec vingt piastres pour acheter les cadeaux des sept enfants, je risque pas de rester partie toute la journée.

— Je peux pas faire plus !

— Bon, j'y vais, fit Jeanne sans tenir compte de ce que Maurice venait de dire. Donne-moi une heure, une heure et demie et viens me rejoindre pour m'aider à rapporter les paquets. Avant de partir, avertis bien Paul et Lise de rassembler les enfants dans une chambre pour qu'ils nous voient pas revenir avec nos sacs.

— C'est correct. Grouille si tu veux revenir, dit son mari que la corvée à venir agaçait déjà.

Jeanne quitta l'appartement après avoir fait ses dernières recommandations aux enfants. En sortant, elle fut accueillie par un vent violent qui soufflait du nord. Engoncée frileusement dans son manteau de drap, elle marcha jusqu'à un vieux bâtiment de pierre grise situé au coin nord-ouest des rues Fullum et Sainte-Catherine. Elle s'empressa de monter les trois marches qui menaient à la large porte vitrée de la façade. Durant quelques minutes, elle attendit là en battant la semelle pour se réchauffer en compagnie de deux autres femmes du quartier. Toutes les trois étaient trop gelées ou trop gênées d'exhiber leur pauvreté pour avoir envie de converser entre elles.

En fait, il s'agissait d'un édifice d'un étage transformé depuis plus d'une génération par l'Armée du Salut en une sorte de dépôt où il était possible de se procurer une foule de produits hétéroclites pour une somme très modique. On trouvait entre ses murs un incroyable bric-à-brac de vêtements, de chaussures, de jouets et de meubles usagés étalés tant au rez-de-chaussée qu'à l'étage dans le plus parfait désordre. L'endroit tenait plus du capharnaüm que du magasin.

Dès l'ouverture de la porte, Jeanne se précipita à l'étage et se mit à choisir pour chacun de ses enfants un jouet pas trop abîmé par son précédent propriétaire. Elle devait faire vite avant que la clientèle du quartier n'envahisse les lieux. Il lui fallut pourtant un peu plus d'une heure pour trouver une station-service, un mécano, deux poupées, une trousse d'infirmière, un camion d'incendie, une voiture, deux *Bob Morane*, deux bandes dessinées, un ours en peluche et quelques autres articles encore utilisables.

Lorsqu'elle se présenta à la caisse, la mère de famille s'aperçut qu'elle avait un peu dépassé la somme allouée par son mari, mais elle ne put se résoudre à abandonner derrière elle l'un ou l'autre des articles qu'elle avait eu tant de mal à trouver dans le fatras de jouets qu'elle avait dû explorer. Après un court marchandage, elle put tout apporter pour vingt-trois dollars. Les trois dollars supplémentaires représentaient tout ce qu'il lui restait de ses économies.

Comme Maurice n'était pas encore arrivé, elle fut obligée d'empoigner tous les sacs contenant ses emplettes et de les transporter tant bien que mal à l'extérieur. Au moment où elle refermait la porte après avoir déposé sur la première marche ses derniers sacs, elle vit avec soulagement la vieille Dodge familiale venir se ranger le long du trottoir. Comme son mari ne faisait pas mine de vouloir descendre du véhicule, Jeanne descendit les marches et ouvrit la portière du côté passager.

— Qu'est-ce que t'attends pour venir m'aider? demanda-t-elle avec une certaine impatience à son mari occupé à s'allumer une cigarette. Tu vois bien que j'ai bien trop de paquets pour les transporter toute seule!

Maurice Dionne sortit de la Dodge et jeta un coup d'œil autour de lui pour s'assurer que personne ne le voyait avant de se précipiter vers les paquets laissés par sa femme sur la première marche.

— Envoye, monte! lui ordonna-t-il avec humeur. Calvaire! arrête de traîner! On dirait que tu fais exprès pour qu'on nous prenne pour des quêteux.

Jeanne eut à peine le temps de refermer la portière de l'auto que son mari démarrait déjà. Ils revinrent à la maison en empruntant la rue Parthenais. Pas un mot ne fut échangé durant le court trajet.

Quand ils rentrèrent dans l'appartement par la porte avant, Jeanne et Maurice n'eurent aucun mal à dissimuler sous leur lit les jouets qui venaient d'être achetés. Dès qu'ils avaient entendu la porte s'ouvrir, Lise et Paul avaient rassemblé leurs frères et sœurs dans la chambre des filles. Lise avait même entrepris de leur raconter une histoire pour les occuper en attendant que leur mère fasse signe que la voie était libre.

Maintenant, il ne restait aux parents qu'à envelopper les étrennes. Ils exécuteraient ce travail le soir même, après s'être assurés que tous les enfants dormaient. À titre de précaution supplémentaire, Jeanne et Maurice accomplissaient cette tâche sur leur lit, dans leur chambre à coucher, pour éviter qu'un de leurs enfants ne les surprenne. Une fois les cadeaux enveloppés, ils étaient soigneusement dissimulés sous le lit et au fond du placard de la chambre. Ils n'allaient refaire surface qu'un peu avant minuit, la veille de Noël.

—

À la fin de la semaine suivante, les enfants se retrouvèrent en vacances. Les quatre plus âgés tinrent de longs conciliabules pour déterminer ce qu'ils allaient acheter à leurs parents en mettant en commun l'argent économisé sou à sou durant les deux mois précédents. Paul et Lise étaient plus riches que Francine et Claude parce que l'un servait régulièrement la messe et l'autre gardait parfois les enfants d'une voisine. À eux deux, ils possédaient près de huit dollars. Francine et Claude n'avaient qu'un peu plus de deux dollars.

— Si vous dépensiez pas tout votre argent en achetant des boules noires ou de la réglisse, fit Lise d'un ton sentencieux, vous pourriez nous aider plus à acheter des cadeaux qui ont du bon sens.

— Aïe, la grande niaiseuse ! protesta Claude. T'essaieras, si t'es si fine que ça, d'avoir plus d'argent en vendant seulement des bouteilles vides.

— OK. Ça sert à rien de se dire des bêtises, fit Paul. On va ben finir par trouver quelque chose dans un magasin de la rue Sainte-Catherine. On marchera jusque chez Dupuis, s'il le faut.

Jeanne permit à ses quatre enfants d'aller faire leurs achats, mais elle demanda à ses deux aînés de bien surveiller les plus jeunes. Tous les quatre sillonnèrent la rue Sainte-Catherine durant un après-midi complet avant de trouver une broche en quartz et un briquet dans un Woolworth, près de la rue Papineau. La vendeuse avait été assez gentille pour trouver deux petites boîtes bleues et y déposer les objets sur un lit de ouate.

—

Les derniers jours avant Noël donnèrent lieu à des préparatifs fébriles chez les Dionne. Avec des miracles d'ingéniosité, Jeanne parvint à préparer un véritable menu de fête pour le réveillon de Noël. La famille allait se régaler.

Du matin au soir, la maison embaumait de toutes sortes d'odeurs appétissantes qui faisaient saliver les enfants. Les pâtés à la viande, les tartes aux raisins, au sucre et à la mélasse allèrent rejoindre la dinde dans un coffre en bois déposé à l'extérieur, près de la porte de la cuisine. Jeanne prépara aussi un ragoût de boulettes et fit cuire du pain et des beignets.

La veille de Noël, lorsqu'elle annonça aux siens que toute la nourriture était préparée, il fallut bien passer à l'étape suivante : l'inévitable ménage de la maison. Évidemment, tous les enfants furent mis à contribution en fonction de leur âge et de leur compétence.

Pendant que la mère vérifiait l'état des vêtements qui seraient portés pour aller à la messe de minuit, la maison fut époussetée et balayée. Les chambres furent rangées. Enfin, au début de l'après-midi, Maurice exigea que tous les enfants se retirent dans leur lit pendant qu'il lavait et cirait avec de la «cire en pâte» tous les linoléums de la maison. Quand la cire fut suffisamment sèche, les enfants eurent la permission de se lever. Ils furent munis de vieux lainages avec lesquels ils firent reluire les planchers.

Après cette journée de travail intense, l'appartement était maintenant d'une propreté éclatante. À la radio, Bing Crosby interprétait *White Christmas*.

Chapitre 5

La visite du père Noël

En cette veille de la Nativité, le ciel demeura gris et une petite neige folle se mit à tomber sur Montréal dès le milieu de l'après-midi. Les enfants, énervés à la pensée des cadeaux qui les attendaient, n'arrivaient pas à demeurer longtemps à l'extérieur pour jouer.

— Avez-vous fini d'entrer et de sortir ? ne cessait de leur crier leur mère, excédée. Vous faites geler la maison et vous allez salir les planchers ! Des vraies queues de veau !

Dans la salle à manger des Dionne, la radio diffusait sans discontinuer des airs de Noël. Le *Petit Papa Noël* de Tino Rossi et les *Trois cloches* des Compagnons de la chanson et d'Édith Piaf ne cessaient de tourner depuis le début de l'avant-midi. Jeanne les fredonnait doucement en préparant la farce avec laquelle la dinde serait apprêtée. Elle avait un faible évident pour la voix profonde de Yoland Guérard interprétant *Minuit, Chrétiens* et pour la complainte intitulée *La Charlotte prie Notre-Dame*. Ces airs la rendaient nostalgique. Ils lui rappelaient les veilles de Noël passées dans sa famille, à Saint-Joachim.

Léon et Marie Sauvé n'avaient jamais été riches, mais leur petite ferme leur avait permis de nourrir convenablement leurs dix enfants. Le couple n'avait pas été épargné par la vie, mais il avait fait face aux épreuves avec un courage remarquable et il avait su créer un véritable esprit de famille.

Les parents de Jeanne avaient perdu trois de leurs enfants durant les dernières années. Le dernier, Gustave, était décédé deux ans auparavant, victime d'un arrêt cardiaque à l'âge de vingt-sept ans. De plus, aucun de leurs trois fils survivants n'avait envisagé de prendre la relève du père. Bernard était allé travailler à la Celanese de Drummondville dès 1940. Claude et Luc, ses deux frères cadets, l'avaient imité quelques années plus tard. À présent, ces deux derniers étaient mariés et vivaient à Montréal.

Marie et Léon Sauvé avaient trouvé que leur maison s'était vidée rapidement, mais ils ne s'en étaient jamais plaints, même s'ils considéraient chaque départ comme un pas supplémentaire vers la vieillesse. Germaine avait épousé Jean Ouimet, un agent d'assurances de Québec, au début de l'été de 1939. Les années suivantes, trois des quatre autres filles Sauvé s'étaient mariées ; Laure et Jeanne avaient partagé une cérémonie commune un samedi matin du mois de novembre 1942. Laure avait épousé Florent Jutras, un cultivateur de Saint-Cyrille ; tandis que Jeanne avait cru aux belles promesses de son Maurice qui lui avait laissé entrevoir la belle vie qu'ils auraient à Montréal. Cécile avait attendu la fin de 1953 pour convoler en justes noces avec Gérald Veilleux, un dessinateur industriel. Le couple s'était installé à Varennes. Bref, il ne restait que Ruth à la maison, et la jeune fille de vingt ans parlait de plus en plus de suivre un cours de secrétariat.

Jeanne se rappela brusquement les paroles de son frère Bernard qui lui avait dit, au début de l'automne précédent, que leur père songeait à vendre la terre familiale parce qu'à soixante-cinq ans, il méritait de se reposer un peu. La pneumonie pour laquelle sa mère avait été hospitalisée en octobre allait sûrement le pousser à se décider rapidement.

Comme cela serait triste de ne plus aller visiter ses parents dans la maison centenaire de Saint-Joachim! Il y avait tant de bons souvenirs attachés à cette vieille maison en bois où trois générations de Sauvé avaient vécu… À cette seule pensée, des larmes montèrent aux yeux de Jeanne.

Ce soir-là, après le souper, les enfants les plus âgés ne purent s'empêcher d'aller vérifier, en catimini et à tour de rôle, si les bas beiges étaient encore vides et étendus sur le divan du salon.

— L'année prochaine, on ajoutera un bas pour Denis, dit Jeanne à son fils André lorsqu'elle surprit le garçon de cinq ans, debout sur le seuil du salon, en train de regarder le divan sur lequel étaient posés les bas de Noël.

André se contenta de hocher la tête. Quelques instants plus tard, il s'approcha de son frère Paul pour lui dire avec un air déçu :

— Les bas sont encore vides.

— Inquiète-toi pas, lui répondit son frère aîné d'un ton rassurant. Le père Noël va passer. Tu vas voir qu'il va laisser dedans une pomme, une orange, des bonbons et du chocolat. Il va peut-être même y avoir une grosse canne en bonbon.

À cette évocation, les yeux du bambin s'étaient allumés.

Mais avant d'en arriver là, il fallait passer par une étape désagréable : se mettre au lit à sept heures. Même les aînés devaient se plier bon gré mal gré à la règle. Selon leur père, ils le devaient s'ils voulaient être capables de se relever pour la messe de minuit et le réveillon.

— Couchez-vous avec les plus jeunes, ordonna Maurice à Lise et à Paul. Quand les autres dormiront, vous pourrez vous relever si vous le voulez.

Le frère et la sœur obéirent de mauvaise grâce, ne voyant pas en quoi le fait de se coucher en même temps que leurs cadets allait aider ces derniers à s'endormir.

Il faut croire que leur père le savait, lui. Comme chaque année, ils s'endormirent avec les plus jeunes et il fallut que leurs parents aillent les réveiller un peu après dix heures.

— Paul, lève-toi, chuchota sa mère en secouant son fils aîné. Si tu veux être à l'heure chez les sœurs pour servir la messe de minuit, t'es aussi bien de te grouiller.

Mis de mauvaise humeur par le fait de s'être endormi comme les autres, le garçon s'empressa d'aller faire sa toilette. Quelques minutes après son départ, Lise, Francine et Claude furent réveillés à leur tour. Les trois enfants allaient accompagner leur mère à l'église pendant que leur père garderait les trois plus jeunes.

À l'extérieur, un froid mordant les attendait et Jeanne houspilla les siens pour qu'ils hâtent le pas dans la rue Fullum malgré les trottoirs glacés. Elle n'avait nullement envie de passer toute la messe debout au fond de l'église.

Même s'ils arrivèrent assez tôt, Jeanne et ses enfants trouvèrent difficilement de la place dans les derniers bancs d'une allée latérale, à l'arrière de l'église Saint-Vincent-de-Paul. Comme toujours, plusieurs centaines de fidèles avaient envahi le temple à l'occasion de la messe de minuit et la chaleur dégagée par cette foule était presque suffocante. Durant la messe, les enfants, incommodés par cette chaleur, somnolèrent. Seuls la voix tonnante du gros curé Perreault et les beaux cantiques chantés par la chorale paroissiale les réveillaient parfois en sursaut. En fait, Jeanne et ses enfants ne virent pratiquement rien de la cérémonie parce qu'ils avaient dû prendre place derrière une colonne qui leur cachait le chœur.

Un peu après une heure, la messe prit fin sur le *Minuit, Chrétiens* entonné par le maître chantre et les paroissiens s'empressèrent de sortir de l'église, tout heureux à l'idée des réjouissances qui les attendaient.

Paul revint à la maison en même temps que les autres en portant une petite boîte que la vieille sacristine lui avait remise avant son départ de la maison-mère des Sœurs de la Providence où il avait servi la messe de minuit.

Lorsqu'ils pénétrèrent dans la maison, un étrange spectacle attendait les enfants. Un père Noël rougeaud à l'élocution embarrassée était vautré dans le fauteuil du salon. Sa perruque était de travers et son ventre confortable avait pris une gîte inquiétante. Dès qu'il vit Jeanne et les enfants qui venaient d'enlever leur manteau et leurs bottes, le vieil homme fit un effort méritoire pour se remettre sur ses pieds.

— Maudit calvaire! blasphéma-t-il, j'ai pris une débarque dans la cour avec les bébelles des petits Ménard... J'ai glissé sur une plaque de glace et je suis tombé cul par-dessus tête. Je... Je pensais m'être cassé une jambe. Tu parles d'une maudite place pour faire le père Noël. Ils auraient pas pu me faire passer par la porte d'en avant, non?

Lise et Francine gloussèrent en voyant dans quel état leur père était.

— Aïe! Les deux insignifiantes! se fâcha Maurice. Voulez-vous aller vous coucher sans réveillonner, vous autres?

Jeanne repoussa ses enfants vers la salle à manger en leur disant d'aller mettre la table.

— Mais t'as bu? s'insurgea-t-elle en pénétrant seule dans le salon.

— Juste un peu... un tout petit peu, pour me ré... réchauffer et pour fêter un... peu, affirma le père Noël, hésitant.

— Tu trouves pas que t'aurais pu attendre qu'on soit revenus avant d'aller faire le père Noël chez les Ménard?

T'aurais pu leur dire que tu gardais les petits… Qu'est-ce qui serait arrivé si le feu avait pris pendant que t'étais parti, hein ?

— J'ai pas été parti longtemps, sacrement ! Juste dix minutes ! Viens pas m'écœurer avec ça.

Jeanne prit une longue inspiration pour mieux juguler la colère qu'elle sentait monter en elle. Ce n'était vraiment pas le moment de commencer une dispute et de gâcher la fête tant attendue par les enfants.

— Bon, attends, tu vas boire une bonne tasse de café noir avant que je réveille les petits pour que tu leur donnes leurs cadeaux. Endors-toi pas surtout, ordonna-t-elle à son mari en tournant les talons.

Les enfants étaient revenus se poster près de la porte du salon et ils avaient assisté à la scène en réprimant à grand-peine une forte envie de rire. Ce n'était pas tous les jours qu'ils pouvaient voir leur père éméché.

— Lise et Francine, allez finir de mettre la table pour le réveillon, dit leur mère en leur faisant signe de déguerpir. Toi, Paul, prépare un café fort pour ton père et va le lui porter.

Quelques minutes plus tard, le père Noël sembla avoir retrouvé presque tous ses moyens. On réveilla alors André, Martine et Denis. Si le bébé d'un an cria à fendre l'âme quand le vieil homme, à peu près convenable, voulut l'asseoir sur ses genoux pour lui remettre son cadeau, les deux autres l'embrassèrent sans marquer aucune réticence. Ils s'empressèrent de déballer leurs étrennes, assis au pied de l'arbre de Noël illuminé, en poussant des exclamations qui prouvaient à quel point ils étaient ravis.

— Où il est votre traîneau ? demanda André, qui venait de se lever pour regarder par la fenêtre du salon.

— Au coin de la rue, répondit le bonhomme.

— Où il est p'pa ? demanda à son tour la petite Martine, inquiète de ne pas voir son père dans la pièce.

— Il est encore à la messe, répondit Jeanne. Il est à la veille de revenir.

Ensuite, le vieux bonhomme offrit à Jeanne et aux quatre enfants plus âgés les cadeaux qui leur étaient destinés. Il termina sa distribution en remettant à chaque enfant un bas rempli de bonnes choses à manger.

Devant l'air émerveillé des plus jeunes, Claude, huit ans, regrettait un peu d'avoir découvert l'habit du père Noël sous le lit de ses parents le lendemain de Noël, deux ans auparavant. Il aurait aimé croire encore au vieux bonhomme.

— Bon, je dois partir, dit le père Noël de sa grosse voix en se levant péniblement du fauteuil dont il n'avait pas bougé depuis quelques minutes. J'ai encore ben des places à faire pour donner des cadeaux aux enfants qui ont été sages. Suivez-moi pas, je connais le chemin, ajouta-t-il à l'adresse de Martine et d'André qui voulaient le suivre jusqu'à la porte.

Maurice saisit la grande poche rouge maintenant vide et il sortit du salon. Il quitta l'appartement par la porte qui ouvrait sur la rue Notre-Dame.

L'excitation des jeunes faisait plaisir à voir et se faisait entendre partout dans le salon. Les enfants remirent à leur mère le cadeau qu'ils lui avaient acheté et Paul déballa la boîte qu'il avait rapportée de chez les religieuses.

— Un foulard ! s'exclama-t-il avec dépit en montrant à sa mère un foulard de laine beige.

— C'est un beau cadeau, fit Jeanne.

— C'est pas pantoute ce que je voulais avoir. Je pensais que c'était une grosse boîte de Prismacolor. Maudit que je suis pas chanceux, se plaignit le garçon en laissant tomber son cadeau par terre avec dégoût.

— Vous pouvez regarder ce que vous avez dans votre bas, fit Jeanne, mais mangez rien tout de suite sinon vous aurez pas faim pour le réveillon.

Pendant que les enfants examinaient et comparaient le contenu de leur bas, Lise accompagna sa mère dans la cuisine pour vérifier si les tourtières et la dinde étaient prêtes à être servies.

Une dizaine de minutes passèrent et Maurice Dionne ne revenait pas.

— Qu'est-ce que ton père fait qu'il revient pas ? demanda Jeanne à sa fille, à voix basse.

— Je le sais pas, m'man.

Soudainement, des coups furent frappés à la porte arrière et Jeanne alla ouvrir.

— Veux-tu ben me dire, Christ, qui est le maudit sans-dessein qui a barré la porte ? tonna Maurice en entrant dans la maison vêtu uniquement d'une chemise à col ouvert. J'étais en train de geler ben raide dehors.

— Seigneur ! s'exclama Jeanne, en voyant dans quel état était son mari. Des plans pour attraper ton coup de mort ! Comment ça se fait que t'as pas pensé à laisser ton manteau et ton chapeau dans le char, comme tous les ans ?

— Hostie ! Parce que j'avais laissé la porte d'en arrière débarrée exprès. Je pensais rentrer tout de suite après avoir enlevé mon habit de père Noël. Mais il y a quelqu'un qui l'a barrée en rentrant. J'étais pris dehors comme un rat. J'étais tout de même pas pour revenir en avant et sonner.

— Bon, réchauffe-toi un peu. Les enfants sont encore tous dans le salon. Dans cinq minutes, on va manger.

En tout cas, le bref passage de Maurice à l'extérieur avait eu au moins le mérite de le dégriser complètement et il put participer au réveillon avec les siens dès qu'on lui eut remis ses étrennes.

Le repas fut joyeux et on fit honneur aux plats déposés sur la table.

Bien réveillée, la petite Martine tint absolument à raconter à son père comment était le vrai père Noël venu durant son absence et elle lui raconta en détail tout ce que le vieux bonhomme avait dit et fait avant de quitter la maison.

Vers trois heures, les enfants, excités, emportèrent dans leur chambre leurs étrennes et ils se couchèrent, heureux.

— Je veux pas en entendre un jouer ou jaser, les prévint Maurice. Il est l'heure de dormir. Surtout, levez-vous pas avant nous autres, demain matin.

Pendant que Jeanne déposait dans le réfrigérateur les restes du repas, son mari mit deux grosses bûches dans la fournaise pour s'assurer qu'elle fournirait suffisamment de chaleur pour le reste de la nuit.

En se couchant, Jeanne chuchota à l'oreille de son mari pour ne pas réveiller le bébé endormi dans son petit lit dans un coin de la chambre :

— C'est de valeur qu'on n'aille pas à Saint-Joachim demain pour le souper de Noël. Je pense que c'est la première fois depuis bien des années qu'on se rencontrera pas toute la famille le soir de Noël.

— Ça, on peut rien y faire, dit Maurice. Tu sais aussi ben que moi que ce serait pas raisonnable de tous se ramasser là. Ta mère est pas encore assez forte. Ça fait même pas un mois qu'elle est sortie de l'hôpital de Drummondville. Donne-lui une chance.

— Je sais ben, mais ça me fait mal au cœur pareil.

— Si on a une chance de faire garder les enfants, on essaiera d'aller les voir au jour de l'An. En attendant, on va passer Noël avec les enfants et à soir, Adrien et Suzanne vont venir veiller avec nous autres.

Sur ces mots, Maurice tira un peu la couverture vers lui et il se tourna vers le mur. Pour sa part, Jeanne mit quelques minutes avant de trouver le sommeil. Elle était tiraillée entre la satisfaction d'être parvenue à offrir aux siens un bon réveillon et quelques cadeaux, et la déception de ne pouvoir participer au souper familial des Sauvé à Saint-Joachim.

Chapitre 6

Noël

Le lendemain soir, le souper fut servi dès quatre heures et demie et on débarrassa la table en un tournemain. La maison fut rangée avec soin. Ensuite, chacun des enfants dut mettre ses plus beaux habits après avoir fait sa toilette.

— Je vous préviens, fit Maurice d'un air sévère. S'il y en a un qui s'énerve, il va aller se coucher tout de suite, qu'il y ait de la visite ou pas. Je veux pas de cris et il y aura pas de course dans la maison, vous m'entendez? Conduisez-vous comme du monde.

— Allez pas vous salir avant que la visite arrive, ajouta leur mère qui s'en allait déposer un plat de bonbons clairs et un autre d'arachides sur une table du salon.

— Et, pendant que j'y pense, compléta leur père, que j'en entende pas un venir demander de la liqueur pendant la soirée. Vous en aurez quand on décidera d'en servir à la visite, pas avant. C'est compris? Tout ce qu'on vous demande, c'est de vous occuper de vos cousins… Et je veux pas de chicane à part ça.

Personne ne dit un mot. Tout était prêt. Il ne manquait que les visiteurs. Il était à peine six heures et demie. Si l'oncle Adrien était fidèle à ses habitudes, il arriverait vers sept heures et il partirait un peu après onze heures.

Les parents de Maurice étaient décédés depuis plusieurs années et il ne lui restait plus qu'un frère et une sœur, Adrien et Suzanne, avec qui il entretenait des relations familiales plutôt lâches. Sans se l'avouer, Maurice avait développé une sorte de complexe d'infériorité à leur endroit parce qu'il avait moins bien réussi qu'eux. Il trouvait humiliant de demeurer dans un taudis, dans le « bas de la ville ». Il avait l'impression que son frère et sa sœur avaient pitié de lui. En fait, c'était probablement le cas.

Adrien avait quarante ans et il était déjà capitaine chez les pompiers de Montréal. Celui que Maurice appelait avec une certaine méchanceté le «cheuf» ou la «moumoute» – allusions perfides à son grade et à sa calvitie dissimulée par une perruque de mauvaise qualité – était un homme sanguin au jugement sûr. Il possédait une petite maison confortable dans le nord de la ville, une voiture décente, un compte en banque bien approvisionné, et surtout, une famille de taille normale formée de deux filles, Louise et Aline, et d'un garçon, André. Ses conseils, dont il n'était pas avare, avaient le don de faire enrager son frère cadet.

Par ailleurs, si sa sœur Suzanne avait le même âge que Jeanne, elle paraissait nettement plus jeune parce qu'elle jouissait d'une vie autrement plus facile aux côtés de son mari, Gaston Duhamel, un gros policier dont le sens de l'humour était plutôt déroutant. Comme son frère Maurice, cette petite femme énergique possédait un caractère explosif et imprévisible, ce qui expliquait en partie la nervosité de Daniel et Roger, ses deux fils âgés de onze et de huit ans.

—

La sonnette de la porte d'entrée retentit dans le silence relatif qui régnait dans la salle à manger. Maurice se leva pour aller ouvrir. Jeanne le suivit après avoir déposé Denis dans les bras de Lise.

Dans le couloir, il y eut un brouhaha de voix ponctué de bruits de pieds frappés l'un contre l'autre pour en faire tomber la neige.

— Entrez! Entrez! fit Maurice aux invités qui s'entassaient devant la porte. Inquiétez-vous pas pour les planchers. Les enfants, dit-il aux deux garçons de sa sœur Suzanne ainsi qu'aux deux filles et au fils de son frère Adrien, avancez dans le couloir pour que je puisse fermer la porte.

La porte d'entrée se referma sur Suzanne, Simone et tante Gina, la sœur de la mère de Maurice. On s'embrassa et on échangea des vœux de joyeux Noël.

— Où sont Adrien et Gaston? demanda Jeanne.

— Ils arrivent. Ils pouvaient pas laisser les chars devant la porte, répondit Suzanne.

Les bottes furent rangées dans le vestibule et les manteaux empilés sur le lit de la chambre à coucher des parents. Maurice invita tout le monde à passer au salon où l'arbre de Noël avait été allumé quelques minutes plus tôt.

Les femmes venaient à peine de s'asseoir qu'Adrien et Gaston sonnaient à la porte. Ils portaient chacun des paquets soigneusement enveloppés.

— J'espère qu'on peut laisser notre char au coin de Fullum? demanda Adrien à son jeune frère en lui serrant la main, après avoir retiré ses gants.

— Pas de problème. Il leur arrivera rien, fit Maurice en invitant les deux hommes à retirer leur manteau.

— Ça te dérange pas qu'on ait amené tante Gina? chuchota Gaston à son beau-frère. Elle s'est invitée à souper et c'était pas mal gênant de la sacrer dehors la dernière bouchée avalée...

— Pantoute. Il y a de la place pour tout le monde, répondit son hôte, tout de même un peu contrarié par la présence de cette tante.

Pendant que Maurice voyait à ce que tout le monde ait un siège, Jeanne poussa ses enfants à venir au salon saluer les visiteurs, et ensuite, à entraîner leurs cousins et leurs cousines avec eux dans la salle à manger.

Les enfants les plus jeunes découvrirent ainsi la vieille tante Gina, l'unique tante de leur père. Seuls les plus âgés se souvenaient vaguement d'elle. La grosse dame en noir âgée de soixante-treize ans ne sortait pratiquement jamais de son petit appartement de la rue Duluth. Paul remarqua que la tante de son père avait conservé son tic agaçant qui consistait à exhiber le bout de sa langue toutes les dix secondes. Les enfants embrassèrent rapidement la visiteuse sur une joue puis s'empressèrent de se mettre hors de sa portée. Jeanne lui tendit Denis. La vieille dame s'empara de l'enfant d'un an et se mit à le bercer avec une joie qui faisait plaisir à voir.

Avant que les enfants ne quittent le salon pour aller s'amuser dans la salle à manger et dans les chambres, tante Suzanne tendit un paquet à Francine, sa filleule; tandis que tante Simone, la femme de l'oncle Adrien, remettait à Paul deux boîtes bleues enrubannées.

— Ça, c'est pour nos filleuls, dirent les deux tantes en même temps.

Francine fit immédiatement l'envie de ses frères et sœurs en exhibant une magnifique boîte de crayons de couleur Prismacolor et deux gros cahiers à colorier.

Paul, rouge comme un coq, prit les deux boîtes et il remercia gauchement son oncle et sa tante.

— Ben, ouvre-les qu'on voie ce qu'il y a dedans, innocent, lui ordonna sèchement son père avec un mouvement d'impatience.

Le garçon ouvrit la première boîte pour découvrir qu'elle contenait une chemise blanche et une boucle beige à pois verts. Il était ravi.

— Et le deuxième paquet? demanda son cousin André.

Paul déposa la chemise et la boucle sur une chaise et il ouvrit le second paquet qui contenait un magnifique chandail de laine vert bouteille avec un liséré beige autour de l'encolure.

— Merci, ma tante. Merci, mon oncle, dit Paul.

— Je pense que j'ai oublié une boîte sur le lit de ton père, fit l'oncle Adrien qui voyait bien à quel point ses cadeaux avaient fait plaisir à son filleul. Va donc la chercher.

Paul alla chercher une autre boîte qu'il déballa devant tout le monde. Ce qu'il découvrit le combla. C'était son rêve. Il avait devant lui des bottes en cuir à la mode, c'est-à-dire des bottes lacées sur le côté desquelles un étui avait été aménagé pour y glisser des crayons.

Rien n'aurait pu faire un plus grand plaisir au garçon. Il remercia encore une fois son oncle et sa tante avant de se dépêcher d'aller ranger ses étrennes dans sa chambre. Paul appréciait sa chance à sa juste mesure. Sa sœur Francine et lui étaient les seuls à recevoir un cadeau de leur parrain et de leur marraine à leur anniversaire et à Noël. La sœur et le frère de son père n'oubliaient jamais de souligner ces événements. Chez les Sauvé, cette tradition n'avait pas cours. Les parrains et les marraines ne donnaient jamais de cadeaux.

Sur un signe discret de Maurice, les enfants entraînèrent leurs cousins et cousines hors du salon. Lise et Francine conduisirent leurs cousines dans leur chambre; tandis que Paul et ses frères s'installaient tant bien que mal avec leurs trois cousins dans la leur.

Les adultes demeurèrent au salon. Pendant que les femmes parlaient des soldes que Dupuis frères ne manquerait pas de faire après les fêtes, les hommes discutaient d'actualité.

— Suis-tu toujours ce que Jean Drapeau et Pax Plante font ? demanda Gaston Duhamel à son beau-frère.

— Certain ! répondit Maurice que la croisade entreprise par le nouveau maire et son chef de police pour assainir la ville de Montréal passionnait. Je te dis que les barbottes et les bordels se font fermer sur un temps riche.

— Pour ce que ça va donner, laissa tomber Adrien d'un air désabusé. Tenir une maison de jeux ou un bordel, c'est tellement payant que tu peux être certain qu'aussitôt qu'ils vont en fermer un, il y en a un autre qui va ouvrir deux maisons plus loin.

— Moi, je suis pas prêt à dire ça, affirma le policier. Il y en a moins qu'avant. Vous allez voir en plus qu'on va commencer à s'occuper sérieusement des clubs. Les propriétaires de clubs, comme le *Mocambo* tout près d'ici, vont se faire brasser. Ça s'en vient. La rue Saint-Laurent va changer d'allure, elle aussi. Ça, je vous le garantis.

— Surtout que le cardinal Léger a l'air de vouloir s'en mêler, intervint Jeanne qui avait tendu l'oreille à la conversation tenue entre les hommes.

— Je sais pas si le cardinal va avoir un gros mot à dire là-dedans, fit Duhamel, mais ça se pourrait. Il est ben capable de se mêler de ça. Notre nouveau maire et lui ont l'air de ben s'entendre. En tout cas, j'ai entendu dire que notre cardinal a tout un caractère.

— Comment ça ? demanda Jeanne, sensible à tout ce qui touchait à la religion.

— Un lieutenant qui travaille à mon poste a un frère curé, intervint Adrien, d'autorité. Il paraît que le cardinal est pas mal dur avec son monde. Il a de la poigne et ça grogne. Quand il a quelque chose à dire, il y va pas par quatre chemins. Il est capable d'être bête comme ses pieds. Moi, je pense que c'est en plein l'homme qu'il fallait pour remettre à sa place notre Maurice Duplessis qui voulait le faire manger dans sa main, comme il a toujours fait avec les évêques.

— Tant mieux, déclara Jeanne. C'est mon père qui serait content d'entendre ça. Lui, il a jamais pu sentir Duplessis.

— Moi non plus, je l'ai jamais aimé, dit Adrien, même s'il a demandé à Dozois de voir si on pourrait pas construire des maisons pour les familles pauvres à Montréal. Il paraît que Drapeau est pas trop pour ça parce que tout serait fait et décidé par Québec. Il y en a qui disent que ça fait pas deux mois que notre maire est élu qu'il fait déjà enrager Duplessis.

— Moi, Duplessis, je le trouve ben correct, dit Maurice, moins par conviction personnelle que pour s'affirmer devant son aîné. Toi, qu'est-ce que t'en penses, Gaston?

— Tu sais ben que la politique m'a jamais intéressé, Maurice. Pour moi, ils sont tous pareils. Que tu prennes Duplessis, Lapalme, Camillien Houde ou Drapeau, c'est toujours la même histoire. Ils te font des belles promesses pour se faire élire et après ça, ils se souviennent plus de rien.

— Ben moi, Duplessis, je l'ai jamais aimé, dit carrément Adrien. Pour lui, on dirait que les villes existent pas. Il est resté à l'époque où ce qui était important, c'était la campagne. Bâtard! Il faut se réveiller! L'Union nationale mène tout dans la province. Si tu veux un permis, un contrat ou une job, tu dois passer par ses hommes et tu vas payer. Moi, les histoires de témoins de Jéhovah et les affaires de communistes qui sont partout, j'y crois pas. Le vieux maudit, il se sert de ça pour nous faire avaler n'importe quoi. S'il a le front de se représenter aux prochaines élections, il va peut-être s'apercevoir que les Canadiens français sont pas tous des nonos, qu'il y en a de plus en plus qui voient clair dans son jeu. Il serait temps qu'il laisse la place à un plus jeune comme Johnson ou Bertrand, par exemple.

— Pourquoi pas Sauvé? demanda Gaston.

— C'est un politicien de sa génération. Il est pareil. Ça va être un autre Duplessis. Il nous faut un jeune pas encore pourri.

— Si ça existe, rétorqua Maurice, sceptique.

— En parlant de Duplessis, continua Adrien qui ne voulait pas lâcher aussi facilement sa bête noire, j'ai toujours eu ben de la misère à accepter sa façon de mettre son grand nez dans toutes les grèves. Il a toujours été du côté du patron et vous remarquerez que sa maudite Police provinciale fesse ben plus souvent sur les grévistes que sur les jaunes.

À voir la grimace apparue sur le visage de Gaston Duhamel en entendant la critique formulée contre les forces policières, Jeanne eut la sagesse d'intervenir avant que la discussion ne s'envenime.

— Qu'est-ce que vous diriez si on arrêtait de parler de politique pour aller jouer une partie de cartes dans la salle à manger?

— On te suit, dit Suzanne en faisant les gros yeux à son mari pour le calmer.

Les adultes envahirent la salle à manger et prirent place autour de la table. Ils se mirent à jouer au romain 500 en formant trois équipes. La tante Gina vint les rejoindre, mais elle refusa de jouer, préférant continuer à bercer Denis qui s'était endormi dans ses bras.

Des éclats de rire en provenance des chambres se mêlaient aux discussions animées qui avaient lieu autour de la table où on s'accusait à tour de rôle de jouer «fessier» et de s'amuser à «découdre» l'adversaire plutôt que de profiter d'un beau jeu.

De temps à autre, Jeanne demandait à Lise d'offrir des bonbons et des arachides aux enfants. Au milieu de la soirée, Maurice offrit de la bière aux hommes et des boissons gazeuses aux femmes et aux enfants. Les grosses bouteilles de soda, de cola et d'orangeade Denis furent sorties du réfrigérateur et on servit des verres à tous ceux qui en désiraient.

À ce moment-là, Jeanne alla coucher le bébé de la famille dans son lit pour enfin soulager la tante Gina, mais le répit de cette dernière fut de courte durée parce que Martine s'empressa de venir prendre la place de son petit frère sur les genoux de l'aïeule.

Un peu plus tard, entre deux parties de cartes, Suzanne parla des pieds de son fils Daniel dont la longueur inhabituelle l'avait récemment obligée à lui faire confectionner des souliers sur mesure fort coûteux.

— Je les ai payés trois fois le prix d'une paire de souliers ordinaires, dit-elle, orgueilleuse. Il les a pris avec une grosse semelle de gomme. Daniel, viens montrer tes souliers neufs, ordonna sa mère en voyant passer son fils près d'elle.

À onze ans, Daniel était grand pour son âge. Son long visage inexpressif et ses grandes oreilles décollées lui donnaient l'air d'être toujours un peu perdu. Au son de la voix de sa mère, il se figea près de la table comme un lièvre qui vient d'apercevoir le chasseur.

Comme il ne faisait pas mine de bouger, sa mère éleva la voix.

— Montre-les, tes souliers, innocent! Ils nous ont coûté ben assez cher!

Pour faire plaisir à sa sœur et à son beau-frère, Maurice se pencha pour regarder les souliers de son neveu.

— Sacrifice, Suzanne, ils vendent ça avec des drôles de semelles ! s'exclama son frère.

— Comment ça ? demanda Suzanne en se penchant à son tour. Montre-moi donc ton soulier, toi, commanda-t-elle à son fils. Enlève-le ! Grouille !

Daniel, le visage subitement pâle, se pencha et enleva à contrecœur l'une de ses chaussures à l'épaisse semelle de gomme. Il tendit à sa mère un soulier dont la semelle présentait des crans profonds et irréguliers.

Le visage de Suzanne devint rouge et elle demeura d'abord sans voix en regardant ce qu'elle tenait à la main.

— Ah ben, maudit ! C'est pas vrai ! s'exclama-t-elle, furieuse. Regarde, Gaston, ce que ton sans-génie a fait ! Regarde ! Il a découpé sa semelle ! Des souliers neufs ! On les a payés quarante piastres !

Daniel s'était recroquevillé sur lui-même, le visage blanc, la tête un peu enfoncée dans les épaules comme s'il s'attendait à recevoir une taloche. Il donnait l'impression que s'il avait pu s'enfoncer dans le plancher, il l'aurait fait volontiers.

— Pourquoi t'as fait ça, maudit innocent ? demanda sa mère, hors d'elle.

— C'était pour mieux *braker*, m'man.

Il y eut quelques ricanements difficilement réprimés autour de la table. Suzanne Duhamel, près d'exploser, lança le soulier dans le couloir.

— Faut-tu être un maudit niaiseux pour faire des affaires de même ! Ôte-toi de devant ma face ! Je sais pas ce que je vais te faire ! Gaston, tu pourrais au moins dire quelque chose, non ? ajouta-t-elle, toujours aussi furieuse, en se tournant vers son mari occupé à brasser les cartes d'un air placide.

— Laisse faire, Suzanne. On réglera ça à la maison plus tard, veux-tu? Daniel, retourne jouer avec tes cousins.

Daniel ne se fit pas répéter l'invitation. Il remit sa chaussure et il s'empressa d'aller rejoindre ses cousins demeurés près de la porte de la salle à manger.

—

Après cet éclat, les enfants se gardèrent bien de venir traîner autour de la table au cas où un adulte trouverait quelque chose à leur reprocher. Ils préférèrent se cantonner dans les chambres, dans la petite cuisine et dans le couloir.

Un peu avant onze heures, Jeanne proposa de cesser de jouer aux cartes et de servir une tasse de café et un morceau de tarte.

En quelques instants, on ajouta au bout de la table une petite table pliante, appelée la «table des innocents» chez les Dionne parce qu'elle était réservée aux plus jeunes de la famille.

Martine, endormie, fut mise au lit et tout le monde s'entassa tant bien que mal autour des deux tables sur lesquelles Jeanne et ses deux belles-sœurs avaient déposé des pointes de tarte aux raisins et au sucre.

Tante Gina avait été installée au bout de la grande table, à la place réservée habituellement à Maurice et elle faisait honneur au dessert qui lui avait été servi.

À ses côtés, Maurice écoutait Adrien et Gaston discuter des nouveaux impôts provinciaux créés par Maurice Duplessis. Les deux hommes étaient furieusement opposés à cette mesure instaurée par le premier ministre pour forcer le fédéral à retourner à la province les points d'imposition cédés temporairement par le Québec durant la guerre. Maurice n'y comprenait pas grand-chose et il s'en souciait fort peu.

— Tu vas voir ce qui va arriver, prédit Adrien, sentencieux. On va se ramasser avec plus d'impôts à payer. Duplessis gagnera pas contre Ottawa.

Malheureusement, il y eut, à ce moment-là, un bref moment de silence autour de la table. Tout le monde put alors entendre clairement André demander à sa mère :

— M'man, pourquoi la tante de p'pa grimace tout le temps ?

— Chut ! fit Jeanne dont le visage rougit violemment.

Mais il était trop tard. Le mal était fait. Tante Gina leva la tête et regarda le petit garçon de cinq ans, cherchant de toute évidence une explication à son tic. La septuagénaire n'eut pas le temps d'en donner.

— Toi, va te coucher tout de suite ! lui ordonna son père furieux.

— Mais, p'pa, j'ai pas fini de…

— Laisse ton assiette là et disparais, ajouta Maurice sur un ton menaçant.

André se dépêcha de quitter la table et prit le chemin de sa chambre. Dans la salle à manger, il y eut un long silence gêné. Aucun des enfants n'osa lever la tête de son assiette de peur de s'attirer les foudres des adultes.

— Faites-en pas un drame, finit par dire la tante Gina. C'est pas la fin du monde. Il a juste cinq ans.

Malgré cela, la gêne persista. Un peu après onze heures et demie, Adrien donna le signal du départ.

— Bon, c'est ben beau tout ça, dit-il en se levant de table, mais il va falloir avancer un peu. Je travaille demain matin. Je vais aller faire réchauffer le char pendant que vous vous habillez.

— Moi aussi, déclara Gaston Duhamel en se levant à son tour.

La chambre des parents fut envahie et chacun chercha ses affaires dans la pile de vêtements répandus sur le lit. On eut beau faire attention de ne pas réveiller le petit Denis endormi dans son lit poussé contre le mur, l'enfant se réveilla quand même.

Quand Adrien et Gaston revinrent dans la maison quelques minutes plus tard, on s'embrassa et on remercia Jeanne et Maurice d'avoir offert une soirée aussi agréable.

Finalement, les invités quittèrent la maison sur la promesse de se revoir très bientôt.

Aussitôt que la porte se fut refermée, Maurice éclata.

— J'ai jamais eu aussi honte de ma vie ! C'est ben simple, j'aurais voulu me voir ailleurs. Veux-tu ben me dire comment t'élèves tes enfants, Jeanne Sauvé ?

— Je les élève bien, tu sauras, rétorqua sa femme. C'est tout de même pas de ma faute si ta tante a un tic. Il faut pas en faire un drame non plus. André a juste cinq ans. Il a pas dit ça pour être méchant... Il était juste curieux, ajouta Jeanne en réprimant un demi-sourire.

Son mari la dévisagea un instant avant de se mettre à rire doucement à son tour.

— C'est vrai qu'il est fatigant en maudit, son tic. T'as toujours l'impression qu'elle grimace. Pauvre ma tante ! Elle va s'en souvenir de sa soirée chez nous, dit Maurice en tisonnant les braises qui achevaient de se consumer dans la fournaise avant d'ajouter une autre bûche.

— C'est drôle, mais je pense que ta sœur Suzanne va se rappeler de sa soirée de Noël plus longtemps que nous autres ou que ta tante Gina. J'ai l'impression que son Daniel a pas fini d'en entendre avec ses souliers neufs.

— Ouais ! J'ai ben cru qu'elle était pour péter une crise cardiaque quand elle a vu la semelle du soulier neuf de son grand tata. Le « cheuf » a eu de la misère à se retenir de pas lui faire un sermon pour la calmer... En tout cas, Gaston a besoin d'avoir des nerfs solides pour l'endurer.

Jeanne se garda bien de commenter cette dernière remarque de son mari, mais elle n'en pensa pas moins. Pendant cet échange, Lise, Francine et Paul avaient commencé à transporter la vaisselle sale dans la cuisine.

— Bon, les enfants, on laisse la vaisselle sale dans l'évier, fit Jeanne. On la lavera demain matin. Allez vous coucher; vous devez être fatigués.

Chapitre 7

Le jour de l'An

La nouvelle arriva chez les Dionne le jeudi après-midi, un peu avant le souper.

Alors que Jeanne était occupée à préparer un pâté chinois pour le repas, le téléphone sonna. Lise s'empressa d'aller répondre.

— M'man, c'est grand-maman au téléphone. Elle veut vous parler.

Immédiatement, Maurice exigea que les enfants qui s'amusaient dans la pièce gardent le silence. Il était rare que sa belle-mère fasse un appel interurbain.

Jeanne traversa la salle à manger et prit l'écouteur que lui tendait sa fille aînée. Après un échange de politesses, la voix de Jeanne se fit beaucoup moins assurée.

— Je sais pas, m'man. Il me semble que c'est pas le temps d'arriver à neuf pour se faire recevoir quand vous venez juste de sortir de l'hôpital.

— …

— OK, je vous passe Maurice.

Jeanne tendit l'écouteur à son mari qui lui fit des signes énergiques signifiant qu'il ne voulait pas parler à sa belle-mère. Comme Jeanne insistait, il se leva avec une grimace de mécontentement. Il mit la main sur l'écouteur avant de dire à sa femme :

— Sacrement, j'ai rien à dire à ta mère, moi ! Qu'est-ce qu'elle me veut ?

— Elle veut juste te dire deux mots, s'esquiva Jeanne.

— Oui, madame Sauvé, fit Maurice, la voix mielleuse. Votre santé est bonne ?

— …

— Si on trouve une gardienne, c'est sûr qu'on va y aller.

— …

— Ça a pas grand bon sens d'arriver en gang comme ça.

— …

— Ben, si c'est comme ça, on va y aller. Vous pouvez compter sur nous autres. Merci.

Maurice raccrocha l'écouteur à l'appareil mural et il regagna sa place.

— Puis ? demanda Jeanne.

— Ben, elle a l'air à tenir à ce qu'on aille tous souper au jour de l'An. Il paraît que ça la fatiguera pas pantoute. Ta sœur Laure est venue aider Ruth à tout préparer. Elle m'a dit que tout le monde était pour être là et que ton père tenait à ce qu'il manque personne.

— Est-ce que ça veut dire qu'on va tous y aller ?

— Ça a tout l'air qu'on n'a pas le choix. Ta mère m'a dit qu'elle nous ouvrira même pas la porte s'il manque un enfant.

— Bon, fit Jeanne en réprimant difficilement la joie qui la submergeait. On a une journée pour préparer le linge des enfants. Tout va être prêt à temps.

Maurice se rassit dans sa chaise berçante. Il était de mauvaise humeur. Il détestait se faire forcer la main. Et c'était ce que sa belle-mère venait de faire. S'il l'avait moins craint, il aurait refusé l'invitation ou, du moins, il se serait fait longuement prier. Mais il n'avait pas osé le faire parce que Marie Sauvé le connaissait trop bien.

Les relations de Maurice Dionne avec ses beaux-parents étaient, en règle générale, assez bonnes. Quand Jeanne l'avait présenté à ses parents à l'automne 1941, le jeune citadin de vingt et un ans à la fine moustache n'avait vu qu'un petit homme aux côtés d'une grande et grosse femme aux manières assez brusques. Ce couple de cultivateurs doté de dix grands enfants avait été assez accueillant à son endroit, mais n'avait montré aucun enthousiasme quand il avait parlé de mariage quelques mois plus tard. Léon et Marie Sauvé trouvaient que six mois de fréquentation étaient insuffisants. Ce n'était pas parce qu'il était toujours soigneusement habillé et qu'il venait de Montréal qu'ils étaient prêts à lui donner aussi facilement leur fille. Cependant, ils avaient fini par plier devant l'insistance même de Jeanne.

Un an plus tard, un après-midi de novembre, Marie Sauvé avait trouvé sa fille, en larmes, debout devant la porte de la maison familiale. Son Maurice l'avait frappée une fois de trop et elle était revenue, les bras encombrés de son bébé âgé d'à peine quelques mois. Durant la semaine suivante, il y eut de nombreux conciliabules entre Marie, son époux et ses deux fils aînés.

Quand Maurice Dionne, repentant, osa se présenter chez les Sauvé une dizaine de jours plus tard, il eut à affronter ses beaux-parents avant de repartir avec sa Jeanne.

— Bon, toi, le Maurice Dionne, je t'avertis, avait déclaré Marie Sauvé en s'approchant si brusquement de son gendre que ce dernier avait fait un pas en arrière. Si jamais tu lèves la main encore une fois sur ma fille, tu vas avoir affaire à moi. Tu m'entends?

— Écoute-moi bien, Maurice. Je t'ai pas donné ma fille pour la maganer, avait ajouté Léon Sauvé. Si t'es pour la maganer, laisse-la ici.

— Je le referai plus, certain, avait promis Maurice avant d'entraîner sa femme et sa fille avec lui.

En effet, depuis ce jour-là, ses excès de violence s'étaient limités à de la violence verbale. Il craignait bien trop sa belle-mère.

Le soleil se leva sur le premier matin de l'année 1955 dans un ciel sans nuage. À Montréal, les chasse-neige avaient repoussé la dizaine de centimètres de neige tombée la veille. Le thermomètre indiquait -20 °F.

Après la messe, la bénédiction paternelle et le dîner, toute la famille s'entassa tant bien que mal dans la vieille Dodge bleu marine 1939 dont la mécanique menaçait de rendre l'âme. L'auto, payée moins de cent dollars l'été précédent, était promise à la casse depuis déjà longtemps. Ses sièges affaissés obligeaient les passagers à étirer le cou s'ils désiraient voir à l'extérieur.

Tout cela n'avait aucune importance aux yeux des enfants. Ce voyage à Saint-Joachim était une véritable aventure pour eux et ils étaient tous passablement excités tant à cause de la rencontre prochaine avec tous leurs cousins et cousines chez leurs grands-parents que par la perspective d'un long voyage en auto dans laquelle ils ne montaient pratiquement jamais.

— Prenez vos précautions avant de partir, les avertit leur père. On s'arrêtera pas nulle part pour aller aux toilettes.

Après avoir coincé dans le coffre arrière, entre différents paquets, le gros gâteau au chocolat confectionné la veille par Jeanne, Maurice vit à la répartition des places entre ses passagers.

À l'arrière, Lise et Francine s'étaient assises près des portières pendant que Claude, André et Martine, serrés entre les deux, se plaignaient déjà de manquer d'espace. Le père accepta que Paul, juché sur deux coussins pour bien voir la route, s'installe entre lui et Jeanne qui portait Denis sur ses genoux.

— Détachez pas tout de suite votre manteau, dit Jeanne à ses enfants alors que la voiture démarrait. Attendez que ça se réchauffe un peu dans le char. On va faire une petite prière pour que le voyage se passe bien.

La Dodge roula lentement sur Fullum jusqu'à l'intersection de la rue Sainte-Catherine où elle tourna vers l'ouest.

— Je te dis que ça roule pas mal mieux depuis qu'ils nous ont enlevé des jambes les maudits petits chars, fit Maurice en accélérant. Avant, tu devais toujours faire attention de pas écraser le monde qui se garrochait dans le milieu de la rue quand il les voyait arriver. À cette heure, avec les nouveaux autobus, le monde reste sur le trottoir. C'est ben plus normal comme ça.

La plupart des gens ne s'étaient pas totalement habitués à la récente disparition des tramways jaunes des rues de la métropole. Si certains nostalgiques regrettaient déjà les sièges en rotin et le tintamarre de ce vieux mode de transport en commun, d'autres appréciaient la douceur de roulement et le chauffage adéquat des nouveaux autobus.

— Ta sœur m'a dit qu'elle a essayé les *trolleybus* sur Amherst. Il paraît qu'ils sont encore mieux que les autobus.

— Oui, je le sais, fit Maurice. Elle m'a dit la même chose. Ce que Suzanne t'a pas dit, par exemple, c'est que ces autobus électriques là ont une perche sur le toit, comme les petits chars, et elle passe son temps à se décrocher, surtout quand le chauffeur s'approche du trottoir trop brusquement. À ce moment-là, il paraît que tout s'éteint là-dedans et que le chauffeur doit descendre pour replacer sa perche sur le câble électrique.

Avant de tourner vers le nord sur De Lorimier, Maurice Dionne montra du doigt un emplacement à sa femme.

— C'est là que les Steinberg sont supposés ouvrir leur grocerie moderne. Il paraît que les petites groceries comme Tougas et les autres vont toutes crever de faim quand ce gros marché-là va ouvrir ses portes. Dans le journal, ils disent que ça va être grand sans bon sens là-dedans et qu'on pourra pas trouver des meilleurs prix nulle part ailleurs.

— On verra bien, rétorqua Jeanne, sceptique. Moi, ces affaires-là, je les croirai quand je les verrai.

Maurice engagea sa voiture dans l'une des voies qui conduisaient aux guérites vertes installées à l'entrée du pont. Il baissa la vitre de sa portière et tendit un dix cents au percepteur afin de traverser le pont Jacques-Cartier. Le vent soufflait violemment, mais la chaussée était bien dégagée.

À la sortie de Longueuil, Maurice emprunta la route 3 qui longeait le fleuve. Le paysage était uniformément blanc. En ce jour de l'An, les voitures étaient nombreuses sur la route. Malgré tout, Varennes, Verchères, Contrecœur et Sorel furent traversées sans problème.

Quand les enfants commencèrent à s'agiter à l'arrière de la Dodge, Jeanne les invita à chanter avec elle des chansons tirées du cahier *La Bonne Chanson* de l'abbé Gadbois.

Peu à peu, après Yamaska, les véhicules se firent plus rares. Quelques kilomètres après Pierreville, la vieille voiture eut un hoquet inattendu.

— Taisez-vous! ordonna le conducteur inquiet en tendant l'oreille.

Un silence religieux se fit immédiatement dans l'auto. Le moteur de la Dodge eut un second soubresaut, puis il se tut. Sur sa lancée, la vieille guimbarde continua à rouler sur une cinquantaine de mètres avant de s'arrêter lentement, comme à bout de souffle. Le conducteur eut tout juste le temps de se ranger le long d'un banc de neige imposant.

Autour, il n'y avait que des champs couverts de neige.

— Sacrement! jura Maurice. Il faut qu'il me lâche en plein jour de l'An. Où est-ce qu'on va trouver un garage ouvert aujourd'hui? Tu parles d'une maudite malchance!

— Qu'est-ce qu'il y a? demanda Jeanne, très inquiète de se voir prise avec ses enfants par un tel froid en rase campagne.

— Comment que tu veux que je le sache? hurla son mari, exaspéré. Je suis pas mécanicien, ciboire! Touchez pas à rien. Je vais aller voir, ajouta-t-il en quittant l'habitacle.

Jeanne le vit relever le capot de la Dodge après quelques tâtonnements.

— Dites pas un mot pour pas énerver votre père, dit Jeanne en se tournant vers ses enfants.

Paul, juché sur ses deux coussins, entendit son père frapper sur une pièce. Même s'il n'avait que onze ans, le garçon se doutait bien que le geste était parfaitement inutile. Il savait depuis longtemps que son père ne connaissait strictement rien à la mécanique.

Maurice rentra dans l'habitacle qui, déjà, était moins chaud.

— Ça n'a pas d'allure. On gèle tout rond, dit-il à sa femme en frottant ses mains l'une contre l'autre pour les réchauffer. Je sais pas ce qu'il a, ce maudit moteur-là. Tout a l'air ben correct.

Il tenta à plusieurs reprises de faire démarrer l'auto. Le moteur refusa obstinément de tourner.

— Ouais! Là, on a l'air fin! Je peux pas continuer, la batterie s'en va, laissa-t-il finalement tomber en arrêtant de solliciter le moteur. Naturellement, Christ! Il y a pas un maudit chat qui passe.

Comme si le ciel l'avait entendu, une Pontiac brune ralentit à la hauteur de la Dodge avant de s'arrêter doucement devant elle. Un gros homme d'une soixantaine d'années, engoncé dans un manteau de chat sauvage, en sortit en compagnie d'un jeune homme. Maurice quitta son véhicule pour aller au-devant des deux inconnus.

— Un problème? demanda le gros homme.

—Je sais pas ce qu'elle a, dit Maurice Dionne en lui montrant la Dodge, mais elle vient de s'arrêter et elle veut plus repartir. Le problème, c'est que ma femme et mes sept enfants risquent d'attraper leur coup de mort avant que je trouve un garagiste capable de m'aider à la faire repartir.

—On est pas pour vous laisser geler comme des cotons sur le bord de la route, fit l'automobiliste obligeant. On reste à quatre milles d'ici. Mon gars est pas mal bon en mécanique. Il va rester avec toi pour voir ce qu'il peut faire. Pendant ce temps-là, je vais amener ta femme et tes enfants à la maison avec moi. Je vais les laisser avec ma femme et je vais revenir avec un câble pour tirer ton char si mon gars a pas été capable de le faire partir.

En un rien de temps, tous les Dionne s'entassèrent dans la Pontiac du bon Samaritain qui fit bien rire les enfants en faisant croire à la petite Martine qu'elle ne devait pas toucher à son manteau de chat parce qu'il se mettrait à miauler.

Quelques minutes plus tard, Lionel Joyal arrêta son véhicule dans la cour d'une grosse ferme et il entraîna Jeanne et ses enfants jusqu'à une grande maison en bois à un étage. Il fit entrer ses invités et il les laissa aux soins de sa femme, Irène, avant de retourner prêter main-forte à son fils et à Maurice.

Jeanne était gênée d'envahir la maison d'une étrangère, mais son hôtesse, une petite dame vive au chignon gris, semblait tout heureuse d'avoir des visiteurs. Elle les invita à enlever leur manteau et à passer dans la cuisine d'où s'échappaient toutes sortes d'odeurs appétissantes.

— J'ai juste un gars et il est même pas marié, dit Irène Joyal en s'emparant du petit Denis qui rechignait. C'est pas demain la veille que je vais avoir un bébé comme celui-là à bercer.

— Vous êtes trop fine, dit Jeanne, déjà plus à l'aise.

— Il fait froid sans bon sens dehors. Qu'est-ce que vous diriez d'une soupe chaude, les enfants ? demanda la vieille dame. On est au milieu de l'après-midi, ça peut pas gâter le souper des enfants, ajouta-t-elle à l'intention de Jeanne.

— Écoutez, on voudrait pas…

— Ben non, laisse donc faire. Une soupe, ça va tous nous réchauffer. Je vais même en manger un bol avec vous autres.

En un rien de temps, tout le monde trouva place autour de la table pendant que l'hôtesse, assistée par Jeanne et sa fille Lise, servait à chacun un grand bol de soupe aux légumes.

Une vingtaine de minutes plus tard, la Pontiac pénétra dans la cour de la ferme en tirant la Dodge jusqu'à la porte du garage. Les trois hommes poussèrent ensemble la vieille guimbarde à l'intérieur.

— Gustave, pars le tracteur et branche sa batterie sur la batterie de la Dodge.

— Oui, p'pa. Je m'en occupe. En plus, je vais jeter un coup d'œil sur le carburateur.

— Bon, c'est parfait comme ça. Viens, dit le gros homme à Maurice. On va entrer se réchauffer un peu. On reviendra tout à l'heure.

Les deux hommes pénétrèrent dans la maison. Ils trouvèrent les enfants en train de s'amuser avec un gros chat gris pendant que les femmes discutaient en buvant une tasse de thé.

— À ce que je vois, constata Lionel Joyal, on fait pas trop de misère ici-dedans.

— On va survivre, inquiète-toi pas, fit sa femme après avoir salué Maurice Dionne. On vient de manger un bon bol de soupe chaude. Qu'est-ce que vous diriez si je vous en servais un aussi ?

— Merci, madame, mais… fit Maurice.

— Laisse faire les cérémonies, ajouta Irène Joyal. Si tes enfants en ont mangé sans mourir empoisonnés, tu peux l'essayer toi aussi. Assoyez-vous, on vous apporte ça.

Maurice Dionne eut à peine le temps d'avaler sa soupe que le fils de leur hôte entra dans la maison.

— Ça roule, dit-il avec un large sourire.

— C'est déjà réparé ? demanda Maurice. Qu'est-ce qu'elle avait ?

— Les pôles de la batterie étaient couverts de vert-de-gris. La batterie rechargeait mal. Là, le moteur tourne comme un moine. Je l'ai arrêté deux fois et il est reparti sans problème.

— Bon, ben je pense qu'on vous a assez dérangés, dit Maurice à l'endroit des Joyal. Habillez-vous, les enfants, on part. Votre grand-mère va finir par se demander où on est passés.

En un rien de temps, tous les enfants mirent leur manteau et leurs bottes.

— Combien je vous dois ? demanda Maurice en sortant son porte-monnaie plutôt mince de la poche de son pantalon.

— Pas une cenne, décréta Lionel. C'est le jour de l'An, on peut bien se rendre service pour commencer d'aplomb la nouvelle année.

— Écoutez, c'est pas mal gênant, intervint Jeanne. Vous nous avez nourris en plus...

— Ça nous a fait plaisir d'avoir un peu de visite, la coupa Irène.

— Pendant que j'y pense, fit son mari qui semblait avoir déjà un faible pour Martine, si jamais vous avez un enfant de trop, je garderais bien la petite, là, avec les grosses joues rouges. Je pense que je la mangerais pour souper.

Martine se réfugia précipitamment derrière son père, ne risquant qu'un œil pour s'assurer que le gros monsieur ne cherchait pas à s'emparer d'elle. Lorsqu'elle l'entendit s'esclaffer avec ses parents, elle consentit à adresser à l'inconnu un charmant sourire.

Lorsque la Dodge reprit la route de Saint-Joachim, Maurice eut un soupir de satisfaction.

— Une chance qu'il a pas voulu que je le paye. Il me reste juste un cinq piastres dans mon portefeuille.

— Il y a encore du bien bon monde, conclut Jeanne.

━

Les Dionne arrivèrent chez les parents de Jeanne un peu après quatre heures. La cour était déjà encombrée par cinq voitures et un camion.

— Ça a tout l'air qu'on va être les derniers arrivés, constata Maurice avec dépit en se rangeant à côté du camion vert de son beau-frère, Florent Jutras. Je vois la Packard de Ouimet et la Buick neuve de ton frère Bernard.

Paul, toujours hissé sur ses coussins entre son père et sa mère, avait fait la même constatation. «La gang de

pauvres du bas de la ville arrive dans leur vieille bagnole»,
se dit-il, humilié.

— C'est pas grave, dit Jeanne à l'adresse de son mari
en redressant le bébé dont le poids lui fatiguait les bras.
On a encore largement le temps de fêter avant le souper.

Au moment où les enfants s'apprêtaient à descendre de
voiture, Maurice se tourna vers eux et les avertit sévèrement:

— Pas d'énervement! Tenez-vous comme du monde
et faites-nous pas honte.

Marie et Léon Sauvé avaient déjà ouvert la porte de la
maison pour accueillir les nouveaux arrivés.

— Entrez, fit Léon à ses petits-enfants en leur faisant
signe de se dépêcher. On vous mangera pas, ayez pas
peur.

Les enfants se précipitèrent vers leurs grands-parents
qu'ils n'avaient pas vus depuis la fin de l'été précédent.

Dans l'entrée de la maison surchauffée, il y eut des
embrassades et des souhaits de bonne année. On aida les
Dionne à enlever leurs manteaux qui allèrent rejoindre
ceux des autres visiteurs sur le lit de la chambre des
grands-parents.

— Bon, les enfants, vous pouvez aller rejoindre vos
cousins dans la cuisine d'été, annonça Marie Sauvé
quelques minutes plus tard à ses petits-enfants. On l'a
chauffée pour permettre aux jeunes de jouer un peu,
précisa-t-elle à l'intention de Jeanne. Ruth s'amuse comme
une folle avec eux autres.

— On t'a attendue pour demander la bénédiction
paternelle, dit Bernard Sauvé à sa sœur Jeanne au moment
où il l'embrassait.

— Vous êtes pas mal fins de m'avoir attendue.

Bernard rassembla ses frères et sœurs dans le salon et
demanda à son père de les bénir. Sous le regard attendri

de ses gendres et de ses brus, Léon Sauvé imposa ses mains sur la tête de ses enfants en récitant une courte prière. Il embrassa ensuite ses filles et serra la main de ses fils.

Pendant ce temps, les enfants s'étaient empressés d'aller rejoindre dans la cuisine d'été la vingtaine de cousins et de cousines dont les âges variaient entre douze et deux ans. Cette petite troupe faisait un beau chahut dans la pièce. Seuls les bébés de Germaine, de Jeanne et de Micheline, l'épouse de Bernard, étaient demeurés avec leur mère. Tous les autres s'étaient joints aux jeux organisés par la tante Ruth. Il n'y avait que les Ouimet et les Dionne à avoir respectivement huit et sept enfants. Les autres familles n'en comptaient encore que deux ou trois... Seule Laure Jutras, à trente-quatre ans, n'était pas encore parvenue à mener une seule grossesse à terme, au grand désespoir de son Florent.

À l'heure du train, les trois fils de Léon Sauvé allèrent s'occuper des bêtes pendant que les femmes dressaient la table et préparaient le repas en obéissant aux directives de Marie. Chacune semblait avoir apporté un plat pour contribuer au repas familial.

On dressa une seconde grande table dans la cuisine d'été et on servit d'abord le souper des enfants. On fit honneur à la dinde, au ragoût, aux tourtières et au jambon. Quand vint le moment de manger le gâteau aux fruits, la tarte aux œufs et les autres sucreries servis au dessert, plus d'un invité se demanda s'il allait parvenir à avaler encore une bouchée.

Après le repas, on s'empressa de laver la vaisselle et de tout ranger pour enfin profiter de la soirée. Grand-mère Sauvé alla chercher dans sa chambre un grand sac rempli de sucres d'orge enveloppés dans du cellophane transparent. Elle les aligna cérémonieusement sur la table de la salle à manger avant d'aller s'asseoir aux côtés de son mari. Les enfants s'étaient approchés pour admirer les ours, les canards, les chevaux et les poules dont le rouge translucide captait la lumière dispensée par les ampoules du plafonnier.

La tante Laure, une grande et grosse femme blonde, se pencha vers ses parents à qui elle chuchota quelques mots avant de s'avancer au milieu de la pièce. Il était évident qu'on avait confié à l'ancienne enseignante le rôle de maîtresse de cérémonie.

— Les enfants, vous allez vous asseoir, dit-elle aux jeunes debout autour de la table. Les sucres d'orge sont pour vous. Vous allez avoir le droit de choisir celui que vous voulez, mais à une condition... à la condition que vous veniez nous chanter une petite chanson. On va tirer les noms au hasard. Nicole, m'apporterais-tu le chapeau plein de billets qui est sur le comptoir? demanda-t-elle à la fille de Bernard Sauvé.

Paul Dionne alla chercher une chaise dans la cuisine d'été et il s'installa le plus loin possible de l'endroit qui était devenu une scène. Il se mit à prier pour qu'on oublie sa présence. Il détestait chanter ou parler en public. Il était timide et orgueilleux. Il avait toujours l'impression qu'on allait se moquer de lui. L'idée de la tante Laure venait de lui gâcher sa journée. Même si le sucre d'orge était appétissant, il aurait été prêt à renoncer à cent sucres d'orge pour ne pas avoir à aller se produire devant tout le monde. Il en était encore à se demander comment ses cousins et cousines pouvaient aller chanter ou réciter avec autant de plaisir alors que cette seule pensée le mettait, lui, à la torture.

Malheureusement, son nom ne fut tiré que parmi les derniers et le garçon dut cuire dans son jus près d'une heure avant d'être obligé d'aller chanter *Là-haut, sur la montagne* devant un auditoire plus ou moins attentif.

Après ce spectacle improvisé, l'oncle Florent sortit son accordéon, la tante Ruth s'installa au piano, et les adultes chantèrent en buvant de la bière et du vin de cerise.

Vers onze heures, Maurice Dionne se leva et donna le signal du départ aux siens.

— Pourquoi vous restez pas à coucher? lui offrit son beau-père. On a de la place.

— C'est pas bien prudent de partir tard de même, poursuivit sa femme. Si ton char fait défaut sur la route, tu vas avoir de la misère à te faire aider.

— Vous inquiétez pas avec ça, madame Sauvé, fit Maurice en boutonnant son manteau. Mon char va ben aller. Le problème est réglé : c'était juste du vert-de-gris sur la batterie. Vous êtes ben fins de nous offrir à coucher, mais je travaille demain matin. Je vais aller réchauffer le char pendant que Jeanne fait habiller les enfants.

Maurice rentra dans la maison quelques instants plus tard.

— Je vous dis que c'est pas chaud à soir. On doit pas être loin du -25 °F, dit-il en se frottant les mains.

Il y eut des remerciements, des salutations et des promesses de se visiter avant que tous les Dionne ne reprennent place dans la Dodge dont le moteur tournait déjà depuis quelques minutes. Chacun reprit la place qu'il occupait à l'aller, sauf Paul qui céda la sienne à Lise, comme il avait été entendu au départ.

Le retour à la maison se fit dans un silence presque complet. Les enfants, peu habitués à veiller aussi tard, dormaient pour la plupart avant même que l'auto ait atteint Pierreville. Seul Paul combattait le sommeil parce qu'il voulait entendre les impressions de ses parents sur la fête à laquelle ils venaient d'assister. Pour y arriver, il devait tendre l'oreille parce que son père et sa mère parlaient à voix basse pour ne pas les réveiller.

— Ça a ben l'air que c'est décidé, fit Maurice à sa femme. Ton père a trouvé son acheteur. Il paraît même que ton frère Claude était pas content pantoute.

— Pourquoi ?

— Il était prêt à lâcher sa job à Drummondville et à venir s'installer sur la terre de ton père, mais il paraît qu'il a pas assez d'argent. Il a demandé à ton père de le financer, mais ton père est pas capable. Il a besoin de tout son argent pour vivre.

— C'est drôle. M'man m'a dit qu'ils avaient trouvé un acheteur, mais elle m'a rien dit pour Claude. Si c'est vrai, c'est bien de valeur pour lui, mais il avait juste à rester sur la terre quand p'pa le lui a demandé. Dans ce temps-là, ça l'intéressait pas.

— C'est ce que ton frère Bernard m'a dit.

— En tout cas, ajouta Jeanne, ça fait bien mal au cœur à m'man de déménager à Drummondville. Elle aurait aimé ça s'installer dans une petite maison au village, mais elle veut pas que Ruth aille rester toute seule en appartement quand elle va suivre son cours de secrétaire à Drummondville ce printemps.

— Oui, je sais ça. Ton frère Bernard a déjà trouvé une petite maison à louer pas cher à Drummondville pour ton père et ta mère.

— C'est triste de penser qu'on est peut-être allés dans notre vieille maison de Saint-Joachim pour la dernière fois, déclara la jeune femme, la gorge un peu serrée. On a toujours vécu là. Mon arrière-grand-père Sauvé, mon grand-père et mon père ont élevé leur famille sur cette terre-là. Dans le cimetière, derrière l'église, il y a trois lots de Sauvé…

— Écoute, c'est pas la fin du monde, dit Maurice pour consoler sa femme. Ton père et ta mère vont s'habituer à vivre ailleurs. Si un de tes frères avait voulu rester sur la terre quand c'était le temps, ton père la lui aurait laissée, mais là, il est trop tard. Sans compter qu'à Drummondville, ils vont se rapprocher des services. Leur vie va être ben plus facile.

Paul finit par s'endormir comme ses frères et sœurs, bercé par le bruit des pneus de l'auto sur l'asphalte. Il fut réveillé en sursaut par un éclat de voix de son père au moment où la vieille Dodge s'engageait sur le pont Jacques-Cartier.

— Christ, fais quelque chose! C'est pas endurable cette senteur-là dans le char!

Une odeur pestilentielle avait envahi l'habitacle surchauffé de l'automobile.

— Qu'est-ce que tu veux que j'y fasse? fit Jeanne. Denis a sali sa couche. Je peux pas le déshabiller et le changer dans le noir. L'odeur va être pire. On va juste baisser un peu une vitre. On est presque rendus.

— Ouach! fit Francine qui venait d'ouvrir les yeux. J'ai mal au cœur.

— Nous autres aussi, dirent André et Claude.

— C'est pas si pire que ça, les tança leur mère. On vient de baisser une vitre; la senteur va partir. On est presque arrivés. Dans cinq minutes, on va être à la maison.

Quand les Dionne pénétrèrent dans leur appartement au début de la nuit, il y régnait un froid qui transperçait les os. Dans le poêle et la fournaise, les dernières braises s'étaient éteintes d'elles-mêmes à la fin de l'avant-midi. Une chape d'humidité glaciale tomba sur toutes les épaules.

— Gardez votre manteau, leur dit Maurice. On va allumer le poêle et la fournaise et, dans dix minutes, la maison va être assez chaude pour pouvoir aller se coucher.

Pendant que Jeanne allait changer les langes du bébé, les autres enfants s'entassèrent, à moitié endormis, dans le couloir, près de la fournaise que leur père venait d'allumer. Le grondement des flammes alimentées par le papier journal et le petit bois avait quelque chose de rassurant. Ils regardaient danser les flammes par la grille.

Quelques minutes plus tard, chacun put aller se réfugier sous ses couvertures dans une chambre demeurée glaciale malgré tout. Celle des garçons ressemblait à un véritable congélateur parce qu'elle était la pièce la plus éloignée de la fournaise. La fenêtre était couverte d'une épaisse couche de glace. D'un commun accord, Paul, Claude et André conservèrent leur manteau et se glissèrent tout habillés dans leur lit.

Malgré l'inconfort, la fatigue engendrée par le voyage et la fête eut raison de tous les Dionne qui s'endormirent dès que leur tête toucha leur oreiller.

Chapitre 8

Un mois de janvier difficile

— Dionne ! Réveille-toi !

Le nom avait claqué comme un coup de fouet dans la classe silencieuse et il avait immédiatement été suivi par une levée générale et simultanée des couvercles des pupitres.

Le bout de craie lancé par Marcel Beaudry passa en sifflant près de la tête de Paul qui sursauta.

— Qu'est-ce qu'il y a, monsieur *Plaster* ? Mon cours est pas intéressant ?

Le garçon, tiré brutalement de sa rêverie, pâlit sous l'insulte, mais il ne répondit rien.

Un bref éclat de rire des élèves de la 6e année A salua la saillie du petit enseignant nerveux. Ils avaient appris à apprécier la précision de ses lancers de craies et de brosses à tableau autant que son humour mordant.

Paul se redressa pour montrer à son enseignant qu'il lui accordait toute son attention. L'autre eut l'air satisfait et les couvercles des pupitres reprirent sans bruit leur position horizontale jusqu'au prochain geste brusque du professeur, debout sur l'estrade, derrière son bureau, en train de procéder à l'analyse de chaque mot d'une longue phrase. Pourtant, malgré toute sa bonne volonté, le fils de Jeanne ne parvint pas à se concentrer. Trop d'événements s'étaient enchaînés durant les trois premières semaines de janvier.

—

La période des fêtes avait pris fin officiellement chez les Dionne au lendemain de la fête des Rois. Jeanne, aidée par ses enfants, avait rangé les décorations de l'arbre de Noël et Paul avait dû tirer l'arbre desséché dans la cour arrière avant de le déposer, deux jours plus tard, sur le trottoir de la rue Fullum, avec les autres déchets.

Les vacances terminées, il était retourné à l'école avec son frère Claude.

Paul aimait fréquenter l'école Champlain située au coin des rues Logan et Fullum, près d'un terrain de stationnement de camions-remorques et de la prison des femmes. Le vieil édifice en pierre de deux étages avait été construit au milieu du siècle précédent. Il abritait de vastes classes bien aérées, pourvues de grandes fenêtres à guillotine. Chaque local était flanqué d'un étroit vestiaire où les élèves rangeaient leurs vêtements et leurs bottes. Comme il était défendu d'emprunter le large escalier à l'avant de l'édifice, les écoliers devaient former les rangs deux par deux dans la cour arrière clôturée. Au coup de sifflet du directeur adjoint, chaque groupe, suivi par son enseignant, devait pénétrer en silence dans une salle très sombre du sous-sol, traverser cette dernière avant d'accéder aux étages supérieurs en empruntant de vieux escaliers en bois vermoulu.

Paul avait accepté sans mal la discipline très stricte de son école réputée difficile à cause du milieu qu'elle desservait. Il avait oublié depuis longtemps les difficultés qu'il avait éprouvées à apprendre à écrire avec la main droite six ans auparavant. Sa passion pour la lecture avait rapidement fait de lui un très bon écolier. Comme il était travailleur et obéissant, ses professeurs l'appréciaient, sans toutefois l'aimer particulièrement. C'était un bon élève et il était rare que l'instituteur s'en prenne à lui comme Marcel Beaudry venait de le faire. Depuis le retour des vacances, ce dernier semblait éprouver une joie mauvaise à prendre en défaut celui qui avait été son premier de classe en décembre.

On aurait dit que son instituteur avait décidé, pour il ne savait quelle obscure raison, d'en faire sa tête de Turc depuis qu'il arborait des diachylons dans le cou, sur les mains et sur les bras. C'était le premier événement qui avait frappé Paul. Cela bouleversait d'autant plus le garçon qu'il ne comprenait pas la cause de cette antipathie aussi apparente que soudaine.

Au lendemain de son retour de Saint-Joachim, le garçon s'était levé avec une sorte de furoncle dans le cou. Le gonflement rouge et douloureux finit par atteindre une taille si impressionnante à l'heure du souper que Jeanne se sentit obligée d'aller consulter à la pharmacie Charland. Le vieux pharmacien conseilla des compresses chaudes, propres à favoriser l'éclatement de ce qu'il appelait un «clou». Tout ce que Paul savait, c'est que cela faisait mal. Pourtant, il n'était pas au bout de ses peines.

À compter de ce jour, son cou, ses bras, ses cuisses et même ses mains se couvrirent de furoncles que sa mère protégeait comme elle le pouvait avec des diachylons... d'où ce surnom sarcastique de *Plaster* que lui avait donné monsieur Beaudry, pour la plus grande humiliation de Paul. Mais il n'y pouvait rien. Aussitôt qu'un furoncle éclatait, un autre apparaissait ailleurs, et le remède miracle du cousin Eugène n'y faisait rien.

—

Ce remède était devenu la bête noire de tous les jeunes Dionne depuis le début du mois. La veille de la fête des Rois, Eugène Lacoste, un cousin de Jeanne, s'était arrêté quelques heures à la maison. À entendre le vieil homme à la moustache blanche tombante, c'était le premier hiver où il ne travaillait pas sur un chantier.

À un certain moment, il mentionna à Maurice et à sa femme que beaucoup de bûcherons ne parvenaient à passer l'hiver sans une seule grippe que grâce à un remède extraordinaire : un mélange de soufre et de mélasse. À l'entendre, avaler une cuillerée à soupe de ce mélange au lever, chaque matin, garantissait une santé de fer. Selon lui, s'il avait eu des enfants, il ne se serait pas gêné pour en faire prendre durant tout l'hiver à sa marmaille.

Le conseil du cousin n'était pas tombé dans l'oreille de sourds. Il dut y avoir des conciliabules secrets entre Jeanne et Maurice. Toujours est-il que deux jours plus tard, le dimanche soir, le père annonça à ses enfants après le souper qu'à compter du lendemain matin, chacun allait avaler sa cuillerée sans rechigner, sinon ce serait de l'huile de ricin qui serait donnée aux récalcitrants.

À cette mention, il y eut des « beurk ! » de Lise et de Francine qui n'avaient jamais pu supporter cette huile épaisse qu'on leur avait fait prendre avec du jus de raisin l'hiver précédent.

Le lendemain matin, le rituel commença. Jeanne procéda à la distribution du mélange soufré et elle conseilla à chacun d'avaler une grande gorgée d'eau pour faire passer le goût affreux de cette médication épaisse, jaune et peu appétissante. Chacun finit par avaler le contenu de sa cuillerée après de multiples grimaces et quelques haut-le-cœur. Il le fallut bien, car le père, pas encore parti pour son travail, se tenait prêt à intervenir. Si les protestations se faisaient un peu trop fortes, les récalcitrants risquaient de recevoir une taloche.

Pour Paul, il s'agissait d'une véritable torture quotidienne. Il ressentait une peur panique de tout médicament. Sa nervosité le rendait même incapable d'avaler une aspirine. La seule vue de la grande cuillère remplie de cette mélasse jaune lui soulevait le cœur. Pourtant, il devait s'y plier, comme ses frères et sœurs.

— Quand est-ce qu'on va arrêter de prendre ça ? avait-il osé demander à son père, deux semaines après le début du traitement.

— Mêle-toi de tes affaires et avale, avait grogné Maurice avec mauvaise humeur. Je t'avertirai quand ce sera fini.

—

Comme si cela ne suffisait pas, un autre événement s'ajouta aux précédents à la mi-janvier.

Un lundi matin, le directeur du personnel du Keefer Building avait annoncé sans ménagement à Maurice Dionne que les propriétaires de l'immeuble avaient décidé de se passer des services d'un garçon d'ascenseur. Probablement pris de remords à l'idée de congédier un père de famille nombreuse en plein hiver, l'homme lui avait proposé de devenir une sorte de concierge dont l'horaire serait de cinq heures du soir à cinq heures du matin. Maurice n'était pas en position de faire la fine bouche et il avait dû accepter.

Du jour au lendemain, ce simple changement d'horaire de travail du père bouleversa la vie de la famille Dionne. Si Paul appréciait de ne plus avoir à supporter ses sautes d'humeur imprévisibles et ses crises chaque soir, il se rendait bien compte que sa mère était incapable de maintenir la même discipline que lui.

Maurice Dionne disparaissait maintenant un peu avant le retour des enfants de l'école et il ne revenait à la maison que vers six heures le matin, épuisé par sa nuit de travail et impatient de se mettre au lit. En somme, il ne voyait plus ses enfants que durant le week-end. En plus, Jeanne devait faire en sorte que les enfants ne réveillent pas leur père, tant à l'heure du déjeuner qu'à l'heure du dîner.

Cette absence du père à la fin de la journée de classe provoqua un allégement de l'atmosphère dans la maison, ce qui entraîna des changements d'attitude chez la plupart des enfants, parce qu'ils savaient fort bien que leur mère n'oserait pas se plaindre de leur conduite à leur père. Elle les avait toujours protégés. Elle craignait trop le manque de retenue de son mari quand il s'agissait de corriger un enfant. Tout cela signifiait que maintenant, Lise boudait à la moindre remarque de sa mère. Pour sa part, Francine était de plus en plus agaçante et elle excellait à faire enrager ses jeunes frères. Même la petite Martine devenait capricieuse. Bref, le climat chez les Dionne s'était rapidement transformé. La qualité des devoirs et de l'étude autour de la table de la salle à manger avant et après le souper en avait particulièrement souffert.

En contrepartie, même Jeanne profitait de l'absence de son mari pour s'accorder un peu plus de liberté. Elle pouvait passer de longues minutes au téléphone avec des voisines ou des parents et il n'était pas rare qu'elle consacre une bonne partie de ses soirées à coudre tant pour ses enfants que pour ses quelques clientes du quartier.

Mais il aurait été faux de croire que la jeune mère de famille était sans ressources face à l'indiscipline de ses enfants. Loin de là. Par exemple, lorsqu'elle se rendit compte qu'elle avait du mal à faire respecter l'heure du coucher à sa marmaille, elle trouva une idée toute simple. Dès les premiers soirs, elle dit à ses enfants :

— J'ai peur de veiller toute seule dans la maison. J'aimerais ça que vous restiez réveillés avec moi jusqu'à l'heure où j'irai me coucher.

La réponse fut enthousiaste. Finie l'époque où on devait se mettre au lit à sept heures et demie. On pouvait maintenant veiller aussi tard qu'on le voulait. C'était encore mieux que durant les vacances d'été durant lesquelles on avait la permission de rester debout jusqu'à neuf heures. Évidemment, tous, sauf Martine et le bébé, promirent de demeurer éveillés avec leur mère pour lui tenir compagnie.

Le premier soir, seuls Lise et Paul résistèrent jusqu'à dix heures, mais le lever fut si pénible le lendemain matin que Paul se promit de fausser compagnie à sa mère beaucoup plus tôt le soir même. Il faut croire que ses frères et sœurs se firent la même réflexion parce qu'à compter du lendemain soir, il n'y avait plus un enfant éveillé dans la maison après huit heures et demie. Il est à remarquer que Lise fut, de loin, la plus persévérante parce qu'elle fut toujours la dernière des sept enfants à aller se coucher.

—

Janvier réservait une autre mauvaise surprise aux Dionne.

Une nuit, Jeanne, seule dans son lit, fut tirée du sommeil par les pleurs de son bébé d'un an, couché dans son petit lit poussé contre l'un des murs de sa chambre. Elle attendit un instant dans le noir pour voir si l'enfant ne faisait pas qu'un cauchemar et n'allait pas se rendormir. Comme il pleurait de plus belle, elle finit par allumer sa lampe de chevet et elle repoussa ses couvertures. En posant les pieds sur le plancher glacial, elle leva la tête pour regarder dans la direction du lit de son fils. Son cœur eut un raté et elle poussa un cri à glacer le sang.

— Seigneur!

Son cri réveilla en sursaut Lise et Francine, couchées dans la chambre voisine.

Jeanne venait d'apercevoir un énorme rat brun ramassé dans un angle du lit de son bébé, comme prêt à bondir sur elle. La bête ne paraissait pas du tout craintive et semblait la guetter de ses yeux rouges. Oubliant sa terreur, elle saisit le biberon qui avait été déposé sur sa table de nuit et elle le lança sur le rat qui s'enfuit à travers la pièce en couinant.

Elle prit ensuite le bébé qui n'avait pas cessé de hurler et elle se mit fébrilement à l'examiner. Elle découvrit alors une traînée de sang sur son bras droit. La bête l'avait cruellement mordu au bras à travers la manche de son pyjama.

— Qu'est-ce qu'il y a, m'man? demanda Lise qui venait d'apparaître sur le seuil de la porte de la chambre en compagnie de sa sœur Francine.

— Un gros rat vient de mordre Denis, répondit sa mère d'une voix tremblante. Va réveiller Paul.

— Un rat! s'exclama l'aînée en jetant un regard apeuré autour d'elle.

— Aie pas peur! Il a pris le bord aussitôt que je me suis levée, la calma sa mère. Francine, retourne te coucher avec Martine au cas où.

— Aïe! J'ai peur, moi! protesta Francine.

— Ben, allume la lumière de ta chambre. Les rats ont peur de la clarté.

Pendant que Francine retournait dans son lit et que Lise se précipitait vers la chambre des garçons pour réveiller son frère, Jeanne s'empressa d'aller chercher la bouteille de teinture d'iode dans un tiroir, sans lâcher Denis qui pleurait toujours. Elle finissait de désinfecter la plaie quand Paul et Lise revinrent dans la chambre. Elle leur raconta ce qui venait de se passer et leur demanda de rester à ses côtés jusqu'au retour de leur père.

Maurice serait là dans moins de deux heures. Quand il arriverait, elle amènerait Denis à l'hôpital Sainte-Justine pour s'assurer que l'enfant n'avait pas été empoisonné.

Paul remit du bois dans la fournaise. Puis, pas très rassuré, il s'arma d'un balai avant d'effectuer la tournée des chambres pour vérifier si le rat n'y avait pas trouvé refuge. Ce n'est qu'ensuite qu'il rejoignit sa mère et sa sœur, assises dans la salle à manger. Aucun des trois n'osait parler de crainte de réveiller le bébé qui venait de se rendormir en buvant le biberon que Lise était allée lui préparer.

Au matin, Maurice Dionne sursauta lorsqu'il trouva sa femme et ses trois enfants à demi endormis dans la salle à manger. Après avoir écouté le récit de sa femme, Maurice ne perdit pas un instant. Il conduisit Jeanne et Denis à l'hôpital, laissant la garde des plus jeunes aux soins de Lise.

Lorsque le couple revint au milieu de l'avant-midi, il était rassuré. Denis ne garderait qu'une vilaine cicatrice de la mésaventure.

— Maurice Dionne, je te garantis que je couche pas ici à soir avec les enfants si tu fais pas quelque chose pour nous débarrasser des rats, dit Jeanne en mettant les pieds dans la maison.

— Là, sacrement, tu vas calmer tes nerfs! s'insurgea son mari. J'ai une nuit d'ouvrage dans le corps, moi! Je vais commencer par déjeuner et je vais m'occuper de ça après.

Maurice avait déjà décidé qu'il n'en resterait pas là. Il renonça au sommeil et il se mit à la recherche de l'endroit par où le rat s'était introduit dans l'appartement. La tâche n'allait pas être facile. Les vieilles habitations de la rue Notre-Dame étaient infestées par les énormes rats qui venaient des quais du port de Montréal situés à proximité. Ces bêtes, mesurant souvent près d'un pied de longueur, avaient la réputation d'être féroces.

Chez les Dionne, le problème était accentué par le fait qu'il y avait une telle épaisseur de déchets sur le sol en terre battue de la cave qu'il fallait y marcher un peu courbé. Des générations de locataires malpropres y avaient jeté leurs détritus au point que nettoyer l'endroit était devenu une tâche pratiquement impossible. Maurice et ses fils Paul et Claude y cordaient du bois de chauffage dans une section, réservant l'autre au charbon qu'on utilisait parcimonieusement à cause de son coût.

Lorsque Maurice s'était rendu compte que d'énormes rats l'épiaient sans crainte apparente du haut du tas de charbon quand il allait s'approvisionner, il avait tenté de régler le problème en enfermant un gros matou dans les lieux. Quelques instants plus tard, le chat, fou de terreur, s'était enfui dès qu'on avait ouvert la porte de la cave.

Mais cette fois-ci, la situation était grave. Poussé par sa femme, il était décidé à prendre les grands moyens pour se débarrasser de cette vermine qui mettait en danger la sécurité de ses enfants. Quand il trouva un trou de plusieurs pouces de diamètre dans une plinthe de la cuisine, il sut immédiatement qu'il venait de trouver le lieu de passage du rat qui avait attaqué Denis. Il alla acheter du Ratnik, un poison violent qu'il tartina abondamment sur du pain. Maintenant, il fallait placer ces bouchées empoisonnées hors de portée des enfants. Le père de famille en disposa sous la baignoire montée sur pattes, un peu partout dans la cave et à l'intérieur du trou qu'il obstrua ensuite en clouant sur la plinthe un couvercle de boîte de conserve.

Cet après-midi-là, quand Maurice quitta les siens, il était fatigué, mais il était persuadé d'avoir réglé le problème. Jeanne et les enfants étaient en sécurité.

Le lendemain matin, à son retour du travail, il trouva sa femme aussi angoissée que la veille.

— Sacrement! Qu'est-ce qu'il y a encore? demanda Maurice, rendu encore plus impatient par le manque de sommeil.

— J'ai entendu des grattements toute la nuit et les morceaux de pain avec du Ratnik que t'avais placés en dessous du bain ont disparu.

— T'as dû mal regarder, dit son mari avec humeur. Les rats ont pas pu entrer dans la maison; j'ai bouché le trou par où ils entraient avec de la tôle.

— Viens voir toi-même, l'invita Jeanne en l'entraînant dans la cuisine.

— Hostie! jura Maurice en apercevant un trou de la même dimension que celui qu'il avait obstrué la veille, creusé à quelques centimètres du précédent. J'ai jamais vu ça!

— Qu'est-ce qu'on va faire?

— Tu vas d'abord me préparer deux toasts avec de la marmelade. Après le déjeuner, il faut que j'aille me coucher. J'ai pas dormi depuis quarante-huit heures. Quand je me lèverai, on va boucher l'autre trou et on va nourrir ces maudits rats avec du Ratnik jusqu'à ce qu'ils aient tous crevé. Il y a pas d'autre chose à faire.

— Moi, je dors plus, affirma Jeanne, au bord des larmes. J'ai trop peur que le petit se fasse mordre. Je pense que je vais coudre de la moustiquaire tout le tour et sur le dessus de la couchette de Denis. Comme ça, il pourra rien lui arriver.

— OK. Fais ce que tu veux, mais grouille-toi de me préparer à déjeuner. J'ai envie de dormir, dit Maurice en se laissant tomber dans la chaise berçante placée au bout de la table de la salle à manger.

Fait étonnant, à compter de ce jour, les Dionne ne revirent plus un rat dans l'appartement. Bien sûr, il y avait toujours des glissements furtifs et parfois des couinements quand l'un ou l'autre des garçons descendait chercher du bois ou une chaudière de charbon à la cave, mais les rats semblaient s'être résignés à éviter les pièces habitées par les humains.

Chapitre 9

La maladie de Jeanne

Février n'en finissait plus de mourir. Dans la rue Notre-Dame, la neige ne restait pas blanche longtemps. On aurait dit que les fumées nauséabondes émises par les cheminées des usines de la Dominion Rubber et de la Dominion Oilcloth conjuguaient leurs efforts pour lui donner une teinte grisâtre. Dans la grande cour, les amoncellements de neige sale étaient tels qu'on pouvait imaginer que l'hiver n'aurait jamais de fin.

Ce matin-là, Jeanne Dionne n'avait vu rentrer son mari du travail que sur le coup de neuf heures. Un tuyau avait éclaté dans la salle des fournaises au Keefer Building durant la nuit et il avait dû nettoyer les dégâts causés par l'inondation. Les enfants étaient partis à l'école. André et Martine amusaient le bébé assis sur une couverture dans son parc.

Au moment où elle s'apprêtait à manger une rôtie pour tenir compagnie à Maurice qui avait l'habitude de déjeuner avant d'aller dormir quelques heures, la jeune femme quitta précipitamment la table. Dans la salle à manger, ce dernier fit taire les enfants et il entendit sa femme faire des efforts dans la salle de bain pour vomir ce qu'elle venait d'ingurgiter.

Quand Jeanne revint deux minutes plus tard en s'essuyant le visage avec une serviette humide, Maurice déposa sa tasse de café avant de lui demander à mi-voix, avec une certaine impatience :

— Qu'est-ce que t'as ? Dis-moi pas que t'as encore poigné la grippe ?

— Non, j'ai pas la grippe, fit Jeanne en jetant un coup d'œil aux petits qui avaient repris leurs jeux.

— C'est quoi d'abord ?

Jeanne aurait préféré attendre un moment plus propice pour lui annoncer la nouvelle, un moment où son mari aurait été reposé et de meilleure humeur.

— Qu'est-ce que t'as ? insista Maurice, impatient, en élevant un peu la voix.

— Tu le devines pas ? fit Jeanne d'une voix peu assurée.

Maurice écarta violemment sa chaise de la table.

— Ah ben, sacrement ! C'est pas vrai ! Pas encore ! Tu fais exprès ! T'es pas capable de faire attention ?

— Aïe ! Maurice Dionne, protesta Jeanne. Je te l'ai déjà dit ! Ces enfants-là, je les fais pas toute seule !

— Tu parles d'une maudite malchance, poursuivit Maurice d'un air dégoûté, comme si sa femme n'avait rien dit. On va être poigné avec huit enfants. Huit ! C'est pas des Christ de farces, ça ! On s'en sortira jamais ! On n'arrive déjà pas avec sept. Qu'est-ce qu'on va faire avec huit ?

Il se leva d'un air accablé, décidé à se diriger vers sa chambre à coucher pour se mettre au lit. Jeanne le suivit jusqu'à la porte de la chambre.

— C'est pas tout, ajouta-t-elle. Il faut que j'aille voir le docteur Bernier. Tu te rappelles pour Denis ? Il m'a bien avertie que si j'allais pas le voir dès le début de ma maladie au prochain, il s'occuperait pas de moi.

Maurice entreprit de se dévêtir et il ne dit rien.

— Qu'est-ce que je fais ? demanda sa femme.

— Fais ce que tu veux, finit par lui dire son mari et laisse-moi dormir. Tu me réveilleras à deux heures.

Là-dessus, il se glissa sous les couvertures et lui tourna le dos.

Jeanne revint dans la salle à manger, le cœur gros. À aucun moment son mari n'avait eu une parole d'amour ou d'encouragement à son endroit. Elle se laissa tomber lourdement sur une chaise, le visage blême. Elle était certaine d'avoir encore perdu du poids. Elle ne s'était jamais sentie aussi vidée, fatiguée.

Après quelques instants occupés à regarder s'amuser ses trois plus jeunes enfants sans les voir vraiment, elle se releva péniblement dans l'intention d'appeler le bureau du docteur Bernier pour prendre un rendez-vous.

La secrétaire du docteur Charles Bernier répondit à la seconde sonnerie.

— Un instant, madame Dionne, justement le docteur est en train de mettre son manteau dans l'entrée. Il s'en va voir deux patients. Je vais lui demander quand il peut vous recevoir.

Il y eut un chuchotement à l'autre bout du fil avant que la secrétaire revienne en ligne.

— Madame Dionne? Le docteur Bernier veut vous parler.

— Allô! fit une voix bourrue. Qu'est-ce qu'il y a?

— Bonjour, docteur Bernier, fit Jeanne d'une voix un peu hésitante. Je voulais aller me faire examiner parce que vous m'avez dit de le faire la dernière fois que je vous ai vu.

— Bon, si je comprends bien, t'es encore en famille, toi?

— Oui, docteur.

— Comment tu te sens?

— Pas bien bien vaillante, docteur.

— Bon, dérange-toi pas pour venir me voir, dit-il d'un ton sec. Je m'en vais dans ton coin cet avant-midi pour voir un malade. Je vais arrêter en passant.

— Merci, docteur, fit Jeanne, soulagée de ne pas avoir à réveiller son mari pour lui demander de garder les enfants pendant son absence.

———

Vers onze heures, on sonna à la porte du 2321, rue Notre-Dame et Jeanne fit entrer Charles Bernier, vêtu d'un épais manteau de chat sauvage.

— Bonjour, docteur.

— Bonjour, bonjour, fit l'homme d'une voix impatiente en lui tendant sa trousse pour pouvoir enlever plus facilement ses couvre-chaussures.

La jeune femme fit passer le praticien dans la salle à manger et elle le débarrassa de son manteau.

Le médecin de taille moyenne arborait un long visage glabre, une épaisse chevelure poivre et sel et d'épaisses lunettes à monture en corne. Ses patients apprenaient vite à leurs dépens que la patience n'était pas sa qualité première. Ses manières brusques en choquaient d'ailleurs plus d'un, mais ils lui restaient fidèles parce qu'ils le savaient dévoué et humain. Il n'hésitait jamais à se lever la nuit pour se rendre au domicile d'un malade. Il pratiquait la médecine comme un sacerdoce.

Sans perdre un instant, Charles Bernier s'approcha des enfants. Il regarda André et Martine, puis il prit Denis des bras de Jeanne pour l'examiner. Le médecin connaissait bien chacun des sept enfants Dionne, puisqu'il les avait tous mis au monde.

— Est-ce que les autres sont en aussi bonne santé?

— Je pense que oui, docteur.

— Où est ton mari?

— Il vient de se coucher. Il travaille de nuit et…

— Bon, c'est correct... Il y a quelqu'un dans cette chambre-là ? demanda le praticien en indiquant la chambre des filles dont la porte donnait sur la salle à manger.

— Non.

— Bon, entre là et déshabille-toi. Je vais t'examiner. Fais ça vite ; j'ai une autre patiente à voir avant le dîner.

Quelques minutes plus tard, Charles Bernier revint dans la salle à manger et il ferma sa trousse d'un geste sec. Jeanne le suivit en attachant les derniers boutons de son chemisier.

— Va réveiller ton mari, lui commanda-t-il d'un ton sans réplique. Je dois lui parler.

— Il sera pas de bonne humeur, avança timidement Jeanne.

— Je me sacre de son humeur, fit le médecin d'un ton sans réplique. Vas-y.

Jeanne entra dans la chambre à coucher. Il y eut quelques murmures. Puis, elle sortit de la pièce suivie par un Maurice mal éveillé en train de boucler la ceinture de son pantalon.

— Bonjour docteur, fit Maurice en faisant un effort pour être aimable.

— Bonjour. Bon, j'ai demandé à ta femme de te réveiller parce qu'il y a un problème qu'il va falloir régler.

Le ton de Charles Bernier acheva de réveiller Maurice.

— Écoutez-moi bien tous les deux, dit le médecin d'un ton sévère. Ma petite dame, t'es trop faible. Tu fais de l'anémie. Si tu fais rien, tu vas perdre ton huitième avant terme. Il va falloir te renforcir, et vite à part ça. Il faut que tu te reposes aussi. C'est pressant.

— Je peux pas avec les enfants, essaya de protester Jeanne.

— Tu vas trouver un moyen. T'es au bout du rouleau, comprends-tu ? Veux-tu crever et laisser à ton mari sept orphelins sur les bras ?

— ...

— Bon! Arrête de te lamenter et fais ce qu'il faut faire. T'as besoin d'aide et t'as surtout besoin de recevoir des fortifiants en doses massives. Le traitement qu'il te faut, c'est trois piqûres par semaine durant au moins quatre mois, tu m'entends?

— On n'aura jamais assez d'argent pour payer ça, dit Jeanne, alarmée, en jetant un coup d'œil à son mari dont le visage s'était fermé.

— C'est pas une question d'argent, dit abruptement le médecin. Tu peux passer à mon bureau trois fois par semaine et je vais te les faire, les piqûres. Vous me paierez plus tard quand vous en aurez les moyens.

— Vous êtes bien fin, docteur Bernier, mais là, j'aurai tout un problème de gardienne.

— Écoute! C'est à toi de voir, conclut le médecin. À ta place, je m'informerais s'il y a pas un service dans ta paroisse qui pourrait t'envoyer une garde-malade à la maison pour te faire ces piqûres-là. En tout cas, ça presse. Ou tu viens à mon bureau ou tu trouves quelqu'un pour te les faire.

Tout en parlant, Charles Bernier avait endossé son manteau et s'était dirigé vers le vestibule où il avait retrouvé ses couvre-chaussures. Pendant qu'il se chaussait, il ne put se retenir de faire une remarque à Maurice qui l'avait suivi avec sa femme.

— Toi, le père, il va falloir que tu penses à prendre des moyens.

— Des moyens? fit Maurice comme s'il ne comprenait pas l'allusion du médecin.

— Des moyens d'empêcher la famille, innocent! T'es tout de même pas pour peupler la province à toi tout seul. Penses-tu que Duplessis va te verser une rente si tu fais ça ? Ta femme est au bout du rouleau... Aide-la, sinon tu vas la perdre.

— Oui, mais monsieur le curé dit... voulut ajouter Jeanne.

— Aïe ! Laisse faire ce que dit le curé. Lui, c'est un vieux garçon. Lui, il sait pas ce que c'est que d'élever et de nourrir des enfants. Écoute-le un peu moins et écoute-moi un peu plus. Dans un mois, je vais repasser te voir, ajouta Charles Bernier s'adressant à Jeanne. À ce moment-là, je veux te voir avec un peu plus de couleur qu'un drap frais lavé. T'es rendue que t'as juste la peau sur les os.

Lorsque la porte de la maison se fut refermée sur le médecin, Maurice, furieux, se dirigea vers la chambre à coucher en formulant un unique commentaire :

— Un maudit vieux fou ! Comme si une femme de ton âge avait besoin de tout ça ! Tout ce qu'il veut, c'est faire de l'argent avec nous autres.

Sur ces mots, il claqua la porte et se remit au lit.

—

Le lendemain après-midi, au retour des enfants de l'école, Jeanne se décida à aller voir la religieuse de l'hospice Gamelin dont lui avait parlé le curé Perreault, trois mois auparavant. De toute évidence, elle ne pouvait pas compter sur Maurice, qui n'avait pas fait la moindre allusion aux recommandations données par le médecin la veille. Il était bien évident qu'il ne songeait nullement à payer les injections suggérées pour améliorer sa santé.

Après avoir confié les plus jeunes à la garde de Lise et de Paul, Jeanne se rendit à l'hospice. Un vieillard accommodant qui traînait dans l'entrée de l'institution vint même la conduire jusqu'aux locaux du sous-sol occupés par la religieuse et son assistante.

Sœur Thérèse de Rome était une petite sœur de la Providence sans âge et toute ronde que sa communauté avait chargée d'aider les familles défavorisées du quartier. Madeleine Sirois, son assistante, était une infirmière de quarante ans à demi aveugle.

Les deux femmes firent entrer Jeanne dans une salle encombrée de vieux vêtements et de boîtes de conserve. Elles l'invitèrent à s'asseoir à une petite table qui leur servait de bureau et la laissèrent expliquer la raison de sa venue.

— Il n'y a pas de problème, madame Dionne, fit la religieuse en esquissant un sourire chaleureux. Nous avons ce qu'il faut. Pas vrai, Madeleine ?

— Oui. Si vous le voulez, je peux vous donner tout de suite votre première injection et après-demain, j'arrêterai chez vous vous en donner une autre, ajouta l'infirmière. Je vais me charger de votre traitement.

— Vous aurez même pas à venir ici, ajouta sœur Thérèse de Rome. On passera chez vous.

Jeanne fut invitée à passer dans une petite pièce voisine et elle reçut sa première piqûre de fortifiant. À son retour dans la grande pièce, la religieuse l'invita avec tact à regarder les vêtements.

— Savez-vous coudre ? demanda sœur Thérèse de Rome.

— Oui, je couds pour les enfants et j'ai des clientes, répondit Jeanne.

La religieuse comprit que la jeune mère de famille était une personne fière qui n'accepterait pas facilement qu'on lui fasse la charité. Elle eut alors une idée.

— Je me demandais, madame Dionne, si on pourrait pas s'échanger des services.

— Si je peux, vous pouvez être certaine que je vais le faire, ma sœur.

— Bon, c'est pas pour moi, c'est pour Madeleine. Elle a des robes à faire arranger et une ou deux jupes qui devraient être raccourcies. Mais on n'est pas bien riches...

— Il manquerait plus que ça que vous me payiez. Vous me soignez pour rien. Apportez-les-moi quand vous viendrez à la maison. Ça va me faire plaisir de vous arranger ça, dit Jeanne en retrouvant le sourire.

— Je me disais aussi que comme vous savez coudre, vous pourriez peut-être trouver dans tout le linge qu'il y a ici quelque chose que vous pourriez arranger pour vos enfants. Si ça vous intéresse, ne vous gênez pas. Choisissez ce que vous voulez et vous enverrez chercher les paquets par un de vos enfants.

Jeanne ne se fit pas répéter l'offre. En un rien de temps, elle choisit dans les vêtements déposés sur les tables et accrochés sur des cintres de quoi remplir une grosse boîte que Paul devrait venir chercher, bien malgré lui, le lendemain avant-midi, en revenant de l'école.

À son retour de l'hospice, Jeanne se sentait déjà un peu mieux. Le lendemain matin, elle se borna à dire à son mari qu'elle avait trouvé une infirmière qui avait accepté de lui donner ses piqûres gratuitement. Maurice, soulagé de ne pas avoir à débourser un sou, ne chercha pas à en savoir plus. Évidemment, Jeanne se garda bien de lui mentionner qu'il s'agissait d'aide sociale et qu'on lui avait donné de vieux vêtements avec lesquels elle pourrait confectionner des vêtements aux enfants après les avoir décousus et retaillés.

Ce matin-là, Jeanne prit Paul à part pour lui expliquer à voix basse ce qu'elle attendait de lui.

— Perds pas de temps pour revenir de l'école à midi. J'aimerais que tu prennes le traîneau et que t'ailles à l'hospice Gamelin. C'est pas bien compliqué. T'as juste à passer par la cour sur la rue De Montigny. Sœur de Rome va te donner une boîte de linge.

— Pourquoi Claude y va pas, lui ? protesta le garçon, rouge comme un coq.

— Parce qu'il est pas assez fiable. Ton frère pense juste à jouer. Pendant que tu vas me faire cette commission, je vais te garder ton dîner au chaud. Ça va juste te prendre dix minutes.

— Pourquoi c'est moi qui dois aller quêter des guénilles ? Je vais encore faire rire de moi.

— Voyons donc, Paul, il y a personne qui va venir regarder dans ta boîte pour voir ce qu'il y a dedans, le raisonna sa mère qui commençait à perdre patience. Ce linge-là va servir à vous coudre de nouveaux pantalons.

À force de supplications, elle obtint que son fils aîné marche sur son orgueil et lui rende ce service.

Chapitre 10

L'avenir

Mars arriva enfin et l'hiver commença à desserrer son étreinte. Il y eut bien quelques giboulées, mais les froids se firent moins rigoureux et le soleil se mit à réduire lentement les amoncellements de neige sale. Dans la grande cour commune, des mares se formaient ici et là lorsque le soleil réchauffait l'atmosphère. Bref, il y avait des signes annonciateurs du printemps auquel tout le monde aspirait depuis longtemps.

Chez les Dionne, Maurice semblait devenir de plus en plus nerveux au fil des jours.

— Si Tremblay passe, tu me réveilleras, disait-il presque chaque matin à sa femme avant de se mettre au lit.

— Inquiète-toi pas. Dors tranquille, le calmait Jeanne. Tu sais bien que chaque année, les voisins nous avertissent quand il commence à faire sa tournée.

— Facile à dire, mais je suis certain que ce maudit-là va nous arriver avec une augmentation de loyer cette année. L'année passée, il nous a pas augmentés. Il nous a laissé le logement à vingt-deux piastres par mois. Il va vouloir se reprendre cette année.

Armand Tremblay était le fondé de pouvoir de la compagnie Dominion Oilcloth à qui appartenaient tous les immeubles du côté nord de la rue Notre-Dame, entre les rues Dufresne et Fullum. Aucun locataire ne voyait jamais ce petit homme jovial, sauf à l'époque du renouvellement des baux, au début du mois de mars. Habituellement, l'un de ses adjoints se chargeait de venir encaisser les loyers le premier jour de chaque mois.

Pourtant, les deux premières semaines de mars passèrent sans que le fondé de pouvoir se manifeste. Certains locataires en étaient à énoncer toutes sortes d'hypothèses pour expliquer cette absence.

— Il est peut-être malade, dit Germain Couture, le voisin de gauche de Maurice.

— La compagnie nous a peut-être oubliés, avança Claudette Thériault, une autre voisine, quand elle rencontra Jeanne à l'épicerie Tougas.

Fait certain, personne n'osait téléphoner au bureau d'Armand Tremblay à la Dominion Oilcloth – si tant est que quelqu'un connût son numéro de téléphone – pour s'informer des raisons de ce retard inexplicable dans la signature des baux. Il ne fallait tout de même pas réveiller le monstre s'il dormait.

—

Le mardi après-midi de la troisième semaine de mars, Maurice sortit dans la cour pour déposer des déchets dans la poubelle placée près de la porte arrière. Il aperçut alors Marcel Ménard, le voisin de Germain Couture, appuyé à sa clôture et regardant avec beaucoup d'intérêt un endroit de la grande cour que lui ne pouvait voir.

Intrigué, il s'avança vers lui. En le voyant, le chauffeur d'autobus lui indiqua du pouce deux hommes occupés à prendre des mesures à l'extrémité de la grande cour.

— Qu'est-ce qu'ils font là ? lui demanda Maurice.

— Je le sais pas, dit le petit homme sec en enfonçant sa casquette sur sa tête. Depuis une heure, ils se promènent dans la cour et ils mesurent tout. Ils regardent même par-dessus les clôtures.

— Il y a juste à leur demander ce qu'ils font là. Attends, je mets un manteau et on va aller leur parler, fit Maurice d'un air frondeur en jetant son mégot de cigarette sur le tas de neige sale formé près de sa clôture.

Une minute plus tard, Maurice, suivi par Marcel Ménard, alla rejoindre les deux hommes debout au milieu de la grande cour. Ils examinaient attentivement l'arrière des six vieux immeubles.

— Est-ce qu'on peut vous demander ce que vous faites ? demanda Maurice très poliment.

— Nous autres, on est des arpenteurs. On mesure la cour, répondit le plus jeune des deux qui tenait un carnet ouvert dans une main.

— Dites-moi pas que la compagnie va mettre de l'asphalte ? dit Maurice pour plaisanter.

— Je pense que oui, répondit l'autre homme.

— Elle a vraiment décidé de nous faire un grand par-king ? demanda Ménard, l'air sceptique. Aïe ! J'ai pas hâte de voir l'augmentation de loyer qui va nous tomber dessus pour nous faire payer ça.

— Il y aura pas d'augmentation de loyer, c'est sûr, reprit le plus jeune en esquissant un sourire sans joie.

— Ça, c'est vous qui le dites, répliqua Maurice. La Dominion Oilcloth nous a jamais fait de cadeau. Je vois pas pourquoi elle commencerait cette année.

Maurice se rappelait trop bien le combat qu'il avait dû mener quelques années auparavant pour obtenir de la compagnie l'appartement que sa famille occupait présentement.

—

Les Dionne demeuraient à l'époque dans un petit appartement au premier étage d'une très vieille maison de la rue Joachim, une voie étroite parallèle à la rue Notre-Dame. Au printemps 1951, la Dominion Oilcloth fut contrainte par les autorités municipales de démolir cette maison jugée insalubre et dangereuse. Par conséquent, la compagnie annula les baux de ses trois locataires. Les occupants du rez-de-chaussée et du second étage quittèrent les lieux sans faire d'histoire. Pour sa part, Maurice, incapable de trouver un appartement convenable à prix modique pour loger sa famille déjà nombreuse, refusa d'abandonner son appartement avant que la compagnie lui en ait procuré un autre pour un prix identique.

Les démolisseurs se mirent au travail, mais les Dionne ne bougèrent pas. Les inspecteurs municipaux émirent un avis d'éviction ; Maurice n'en tint pas compte. Quand toute la brique eut été enlevée et que le temps fut venu de s'attaquer au toit, le contremaître de la compagnie de démolition interrompit les travaux pour ne pas mettre en danger la vie des enfants. Il somma la Dominion Oilcloth de prendre les moyens nécessaires pour que ses derniers locataires déguerpissent avant de poursuivre ses travaux.

C'est ainsi que, mise au pied du mur, la compagnie avait exigé d'Armand Tremblay qu'il trouve un appartement pour loger la famille récalcitrante. Ce dernier leur avait alors proposé le 2321, rue Notre-Dame. Maurice et Jeanne s'étaient empressés d'accepter, tant leur situation était devenue intenable.

———

— D'après ce qu'on nous a dit, fit le plus âgé des arpenteurs, la Dominion Oilcloth a décidé de jeter à terre les six dernières maisons jusqu'au coin de la rue Fullum.

Elle veut faire disparaître ces vieilles bâtisses-là pour faire un grand parking pour ses employés. Ça me surprend que personne vous en ait parlé, ajouta-t-il à l'endroit de Maurice Dionne et de Marcel Ménard.

— Personne nous a dit ça, fit Maurice, sidéré par la nouvelle.

— C'est sérieux, cette affaire-là ? demanda Ménard, aussi renversé que son voisin.

— C'est ce qu'on nous a dit.

— Tu parles d'une belle bande de Christ d'hypocrites ! jura Maurice, furieux. Ça fait quinze jours qu'on attend que Tremblay se montre la face pour nous faire signer son maudit bail et là, on apprend qu'il y aura pas de bail pantoute à signer.

— J'en reviens pas, dit le chauffeur d'autobus en quittant le groupe pour retourner chez lui. Il faut être une belle bande de chiens pour nous faire un coup de cochon pareil !

Maurice, aussi abattu que son voisin, le suivit. Il rentra chez lui et il se laissa tomber dans sa chaise berçante sans dire un mot.

Jeanne, occupée à repriser une des chemises de Paul, attendit que son mari lui raconte ce que leur voisin avait de si long à lui dire.

— Je viens d'en apprendre une belle, finit-il par laisser tomber.

— Quoi ?

— On va être obligés de partir. La maison va être démolie.

— T'es pas sérieux ? demanda Jeanne d'une voix étranglée. On va pas encore être obligés de déménager !

— On n'aura pas le choix. C'est pour ça qu'on n'avait pas de nouvelles de Tremblay. Il est pas venu parce qu'il y aura pas de bail à signer.

À cette seule pensée, Jeanne sentit la sueur lui couler dans le dos. Elle n'avait pas encore eu le temps d'oublier tous les problèmes suscités par son dernier déménagement. Pourtant, trois ans auparavant, elle était en pleine santé. Aujourd'hui, elle se sentait si faible… Il faudrait tout reprendre à zéro. Où puiserait-elle la force de tout mettre dans des boîtes et d'installer ailleurs sa famille ? Il faudrait d'abord trouver un appartement assez grand et pas cher, faire un grand ménage, inscrire les enfants dans d'autres écoles, s'habituer à de nouveaux voisins et à un nouveau quartier, se créer une autre clientèle ayant besoin d'une couturière… Comment allaient-ils se procurer l'argent nécessaire pour payer toutes les dépenses qu'un déménagement impliquait ?

Elle fit un effort méritoire pour taire les craintes qui l'assaillaient. L'important était d'abord d'insuffler un peu de courage à son mari que la nouvelle semblait avoir terrassé.

— On va s'en sortir comme on s'en est toujours sortis, affirma-t-elle sans trop y croire. On n'est pas encore dans la rue. Il peut se passer encore pas mal de choses avant qu'on parte d'ici.

— Christ qu'on n'est pas chanceux ! jura Maurice en se levant. J'en reviens pas. Tout nous tombe toujours sur la tête… Bon ! il faut que je parte travailler.

Ce soir-là, Jeanne ne put s'empêcher de dire à ses enfants qu'ils allaient être obligés de déménager au début de mai parce que la maison allait être démolie. Claude fut le seul à exprimer des regrets en songeant aux amis qu'il laisserait derrière lui. Lise et Francine ne furent pas dérangées par la nouvelle. Pour sa part, Paul ne put réprimer sa joie devant cette éventualité.

— On va être ben mieux ailleurs, m'man, dit-il à sa mère. On va trouver un logement plus beau, peut-être même avec une chambre de plus.

— Pauvre Paul, fit sa mère. Tu comprends pas qu'on n'a pas les moyens de payer un loyer plus grand. C'est même pas certain qu'on en trouve un qui vaut celui-là parce qu'on est trop.

— On peut pas trouver pire, m'man! s'exclama le jeune garçon.

— Là, tu parles sans savoir, lui dit sa mère. Il faudrait que t'ailles en voir à Saint-Henri ou à Pointe-Saint-Charles. J'en ai vu des bien pires que le nôtre.

Cette mise au point de Jeanne eut l'effet d'une douche froide sur la joie de l'aîné de ses fils.

Évidemment, la nouvelle de la démolition des maisons se répandit comme une traînée de poudre. Durant deux jours, les rumeurs allèrent bon train chez les seize locataires visés par le projet de la Dominion Oilcloth. Il y eut des conciliabules et des appels téléphoniques faits à des amis et à des parents. Certains cherchaient déjà à se reloger. Ils ne voulaient pas être pris de court quand la nouvelle deviendrait officielle.

Le vendredi matin, un peu après neuf heures, un bref coup de sonnette obligea Jeanne à se précipiter vers la porte d'entrée de l'appartement. Elle ne voulait pas que l'importun sonne une seconde fois et réveille Maurice qui ne dormait que depuis deux heures.

En ouvrant la porte, la jeune mère de famille se retrouva en face d'un Armand Tremblay méconnaissable. Le petit homme affichait une mine de papier mâché épouvantable.

— Bonjour, madame Dionne, dit le fondé de pouvoir en soulevant son chapeau. Est-ce que je peux entrer? C'est pas ben chaud à matin.

Jeanne s'effaça pour laisser entrer l'homme dans l'étroit vestibule. Il enleva son chapeau.

— Je suppose que votre mari est parti travailler, dit-il après avoir été secoué par une quinte de toux. Je vais vous laisser des papiers à signer et on viendra les reprendre demain dans la journée.

— Non, non, fit Jeanne. Attendez. Mon mari travaille de nuit. Il doit être réveillé.

Il y eut un bruit dans le couloir derrière Jeanne. Maurice, les cheveux hirsutes et boutonnant sa chemise, apparut dans le couloir.

— Il me semblait ben avoir reconnu votre voix, fit-il sans sourire au visiteur. Je pensais pas vous voir cette année. Passez donc dans la salle à manger.

Le fondé de pouvoir enleva ses couvre-chaussures et suivit Maurice dans la pièce voisine.

— Assoyez-vous, lui offrit Jeanne en lui avançant poliment une chaise.

— Merci, madame, dit le petit homme en déposant sur la table son chapeau encombrant.

Il s'assit et il se mit à fouiller dans sa mince serviette de cuir.

— J'étais sûr de pas vous voir cette année, répéta sèchement Maurice.

— Pourquoi ça ? demanda Tremblay en regardant son vis-à-vis par-dessus ses petites lunettes cerclées de fer.

— Ben, à cause de la nouvelle !

— De quelle nouvelle parlez-vous ? questionna le fondé de pouvoir, intrigué.

— Vous riez de nous autres, vous ! s'exclama Maurice avec mauvaise humeur. La compagnie va faire jeter à terre notre maison et vous avez le front de nous demander de quelle nouvelle on parle ?

— Vous êtes le premier à me parler de ça, affirma l'homme avec étonnement. Entre nous autres, il y a rien de nouveau là-dedans. Ça fait des années qu'il est question de démolir tout le bloc de maisons et il ne se passe jamais rien.

— Oui, mais cette année, ça a l'air sérieux, fit Maurice dont la voix exprimait un mince filet d'espoir. On a parlé à des arpenteurs dans la grande cour et…

— Ça aussi, c'est pas la première fois que des arpenteurs viennent mesurer. C'est sûr qu'un beau jour, la compagnie va être obligée de faire démolir quelques-unes des vieilles maisons qu'elle possède. Mais quand? Le diable est tout seul à le savoir.

— Mais d'abord, comment ça se fait que vous passez si tard pour renouveler le bail? lui demanda Jeanne dont le large sourire exprimait bien le soulagement qu'elle ressentait.

— Un commencement de pneumonie, madame. J'ai passé un mois à l'hôpital Notre-Dame. C'est mon premier jour de travail depuis janvier. Vous êtes même les premiers que je viens voir pour le bail.

— Vous avez pas fini d'en entendre, prédit Maurice d'une voix radoucie.

— Si tous les locataires pensent que la compagnie a décidé de faire démolir, c'est sûr que j'ai pas fini d'en entendre parler, rétorqua Armand Tremblay, fataliste, en soulevant les épaules… Surtout que la compagnie a décidé d'augmenter les loyers cette année.

Le sourire qui commençait à se dessiner sur le visage de Maurice s'effaça instantanément.

— De combien?

— De quatre dollars par mois. Tous les locataires vont payer quatre piastres de plus.

— Mais c'est écœurant, ça! s'exclama Maurice. Il y a pas eu une seule amélioration apportée à notre logement depuis Mathusalem.

— Oui, mais oubliez pas, monsieur Dionne, que vous payez le même montant depuis deux ans. Vous pouvez pas dire que la Dominion Oilcloth a exagéré.

— Quand on est arrivés, le loyer était de dix-huit piastres par mois. Tout de suite, l'année d'après, on est passés à vingt piastres, puis à vingt-deux piastres. Mais quatre piastres de plus d'un coup sec, c'est ben trop! Sacrement! Où est-ce que je vais les trouver, ces quatre piastres-là, moi? C'est du vrai vol!

Le fondé de pouvoir, qui avait commencé à glisser vers le locataire un exemplaire du nouveau bail et sa plume, ramena le tout vers lui.

— Bon! Si c'est ce que vous croyez, monsieur Dionne, vous êtes libre de vous trouver un appartement ailleurs, dit-il en s'apprêtant déjà à ranger le bail dans sa serviette. Je suis certain que pour vingt-six dollars par mois, on va trouver tout de suite un nouveau locataire pour votre logement.

Il se leva et tendit la main pour reprendre son chapeau demeuré sur le coin de la table.

Maurice réalisa brusquement qu'il était allé trop loin. Les Dionne allaient devoir se serrer encore plus la ceinture pour trouver ces quatre dollars supplémentaires le premier jour de chaque mois, mais c'était peu de chose si on mettait en balance les frais et les inconvénients d'un déménagement.

— Non, attendez, fit Maurice. On est poignés. On est ben obligés de signer ce bail-là, même si on va en arracher pour payer l'augmentation.

Tremblay n'esquissa aucun sourire triomphal. Il se rassit et sortit le bail. Il prit sa plume et biffa quelques mots sur le document. Il inscrivit quelque chose au-dessus de la rature qu'il venait de faire avant de tendre le bail à Maurice Dionne.

— Je vais prendre sur moi de vous faire un cadeau, monsieur Dionne. Comme vous êtes un locataire qui paye toujours son loyer à temps, je vais vous augmenter juste de deux dollars par mois.

— Vous pouvez faire ça ? demanda Jeanne, heureuse de la tournure des événements.

— Dans des circonstances exceptionnelles, madame, la compagnie me laisse une petite marge de manœuvre.

Maurice s'empressa de signer le bail avant que le fondé de pouvoir ne change d'avis et il lui remit le document en le remerciant.

Dès que la porte d'entrée se fut refermée sur le petit homme, Maurice se laissa tomber dans sa chaise berçante. Jeanne s'empressa de venir le rejoindre dans la pièce après avoir tendu son biberon à Denis qui commençait à pleurer.

— En tout cas, on est tranquilles pour un an encore, soupira Maurice, soulagé par ce dénouement inattendu.

— Y as-tu pensé une minute ? fit Jeanne. Tout le trouble qu'on vient d'éviter. On n'aura pas à déménager et à courir un logement ailleurs.

— Ouais, c'est une maudite bonne nouvelle. Ça soulage. Mais il va falloir payer deux piastres de plus par mois.

— C'est pas grand-chose, si on compare ça à ce que ça nous aurait coûté si on avait eu à s'installer ailleurs.

— Pas grand-chose, c'est toi qui le dis, lui reprocha son mari. On voit ben que c'est pas toi qui le gagnes, cet argent-là !

— …

— Je pense que je vais essayer de me trouver un *sideline*. Sans ça, on n'arrivera jamais à joindre les deux bouts, surtout avec un autre petit. Quarante-cinq piastres par semaine, c'est pas assez.

Chapitre 11

Une aide inattendue

La troisième semaine de mars s'achevait sur une merveilleuse journée ensoleillée. Dans la grande cour, les déchets emprisonnés sous la glace et la neige revoyaient peu à peu le jour. À certains endroits, les enfants s'étaient amusés à fracasser à coups de talon enthousiastes la mince pellicule de glace qui recouvrait les flaques d'eau. Une rigole inégale serpentait au centre de la cour. Il s'agissait de l'œuvre de Paul Dionne aidé par André Béliveau et Serge Ménard, des voisins de son âge.

En ce début d'après-midi, Jeanne avait laissé ses trois plus jeunes enfants aux soins de Maurice pour aller recevoir son injection à l'hospice Gamelin, autant pour éviter à l'infirmière Sirois de se déplacer que pour examiner un nouvel arrivage de vieux vêtements reçus la veille par sœur de Rome.

Confortablement installé dans sa chaise berçante, Maurice berçait Martine en rêvassant quand un impérieux coup de sonnette le tira de sa rêverie. Il déposa la petite par terre et alla répondre.

Lorsqu'il ouvrit la porte, il demeura sans voix. Tante Agathe était debout devant lui, sur le trottoir, une petite valise en cuir bouilli déposée à ses pieds. La grande femme maigre toisa sans sourire le mari de sa nièce durant un instant avant de lui dire d'un ton acide :

— Bon, est-ce que tu vas finir par m'inviter à entrer avant la fin du printemps?

— Ben oui, ma tante, entrez donc, dit Maurice, reprenant peu à peu ses esprits.

— Pendant que t'es là, prends donc ma valise et rends-toi donc utile, ajouta-t-elle sèchement.

Sur ce, Agathe Lafrance passa devant son neveu par alliance et entra dans la maison pendant que Maurice saisissait sa valise en se demandant ce que cette vieille chipie venait faire chez lui.

Sans attendre une invitation, la vieille dame enleva ses bottes, puis son manteau et son chapeau qu'elle tendit à Maurice avant de prendre résolument la direction de la salle à manger, comme si elle était chez elle.

Agathe Lafrance était une grande femme osseuse qui dépassait son neveu de près d'une demi-tête. Cette célibataire avait enseigné plus de trente-cinq ans à plusieurs générations d'enfants de Nicolet avant de se retirer dans une petite maison payée avec ses économies. Dans la famille Sauvé, la sœur cadette de la mère de Jeanne avait la réputation de ne pas avoir la langue dans sa poche et de ne craindre personne. Plusieurs se demandaient encore ce qui les indisposait le plus quand ils la rencontraient: sa petite voix de tête ou sa façon un peu méprisante de scruter son interlocuteur.

— Où est ta femme? demanda-t-elle abruptement à Maurice avant de s'asseoir avec le plus parfait sans-gêne dans sa chaise berçante.

— Elle est partie se faire donner une piqûre, ma tante. Je sais pas quand elle va revenir, ajouta-t-il avec le maigre espoir que cette précision incite son invitée à abréger sa visite.

Il était assez mal à l'aise. Il ne connaissait pratiquement pas la sœur de sa belle-mère. S'ils avaient échangé une dizaine de phrases depuis qu'il était entré dans la famille Sauvé, c'était le bout du monde.

— C'est pas grave, elle va bien finir par revenir, laissa tomber Agathe en regardant Maurice par-dessus ses petites lunettes rondes.

— Comme ça, vous êtes venue faire un tour en ville, ma tante ? Vous avez pris l'autobus Provincial ? demanda Maurice pour meubler la conversation.

— Non, je suis pas venue faire un tour, précisa-t-elle. Je suis venue aider ta femme une semaine ou deux. Ta belle-mère m'a appelée cette semaine et elle m'a dit que Jeanne était bien faible et qu'elle avait bien de la misère à remonter la pente. En plus, il paraît qu'elle est encore en famille. Si ça a du bon sens ! Comme ta belle-mère est prise à préparer son déménagement à Drummondville, je me suis dit que je serais bien plus utile à aider ma nièce qu'à me tourner les pouces toute seule chez nous.

— Vous êtes ben fine, ma tante, dit Maurice en réprimant difficilement un frisson d'appréhension en même temps qu'une folle envie de la flanquer à la porte. Mais c'était pas nécessaire de vous déranger. Vous savez, j'aide pas mal Jeanne et on se tire assez ben d'affaires. Nos plus vieux sont capables d'aider leur mère. C'est vrai que Jeanne a eu une mauvaise passe le mois passé, mais avec ses piqûres, elle va ben mieux. Je pense que la belle-mère s'est énervée pour rien.

Agathe Lafrance se gourma et dévisagea froidement son neveu. Elle allait répliquer quand quelqu'un ouvrit la porte arrière.

— Tiens, voilà Jeanne, fit Maurice en repoussant doucement Martine qui s'était collée à lui, intimidée par la visiteuse.

Il se précipita dans la cuisine où Jeanne venait d'entrer.

— On a de la visite, la prévint Maurice d'une voix forte en adressant une grimace à sa femme.

Jeanne, les traits tirés par la fatigue, pénétra dans la salle à manger et s'empressa d'aller embrasser sa tante qui s'avançait déjà vers elle.

— Mon Dieu! s'exclama tante Agathe en examinant ostensiblement sa nièce, mais t'es bien changée! Je pensais que ta mère exagérait au téléphone…

— Ta tante est venue te donner un coup de main, la coupa Maurice qui s'était glissé derrière la vieille dame et faisait des gros yeux à sa femme.

— Comment tu te sens? demanda l'institutrice retraitée, comme si Maurice n'avait pas été là.

— Bien mieux, ma tante. Je pense que le pire est passé.

Jeanne comprit immédiatement le message muet de son mari. Mais comment refuser cette aide? Elle n'avait jamais été particulièrement proche de cette tante. À vrai dire, elle avait toujours partagé l'opinion de son père qui voyait en elle une espèce de sœur supérieure hautaine toujours prête à se mêler de ce qui ne la regardait pas.

— J'ai pas cette impression-là, moi, ma petite fille. Il va falloir te ménager, je pense. Inquiète-toi pas. Je suis là pour ça.

Instinctivement, Jeanne sut alors que toute tentative pour se débarrasser rapidement de la tante était vouée à l'échec. Elle leva la tête et vit l'heure affichée à l'horloge murale.

— Maurice, tu vas être en retard, prévint-elle son mari. J'ai préparé ton lunch après le dîner. Il est dans un sac brun dans le frigidaire.

Sans rien dire, Maurice alla prendre le sac dans le réfrigérateur et il endossa son manteau et ses bottes. Il embrassa distraitement Jeanne, salua du bout des lèvres la tante importune et quitta l'appartement en claquant

bruyamment la porte arrière en signe de mécontentement. Jeanne le regarda partir sans dire un mot.

— J'ai l'impression que ça fait pas l'affaire de ton mari
que je sois venue t'aider, dit finement Agathe Lafrance.

— Bien non, ma tante, c'est pas ça. Il est juste un peu
surpris. En plus, je sais pas trop comment on va s'organiser pour vous coucher.

— Énerve-toi pas avec ça. Moi, je suis trop grande
pour coucher sur le divan du salon, mais ton Maurice est
capable, lui. Ça fait qu'on va coucher ensemble et on va
l'installer là.

Jeanne ne protesta pas, mais elle se douta bien que son
mari n'accepterait pas facilement cet arrangement. Elle se
sentait simplement trop épuisée pour protester.

Quand les enfants rentrèrent de l'école, ils découvrirent avec étonnement cette grande femme sèche en
train d'éplucher les pommes de terre dans la cuisine avec
leur mère.

— Mon Dieu, on dirait presque une classe complète,
s'exclama la tante Agathe en voyant toutes ces têtes brunes
apparaître les unes après les autres dans la maison.

— Comment on va vous appeler ? lui demanda Claude,
en regardant l'inconnue d'un air frondeur.

— « Ma tante », se contenta de répondre Agathe
Lafrance, sans sourire.

Comme il restait une heure avant le souper, elle força
sa nièce à aller s'étendre dans sa chambre et elle prit en
main la maisonnée avec une efficacité surprenante. Elle
installa André et Martine avec des jeux dans un coin de la
salle à manger et elle obligea les autres à s'asseoir à table
avec leurs devoirs et leurs leçons dans le plus parfait
silence.

À plusieurs reprises, elle ramena Lise, la lunatique, sur
terre et elle fit recommencer une page d'écriture à

Francine, toujours un peu brouillonne. Claude, peu intéressé par l'école, était déjà en train de refermer son sac
quand la tante l'obligea à lui montrer son carnet de leçons.
Lorsqu'elle se rendit compte que son devoir n'était pas à
moitié fait et qu'il lui avait menti effrontément, elle
l'attrapa par une oreille et le menaça d'une sévère correction s'il s'avisait de recommencer. Le garçon de huit ans,
les larmes aux yeux, rouvrit son cahier ligné et reprit son
crayon.

De fait, il n'y avait que Paul qui avait l'air de plaire à la
vieille dame. L'ancienne institutrice avait repéré, au
premier coup d'œil, un élève appliqué dans ce garçon
maigre aux cheveux bruns pleins d'épis qui portait des
diachylons sur l'avant-bras droit et derrière l'oreille. Elle
examina d'un œil critique le devoir qu'il venait de terminer pendant qu'il refermait avec soin sa bouteille d'encre
bleue. L'écriture était soignée et suivait bien les lignes du
transparent qui avait été glissé derrière la page.

— Quand tu seras prêt, je te ferai réciter tes leçons.
Qu'est-ce que t'as à étudier ?

— J'ai vingt numéros du catéchisme et une dizaine de
mots de vocabulaire à épeler, ma tante.

Quelques minutes plus tard, il lui récita ses leçons.

— Tu travailles bien, Paul, l'encouragea-t-elle. Je
pense que tu vas aller loin. Qu'est-ce que tu veux faire
plus tard ?

— Je le sais pas encore, ma tante. Peut-être un prêtre,
répondit Paul, après un instant de réflexion.

À ses yeux, la vie des prêtres était ce qu'il y avait de plus
enviable. Ils vivaient dans une grande maison, étaient
aidés par des servantes ou des religieuses et ne travail-
laient presque pas.

En ce premier soir, les Dionne auraient juré que leur
père était de retour à la maison tant la discipline imposée

par la tante Agathe ressemblait à la sienne. Avant le souper, tous les devoirs étaient terminés. Les corvées de nettoyage qui succédèrent au repas furent expédiées et les enfants purent s'amuser avant la récitation du chapelet.

À sept heures et demie, personne ne discuta quand la tante leur commanda d'aller se coucher. Elle ne retint auprès d'elle que Lise pendant quelques minutes supplémentaires pour défaire ses deux longues tresses et peigner ses longs cheveux bruns qui descendaient jusqu'à ses reins.

— Tu as de bien beaux cheveux, ma petite fille, fit-elle, mais il va falloir que tu apprennes à les entretenir toi-même.

Le lendemain matin, à son retour du travail, Maurice découvrit la tante de sa femme déjà debout, occupée à confectionner du gruau chaud pour le déjeuner des enfants qui ne tarderaient pas à se lever. Il était déçu. Il avait vaguement espéré que Jeanne serait parvenue à s'en débarrasser.

— Si tu veux du gruau, il va être prêt dans cinq minutes, lui offrit-elle, emmitouflée dans une épaisse robe de chambre brune en ratine.

— Je mange juste des toasts avant de me coucher, fit Maurice en s'assoyant au bout de la table.

— Bon, comme tu veux. T'as juste à te les faire, dit la tante sans plus se préoccuper de lui.

— Où est Jeanne ? Elle est pas levée ?

— Laisse faire ta femme, lui intima-t-elle sévèrement. Elle doit se reposer. T'es quand même capable de te faire cuire deux toasts sur la fournaise, jamais je croirai.

— Ben oui, ben oui, dit Maurice, excédé et n'ayant aucun goût de commencer une dispute après une nuit de travail.

— Ah ! pendant que j'y pense. Je t'ai fait ton lit sur le divan du salon. Moi, je suis trop grande pour dormir là. Il est pas mal confortable ; tu vas être bien.

— Sur le divan ? Mais je peux dormir dans mon lit le jour et...

— Ben non, voyons ! trancha abruptement Agathe Lafrance. On n'est tout de même pas pour changer les draps deux fois par jour. Ça a pas d'allure.

Avant d'exploser, Maurice Dionne avala ses deux toasts sans rien ajouter. Quand ses enfants se levèrent, il prit la direction du salon où il se déshabilla. Jeanne l'entendit, contourna le lit de Denis et s'approcha de lui.

— J'ai bien essayé de la faire partir, chuchota-t-elle, mais il y a rien eu à faire.

— Ouais. Toi et ta maudite famille ! grommela Maurice. Si ta mère avait fermé sa boîte, on n'aurait pas l'autre folle sur les bras. En tout cas, je t'avertis. Si elle est pas partie lundi, je l'étrangle, promit Maurice avant de s'étendre sur l'étroit divan qui allait lui servir de lit. En attendant, essaie au moins de faire taire les enfants que je puisse dormir.

Chapitre 12

Enfin le printemps

Au cours des jours suivants, Maurice Dionne eut cent fois la tentation de flanquer la tante Agathe à la porte avec armes et bagages. Sa façon de tout régenter chez lui le faisait grimper aux rideaux. Elle commandait à tous d'un ton sans réplique et les enfants lui obéissaient au doigt et à l'œil. Le plus enrageant était peut-être que ces derniers donnaient même l'impression de la craindre plus que leur propre père.

Pourtant, il devait reconnaître en toute justice que la grande femme sèche abattait beaucoup de travail à la maison. L'appartement n'avait jamais été aussi bien tenu. La vieille tante ne se ménageait pas et ne se plaignait jamais. Nul doute n'était possible; elle contribuait, du moins en partie, au retour des forces de Jeanne qui reprenait des couleurs et même un peu de poids. À cause de cela, Maurice faisait des efforts méritoires pour tolérer la présence de cette parente encombrante… Si encore elle n'avait pas eu cette voix de tête détestable et cette manière de le regarder de haut!

— T'es juste un homme, déclarait-elle souvent au mari de sa nièce, tu peux pas comprendre. Enlève-toi de là et laisse-nous faire.

Il finissait par croire qu'il était devenu incapable de faire la moindre chose valable chez lui. Il commençait à avoir sérieusement hâte de jouir à nouveau de toute son autorité, autorité que son invitée ne se gênait pas de battre en brèche quand elle en avait envie. Le meilleur exemple en avait été la mélasse soufrée. Dès le lendemain de son arrivée, la tante Agathe avait trempé le bout du doigt dans l'étrange mélange que Jeanne s'apprêtait à faire prendre aux siens. Elle y avait goûté. Sa grimace avait fait rire les enfants présents lors de l'expérience.

— Veux-tu bien me dire, ma pauvre Jeanne, ce que tu donnes là à tes enfants ? avait-elle demandé, horrifiée.

— Un mélange de mélasse et de soufre, ma tante.

— Pourquoi tu fais ça ?

— Bien, le cousin Eugène a dit que c'était ce que les gars de chantier prenaient chaque matin pour être en santé tout l'hiver.

— L'épais ! s'était exclamée Agathe Lafrance. C'est un remède qu'on donnait avant aux chevaux, pas aux humains. Je me rappelle que mon pauvre père donnait ça à son cheval. Il faut être niaiseux comme Eugène Baillargeon pour faire croire des affaires de même. Donne-moi ça, ma fille.

Sur ce, la tante Agathe s'était emparée du bol rempli du mélange jaunâtre et elle en avait jeté le contenu à la poubelle.

— Vous en avez plus besoin, déclara-t-elle aux jeunes qui quittèrent la cuisine sans demander leur reste.

Paul avait été, de loin, le plus heureux de la décision de la tante de sa mère. Il commençait à apprécier sérieusement cette dernière, et pas seulement parce qu'elle savait se faire craindre par son père.

—

Le début du mois d'avril 1955 fut particulièrement doux. On aurait dit qu'un printemps précoce voulait s'installer définitivement, bien décidé à faire oublier les rigueurs de l'hiver. Déjà, dans la cour arrière, il ne restait que quelques plaques de neige durcie le long des maisons, là où le soleil ne parvenait pas à glisser ses rayons.

Ce lundi matin là, Jeanne et sa tante décidèrent de ne pas étendre le linge fraîchement lavé sur les cordes temporaires qui étaient tendues dans le couloir et dans la salle à manger. Pour la première fois depuis le début de novembre, les vitres de l'appartement ne se couvriraient pas de buée et on pourrait se déplacer d'une pièce à l'autre sans avoir à marcher courbé.

Pendant que Jeanne lavait le linge et le passait dans le tordeur, tante Agathe, engoncée dans une épaisse veste de laine, sortait dans la cour et étendait le linge mouillé sur la corde fixée à l'extérieur.

— Bonjour madame, entendit-elle.

Elle tourna la tête dans toutes les directions avant de découvrir que la salutation s'adressait à elle et qu'elle venait du voisin de gauche, occupé, comme elle, à étendre du linge sur sa corde.

Germain Couture demeurait au 2327, rue Notre-Dame depuis plus de trente ans. Le petit homme grassouillet était un éboueur de la Ville de Montréal retraité depuis trois ans. Sa femme, à demi aveugle depuis de nombreuses années, était décédée d'un cancer l'année précédente et ne lui avait pas laissé d'enfants. L'homme aimait bien la famille Dionne et il lui arrivait parfois, surtout durant l'été, de venir parler avec Jeanne et Maurice.

— Bonjour monsieur, répondit-elle assez sèchement.

— Est-ce que ma voisine est malade ? demanda aimablement Germain en s'étirant pour accéder à sa corde à linge.

— Non, elle va bien, répondit Agathe Lafrance qui, elle, n'avait aucun mal à atteindre la corde.

— Tant mieux, fit Germain Couture en s'approchant de la clôture qui séparait les deux petites cours. Ah, pendant que j'y pense ! s'exclama-t-il avec bonne humeur, j'ai un cadeau pour Paul. Je vous le donne tout de suite.

Sans attendre la réponse de la célibataire, il fonça vers son appartement. Agathe n'eut que le temps de tourner la tête qu'elle entendait claquer la porte derrière lui.

Un instant plus tard, le retraité sortait de chez lui en tenant un petit accordéon rouge qu'il lui tendit par-dessus la clôture.

Jeanne, alertée par les bruits de voix, finit par entrouvrir la porte et reconnut son voisin qu'elle salua de loin.

— Bonjour, madame Dionne. J'ai trouvé et réparé un vieil accordéon. Même s'il est pas neuf, il marche pas mal ben. J'ai pensé que votre Paul serait content de l'avoir.

— Je comprends qu'il va être content, dit Jeanne avec un grand sourire. Vous le gâtez en pas pour rire, vous. Si le cœur vous en dit, monsieur Couture, venez donc prendre une tasse de café après votre lavage. Maurice travaille de nuit, mais il va être levé à cette heure-là.

— Ben, je voudrais pas vous déranger. Vous avez de la visite à ce que je vois.

— Bien non, vous dérangerez pas. Je vais en profiter pour vous présenter ma tante.

❧

Germain Couture attendit le milieu de l'après-midi pour se présenter à la porte arrière de l'appartement des Dionne. Maurice s'empressa de le faire entrer et il le présenta à la tante de Jeanne. À côté de l'institutrice retraitée, l'ancien col bleu avait l'air minuscule. Agathe Lafrance le dépassait d'une tête. On n'aurait pu imaginer un couple plus dissemblable. Germain Couture était aussi rond qu'elle pouvait être maigre. Et pourtant, l'entente entre ces deux-là fut immédiate.

La vieille célibataire sembla tomber immédiatement sous le charme des manières délicates et de la voix chaude du voisin. Quelques minutes à peine après son entrée chez les Dionne, ils s'entretenaient comme de vieilles connaissances. C'était tellement surprenant que Maurice et Jeanne en restaient presque sans voix. Une heure plus tard, guidé par son savoir-vivre, Germain Couture quitta les lieux en même temps que Maurice, qui devait aller travailler. L'air désolé de la tante Agathe disait assez à quel point elle regrettait que le voisin parte aussi tôt.

Dès qu'il mit les pieds dans la maison, à son retour de l'école, Paul fut assailli par André, tout excité.

— Viens voir ton cadeau, lui dit le petit garçon en se précipitant vers son grand frère.

— Quel cadeau ?

— Celui que monsieur Couture t'a apporté, l'informa sa mère, en train de changer les langes de Denis.

— Il est sur le frigidaire, précisa son frère Claude, arrivé de l'école quelques minutes avant lui.

En entrant dans la salle à manger, il aperçut le petit accordéon rouge déposé devant la radio, sur le réfrigérateur. Il ne se souvenait pas d'avoir vu une aussi belle chose de sa vie. Il s'empressa de prendre l'instrument dans ses mains et de l'explorer, entouré par Claude et André, envieux. Il détacha la fermeture de cuir souple et l'accordéon émit un son profond quand il l'étira avec précaution. Il y avait trois clés en bois sur le dessus et un clavier de petites touches de nacre à l'une des extrémités.

Paul n'avait jamais possédé une chose aussi précieuse. Il était ravi et craintif à la fois. Il ne voulait surtout pas l'abîmer. Il aurait tout donné pour savoir jouer de cet instrument mystérieux.

— Tu devrais aller remercier le voisin pendant que tu es encore habillé, lui conseilla tante Agathe.

— Oui, ma tante. Mais où est-ce que je vais le mettre ? J'ai pas de place. Je veux pas que les autres jouent avec.

Jeanne déposa Denis dans son parc et elle jeta un coup d'œil autour d'elle.

— C'est vrai que dans la chambre des garçons, il y a pas de place.

Après un instant de réflexion, elle finit par suggérer :

— Pourquoi tu le mettrais pas sur le dessus de l'armoire, dans la chambre des filles ?

— Aïe ! m'man, protesta Lise, nous autres, on est déjà tassées dans l'armoire. On a, en plus, les affaires de Martine.

— J'ai pas dit dans l'armoire ; j'ai dit dessus, répliqua sa mère. T'auras juste à monter sur une chaise, Paul. Comme ça, ton accordéon va être assez haut que les petits pourront pas jouer avec.

Paul alla déposer son précieux instrument de musique sur le dessus de la grande armoire haute de plus de six pieds qui occupait presque tout un mur de la chambre des filles et il sortit remercier le voisin.

Dix minutes plus tard, il revint, le sourire aux lèvres.

— Monsieur Couture sait jouer de l'accordéon, dit-il à sa mère. Il m'a dit qu'il allait me montrer à jouer quand je le voudrais.

Ce soir-là, après le chapelet, Paul prit quelques minutes pour tenter de jouer *Au clair de la lune* avec son instrument. Malgré le plaisir évident qu'il y prenait, rien ne laissait supposer qu'il possédait un don spécial de musicien.

Deux jours plus tard, ce fut le drame. À la fin du samedi après-midi, Paul rentra à la maison après avoir joué dans la grande cour avec Serge Ménard. Stupéfait, il découvrit son accordéon sur la table de la salle à manger.

Son père n'était pas là et sa mère était allée porter à une cliente une robe dont elle venait de refaire l'ourlet.

— Qu'est-ce que mon accordéon fait là ? demanda-t-il à la cantonade.

Lise et Francine firent comme si elles ne l'avaient pas entendu. Pour sa part, tante Agathe regarda Claude.

— Réponds à ton frère, lui dit-elle sèchement.

Au comble de l'énervement, Paul s'empara de son instrument qui s'étira sans émettre le moindre son. Son cœur eut un raté quand il aperçut le gros trou béant dans le soufflet. Les larmes lui vinrent immédiatement aux yeux et il demeura d'abord sans voix devant la catastrophe.

— Qu'est-ce que t'as fait à mon accordéon ! cria-t-il, blanc de rage, à son frère Claude.

Claude n'avait jamais vu son frère aussi en colère. Il donnait tellement l'impression d'être prêt à sauter sur lui qu'il préféra se rapprocher prudemment de l'imposante tante Agathe, seule personne présente dans la maison capable de le protéger.

— C'est un accident, dit Agathe Lafrance d'une voix calme et posée. Attends, il va t'expliquer. Vas-y, parle, ordonna-t-elle à Claude.

— Ben, je voulais juste voir si je pouvais jouer un peu de musique. J'ai pris une chaise et j'ai mis des oreillers dessus pour l'attraper sur l'armoire. L'accordéon est tombé et je suis tombé dessus. Je voulais pas le casser.

— T'avais pas d'affaire à prendre mon accordéon, hurla Paul. C'était à moi, pas à toi. Là, il est fini. Je pourrai plus jamais m'en servir, maudit niaiseux !

Alors, Paul lança par terre ce qui restait de son accordéon et il prit le chemin de sa chambre. Quand Claude voulut le suivre, tante Agathe le retint.

— Laisse-le tranquille, dit-elle au garçon. Ton frère a de la peine.

À l'heure du souper, l'instrument avait mystérieuse-ment disparu. Maurice et Jeanne ne firent aucun com-mentaire. Germain Couture ne demanda jamais ce qu'il était advenu de l'accordéon qu'il avait donné à son jeune voisin. Maurice lui avait raconté la mésaventure et le veuf en avait été peiné pour le jeune garçon.

—

Le vendredi midi suivant, après le dîner, tante Agathe annonça qu'elle avait l'intention de retourner chez elle le lendemain avant-midi. Elle était demeurée un mois chez les Dionne.

Maurice semblait le seul à être ravi par la nouvelle. Pour le plus grand plaisir de la vieille célibataire, les enfants manifestèrent bruyamment leur déception de la voir les quitter aussi rapidement.

— Je vais revenir vous voir bientôt, promit-elle en guettant la réaction de Maurice qui eut du mal à réprimer une grimace.

Jeanne se doutait bien que sa tante allait partir un jour ou l'autre, mais elle en était venue à redouter ce départ. Celle qu'elle avait accueillie un peu à contrecœur un mois plus tôt lui était devenue presque indispensable, comme une seconde mère. Elle avait si bien pris soin d'elle et des enfants qu'elle avait eu autant d'influence sur son rétablis-sement que sa cure d'injections qui commençait d'ailleurs à avoir des effets bénéfiques sur sa santé. La jeune femme avait surtout appris à apprécier les qualités de cœur de la sœur de sa mère.

Ainsi, elle s'était aperçue que la sortie hebdomadaire du jeudi après-midi de la tante Agathe n'avait pour but que de rapporter un gros sac de nourriture qu'elle rangeait dans les armoires sans émettre le moindre commentaire. Quand Jeanne protestait, elle lui disait :

— Occupe-toi pas de ça, ma fille. Je suis venue pour te donner un coup de main, pas pour vider ton réfrigérateur.

Au fond, Jeanne se doutait bien que sa tante n'appréciait pas le menu habituel qu'elle servait à sa famille. Les repas de pâté chinois, de spaghetti et de *baloney* revenaient probablement un peu trop souvent à son goût durant la semaine. En tout cas, sa tante ne fit jamais aucune remarque sur la pauvreté évidente de la famille Dionne, et si elle éprouvait de la pitié pour elle, elle n'en fit pas étalage.

Durant tout ce mois, tante Agathe avait été la première debout chaque matin et la dernière à se coucher le soir. Elle n'avait jamais ménagé ses efforts pour rendre la vie des Dionne plus agréable. Plus important encore, Jeanne allait perdre plus qu'une alliée dans ses rapports avec son mari. La grande femme ne s'était jamais gênée pour remettre Maurice Dionne «à sa place», comme elle le disait, quand il élevait un peu trop la voix ou avait une saute d'humeur. À quelques reprises, elle avait osé lui dire :

— Ça va faire, Maurice Dionne ! Si tu t'es levé du pied gauche, t'as juste à retourner te coucher. On n'est pas tes servantes et on n'est pas payées pour t'endurer.

Maurice rongeait alors son frein et changeait de pièce.

Le samedi avant-midi, Jeanne obtint de son mari qu'il aille au moins conduire sa tante en auto jusqu'au terminus des autobus Provincial.

Au moment où tante Agathe endossait son manteau après avoir ajusté son chapeau devant le miroir de la chambre, Germain Couture vint sonner à la porte. Le petit veuf voulait lui souhaiter un bon voyage de retour. De toute évidence, elle l'avait mis au courant de son intention de rentrer chez elle ce jour-là. Dans le vestibule où Jeanne les laissa seuls quelques instants, il y eut un échange de numéros de téléphone entre les deux nouveaux amis.

Quand le voisin eut quitté les lieux, Jeanne ne put s'empêcher de taquiner sa tante avant de l'embrasser.

— C'est ça, ma tante. Vous venez faire des ravages à Montréal, puis vous vous sauvez.

— Va pas me partir cette rumeur-là dans la famille, toi, la prévint Agathe Lafrance, la bouche pincée, mais l'œil moqueur. Tu sauras que l'homme qui traînera au pied de l'autel une vieille fille comme moi est pas encore au monde.

Les enfants s'approchèrent pour embrasser la tante de leur mère avant que Maurice vienne chercher sa valise pour la déposer dans le coffre de la vieille Dodge, stationnée pour l'occasion devant la porte avant, dans la rue Notre-Dame.

— Soyez fins avec votre mère, recommanda-t-elle aux enfants. Et toi, Jeanne, si jamais t'as besoin d'aide, téléphone-moi.

— Je sais vraiment pas comment vous remercier, ma tante, dit cette dernière, émue, en serrant la sœur de sa mère entre ses bras. Vous avez été tellement bonne pour nous autres.

— Si c'est vrai, attends quand même un peu avant de me canoniser, rétorqua sa tante en sortant. Oublie pas surtout de me donner de tes nouvelles de temps en temps.

Sur ces mots, elle s'engouffra dans la vieille Dodge qui démarra aussitôt.

Chapitre 13

Le mois de Marie

Mai était revenu sur la pointe des pieds au moment où on ne l'attendait plus tant les derniers jours d'avril avaient été maussades et pluvieux. En quelques jours, les érables du carré Bellerive, situé du côté sud de la rue Notre-Dame, se couvrirent de bourgeons vert tendre et le vert foncé de la pelouse séparée par d'étroites allées asphaltées incita les vagabonds du quartier à venir s'y étendre comme aux plus beaux jours de l'été.

Le retour du temps doux poussait les habitants de la rue Notre-Dame à quitter enfin leur appartement mal éclairé. Ils sortaient un à un de leur tanière pour respirer l'air extérieur et profiter des premiers rayons chauds du soleil. Comme par miracle, le quartier reprenait vie.

Un peu partout, les fenêtres doubles étaient enlevées et rangées jusqu'à l'automne suivant. On les remplaçait par des persiennes vertes en bois et des moustiquaires. On lavait les fenêtres devenues presque opaques à cause de la poussière et de la suie des cheminées. On nettoyait les balcons en évitant d'asperger les locataires du dessous. Dans beaucoup de cas, on revoyait, parfois sans grande joie, certains voisins pour la première fois depuis l'automne précédent. Le soleil se couchait plus tard et les jeunes en profitaient. Pour s'en convaincre, il n'y avait qu'à regarder les galopades des enfants de tous âges dans la grande cour commune et entendre leurs cris d'excitation. Une porte claquait quelque part et une mère criait à sa progéniture de se calmer. Les parents devaient parfois se fâcher pour obliger les plus jeunes à mettre fin à leurs jeux, le temps de venir souper.

Les enfants Dionne n'étaient pas différents de leurs voisins, les petits Ménard, Théroux et Béliveau. Ils s'empressaient de se débarrasser de leurs devoirs dès leur retour de l'école pour aller rejoindre leurs amis dans la grande cour. Tout ce petit monde surexcité jouait à la cachette ou à la balle, au grand dam des propriétaires des automobiles stationnées au centre de la cour. Ces derniers, inquiets du sort de leur précieux véhicule, finissaient par s'installer sur leur balcon pour en éloigner avec force cris les enfants qui s'amusaient trop près.

Chez les Dionne, le mois de mai marquait un changement dans la routine. Après le souper, les enfants avaient la permission de jouer dehors jusqu'à six heures quarante-cinq. À cette heure-là, ils devaient rentrer se laver le visage et se peigner avant de prendre la direction de l'église de la paroisse pour aller participer à la récitation du chapelet. Comme le disait Paul à sa sœur Lise :

— La seule différence avec le chapelet du cardinal Léger, c'est qu'on a moins mal aux genoux quand on a fini et que des fois, on a la chance d'attraper un lilas en passant proche de la clôture du presbytère.

Lise y voyait une autre différence plus importante, mais pour rien au monde, elle ne l'aurait expliqué à son frère. Pour elle, aller à l'église chaque soir lui permettait de regarder à son aise Yvon Deslauriers, le frère d'une camarade de classe qui demeurait rue Frontenac. Les dames de la congrégation Notre-Dame surveillaient trop étroitement leurs élèves pour qu'elles aient l'occasion de parler à des petits amis qui longeaient la clôture du couvent de la rue Sainte-Catherine, à l'heure du retour en classe, le midi.

——

Pourtant, la première semaine de mai prit fin sur une soirée que Jeanne Dionne trouva très éprouvante. Le jeudi soir, Lise ne put aller à la récitation du chapelet. Elle dut garder avec Paul ses jeunes frères et sœurs pendant que sa mère allait chercher le bulletin scolaire de ses quatre enfants.

— Vous êtes pas obligée d'y aller, m'man, fit Francine qui était souvent punie au couvent pour ses espiègleries. Si vous y allez pas, la sœur va nous donner pareil notre bulletin demain et on va vous l'apporter pour le faire signer.

— C'est vrai ça, m'man, confirma Lise qui ne rapportait toujours que des notes très faibles dans toutes les matières.

— Laissez faire, vous deux, fit leur mère, se doutant de ce qui l'attendait. Je veux savoir ce que les sœurs ont à dire sur votre compte.

— Oh! Elles auront rien à me reprocher, répondit la fillette de dix ans. Je pense même que mes notes sont ben meilleures ce mois-ci.

— On va savoir ça à la fin de la soirée.

Jeanne aurait aimé partager cette tâche avec Maurice, mais même lorsqu'il travaillait le jour, jamais il n'avait voulu aller dans une des écoles fréquentées par ses enfants. À ses yeux, c'était à la mère de voir à l'éducation des enfants.

La jeune mère de famille commença sa tournée par l'école Champlain. Madame Labrie, une vieille institutrice blanchie sous le harnais, lui remit le bulletin de

Claude en affirmant que son fils aimait beaucoup plus faire rire ses petits camarades que travailler. Ce comportement expliquait en grande partie la faiblesse de ses notes. Un étage plus haut, Jeanne n'attendit que quelques minutes avant de se retrouver face à Marcel Beaudry. Le petit homme sec et nerveux ne tarit pas d'éloges sur son Paul qui occupait, pour le troisième mois d'affilée, le premier rang de la classe. Il la félicita d'avoir un fils pareil et il prédit que ce dernier aurait un bel avenir s'il continuait à travailler avec autant d'acharnement.

Jeanne Dionne était sur un nuage lorsqu'elle quitta l'école Champlain pour se rendre au couvent où étudiaient Lise et Francine.

Là, les nouvelles étaient beaucoup moins réjouissantes. Sœur Marie-de-l'Enfant-Jésus affirma d'un air sévère que Francine était une véritable tête de linotte incapable de se concentrer et de remettre un devoir propre et complet. Elle allait recommencer son année si ses notes ne s'amélioraient pas durant les deux derniers mois de l'année. Jeanne sortit furieuse de la classe. Elle était d'autant plus humiliée que quelques mères, assises sur des chaises dans le couloir, avaient tout entendu.

La mine sombre, elle se rendit au bout du même couloir pour rencontrer sœur Julien, une petite religieuse toute ronde et souriante, qui enseignait à Lise. Son sourire se figea quand Jeanne dit être la mère de Lise.

— Elle est bien trop préoccupée par les garçons et ses cheveux pour avoir encore le goût d'étudier, laissa tomber sœur Julien, tout sourire envolé.

— Ma fille ? demanda Jeanne, stupéfaite.

— Oui, madame, votre fille. Elle passe son temps à rêver. Chaque fois que je l'interroge, elle est ailleurs. Une vraie « lune ». J'ai bien peur que dans son cas, il n'y ait pas de miracle à la fin de l'année. Elle va redoubler.

— Oh non !

— Si, madame, répliqua la religieuse en lui tendant le bulletin scolaire de Lise. En plus, madame Dionne, j'attire votre attention sur la feuille blanche pliée à l'intérieur. Nous demandons la collaboration de toutes les mères. Nous sommes aux prises avec une épidémie de poux.

— Ma fille a les cheveux propres, ma sœur, protesta Jeanne, insultée qu'on pense qu'un de ses enfants puisse avoir des poux.

— Je n'en doute pas, madame, mais on ne peut pas en dire autant de toutes nos élèves et les poux se propagent vite.

— Vous pouvez être certaine que je vais y voir dès ce soir, dit Jeanne en se levant.

Lorsque Jeanne rentra à la maison, seul le plafonnier de la salle à manger était allumé. Paul semblait le seul de ses enfants encore debout.

— Où sont les autres ? demanda-t-elle.

— Ils sont couchés, m'man.

Elle devina tout de suite la cause de cette fatigue soudaine, mais elle ne se sentait pas d'humeur à ménager qui que ce soit.

— Va me les réveiller, ordonna-t-elle à Paul.

— Est-ce que mon bulletin est beau au moins ? demanda-t-il, un peu surpris par la colère de sa mère.

— Il est fameux. T'es encore le premier de ta classe. Ton père va être fier de toi.

Paul en douta. Il savait depuis longtemps que les notes obtenues à l'école par ses enfants ne préoccupaient guère son père... À moins qu'il y ait de l'abus, bien sûr.

— Une chance que je t'ai, reprit sa mère en affichant un mince sourire de satisfaction. Il y a juste ton professeur qui m'a fait des félicitations. Pour les autres, j'ai jamais eu aussi honte de ma vie. Va les réveiller.

Paul s'exécuta. Quelques instants plus tard, tous les trois feignirent de se frotter les yeux en entrant dans la salle à manger.

— Ça va faire, les acteurs! s'exclama leur mère avec humeur.

— Qu'est-ce qu'il y a, m'man? demanda l'aînée en feignant de ne rien comprendre à la mauvaise humeur de sa mère.

— Toi, Lise, la sœur dit que tu vas redoubler ton année si tu continues comme ça. Elle m'a dit aussi que tu suivais pas en classe et que tu t'occupais plus de tes cheveux que de ce qu'elle expliquait en avant.

Jeanne passa volontairement sous silence l'allusion à l'intérêt manifesté par sa fille pour les garçons.

— Elle dit ça, m'man, parce qu'elle peut pas me sentir, voulut se défendre sa fille.

— Laisse faire! Regarde tes notes. Ton père va être bien de bonne humeur demain matin quand il va voir ça!

Lise pâlit à cette évocation.

— Vous allez pas lui raconter tout ça, m'man? implora-t-elle. Il va me tuer.

— C'était à toi d'y penser avant.

Comme Lise, les larmes aux yeux, s'apprêtait à regagner sa chambre, sa mère l'arrêta.

— Bouge pas! On n'a pas fini. Il y a des poux dans ta classe. Il est pas question que t'ailles te coucher comme ça. On n'est peut-être pas riches, mais on n'est pas des cochons. Défais tes tresses.

— Ouach! fit Francine en s'éloignant ostensiblement de sa sœur avec une grimace de dégoût. J'espère que tu m'en as pas donné!

— Il est tard, m'man. On pourrait pas attendre demain soir? demanda Lise.

— Non, on fait ça tout de suite, même si je suis bien fatiguée.

Ensuite, Jeanne se tourna vers Francine.

— Toi, la tête folle, il va falloir te mettre un peu de plomb dans la tête, dit Jeanne en s'adressant à sa fille, qui avait habituellement le rire si facile.

— Est-ce que mes notes sont meilleures qu'au dernier bulletin ? demanda Francine en arborant un air naïf.

— Non, elles sont pires. T'es paresseuse, Francine Dionne ! Tu m'entends ? La sœur m'a dit que tes devoirs étaient toujours faits de travers. Je vais les regarder de près, moi, tes devoirs, et ça, à partir de demain soir !

— Est-ce que ça veut dire que vous en parlerez pas à p'pa ? s'enquit la fillette, pleine d'espoir.

— J'ai pas dit ça. En tout cas, toi aussi, il va falloir regarder tes cheveux. Reste là.

— Aïe, m'man ! C'est pas moi qui ai des poux, c'est Lise, protesta Francine, outrée d'avoir à subir le même traitement que sa sœur.

Jeanne ne tint aucun compte de ses protestations et tourna son attention vers Claude qui n'avait pas dit un mot depuis qu'on l'avait forcé à se lever.

— Bon, il reste juste le bouffon.

— Qui ça ? demanda Claude.

— Toi, innocent ! fit la mère. Madame Labrie me dit que tu passes ton temps à faire rire les autres en classe. On va bien voir, demain matin, si tu vas trouver ça aussi drôle quand ton père va sortir sa ceinture !

— Si je promets de rester tranquille, est-ce que vous allez le dire pareil à p'pa ? demanda le petit garçon d'une voix suppliante.

— Je le sais pas.

— Bah! C'est pas grave. Ça fait pas si mal que ça un coup de ceinture, reprit Claude, frondeur. Est-ce que je peux aller me coucher?

— Vas-y. Débarrasse-moi le plancher, commanda Jeanne en réprimant difficilement un sourire après avoir entendu la repartie de son fils. Toi aussi, Paul, tu ferais peut-être mieux d'aller te coucher si tu veux être capable de te lever à temps demain matin pour aller servir la messe.

Paul embrassa sa mère sur la joue et suivit son frère dans la petite chambre à l'arrière de l'appartement.

— T'es chanceux, toi, fit Claude. Beaudry te félicite.

— Laisse faire, répliqua Paul qui en était encore à se demander pourquoi, s'il était si satisfait que ça de lui, son professeur ne le complimentait jamais devant les autres.

Malgré sa fatigue, Jeanne Dionne sortit une bouteille d'huile à lampe et elle trouva un peigne fin dans la pharmacie de la salle de bain. Elle déposa une grande serviette sur les épaules de Lise qu'elle avait fait asseoir sur un banc, devant elle. Elle versa un peu d'huile dans un bol.

— Tiens le bol, dit-elle à son aînée. Il faut que je trempe le peigne dedans.

Pendant plus d'une demi-heure, elle inspecta les longs cheveux de Lise en y passant le peigne. Elle ne trouva aucun pou et elle en fut heureuse.

— Ouach! fit Lise avec dégoût. Mes cheveux sentent le diable. Ils sont tout gras.

— Va faire chauffer un canard d'eau chaude, lui dit sa mère. On va les laver avant que t'ailles te coucher. Je me demande si on serait pas mieux de les couper aussi courts que ceux de ta sœur. Ce serait peut-être le meilleur moyen pour que t'arrêtes de t'en occuper.

— Vous allez pas faire ça, m'man! protesta Lise d'une voix alarmée.

— Non. En tout cas, pas tout de suite. Pendant que je m'occupe des cheveux de Francine, va donc voir si la moustiquaire de la couchette de Denis est bien fermée.

Sans perdre un instant, Jeanne invita Francine à prendre la place de sa sœur aînée sur le banc placé devant elle.

— Grouille, Francine, qu'on en finisse et qu'on aille se coucher.

L'examen de la chevelure de Francine fut beaucoup plus rapide. Cette dernière préférait les « boudins » courts aux longues tresses de sa sœur.

Le lendemain matin, Maurice ne posa aucune question sur le rendement scolaire de sa progéniture. Il fallut que Jeanne mentionne les beaux résultats de Paul pour qu'il s'informe.

— Les autres ?

— Pas bien forts, concéda discrètement la mère. J'ai peur que Lise redouble encore. Cette année, elle en arrache toujours. Pour Claude et Francine, leurs notes sont un peu meilleures que celles de Lise.

— Ouais ! Peut-être qu'en leur sacrant une bonne volée et en les envoyant se coucher plus de bonne heure le soir, ça leur mettrait du plomb dans la tête.

— Laisse faire, Maurice, je vais surveiller plus leurs devoirs et leurs leçons. Ça devrait arranger les affaires.

C'est ainsi que Jeanne parvint, une fois de plus, à protéger ses enfants d'une correction qui aurait peut-être été méritée dans certains cas. Mais comment savoir où Maurice allait s'arrêter ? Quand il se mettait à frapper, il frappait n'importe où et avec n'importe quoi.

—

Ce jour-là, un peu après cinq heures, le curé Perreault entra dans la salle à manger du presbytère où le parfum des lilas fraîchement coupés par la servante se mêlait aux odeurs appétissantes provenant de la cuisine.

Damien Perreault trouva l'abbé Laverdière en grande conversation avec le jeune abbé Dufour, tous les deux debout devant une fenêtre largement ouverte donnant sur la rue Fullum. Le curé s'arrêta près de la porte, curieux de savoir de quoi ses deux vicaires pouvaient bien parler avec autant d'animation.

— Je te le dis, Yvon, dit René Laverdière, ce char-là, il est comme neuf.

— Il en a pas l'air, contesta son confrère en se penchant, comme pour mieux examiner quelque chose à l'extérieur.

— Le vendeur nous a dit qu'il avait appartenu à un curé.

— Mon père disait toujours qu'une auto de curé était la dernière affaire à acheter. Selon lui, ils connaissent rien à la mécanique et ils conduisent comme des fous, affirma en riant le jeune homme. Entre nous autres, René, s'il fallait ramasser toutes les bagnoles qui ont supposément appartenu à un curé, on saurait plus où les mettre. Le truc de la soutane pliée dans la valise, tout le monde le connaît.

— Oui, je le sais, concéda le quadragénaire, mais mon frère Robert s'y connaît en mécanique. Il m'a dit que si j'en prenais soin, ma Chevrolet durerait pas mal longtemps. Il y a de la place dans le garage. Je vais demander à notre curé de se tasser un peu.

Sur ces mots, Damien Perreault toussota pour signaler sa présence. Les deux vicaires levèrent la tête et eurent un léger sursaut en l'apercevant.

— Messieurs, je pense qu'il est temps de passer à table, fit-il en voyant entrer la servante portant une soupière fumante.

Le curé récita le bénédicité et s'assit au bout de la table. Pendant quelques instants, il n'y eut dans la pièce que le bruit des cuillères heurtant le fond des bols à soupe. Quand la servante eut desservi, le curé demanda à l'abbé Laverdière :

— De quoi parliez-vous donc avant le souper, l'abbé ? Si c'est pas indiscret, bien sûr.

— De mon auto, monsieur le curé, dit René Laverdière, l'air triomphant.

— De votre voiture ? Mais vous n'avez jamais eu de voiture, affirma le curé en dévisageant l'aîné de ses vicaires.

— Depuis cet après-midi, j'en ai une.

— Voyez-vous ça ! Et vous avez assez d'argent pour vous payer une automobile ? demanda Damien Perreault comme s'il accusait son vicaire d'avoir trouvé cet argent en puisant dans les produits de la quête dominicale.

Un peu mal à l'aise pour son confrère, Yvon Dufour fixait la nappe sans dire un mot.

— J'ai pas la chance de venir d'une famille riche, fit l'abbé Laverdière non sans une pointe d'ironie, mais mes trois frères se sont cotisés pour m'en donner une pour mes quinze ans de sacerdoce. C'est sûr que c'est pas une auto neuve, mais…

— Qu'est-ce que c'est ? demanda sèchement Damien Perreault à qui l'allusion à sa famille riche n'avait pas échappé.

— Une Chevrolet 1948.

— Où est-ce qu'elle est ?

— Dans la rue, devant la fenêtre. Je l'ai stationnée dans la descente du garage.

Le curé daigna se lever pour aller voir la merveille de son vicaire, suivi de près par ses deux subordonnés. René Laverdière adressa un clin d'œil à son jeune confrère dans le dos du curé Perreault.

— On peut pas dire qu'elle a une bien belle apparence, laissa tomber Damien Perreault, un peu méprisant, après avoir regardé le gros véhicule rouge vin qui laissait voir quelques taches de rouille au bas de ses garde-boue.

— C'est sûr, c'est pas une Buick de l'année, concéda l'abbé, hargneux.

— Non, ce n'est pas une Buick, dit sèchement le curé en reprenant sa place à table. Et il n'est pas question que votre voiture soit stationnée dans la descente du garage. Je ne suis pas pour vous courir après pour la déplacer chaque fois que j'aurai besoin d'utiliser ma voiture.

— Ce n'était pas mon intention de la laisser là, monsieur le curé. Je pensais, avec votre permission, pouvoir la mettre à l'abri, dans le garage.

— Il n'en est pas question non plus, l'abbé, trancha sèchement le curé.

— Mais, monsieur le curé, il y a assez de place pour les deux autos, si on se tasse un peu.

— J'aime autant pas. Ça va être trop serré et je risque d'accrocher votre voiture chaque fois que j'aurai à entrer ou à sortir.

— Si c'est comme ça, où est-ce que je vais stationner ma Chevrolet?

— Dans la rue, l'abbé, dans la rue, comme les autres autos, fit Damien Perreault avec une trace de joie mauvaise.

— Mais je n'ai pas le droit de la laisser sur la rue Sainte-Catherine ni sur la rue Fullum. Et puis les enfants vont s'amuser à l'égratigner en allant à l'école.

— Ça, l'abbé, vous auriez dû y penser avant d'accepter ce cadeau. Il aurait été plus sage de m'en parler avant, dit le curé en jetant un regard froid à son subordonné. En plus, j'aurais pu vous dire que le maigre salaire d'un vicaire est insuffisant pour faire rouler et réparer une voiture. Avez-vous seulement envisagé de quelle manière vous allez vous y prendre pour payer tous ces frais?

— Oui, je vais prendre un permis de taxi.

— Un permis de taxi ? répéta le curé, sidéré. Est-ce que vous essayez de me dire, l'abbé, que vous avez l'intention de devenir chauffeur de taxi ? demanda le curé, mi-figue mi-raisin.

— En fait, monsieur le curé, j'avais pensé que ce serait un bon moyen de gagner un peu d'argent durant mes jours et mes soirées de congé.

— C'est la meilleure ! s'exclama le curé Perreault. Un de mes vicaires, chauffeur de taxi ! J'aurai tout entendu. Il n'en est absolument pas question ! Vous m'entendez ? Votre auto, je veux la voir stationnée tout le temps dans l'entrée du garage. Vous ne vous en servirez que lors de votre jour de congé. Et que je n'entende jamais dire que vous avez joué au chauffeur de taxi !

— D'accord, monsieur le curé. Ce n'était qu'une idée comme ça. Mais qu'est-ce que vous allez faire si vous voulez sortir et que je ne suis pas au presbytère pour déplacer ma Chevrolet ?

— Je le ferai moi-même. Vous laisserez vos clés en permanence sur la table du salon. On se débrouillera… Bon, vous m'excuserez, je n'ai plus faim, fit le curé Perreault en se levant de table. Avec toutes vos histoires, vous êtes parvenu à me couper l'appétit. Continuez le repas sans moi.

Damien Perreault sortit de la pièce, image vivante de l'autorité bafouée.

Le vicaire attendit d'entendre claquer la porte du bureau du curé avant de murmurer à l'abbé Dufour :

— Au fond, Yvon, notre brave curé est pas si difficile que ça à manœuvrer. J'ai jamais pensé que je pourrais stationner la Chevrolet dans le garage, mais je voulais pouvoir la laisser dans la descente.

— Pour le permis de taxi ?

— Es-tu malade, toi? répliqua l'abbé en replaçant ses rares mèches de cheveux. Tu sais bien que j'ai jamais pensé à faire une affaire pareille. Mais je me doutais bien qu'en disant ça, notre bon curé voudrait s'assurer que je ne me servirais pas de ma Chevrolet plus qu'il le fallait. Le seul moyen qu'il a pour me contrôler est de garder l'œil sur mon auto en m'obligeant à la laisser dans l'allée... et c'est ce que je voulais.

— Le pauvre homme, il n'a même pas soupé.

— Ne t'inquiète pas trop pour sa santé. Comme je le connais, il ne se laissera pas mourir de faim. Au fond, notre curé est un brave homme. Pour lui, on est tous les deux comme ses fils. Il est peut-être cassant et autoritaire, mais il n'est jamais méchant.

Chapitre 14

Le rêve de Maurice

Maurice Dionne était peut-être un homme nerveux et impatient, mais personne n'aurait pu nier qu'il était un travailleur acharné. La meilleure preuve en était qu'il avait cherché et vite déniché l'emploi supplémentaire dont il avait besoin pour boucler ses fins de mois difficiles.

Depuis le début du mois de mai, il avait accepté d'aller faire le ménage chez deux avocats de Westmount deux après-midi par semaine. Ce travail supplémentaire d'homme à tout faire le contraignait à se priver de quelques heures de sommeil dont il aurait eu bien besoin. Si on ajoutait à cette qualité le fait qu'il ne buvait pas et ne courait pas les jupons, il fallait bien convenir que ses seules véritables faiblesses demeuraient son mauvais caractère et, évidemment, son amour immodéré pour les autos.

Peu instruit et sans métier, ce jeune père de famille de trente-quatre ans avait eu trop tôt l'écrasante responsabilité d'assurer la survie d'une famille nombreuse. Au fil des années, son unique échappatoire à la dure réalité avait résidé dans sa passion pour les voitures. Il s'accrochait encore à son rêve le plus cher, soit posséder un jour une voiture neuve et luxueuse. À ses yeux, une automobile était un puissant symbole. On jugeait de la richesse et du degré de réussite d'un homme au véhicule qu'il conduisait. Évidemment, celui qui n'en possédait pas n'était qu'un pauvre raté, indigne de tout intérêt. Cela expliquait aussi pourquoi, en quelques rares occasions dans le passé, Maurice Dionne avait loué à prix d'or une voiture, le temps d'un week-end, sous le prétexte d'amener Jeanne et les enfants voir la famille Sauvé à Saint-Joachim.

Au fond, rien ne le passionnait autant que les voitures. Certains soirs d'été, assis sur le pas de la porte de son appartement, il pouvait regarder passer les autos dans la rue Notre-Dame durant des heures.

Lorsqu'il lisait *La Patrie* ou *Le Petit Journal*, le dimanche après-midi, il s'intéressait, bien sûr, aux travaux de creusage de la future voie maritime du Saint-Laurent, aux faits et gestes de la nouvelle reine d'Angleterre, Élisabeth II, et même aux disputes entre Maurice Duplessis et Louis Saint-Laurent, le premier ministre du Canada. Les articles traitant de la guerre d'Algérie qui s'amorçait l'intéressaient très peu. Si les prouesses de Maurice Richard avec le Canadien de Montréal le laissaient habituellement plutôt froid, l'émeute déclenchée par la suspension de l'idole des amateurs de hockey de la province l'indigna. Il lisait aussi avec attention tous les articles de journaux dans lesquels il était question de la campagne d'assainissement de Montréal entreprise par le nouveau maire, Jean Drapeau.

En un mot comme en cent, Maurice n'était pas fermé au monde dans lequel il vivait, mais il était évident que son intérêt premier le portait vers les automobiles. Pour s'en convaincre, il n'y avait qu'à le regarder consulter avec avidité les annonces classées de véhicules à vendre. C'était toujours la première rubrique qu'il consultait en ouvrant son journal. Pour lui, l'un des moments les plus palpitants de l'année demeurait la sortie des nouveaux modèles d'automobile au début de chaque automne.

Pourtant, depuis quelques années, Maurice Dionne avait dû se résigner à ne conduire que de très vieilles voitures parce qu'il pouvait les acquérir pour une bouchée de pain. Il était, bien souvent, leur dernier propriétaire avant qu'elles finissent leur trop longue carrière à la casse. Le moins que l'on pût dire était qu'elles ne duraient guère. Il y avait eu une Oldsmobile 1934, puis une Chevrolet 1936 et combien d'autres. Mais l'âge du véhicule n'empêchait pas Maurice de le bichonner chaque samedi matin durant la belle saison.

Dès le retour du beau temps, le scénario se répétait pratiquement chaque samedi avant-midi. Très tôt, Maurice traversait la rue Notre-Dame et allait chercher sa vieille voiture dans le petit stationnement de la Dominion Rubber situé en face de la maison, à gauche du parc Bellerive. Il ne voulait pas laisser son auto dans la grande cour au milieu des enfants qui s'amusaient autour. À sa sortie du stationnement, le gardien de la compagnie se précipitait pour lui faire remarquer qu'il n'avait pas le droit de laisser son véhicule à cet endroit réservé aux employés. Maurice s'excusait, mais s'entêtait à faire la sourde oreille. Il venait ensuite ranger sa voiture dans la cour arrière, près de la clôture.

Alors, Paul et Claude devaient venir l'aider à laver et à nettoyer l'intérieur et l'extérieur du vieux véhicule, même si leur père ne les faisait pratiquement jamais monter à bord. Au milieu de l'avant-midi, quand la toilette de la guimbarde était terminée, Maurice Dionne endossait des vêtements propres et prenait le volant. Il disparaissait alors jusqu'au milieu de l'après-midi. Il lui arrivait parfois, lorsqu'il était particulièrement de bonne humeur, d'amener Paul avec lui.

Le garçon ne détestait pas ces virées du samedi qui consistaient à faire le tour des garages de l'est de Montréal où on vendait des voitures usagées. Il avait bien appris sa leçon. Il se contentait de suivre son père en silence durant tout le temps que durait son examen minutieux de chaque véhicule portant la mention «spécial» tracée à la craie sur le pare-brise.

À son arrivée dans un garage, Maurice Dionne affichait toujours un air détaché et il entreprenait de faire lentement le tour de chaque voiture qui lui semblait présenter un quelconque intérêt. Si les portières étaient déverrouillées, il s'assoyait derrière le volant, tâtait le rembourrage des sièges, ouvrait le coffre pour en vérifier le volume et décochait des coups de pied aux pneus d'un air averti. Par contre, Paul ne se souvenait pas d'avoir vu son père soulever une seule fois le capot d'une auto ou consulter son odomètre. L'important, semblait-il, était l'apparence et la couleur de la voiture.

Lorsqu'un vendeur s'approchait pour lui vanter les qualités de l'auto qu'il était en train d'examiner, Maurice se contentait de l'écouter quelques instants, en arborant l'air un peu supérieur de celui qui sait tout cela et il le quittait abruptement en lui promettant de revenir.

— Tous des maudits menteurs, affirmait-il à Paul en reprenant le volant de sa vieille voiture, prêt à se diriger vers le concessionnaire suivant.

Un peu après midi, il y avait habituellement une courte pause dans la tournée des garages. Maurice Dionne s'arrêtait alors avec son fils à la salle de billard située rue Sainte-Catherine, à l'ouest de la rue D'Iberville. L'odeur de frites et de hot dogs à la vapeur s'échappant de l'endroit faisait saliver Paul. Il avait attendu ce moment tout l'avant-midi. Son père tirait de sa poche deux vingt-cinq sous et commandait invariablement deux hot dogs, une frite et un

Coke pour chacun d'eux. Pendant que son fils dévorait son repas à belles dents, Maurice ne manquait jamais de lui ordonner :

— Va pas dire à personne que je t'ai amené manger au restaurant. Ça ferait chialer ta mère pour rien.

Et Paul se taisait, trop heureux de cette connivence que son père avait établie entre eux.

Mais tous les samedis n'étaient pas identiques...

—

Un samedi matin, après le déjeuner, Maurice annonça à Paul et à Claude :

— Aujourd'hui, on peinture le char. Il est plus regardable. Il a de la rouille partout. La peinture est tout écaillée. On n'aura même pas à le sabler avant d'étendre la peinture neuve. Prenez des guénilles ; vous allez en avoir besoin.

En quelques minutes, Maurice s'installa dans la cour en portant un seau d'où se dégageait une forte odeur.

— Tenez-vous loin, prévint-il ses fils. C'est un mélange d'eau et de Lessie. C'est fort. C'est un acide.

Avant que son fils ait réalisé ce qui se passait, Maurice se mit à laver sa vieille voiture avec ce curieux mélange. Immédiatement, la peinture se mit à se dissoudre, laissant le fer de la Dodge à nu.

Fier de lui, le père rinça à grande eau et à plusieurs reprises son véhicule sur lequel il ne restait plus aucune trace de peinture. Après avoir essuyé la carrosserie avec l'aide de Paul et de Claude, il s'arma d'un large pinceau et d'un gallon de peinture.

— Es-tu sûr de ce que tu fais ? lui demanda Jeanne, sortie pour examiner le travail.

— Occupe-toi pas de ça. Tu vois ben que ça a fait une belle job. Dans une heure, ce char-là va être comme un neuf.

Alors, avec un bel enthousiasme, le peintre amateur se mit à étendre une épaisse couche de peinture bleu poudre sur son auto avec son large pinceau sous le regard intéressé de quelques voisins curieux assis sur leur balcon. Paul fut chargé d'essuyer les bavures de peinture sur les glaces et sur les chromes. Comme d'habitude, son père aurait voulu avoir terminé avant de commencer et il était trop impatient pour faire un travail soigné.

À midi, Maurice, tout fier, se déclara satisfait de son travail et il invita sa femme à venir admirer son chef-d'œuvre avant de ranger sa peinture et son pinceau.

— Le char est pas mal plus beau comme ça, affirma-t-elle à son mari sans vraiment croire à ce qu'elle disait.

En réalité, le résultat obtenu n'était guère fameux. Les coups de pinceau étaient très visibles sur le capot et sur le coffre arrière. Les caoutchoucs étaient devenus bleus. La peinture un peu mate ne parvenait pas à masquer totalement les endroits rouillés.

— Qu'est-ce que tu vas faire avec les licences? demanda Jeanne à son mari en lui montrant les plaques de la Dodge que Maurice avait oublié de retirer avant d'asperger le véhicule avec son mélange corrosif. Il n'y a plus de peinture dessus. Vas-tu être obligé d'en payer d'autres?

— Es-tu folle, toi? demanda Maurice, agacé par ce qu'il sentait être une critique déguisée. Énerve-toi pas avec ça, je m'en occupe.

Pour s'en occuper, il s'en occupa…

Après le repas, il alla explorer tous les vieux pots de peinture gardés dans le sous-sol. Il trouva dans ces vestiges un reste de peinture jaune et de peinture brune dont les teintes étaient proches de celles des plaques, cette année-là. Sans perdre un instant, il s'empara de son plus petit pinceau et il repeignit les chiffres et les lettres.

Au début de la soirée, estimant que la nouvelle peinture de sa Dodge était suffisamment sèche, Maurice invita toute la famille à monter à bord pour aller la montrer à sa sœur, Suzanne, qui demeurait encore dans l'appartement de la maison qui avait appartenu à leur mère, rue De La Roche. Ce soir-là, Maurice Dionne apprit que ses dons de peintre pouvaient être contestés par les forces policières de Montréal.

Une première voiture de police l'obligea à se ranger au coin de Papineau et Sainte-Catherine.

— Qu'est-ce que c'est que cette licence-là? demanda un gros agent à l'air peu commode en indiquant du pouce l'arrière de la Dodge.

— Ben, j'ai eu un problème avec la peinture et...

Alors, le père de famille entreprit de raconter avec un sourire forcé comment il en était venu à être obligé de repeindre les plaques. Le policier, probablement amadoué par la présence des nombreux enfants dans le vieux véhicule, finit par dire:

— Bon, je vous donne pas de ticket, mais vous aurez pas le choix. Lundi matin, vous devrez aller vous chercher des licences neuves.

— Oui, monsieur l'agent, répondit poliment Maurice au policier qui avait déjà tourné les talons pour monter à bord de sa voiture.

— Maudit gros chien! s'exclama Maurice en faisant démarrer sa voiture. Pas assez intelligent pour voir que mes licences sont comme avant. Il y a des voleurs partout, mais ils aiment mieux venir écœurer le monde honnête! Quand ils disent que Drapeau va mettre de l'ordre à Montréal, il faudrait peut-être qu'il commence par engager des policiers qui ont une tête sur les épaules.

Il fallut plus d'une heure trente avant d'atteindre la porte de sa sœur, Suzanne, parce que Maurice Dionne dut s'immobiliser à deux autres reprises pour répondre aux questions de policiers curieux de savoir depuis quand il se baladait avec ses plaques artisanales. À chaque fois, il ne put reprendre la route qu'après avoir fourni de longues explications détaillées.

— Pas un mot de ça à votre tante, dit Maurice de fort mauvaise humeur à ses enfants, avant de descendre.

Gaston et Suzanne étaient assis sur le balcon au premier étage à l'arrivée de la famille Dionne. Pendant que Jeanne et les enfants se dirigeaient vers Suzanne qui les invitait à monter, Maurice faisait signe à son beau-frère de venir le rejoindre.

Le policier félicita sans trop d'enthousiasme son beau-frère pour son travail après avoir fait lentement le tour de la Dodge. Il ne put tout de même s'empêcher, lui aussi, de lui faire remarquer que ses plaques devraient être changées. Maurice grimaça de dépit, mais il parvint à masquer sa frustration. Cette visite qui devait lui attirer des félicitations qu'il jugeait bien méritées ne lui apportait que des contrariétés. Cependant, fort sagement, il demeura chez sa sœur jusqu'à l'arrivée de l'obscurité pour éviter que ses plaques lui causent d'autres désagréments. Sur le chemin du retour, il ne put empêcher sa mauvaise humeur d'éclater.

— Je sais pas comment ma sœur fait pour vivre avec ce maudit gros insignifiant-là.

— Pourquoi tu dis ça?

— Il a rien trouvé à dire sur ma job, sauf que c'était une «job correcte». Qu'est-ce qu'il en sait? Il a jamais rien fait de ses dix doigts.

Jeanne, fatiguée par sa journée, ne dit rien, se contentant de serrer Denis un peu plus contre elle.

—

Le mois de mai 1955 n'allait pas prendre fin aussi paisiblement chez les Dionne.

Les jours s'allongeaient et la chaleur se faisait plus présente. On ne pouvait ouvrir l'unique fenêtre du salon donnant sur la rue Notre-Dame. Le bruit assourdissant de la circulation et la présence constante de vagabonds qui auraient pu choisir cette voie pour s'introduire dans la maison l'interdisaient. Il ne restait donc que les trois petites fenêtres qui s'ouvraient sur la cour arrière. Ces dernières laissaient entrer aussi bien la poussière de la cour non pavée qu'un mélange assez peu appétissant d'odeurs émises par les cheminées de la Dominion Rubber et de la Dominion Oilcloth.

Pour leur part, les enfants devaient sentir l'approche des vacances estivales, car ils traînaient de plus en plus les pieds pour retourner à l'école après leur dîner. Leur faire exécuter leurs devoirs devenait plus difficile chaque soir.

Un mercredi après-midi, Maurice revint de chez l'avocat Longpré en arborant une mine réjouie assez inhabituelle.

— Viens voir, dit-il à Jeanne qu'il trouva penchée sur sa vieille machine à coudre Singer placée dans un coin de la salle à manger.

— Quoi ? Qu'est-ce qui t'arrive ? demanda sa femme en se levant.

Elle le suivit jusque dans la cour arrière. En repoussant la porte de la clôture, elle aperçut une voiture brune au toit beige qu'elle n'avait jamais vue. Fait certain, elle n'appartenait ni aux Moreau, les voisins du premier étage, ni aux Beaudoin, qui habitaient l'appartement du deuxième.

— Regarde, fit fièrement Maurice. C'est à nous autres. Je viens de l'acheter.

En entendant ces mots, le visage de Jeanne se ferma et elle ne dit pas un mot. Encore une fois, son mari avait dépensé le peu d'économies du ménage dans l'achat d'une voiture.

— Qu'est-ce qu'il y a ? demanda Maurice, prêt à se fâcher devant son manque d'enthousiasme.

— Il y a que l'argent que tu viens de mettre encore sur un char aurait pu servir à des choses bien plus utiles, laissa-t-elle tomber sur un ton cinglant.

— Christ ! jura Maurice, hors de lui, j'ai besoin d'un char pour te faire vivre, toi et les enfants. Je peux pas aller faire des ménages à l'autre bout de la ville en autobus… À part ça, il est pas neuf, ce char-là. C'est une Pontiac 1951. J'avais pas le choix ; la Dodge était usée à la corde.

— Pourquoi d'abord t'as dépensé pour la repeinturer ?

— Pour avoir un bon prix quand je la revendrais, ciboire de niaiseuse ! J'ai eu un bon prix aujourd'hui et la Pontiac m'a presque rien coûté.

Constatant qu'il n'y avait plus rien à faire, Jeanne se résigna.

— Est-ce que je peux au moins voir le dedans ?

Maurice s'empressa de déverrouiller la portière et sa femme s'assit à l'avant, à la place du passager.

— Regarde, lui dit-il, subitement amadoué par l'intérêt de sa femme pour son achat. Les sièges sont recouverts de plastique. Les tapis sont propres. Le radio marche numéro un et le moteur tourne comme un moine. On va pouvoir garder ce char-là des années.

Jeanne avait déjà entendu cet air-là à plusieurs reprises dans le passé… Quand elle sortit de la voiture, son mari lui fit admirer la carrosserie impeccable, les chromes sans la moindre trace de rouille, les trois bandes chromées sur le capot et sur le coffre arrière ainsi que la belle tête d'Amérindien qui ornait le capot.

À son retour du travail, le lendemain matin, Maurice se dépêcha de montrer sa Pontiac à ses enfants et il n'était pas encore sept heures qu'il leur offrait une courte balade dans le quartier pour leur faire apprécier sa nouvelle acquisition.

Après le départ des enfants pour l'école, une surprise de taille l'attendait : une chaîne cadenassée avait été tendue à l'entrée du stationnement de la Dominion Rubber. Plus question de stationner sa voiture à cet endroit assez sécuritaire. La rage au cœur, Maurice Dionne dut se résoudre à faire demi-tour et à venir ranger son nouveau véhicule dans la grande cour, de l'autre côté de la clôture de près de cinq pieds de hauteur qui délimitait sa cour. En d'autres mots, il allait être incapable de surveiller son nouveau véhicule parce que la clôture en planches grossières le dissimulait à sa vue.

—

Deux jours plus tard, le jeune père de famille accepta avec une facilité inhabituelle que sa femme participe avec Francine et Claude à un pèlerinage à la chapelle de la Réparation, dans l'est de Montréal. Sœur Thérèse de Rome, à titre d'organisatrice, l'avait invitée avec deux de ses enfants à prendre place gratuitement dans l'autobus loué pour l'occasion.

Jeanne n'était pas partie depuis cinq minutes que son mari était debout au milieu de la cour.

— Vous allez pas vous coucher, p'pa ? lui demanda Paul.

— Non, on a de l'ouvrage, répondit son père d'un ton décidé. Va me chercher le ruban à mesurer. On va construire un garage pour notre nouveau char. Je pense qu'on a assez de vieux bois pilé dans la cour pour faire quelque chose de solide.

En un rien de temps, il détruisit la petite clôture qu'il avait édifiée pour empêcher ses plus jeunes enfants d'aller jouer dans la grande cour. Puis, sans s'encombrer de plans, il se mit à clouer une charpente grossière qui prenait appui autant sur le mur de la maison que sur la clôture qui séparait sa cour de celle de Germain Couture. Évidemment, le concert des coups de marteau et de la scie ronde en cette journée ensoleillée fut tel qu'il alerta immédiatement tous les voisins dont certains s'installèrent confortablement sur leur balcon, une bouteille de bière à la main, pour voir ce que Maurice Dionne pouvait bien construire.

Lise, chargée de la garde des plus jeunes, vint inviter son père et Paul à dîner un peu après midi.

— J'ai pas faim, affirma son père, soucieux d'avancer le travail le plus possible avant le retour de sa femme. Donne-moi juste une bouteille de Coke. Paul, va manger, ajouta-t-il en se tournant vers son fils. Perds pas de temps. On a encore pas mal d'ouvrage à faire.

Paul s'empressa d'aller manger les sandwiches au *baloney* préparés par sa sœur. En pénétrant dans la maison, il fut tout de même étonné de constater à quel point l'appartement, déjà peu éclairé, était assombri par le nouveau garage en train de prendre forme dans la cour arrière.

Finalement, vers trois heures de l'après-midi, le toit plat et le mur gauche du garage étaient pratiquement achevés, grâce à des vieilles planches et à des madriers plus ou moins bien ajustés. Le mur de gauche était constitué, jusqu'à mi-hauteur, par la clôture du voisin. Vu de la grande cour, l'étrange édifice ressemblait un peu à un vieux pont couvert, sauf que le tout était un peu de guingois et donnait l'impression d'être fort peu solide.

— Il y aura pas de mur au fond, p'pa ? demanda Paul qui appréciait son rôle d'apprenti menuisier.

— Ben non, c'est pas utile. Le garage donne sur le mur de la maison.

— Comment il va fermer ?

— Je me demande si je ferai pas deux portes avec la clôture qu'il y avait avant, pensa à haute voix Maurice.

Mais il n'eut pas le temps de poursuivre sa réflexion qu'un cri d'horreur le fit sursauter.

— Mais sainte Bénite ! Veux-tu bien me dire ce que t'es en train de faire là, Maurice Dionne ? s'exclama Jeanne qui venait d'arriver par la cour en compagnie de Francine et de Claude.

Plantée devant l'étrange construction édifiée durant son absence, elle n'en revenait pas.

— Qu'est-ce que c'est ça ?

— Aïe, baisse le ton ! lui ordonna Maurice, les dents serrées, en jetant un coup d'œil aux voisins des étages supérieurs qui s'étaient penchés au-dessus de la balustrade de leur balcon pour ne rien perdre de la scène de ménage qui se préparait.

— C'est quoi, ça ? demanda Jeanne pour la seconde fois.

— Tabarnac ! jura Maurice, t'es pas aveugle ! Il me semble que ça se voit que c'est un garage pour mon char.

Sans ajouter un mot, Jeanne, blanche de fureur, se glissa dans le passage de moins de trois pieds de largeur que son mari avait laissé entre le mur du garage et celui de la maison, et elle entra dans la cuisine en entraînant Francine et Claude derrière elle.

Maurice lança son marteau par terre et la suivit. Paul préféra demeurer à l'extérieur. L'expérience lui avait appris depuis longtemps qu'il valait mieux se tenir loin de son père quand il se mettait en colère.

Durant quelques minutes, il guetta les premiers éclats de voix qui allaient lui parvenir par les fenêtres ouvertes en ce samedi de mai très chaud. Mais il ne se produisit rien.

Intrigué par ce calme inattendu, le garçon finit par se décider à entrer à son tour dans la maison. Il découvrit son père assis dans sa chaise berçante, en train de fumer une cigarette, une bouteille de Coke à la main.

— Tu vois bien, Maurice, que ça a pas d'allure ce garage-là, dit Jeanne d'un ton radouci et raisonnable. Regarde. On dirait qu'on vit dans un tunnel. Il y a plus aucune lumière qui entre par la fenêtre de la salle à manger, par celle de la chambre des filles et par celle de la cuisine. Ton garage a tout bouché. Il fait noir dans la maison comme en pleine nuit.

— Qu'est-ce que tu veux que je te dise ? marmonna son mari, l'air dépité. Je suis pas entré dans la maison de la journée. Je pouvais pas savoir qu'on voyait plus rien dans la maison.

— En plus, il reste plus de place pantoute aux petits pour jouer dans la cour. Tu leur as laissé juste trois pieds entre le mur de la cuisine et celui du garage. C'est tout juste si on n'est pas obligé de marcher de côté pour entrer dans la maison. As-tu pensé où on va passer les soirées durant l'été si on peut pas s'asseoir dans la cour ?

— OK, j'ai compris, sacrement ! jura Maurice Dionne en se levant. En tout cas, ça m'écœure en maudit d'avoir travaillé comme un fou toute la journée pour rien. Viens-t'en, Paul, on va aller jeter tout ça à terre avant que ta mère poigne les nerfs encore une fois.

Deux heures suffirent pour tout démolir et redonner à la cour son aspect habituel. Lorsque l'heure du souper arriva, il ne restait plus qu'à reclouer la section de clôture qui avait été abattue au début de l'avant-midi.

Ce soir-là, assis dans leur cour pour prendre le frais, les Dionne profitaient de quelques moments de repos après avoir mis leurs enfants au lit.

— Avec tout ça, dit Maurice, comme s'il poursuivait à voix haute un monologue intérieur, mon problème est pas réglé pantoute. Mon Pontiac est encore au milieu de la cour. Ça prendra pas une semaine qu'un enfant va le grafigner avec un bâton ou une poignée de bicycle. Je suis certain qu'avant une semaine, il y en a un qui va me le bosser avec une balle ou une roche.

— Voyons, Maurice, t'es pas pour en faire une maladie, fit sa femme. Les Moreau et les Beaudoin ont toujours mis leur char dans la grande cour et ça les empêche pas de dormir.

— Ouais, concéda Maurice de mauvaise grâce, mais ça m'enrage pareil.

Chapitre 15

Les voisins

L'ensemble des six immeubles vétustes de un et deux étages dont les adresses allaient de 2303 à 2333, rue Notre-Dame, abritait seize familles très différentes les unes des autres. Elles possédaient tout de même un trait commun : la fierté. Aucune n'aurait accepté d'être considérée comme pauvre et la plupart dépensaient beaucoup d'énergie à sauver les apparences.

Aussi étrange que cela puisse paraître à première vue, il existait des classes bien définies dans ce petit monde fermé où les préjugés avaient droit de cité comme ailleurs. Il y avait les honnêtes travailleurs sans histoire qui habitaient le quartier par manque de ressources et il y avait les autres... Ceux-là, on les saluait quand on ne pouvait faire autrement, mais il n'était pas question de les fréquenter ou de laisser jouer ses enfants avec les leurs.

Par exemple, Jeanne avait fait la connaissance des Rompré dès le premier jour de son installation dans son nouvel appartement. Ce jour-là, elle se rendit compte qu'elle avait oublié la clé de la maison en arrivant devant la porte arrière. Entourée de quatre de ses enfants, elle en était encore à se demander comment se sortir de l'impasse quand un grand gaillard aux bras tatoués et aux cheveux roux descendit l'escalier de la dernière maison à sa gauche et s'approcha d'elle. Quand elle lui eut expliqué son problème, il se contenta de sourire et il s'approcha de la porte. En un tour de main, il fit glisser une vitre et il lui déverrouilla la porte. Elle le remercia et s'empressa, peu rassurée, d'entrer chez elle.

Quand sa voisine de droite, Claudette Thériault, lui eut révélé que ce voisin obligeant était un voleur qui passait son temps à entrer et à sortir de prison, la jeune mère de famille s'inquiéta pour la sécurité des siens. Des gens pareils pouvaient facilement s'introduire dans son appartement à n'importe quel moment.

Les mois suivants, d'autres voisines lui apprirent que Jean et Claude Rompré, les deux grands fils de la famille, n'étaient pas que des voleurs. C'étaient aussi des alcooliques de la pire espèce qu'il convenait de ne pas mécontenter. On les disait membres d'une bande à qui on attribuait la plupart des mauvais coups perpétrés dans le quartier. Fait certain, ils étaient des pensionnaires réguliers du pénitencier de Saint-Vincent-de-Paul et les policiers n'hésitaient pas à rendre visite au 2333, rue Notre-Dame quand il y avait un vol à proximité.

Pierre, leur frère cadet, était un voyou qui promettait de les imiter en tous points. À quatorze ans, il s'amusait déjà à terroriser les plus jeunes. Vêtu d'une veste de cuir cloutée et les cheveux plaqués sur le crâne par une épaisse couche de Brylcream, l'adolescent menaçait de casser la figure à ceux qu'il n'aimait pas. Malheureusement, Paul devint rapidement son souffre-douleur. Ce dernier en faisait des cauchemars. Sans en parler à ses parents, il effectuait souvent de longs détours pour aller et revenir de l'école afin de ne pas croiser le chemin de son tortionnaire.

Inutile de préciser que la mère des trois garçons, veuve depuis quelques années, ne fréquentait aucun voisin. On l'apercevait de temps à autre sur son balcon en train d'étendre son linge, mais habituellement, elle se dissimulait derrière un rideau en bambou tendu sur son balcon, prétendument pour se protéger du soleil. Elle aurait probablement aimé se faire une gloire des succès de sa fille, Aline, une magnifique rousse de vingt ans qui chantait très bien. La jeune fille avait même interprété avec brio la chanson *Domino* sur les ondes de CKAC. Mais comment se faire accepter par le voisinage quand on a trois fils qui nous couvrent de honte ?

—

Un fait illustrant bien le comportement des Rompré se produisit le samedi soir où Maurice fut obligé de démolir son garage.

Ce soir-là, il était plus de minuit et il faisait une chaleur si lourde que le peu d'air qui passait par les volets ne parvenait pas à rafraîchir les chambres à coucher. Brusquement, il y eut un bruit de verre éclaté suivi par une litanie de blasphèmes hurlés à gorge déployée.

— Veux-tu bien me dire ce qui se passe ? demanda Jeanne, réveillée en sursaut, à son mari. Est-ce que ça vient d'en avant ou d'en arrière ?

— On dirait que ça vient de la cour en arrière, fit Maurice en se levant et en enfilant précipitamment son pantalon qu'il avait laissé tomber près du lit.

— Attends-moi, dit Jeanne. Je veux aller voir avec toi.

Le mari et la femme sortirent de leur chambre sur la pointe des pieds pour ne pas réveiller le bébé que le vacarme extérieur n'avait pas tiré du sommeil. Il y eut un autre bruit de verre brisé accompagné, encore une fois, d'autres imprécations.

Maurice ouvrit silencieusement la porte de la cuisine et se glissa dans la cour. Jeanne le suivit en serrant sa robe de chambre sur sa chemise de nuit.

— Ça vient de chez les Rompré, chuchota Maurice en étirant le cou. Regarde.

Jeanne aperçut une voiture de police arrêtée au pied de l'escalier qui menait chez les Rompré. Les deux policiers s'étaient mis à l'abri derrière leur véhicule et l'un d'eux éclairait avec le projecteur monté sur le garde-boue de la voiture le balcon du premier étage où les trois frères s'étaient retranchés.

Chaque fois que l'un des policiers essayait de parlementer avec eux, ils lui répondaient par une bordée d'obscénités et lançaient des bouteilles de bière vides sur la voiture. Le tir de chaque projectile forçait les policiers à plonger derrière leur véhicule pour éviter d'être blessés par les éclats de verre.

Tous les balcons du voisinage s'étaient remplis de curieux malgré l'heure tardive. Chacun y allait de son commentaire, mais à voix basse pour ne pas se faire remarquer. Cependant, certains, plus braves que les autres, n'hésitèrent pas à s'installer dans la grande cour pour mieux voir comment tout cela allait prendre fin.

Quelques minutes plus tard, quatre voitures de police freinèrent bruyamment dans la grande cour, à côté de la première. Il y eut des claquements de portières et un officier à l'air déterminé donna un ordre bref. Sans plus attendre, une dizaine de policiers prirent d'assaut l'escalier branlant qui conduisait à l'appartement des Rompré. Il y eut des cris et une violente bousculade.

Tous les spectateurs attendaient avec impatience de voir dans quel état les trois voyous allaient être quand les policiers les feraient monter dans leurs véhicules. Il y eut une brève accalmie. Enfin, plusieurs spectateurs s'étonnèrent de voir que tous ces policiers ne poussaient devant eux que Jean Rompré. Ils faisaient descendre sans ménagement l'escalier à l'énergumène en proie à une rage folle. Même menotté, ce dernier ruait et invectivait les policiers autant qu'il le pouvait.

Le lendemain matin, Marcel Ménard, leur voisin du rez-de-chaussée, dit à Germain Couture et à Maurice Dionne qu'à l'arrivée des autres voitures, Claude et Pierre Rompré n'avaient eu qu'à sortir par la porte avant et à traverser la rue Notre-Dame pour disparaître dans le parc Bellerive. Les policiers n'avaient même pas pensé à envoyer quelqu'un bloquer la porte d'entrée de l'appartement.

Quand la veuve Rompré descendit l'escalier, armée d'un balai et d'un ramasse-poussière, les trois hommes se turent et regagnèrent leur appartement. Anne Ménard vit sa voisine balayer tous les éclats de verre répandus dans la cour et les déposer dans une boîte avant de remonter péniblement l'escalier conduisant chez elle.

—

Par ailleurs, les Moreau qui habitaient l'appartement situé au-dessus de celui des Dionne n'étaient guère mieux vus par leurs voisins que les Rompré, mais c'était pour une tout autre raison.

Armand et Gisèle Moreau étaient âgés tous les deux d'une quarantaine d'années. Ils vivaient en concubinage, s'il fallait se fier à la rumeur largement répandue par Germaine Lacroix, une voisine qui se vantait de bien connaître la véritable épouse d'Armand Moreau. Comme l'un et l'autre ne s'étaient jamais donné la peine de réfuter cette grave accusation, il régnait autour du couple et de ses deux grands enfants adultes une odeur de péché qui tenait à distance les honnêtes gens scandalisés du voisinage.

Par réaction, les Moreau se donnaient des airs supérieurs et n'adressaient la parole à personne. On aurait juré que tous leurs efforts tendaient à se distinguer de leurs voisins.

Ils étaient discrets et on ne les voyait jamais en tenue négligée. Ce n'est pas Gisèle Moreau qui aurait accepté de se montrer sur son balcon décoiffée et en robe de chambre. De plus, il n'y avait jamais d'éclats de voix provenant de leur appartement. C'était à se demander si l'ostracisme qui les frappait n'était pas que le produit d'une vague jalousie à l'égard de gens qui savaient se tenir convenablement. Fait certain, le spectacle que le couple offrait chaque matin au départ d'Armand avait le don d'agacer sérieusement quelques envieux.

Claudette Thériault, une femme très dévote qui demeurait dans l'appartement voisin de celui des Dionne, était toujours scandalisée par le comportement du couple et elle ne se cachait pas pour le faire savoir.

— Madame Dionne, vous êtes ben placée pour les voir ces deux-là, chaque matin, dit la voisine, la bouche pincée. C'est tout un exemple pour nos enfants.

— J'ai pas grand temps pour regarder ça, dit Jeanne, vaguement agacée. À cette heure-là, je dois aider les enfants à se préparer pour l'école. En plus, je peux pas aller m'installer proche de la clôture pour dévisager monsieur et madame Moreau.

— Oui, c'est vrai, convint la petite femme maigre. Vous êtes mal placée pour voir. Pourtant, ça vaut le coup d'œil ; moi, je vous le garantis.

Chaque matin, Armand Moreau, petit homme enveloppé aux tempes argentées, descendait majestueusement l'escalier arrière en tenant à la main un porte-documents en cuir. Il était cravaté et il portait sur un bras son veston replié avec soin. Gisèle, penchée sur la rambarde, lui envoyait des baisers avec la main.

L'homme lui renvoyait ses baisers avant de faire doucement le tour de sa Buick rouge et blanc de l'année pour s'assurer qu'on ne l'avait pas égratignée durant la nuit. Ensuite, il déverrouillait les portières, prenait le temps d'étaler soigneusement son veston sur le siège du passager avant de prendre place derrière le volant. Il abaissait alors la vitre, envoyait un dernier baiser à sa belle et il démarrait.

— Si ça se trouve, il a juste deux sandwiches au *baloney* dans sa maudite serviette, insinua Claudette Thériault.

— Voyons, madame Thériault! protesta Jeanne. Ils vous ont rien fait, les Moreau.

— C'est vrai, mais ils m'énervent avec leurs grands airs. Il a un char de l'année. Leur René en a un aussi. Quelle sorte de monde que c'est ça?

— C'est juste du monde comme nous autres, conclut Jeanne, pressée soudainement de changer de sujet.

— Ben non, par exemple! protesta la voisine. Nous autres, on est mariés. On sait se tenir. On se minouche pas devant le monde. Vous les voyez comme moi presque chaque samedi matin. Pour péter de la broue, ils sont là.

Claudette Thériault faisait allusion au fait qu'un samedi sur deux, à la fin de l'avant-midi, les Moreau, endimanchés, descendaient l'escalier en portant chacun une petite valise qu'ils rangeaient sans se presser dans le coffre de leur chère Buick. On aurait juré qu'ils prenaient autant de temps pour monter à bord de leur auto dans le seul but de se faire admirer par tous les voisins qui traînaient sur leur balcon à cette heure-là de la journée. Ils auraient cherché à les narguer qu'ils ne s'y seraient pas pris autrement. Leur voisine de droite, Estelle Perron, avait dit un jour à Jeanne que Gisèle Moreau lui avait confié que son compagnon et elle allaient souvent passer le week-end dans un hôtel de Québec.

En tout cas, jusqu'à un certain point, plusieurs voisins considéraient leur comportement, à tort ou à raison, comme de la provocation pure et simple.

Or, en ce dernier samedi de mai 1955, Germaine Lacroix, la voisine qui demeurait deux étages au-dessus de chez les Thériault, finit, pour on ne sait quelle raison précise, par ne plus supporter de les voir se donner en spectacle et explosa.

Germaine Lacroix était une véritable mégère dont tous les voisins craignaient la langue acérée et le caractère vindicatif. Le sort avait voulu que cette femme de près de trente-cinq ans n'ait pas d'enfant et soit pourvue d'un mari coureur de jupons. Les mauvaises langues ne se gênaient pas pour chuchoter que son Léopold s'était lassé de toujours voir sa femme en robe de chambre, la tête couverte de bigoudis et la cigarette au bec. Évidemment, il était presque inévitable qu'elle prenne en grippe les Moreau. Ils incarnaient tout ce qu'elle détestait ou ne posséderait jamais. Ils formaient un couple amoureux et ils savaient se tenir. À la longue, elle finit par leur vouer une véritable haine et elle ne ratait jamais une occasion de les calomnier.

Ce samedi matin là, en robe de chambre fleurie et la tête couverte de bigoudis, elle regardait Gisèle Moreau descendre l'escalier en tenant à la main sa petite valise rouge et affichant un petit air suffisant.

Si Estelle Perron n'était pas sortie sur son balcon à ce moment-là, il ne se serait probablement jamais rien passé... Mais le hasard voulut que la voisine des Moreau sorte juste à l'instant où Gisèle Moreau se tordait la cheville en descendant l'escalier. Armand était déjà en train de ranger sa valise dans le coffre de la Buick.

— Ah ben, madame Perron ! s'écria Germaine Lacroix, avec une bonne humeur forcée en voyant sa voisine de l'étage au-dessous apparaître sur son balcon, vous arrivez juste à temps pour voir la guidoune qui reste à côté de chez vous se casser la gueule dans l'escalier.

Estelle Perron, une femme d'une nature très réservée, ne put s'empêcher de lever la tête vers sa voisine du deuxième étage et lui faire signe de baisser la voix.

Gisèle Moreau fit la sourde oreille et continua à descendre l'escalier en boitillant.

— Quoi! Mais c'est pas un secret pour personne, reprit l'autre d'une voix de stentor pour s'assurer d'être bien entendue par tous les voisins. C'est une vieille guidoune. Regardez-la se déhancher, si c'est pas une honte. Greillée comme elle est là, c'est sûr qu'elle s'en va voir un client! Aïe, la grosse Moreau! C'est-tu payant, ta job?

Prise ainsi à partie ouvertement, Gisèle Moreau ne pouvait décemment continuer à ignorer celle qui l'insultait du haut de son balcon. Parvenue au pied de l'escalier, elle leva la tête et se contenta de laisser tomber d'un ton méprisant:

— Basse classe!

— Quoi? Qu'est-ce que tu viens de me dire? demanda l'autre d'une voix menaçante.

— J'ai dit que t'étais de la basse classe.

Armand se décida finalement à intervenir avant que tous les voisins soient ameutés par la scène.

— Qu'est-ce que tu lui veux à ma femme, toi? demanda-t-il à Germaine Lacroix.

— Aïe! le petit gros! fit Germaine en retirant la cigarette qui pendait à ses lèvres, viens pas te vanter devant nous autres. T'es pas son mari. T'es juste son maquereau. Moi, à ta place, j'en chercherais une plus jeune qui te rapporterait plus. Rendue à son âge, ta mémère tentera plus personne ben vite. Même arrangée, elle fait dur en calvaire.

— Viens donc me dire ça à six pouces du visage, ma maudite vache ! hurla Gisèle Moreau, hors d'elle et abandonnant ses belles manières. T'aimes mieux te cacher sur ton balcon pour insulter le monde. Moi, mon mari, je sais comment le retenir à la maison ! Je m'arrange, moi ! J'ai pas l'air sortie d'une poubelle 365 jours par année, moi ! Je donne pas mal au cœur aux hommes, moi !

— Ah ben, ma maudite chienne ! Attends que je descende ! s'écria Germaine Lacroix en se précipitant dans l'escalier.

Maurice et Jeanne avaient repoussé leurs enfants trop curieux dans leur petite cour, mais ils tendaient le cou au-dessus de leur clôture pour ne rien perdre du spectacle. Germain Couture, Marcel et Anne Ménard les imitaient. Tous les balcons étaient occupés autant par les adultes que par les enfants.

— Il faudrait appeler la police, fit Jeanne, alarmée par cette violence.

— Laisse faire, fit son mari. On va avoir un bon *show*.

Gisèle Moreau lança sa petite valise rouge à son mari et, fermement campée sur ses deux jambes, elle attendit son assaillante.

— Voyons, Gisèle, t'es pas pour te battre avec cette maudite folle, dit Armand essayant de la pousser vers la Buick dont la portière côté passager était déjà ouverte.

— Laisse faire, je vais lui fermer sa grande gueule une fois pour toutes à cette folle-là, lui dit-elle en le repoussant.

Dès que Germaine Lacroix arriva au pied de l'escalier, Gisèle Moreau se jeta sur elle, les ongles en avant. Elle l'attrapa par les cheveux en hurlant et la projeta par terre. L'autre, déchaînée, se releva et lui décocha un coup de pied vicieux à un genou. Quand elle vit la Moreau se pencher en poussant un cri de douleur, elle en profita pour la frapper violemment sur le nez. Le sang se mit alors à couler sur le beau chemisier beige que portait son adversaire.

Armand choisit alors de s'interposer pour protéger sa femme qui comptait tout de même une dizaine d'années de plus que la voisine. Mal lui en prit. La furie planta ses ongles dans une joue du petit homme en jurant.

— Mon hostie de gros lâche ! T'es juste capable de te battre avec une femme !

Armand recula sous l'assaut en se tenant la joue. Arborant un air satisfait et la robe de chambre largement ouverte sur une robe de nuit grisâtre, Germaine Lacroix fit face à son ennemie. Gisèle Moreau, hors d'elle en voyant la blessure que son mari venait de subir, sauta sur elle à nouveau. Elle l'attrapa par le haut de sa robe de nuit qui lui resta dans les mains. Par réflexe, la Lacroix s'empressa de plaquer ses deux mains sur sa poitrine dénudée. Gisèle en profita pour assener deux claques retentissantes à son adversaire qui se retrouva, sonnée, assise par terre.

C'est le moment que choisirent Louis Thériault et Germain Couture pour intervenir.

— Je pense que vous êtes mieux d'arrêter, fit Germain Couture, plein de sagesse. Il y a sûrement quelqu'un qui a appelé la police.

— Ma maudite vache ! proféra Germaine Lacroix en se relevant tant bien que mal, tu vas me le payer !

— C'est ça, la folle, va te faire soigner ! rétorqua Gisèle, que son mari retenait avec beaucoup de peine. Il y a de la place à Saint-Jean-de-Dieu pour du monde comme toi.

Germaine eut le temps de cracher en direction de sa voisine avant que Louis Thériault l'entraîne dans l'escalier pour qu'elle retourne chez elle.

Lorsque la furie fut rentrée dans son appartement en hurlant des invectives mêlées à des blasphèmes, Armand et Gisèle Moreau montèrent à leur tour dans leur logis. Ils reparurent près d'une heure plus tard. Gisèle avait changé de chemisier et elle portait des lunettes fumées ; tandis que son compagnon arborait un large diachylon sur la joue gauche.

Avant de monter à bord de leur voiture, ils jetèrent un regard vers le balcon de Germaine Lacroix pour s'assurer que cette dernière n'était pas encore tapie à cet endroit, prête à recommencer.

Fait étonnant, personne ne songea un instant à prévenir la police. Les Lacroix, comme les Moreau, ne portèrent pas plainte pour coups et blessures. Cependant, la haine demeura vive entre les deux femmes. À compter de ce jour, elles s'évitèrent soigneusement, ce qui ne les empêcha nullement de continuer leur querelle sournoise à coups de calomnies.

Cet après-midi-là, le mot de la fin appartint à Germain Couture qui était intervenu pour mettre fin à la bagarre disgracieuse.

— En tout cas, déclara le veuf en s'adressant à voix basse à Maurice qui s'approchait de leur clôture mitoyenne, je comprends pas Léopold Lacroix.

— Comment ça, monsieur Couture ?

— Je comprends pas pantoute pourquoi ce maudit innocent-là va courir à gauche et à droite d'autres femmes quand il a une femme arrangée comme la Germaine.

— Pourquoi vous dites ça ?

— Ben, tu l'as pas vue de près comme moi, mon Maurice, fit le veuf tout émoustillé. Elle en a une paire capable de rendre heureux un homme normal, moi, je te le dis… Pis, avec le caractère qu'elle a, ça doit être du sport, si tu comprends ce que je veux dire.

Maurice se contenta d'éclater de rire devant l'enthousiasme de son voisin.

— Ah! c'est pour voir ça que vous vous en êtes mêlé!

— Ben, un fou! Penses-tu que j'étais pour manquer une aussi belle occasion de me rincer l'œil gratis?

⟶

Les Dionne étaient polis avec tous leurs voisins, mais ils entretenaient des relations amicales avec les Couture et les Thériault, leurs deux voisins de rez-de-chaussée ainsi qu'avec Amanda Brazeau, qui vivait dans l'appartement situé au-dessus de celui de Germain Couture.

Dès son arrivée rue Notre-Dame, Jeanne s'était prise d'amitié pour Agnès Couture, qui, à soixante ans, était presque aveugle. La douceur et la discrétion de cette femme l'avaient tout de suite conquise. Lorsqu'elle était décédée l'année précédente, la jeune mère de famille avait eu l'impression de perdre sa meilleure amie. Avec le temps, Maurice et sa femme en étaient venus à ressentir une grande pitié à l'égard du veuf qui avait beaucoup de mal à cacher son ennui depuis la disparition de sa femme. L'homme les remerciait de leur sympathie en offrant de temps à autre à l'un des enfants un jouet mis au rebut qu'il avait pris la peine de réparer. Après l'accordéon, il y avait eu une poupée donnée à Martine.

⟶

Si Germain Couture n'était pas un locataire bruyant, les Dionne pouvaient en dire autant des Thériault, leurs voisins de droite. Le couple était discret et élevait du mieux qu'il pouvait ses deux adolescents, Robert et Jacqueline.

Louis Thériault était un grand homme d'une quarantaine d'années, très maigre, qui se déplaçait en marchant le dos un peu voûté. Il suivait invariablement le même horaire, douze mois par année. Comme le soulignait parfois sa femme Claudette :

— Mon Louis, on pourrait régler notre montre sur lui. Cinq jours par semaine, il prend l'autobus au coin de la rue, à six heures tapantes chaque matin, avec sa boîte à lunch pour aller travailler chez Wilsil et on peut le voir débarquer de l'autobus, à cinq heures et demie, tous les soirs. On peut pas avoir un homme plus tranquille que lui. Il fume pas, il boit pas et il court pas après les femmes. Tout ce qu'il veut, mon homme, après sa journée d'ouvrage, c'est sa chaise berçante et sa *Presse*. Rien de plus.

Pour contrebalancer un homme aussi calme, il fallait une femme très nerveuse. Claudette Thériault, avec son débit saccadé et son air de furet, ne parvenait pas à dépenser toute son énergie à faire inlassablement son ménage. Cette voisine devait trouver d'autres exutoires pour s'occuper.

La réputation, la tenue et la réussite de ses enfants étaient ses préoccupations majeures. Elle ne cessait jamais de s'inquiéter des résultats scolaires décevants de sa Jacqueline, plus intéressée par les adolescents de son âge que par les cours donnés par les religieuses du couvent de la rue Sainte-Catherine. Son Robert lui causait encore plus d'ennuis.

Il ne se passait guère de semaine sans que Claudette Thériault vienne en parler à sa jeune voisine qu'elle s'entêtait à vouvoyer, même si elle était son aînée de près de dix ans.

— Je vous dis, madame Dionne, que je vous trouve chanceuse d'avoir juste des jeunes enfants. Avec le temps, vous allez apprendre que plus ils sont grands, plus les troubles qu'ils nous causent grandissent aussi. Il y a des fois que les miens m'empêchent de dormir.

— Voyons, madame Thériault, vos enfants sont tranquilles comme des images. Jamais un mot plus haut que l'autre.

— Une chance que les murs qui séparent nos logements sont épais, la coupait Claudette, sinon vous en entendriez des belles. C'est moi qui vous le dis. Encore hier, la supérieure du couvent m'a envoyé un mot pour me dire que Jacqueline s'était disputée en classe avec une petite fille de la rue Poupart et qu'elles s'étaient dit des gros mots. Pas nécessaire de vous dire que j'ai traîné ma grande tête folle au couvent et que je l'ai obligée à faire des excuses.

— Ça arrive des affaires de même, madame Thériault. C'est pas si grave que ça.

— Puis, mon Robert est pas mieux. Il a changé d'ouvrage trois fois depuis le mois de janvier. À dix-huit ans, il me semble qu'il serait temps qu'il se place les pieds comme du monde. Mais non ! Avec lui, c'est toujours la même histoire. Son boss l'aime pas et il le fait travailler comme un esclave. Voulez-vous ben me dire quelle sorte d'enfants on a aujourd'hui ? Il me semble qu'on n'était pas de même à leur âge.

— Et votre mari dit rien ? demandait Jeanne.

— Pensez-vous ! Il est pas assez mauvais avec les enfants. Il l'a jamais été. Lui, quand il revient de travailler, il veut avoir la paix pour lire son journal. Tout me retombe dessus. Je peux pas compter sur lui pour les dompter ; ça, c'est sûr.

— Plaignez-vous pas trop de ça, déclarait alors Jeanne en laissant sous-entendre que son Maurice, lui, était trop dur avec les enfants.

Après cette entrée en matière aussi invariable qu'hebdomadaire, Claudette Thériault abordait son sujet préféré : les nouvelles du quartier.

Jeanne ne sut jamais comment la petite femme parvenait à collectionner autant de ragots et de nouvelles sur les habitants du quartier. Aucune rumeur ne semblait jamais lui échapper. Elle était au courant de tout. Comme sa voisine sortait très peu de son appartement, Jeanne la soupçonnait de jouir d'un vaste réseau d'informatrices qui adoraient, comme elle, le téléphone. Fait certain, Claudette Thériault était toujours d'une discrétion absolue sur ses sources.

Par ailleurs, elle répandait ses nouvelles avec une naïveté et une candeur qui faisaient plaisir à voir. Elle ne mettait aucune joie mauvaise à transmettre toutes les médisances et les calomnies qui circulaient. Elle se contentait de répéter, parfois en enjolivant, tout ce qu'on lui racontait. Seule la perspective de se retrouver en présence de Maurice parvenait à mettre fin à son verbiage.

La femme craignait son voisin depuis qu'elle avait assisté de loin à quelques-unes de ses colères dont Jeanne avait fait les frais. Elle plaignait secrètement sa jeune voisine d'avoir à vivre avec un pareil «énergumène», disait-elle parfois à son mari.

— Quand il s'enrage, on dirait qu'il voit plus clair, affirmait-elle à voix basse à son Louis.

C'est ainsi que cette voisine chaleureuse en était venue à modeler son horaire sur celui de Maurice. Quand ce dernier avait été muté à un travail de nuit, elle s'était mise à venir passer une heure avec Jeanne, un soir par semaine.

— Votre mari travaille, ma pauvre madame Dionne, et le mien dort dans son fauteuil, disait-elle invariablement en acceptant la tasse de thé qui lui était offerte. Je vous dis qu'on est ben greillées en hommes, toutes les deux. Mais il faut pas se plaindre. Pendant ce temps-là, ils nous fichent la paix. C'est déjà ça de pris.

Ce mardi soir là, Claudette Thériault prit un air de conspiratrice pour dire à voix basse à la jeune mère :

— Vous devinerez jamais ce que j'ai vu dans la grande cour après les heures d'école ?

— Vous êtes bien chanceuse de voir quelque chose, dit Jeanne sans trop croire à ce qu'elle disait. Moi, avec la clôture, je peux rien voir.

— Moi, j'ai vu votre Claude qui avait ben du fun avec un des chapeaux de votre mari.

— Un chapeau de mon mari ? fit Jeanne qui ne comprenait rien à ce que racontait l'autre. Qu'est-ce qu'il faisait avec ça ?

— Imaginez-vous qu'avec un des petits Henripin, votre Claude plaçait le chapeau à terre par-dessus une grosse roche au milieu de la grande cour et ils allaient se cacher sous le balcon des Henripin.

— Sainte mère du bon Dieu ! Voulez-vous bien me dire pourquoi ils faisaient ça, ces deux innocents-là ?

— C'est ce que je me demandais aussi, mais j'ai compris quand j'ai entendu Normand Brazeau sacrer comme un déchaîné en dansant tout seul sur un pied au milieu de la cour, dit Claudette Thériault avec un petit sourire. Les deux drôles attendaient de voir qui flanquerait un bon coup de pied au chapeau qui traînait. Le garçon de madame Brazeau s'est fait prendre. Je vous dis qu'il avait l'air mauvais quand il est rentré chez eux en boitant.

— Tu parles des petits malfaisants ! commenta Jeanne. J'en connais un qui va se faire tirer les oreilles par son père.

— À votre place, je ferais pas ça, lui conseilla la voisine. Vous connaissez votre mari. Au fond, c'était pas ben ben méchant.

— En tout cas, mon Claude est mieux d'avoir remis à sa place le chapeau de son père… et surtout de l'avoir nettoyé. Maurice en a juste deux. S'il s'aperçoit qu'un des enfants a joué avec un de ses chapeaux, ça va faire un drame.

— Moi, je me demande ce que le beau Normand Brazeau a raconté à sa femme pour expliquer pourquoi il boitait, ajouta Claudette Thériault.

— Vous en faites pas, sa mère va tout me raconter ça demain. J'en mettrais ma main au feu, affirma Jeanne Dionne.

———

Les Brazeau avaient emménagé sans fanfare ni trompette deux ans auparavant dans l'appartement situé au-dessus de celui de Germain Couture. Si on en croyait la vieille Amanda Brazeau, qui vivait avec son fils et sa bru, il leur avait fallu plus d'un mois de grand ménage pour rendre habitable cet appartement que les Lapierre n'avaient jamais nettoyé durant la quinzaine d'années qu'ils l'avaient occupé.

Fait étonnant, Jeanne n'échangea jamais plus d'une ou deux phrases avec Pierrette Brazeau, une grande femme de son âge à la carrure imposante et d'un abord peu facile. Elle dominait d'une demi-tête son Normand. La cigarette au bec et jamais très loin de sa bouteille de Coke, elle surveillait son mari avec les soins jaloux d'une tigresse. Ce dernier, un homme de stature moyenne à la fine moustache soigneusement taillée, était serveur dans un restaurant. Si on se fiait à la rumeur publique, il avait tout intérêt à ne pas traîner en chemin lorsqu'il revenait du travail.

Du trio, Amanda Brazeau était, de loin, le personnage le plus coloré. À soixante-six ans, cette grosse dame traînait péniblement ses deux cent quarante livres toujours enveloppées dans une robe fleurie informe protégée par un immense tablier blanc soigneusement brodé par ses soins. Pour tout arranger, la nature avait parsemé sa grosse figure au nez couperosé d'une multitude de verrues dont plusieurs s'ornaient de longs poils assez dégoûtants.

— C'est juste une vieille ivrogne, avait tranché Maurice, mécontent, au retour de son travail, de trouver trop souvent cette voisine assise dans sa chaise berçante. Arrange-toi pour qu'elle débarrasse le plancher avant que je revienne de l'ouvrage. J'haïs ça la trouver là chaque fois que j'entre dans la maison.

— Exagère pas, Maurice, avait protesté mollement Jeanne. Elle vient pas si souvent faire un tour. C'est une pauvre femme qui fait pitié. Elle est toute seule et elle a personne à qui parler. Sa bru lui parle presque pas. Elle est obligée de faire la cuisine et le ménage parce que l'autre est paresseuse comme un âne. En plus, elle est malade du cœur et elle a mal aux genoux.

— Elle a juste à maigrir, bâtard ! Toi, on dirait que t'es devenue l'assistante du curé. Toutes les tordues du coin viennent te raconter leurs troubles. Il y avait pas assez du paquet de nerfs d'à côté, t'as en plus celle-là. Puis là, je parle même pas de toutes tes maudites clientes qui entrent et qui sortent de la maison à toutes les heures de la journée comme si elles étaient dans un moulin.

Quand Maurice Dionne était de cette humeur, il valait mieux le laisser se vider le cœur et ne pas répliquer pour ne pas envenimer les choses. Jeanne l'avait appris à ses dépens depuis longtemps et elle se gardait bien de protester, même si les accusations de son mari étaient injustes, particulièrement en ce qui concernait ses clientes. Il savait bien qu'elle avait absolument besoin du peu d'argent que lui procuraient ses travaux de couture pour boucler son budget.

Au fond, la jeune mère de famille croyait savoir pourquoi Amanda Brazeau déplaisait tant à son mari. La vieille dame n'éprouvait à l'endroit du maître de la maison aucune espèce de crainte. Au contraire, elle semblait l'apprécier, même si Maurice arborait en sa présence son air le plus bête.

Quand Maurice fut un peu calmé, Jeanne lui fit remarquer :

— Au fond, on est chanceux. Madame Brazeau vient nous voir juste l'été. Elle vient jamais durant l'hiver ou quand il fait mauvais.

— C'est pas parce qu'elle en a pas le goût, précisa Maurice, radouci. C'est parce qu'elle a peur de se casser la gueule dans son escalier trop raide. Quand je la vois le descendre une marche à la fois en se cramponnant à la rampe, j'ai toujours l'impression qu'elle va se ramasser en bas. Avec son poids, il faudrait un palan pour la relever.

— J'espère que tu lui souhaites pas ça.

— Fais-moi pas parler pour rien, se contenta de dire son mari.

En ce début de juin, aucun des deux époux ne pouvait deviner ce qui allait arriver une semaine plus tard… à cause de Maurice.

━

En rentrant de sa nuit de travail ce samedi-là, Maurice trouva son beau-père, Léon Sauvé, assis à sa table en train d'attendre son arrivée.

— Ah ben, maudit, tu parles de la grande visite ! s'exclama-t-il en serrant la main du père de sa femme, un homme qu'il appréciait beaucoup. Qu'est-ce que vous faites en ville de si bonne heure, le beau-père ?

— J'ai couché chez Cécile, à Varennes, la nuit passée. Gérald m'a laissé chez vous en passant. Disons que ta belle-mère et moi, on se paie une journée de vacances après notre déménagement à Drummondville. Tout est déjà placé dans la maison. J'ai pensé que je vous avais pas vus depuis le jour de l'An et que ce serait une bonne idée de venir vous voir avant que je sois plus capable de vous reconnaître. On peut déjeuner ensemble et après, tu pourras aller te coucher. Gérald va me reprendre à l'heure du souper. Il avait quelqu'un à aller voir à Saint-Jérôme.

— Il est pas question que j'aille me coucher. Après le déjeuner, on va aller faire un tour en ville et vous allez essayer mon nouveau char.

— C'est bien correct.

— J'aurais ben aimé pouvoir aller vous donner un coup de main à déménager mais…

— Bâdre-toi pas avec ça, le coupa son beau-père. On était déjà trop pour transporter nos guénilles en ville.

Après un bon déjeuner, le petit homme monta à bord de la Pontiac de son gendre et les deux hommes ne reparurent à la maison qu'au début de l'après-midi. Ils trouvèrent Amanda Brazeau confortablement installée dans la chaise berçante de Maurice. À contrecœur, ce dernier fit les présentations.

— Qu'est-ce que vous diriez si je vous servais un petit verre de gin ? proposa le maître de maison à la cantonade.

— C'est une bonne idée, accepta son beau-père en prenant place au bout de la table, à côté de Jeanne.

— Pas pour moi, refusa Jeanne qui tendait le cou pour voir ce que Martine et Claude faisaient dans la cour.

— Et vous, madame Brazeau ?

— Un tout petit verre et pas fort, s'il vous plaît, dit la sexagénaire.

— Il sera pas fort, promit Léon en se levant pour suivre son gendre dans la cuisine. Je vais le surveiller.

Une fois dans la pièce voisine, le beau-père ne put s'empêcher de faire remarquer :

— Torrieu! Mais c'est laid en péché mortel, cette femme-là! Pour moi, sa mère a dû l'échapper souvent de son berceau quand elle était jeune.

Les deux hommes ricanèrent et Maurice montra à Léon qu'il avait préparé pour la voisine un verre contenant une double mesure de gin.

Durant les deux heures suivantes, Maurice renouvela les consommations à trois reprises sous le regard réprobateur de sa femme. Elle se rendait bien compte que son père et son mari s'amusaient comme des fous de l'élocution de plus en plus pâteuse d'Amanda Brazeau.

À un certain moment, la vieille voisine jeta un coup d'œil à l'horloge murale et sursauta.

— Mon Dieu! s'exclama-t-elle. Il est déjà quatre heures et mon souper… est pas… pré… préparé. Il faut que j'y aille.

Joignant le geste à la parole, la grosse dame s'extirpa à moitié de la chaise berçante, mais ses jambes refusèrent de la porter et elle retomba lourdement sur son siège.

— Je sais pas ce que j'ai, mais la tête me tourne, dit-elle à Jeanne d'une voix hésitante.

— C'est peut-être juste un coup de chaleur que vous avez, madame Brazeau, lui mentit Jeanne en jetant un regard de reproche aux deux hommes dont le sourire amusé s'estompa un peu. Mon mari et mon père vont vous aider à rentrer chez vous.

Maurice et son beau-père n'avaient pas le choix. Ils s'emparèrent chacun d'un bras de l'énorme voisine qui, telle une masse inerte, se laissa manipuler sans faire trop d'efforts. En ahanant, ils parvinrent à lui faire passer le seuil de la porte arrière de l'appartement et ils la tirèrent tant bien que mal à travers la cour jusqu'au pied de l'escalier étroit et raide qui menait à son logis.

— Je suis tout étourdie ! Je suis tout étourdie ! gémissait Amanda en se laissant porter par les deux hommes qui n'en pouvaient plus.

— Christ ! Madame Brazeau, aidez-vous un peu, la suppliait Maurice à bout de souffle. On n'est pas des bœufs !

Au pied de l'escalier, Maurice imposa une halte pour que chacun puisse reprendre son souffle. Il dit alors à son beau-père :

— Je vais passer en avant pour la tirer. Vous, le beau-père, poussez-la dans le derrière pour m'aider. Je pense que c'est le seul moyen d'arriver à la faire rentrer dans son appartement. Mais si vous vous apercevez que je la lâche parce que je suis plus capable de la tirer, enlevez-vous d'en arrière au plus sacrant parce que vous allez vous retrouver aplati comme une crêpe en bas de l'escalier si elle vous tombe dessus.

Le petit homme, tout rouge d'avoir déjà fourni un réel effort physique, se contenta de hocher la tête.

Il fallut près d'un quart d'heure d'efforts presque surhumains aux deux hommes pour arriver à hisser Amanda Brazeau à l'étage où elle demeurait. Quand ils la déposèrent, à bout de souffle, sur la chaise placée à l'extrémité de son balcon, la porte de son appartement s'ouvrit sur la bru, la tête couverte de bigoudis.

— Voulez-vous ben me dire qu'est-ce qui se passe ? demanda-t-elle d'un ton rogue.

— Votre belle-mère se sentait pas ben. On l'a aidée à monter l'escalier, dit Maurice en faisant signe à Léon Sauvé de descendre devant lui.

— OK, je m'en occupe, fit-elle sans les remercier.

Ce disant, elle attrapa sa belle-mère par un bras, la leva de sa chaise et lui fit franchir la porte sans effort apparent.

Maurice et son beau-père descendirent l'escalier sans demander leur reste et ils découvrirent Gérald Veilleux, le sourire aux lèvres, appuyé nonchalamment à la clôture, en compagnie de Jeanne.

— Eh ben, le beau-père, dit-il à Léon en adressant un clin d'œil à son beau-frère, on dirait ben qu'on doit pas vous lâcher lousse trop longtemps à ce que je vois.

— Comment ça, batèche ?

— Ben, si je me fie à ce que je viens de voir, vous vous ennuyez pas trop de la belle-mère. Vous aviez pas l'air d'haïr ça pantoute de promener vos mains un peu partout sur la voisine de Maurice.

— Aïe, toi ! Achale-moi pas avec ça ! fit le petit homme en s'essuyant la figure avec son large mouchoir. Tu dirais pas ça si tu lui avais vu la face. Surtout, va pas raconter ça à ma femme. Des plans pour que j'en entende parler jusqu'à la fin de mes jours.

— C'est vrai que vous êtes encore pas mal bel homme, le beau-père. La belle-mère a des raisons d'être jalouse.

— Ça va faire, Gérald Veilleux ! J'ai pris un verre, mais je suis pas saoul. Essaye pas de rire de moi.

— Fâchez-vous pas, monsieur Sauvé. Je disais ça juste pour vous faire étriver. Comme promis, je suis revenu vous chercher à l'heure du souper.

Les deux hommes refusèrent l'invitation à souper de Jeanne en prétextant que sa sœur Cécile avait déjà préparé le repas à Varennes. Avant leur départ, Jeanne ne put s'empêcher de raconter à son père et à Gérald la mésaventure survenue à Lise quelques jours plus tôt.

Le mardi soir précédent, à l'heure du coucher, l'adolescente était venue embrasser sa mère avant d'aller se mettre au lit. Puis, toujours aussi distraite, elle s'était penchée sur Amanda Brazeau et elle l'avait embrassée sur la joue. Lise n'avait réalisé la portée de son geste qu'un instant plus tard. Alors, en proie à une nausée incontrôlable, elle s'était précipitée vers la salle de bain.

Après le départ de la vieille femme quelques minutes plus tard, Jeanne était allée voir son aînée pour s'informer de ce qui se passait.

— Veux-tu bien me dire ce que t'as ?

— M'man, je l'ai embrassée sur sa grosse verrue pleine de poils. Ouach ! Ça m'a donné mal au cœur.

— Aïe ! Fais-en pas un drame, ma grande, l'avait grondée Jeanne. T'en mourras pas. Ces verrues-là, c'est pas une maladie contagieuse. Quand tu seras vieille comme elle, tu seras peut-être bien pire.

— Faites-moi pas peur, m'man. J'en dormirai pas. J'aime mieux mourir jeune si je suis pour devenir comme ça.

— En tout cas, tu lui as fait plaisir en l'embrassant. Tu devrais toujours faire ça, avait conclu Jeanne, moqueuse.

— Laissez faire, m'man. Je pense pas qu'il va y avoir une prochaine fois.

Chapitre 16

Le grand ménage

Le premier lundi matin de juin, Maurice Dionne revint à la maison porteur d'une nouvelle importante : son patron l'avait remis sur l'horaire de jour.

— On va enfin avoir une vie normale, lui dit Jeanne en apprenant la nouvelle avec un certain soulagement. Je voyais pas comment j'aurais pu empêcher les enfants de faire du bruit toute la journée pendant les vacances. Comme ça, tu vas pouvoir dormir tes nuits comme tout le monde.

— Ouais, fit Maurice, l'air un peu songeur. Le seul problème, ça va être mes ménages chez mes deux clients. J'espère que je vais être capable de les faire le soir ou le samedi. Il faut que je leur en parle.

Cette nouvelle ne souleva aucun enthousiasme chez les enfants quand Jeanne la leur apprit durant leur déjeuner. Ils savaient que l'époque des permissions et des dérogations à la discipline était terminée. Leur père allait vite ramener un ordre strict dans la maison. Plus question de se coucher plus tard ou de jouer un peu plus longtemps à l'extérieur après le souper. Cela tombait d'autant plus mal que le soleil se couchait plus tard et que peu de jeunes du voisinage rentraient avant l'arrivée de l'obscurité.

Pour Paul, rien n'était plus frustrant que d'entendre les enfants s'amuser dehors pendant qu'il était déjà au lit dans la petite chambre verte surchauffée. À voir l'air boudeur affiché par Lise, Francine et Claude, le garçon voyait bien qu'ils pensaient la même chose que lui. Mais cette frustration fut balayée dès le lendemain par un événement beaucoup plus important : le grand ménage !

—

Le lendemain après-midi, en rentrant pour souper, Paul découvrit avec consternation une demi-douzaine de gallons de peinture alignés dans le couloir et déposés à côté d'une pile impressionnante de vieux journaux. Un escabeau branlant était appuyé contre un mur. Tout cela ne pouvait signifier qu'une chose : son père avait décidé de se lancer dans le grand ménage de l'appartement.

Au moment où le garçon réalisait cela, il aperçut son père sortant de sa chambre à coucher, vêtu d'un vieux pantalon et d'une chemise rapiécée portant de nombreuses traces anciennes de peinture. Il était coiffé d'une casquette blanche offerte par la compagnie C. I. L.

— Pourquoi on se contente pas de laver les plafonds et les murs ? suggéra Jeanne. La maison serait propre et ça coûterait pas mal moins cher.

— Laisse faire le lavage. Les murs sont tellement jaunes qu'ils sont pas ramenables.

Jeanne avait déjà entendu cette réponse les années passées. Elle aurait dû savoir depuis longtemps que son mari préférait le pinceau au linge mouillé. Tous les deux ans, il était pris d'un besoin incontrôlable d'exercer ses talents de peintre. Rien ne pouvait le retenir.

Pourtant, Maurice n'était pas particulièrement doué dans ce domaine. Il était toujours trop pressé d'en finir pour soigner le travail entrepris. Il aimait que le travail se fasse rapidement. Dès l'instant où il trempait son pinceau la première fois dans un contenant de peinture, il se mettait à rêver au moment où il en aurait fini avec le ménage. De fait, cette hâte le poussait à n'utiliser qu'un rouleau et qu'un pinceau d'une largeur de cinq pouces. Il n'était pas question de découpages minutieux, et pour le lavage des surfaces à peindre, on était prié de s'adresser ailleurs.

— On pourrait au moins attendre l'automne. Il ferait moins chaud, plaida Jeanne, déjà à demi résignée. D'habitude, tu fais ça au mois de mars.

— Penses-tu que je fais ça pour m'amuser ? demanda Maurice d'un ton rogue. Je suis pas plus fou qu'un autre. Après ma journée d'ouvrage, j'aimerais mieux me reposer, moi aussi. Mais on n'est pas pour vivre dans une soue à cochons, Jeanne Sauvé. En mars, je travaillais de nuit et le jour, il fallait ben que je dorme un peu. En plus, la senteur de la peinture t'aurait donné mal au cœur et on n'aurait pas pu ouvrir les fenêtres pour aérer. Et ça se peut que l'automne prochain, je sois obligé de retourner travailler de nuit.

— OK. J'ai rien dit. Je suppose que tu vas commencer juste après le souper ?

— C'est aussi ben. Comme ça, j'aurai les enfants moins longtemps dans les jambes. On va commencer par nettoyer les tuyaux de la fournaise.

À cette seule mention, Paul eut un frisson d'appréhension. Les vingt-deux sections de tuyau qui reliaient la fournaise du couloir à la cheminée située à l'extrémité de la salle à manger n'étaient soutenues au plafond que par deux ou trois petites broches. Or, tout cet assemblage mesurait près de vingt-six pieds.

Quand venait le temps de nettoyer la suie qui s'était accumulée dans ces conduits, il aurait fallu le concours de trois ou quatre adultes grimpés sur des escabeaux pour soutenir l'ensemble instable pendant que l'un d'eux aurait défait une section à la fois. Évidemment, l'important était surtout de ne pas échapper les tuyaux. Répandre la suie partout aurait été catastrophique.

Comme les Dionne n'avaient jamais eu à leur disposition autant d'adultes et d'escabeaux au moment de ce nettoyage indispensable, il leur fallait donc se débrouiller comme ils le pouvaient avec les moyens du bord.

Après le souper, Francine entraîna les plus jeunes à l'extérieur pour qu'ils ne nuisent pas au travail qui allait commencer.

Au signal de Maurice, Lise et Jeanne montèrent sur des chaises à quelques mètres de distance l'une de l'autre et soutinrent, à bout de bras, à l'aide de vieux balais, l'ensemble branlant des tuyaux qui courait à près de dix pieds de hauteur. Pendant ce temps, Maurice, blasphémant à tue-tête, parvint tant bien que mal à défaire l'ouvrage en plusieurs sections, sections qu'il tendait les unes après les autres à Paul qui s'empressait d'aller les déposer dans la cour.

Il fallut près d'une heure pour enlever et nettoyer tous les tuyaux. Lorsque le travail fut terminé, tout le monde s'assit quelques minutes pour reprendre des forces. Maurice se dépêcha de boire une bouteille de cola et de fumer une cigarette avant de se remettre au travail.

— Bon, on finit ça, dit-il en se relevant avec un air déterminé.

Paul savait que le pire était à venir. Les expériences passées lui avaient appris qu'il était bien plus difficile de remonter l'ouvrage que de le défaire.

Cette fois-ci ne fut pas une exception. Les sections de tuyau nettoyées s'emboîtaient mal les unes dans les autres et, à un moment donné, une partie de l'assemblage tomba parce que Lise, en proie à une crampe, avait dû baisser les bras. Maurice, énervé et impatient, piqua une colère folle.

Du haut de son escabeau, il hurla une série de blasphèmes en menaçant sa fille des pires sévices si elle recommençait.

Finalement, quand il eut fini d'installer les tuyaux, le père de famille descendit de son escabeau, en nage.

— À soir, on va se contenter d'enlever les rideaux dans la fenêtre du salon et de tout recouvrir avec les journaux. Demain soir, en revenant de travailler, je commencerai cette pièce-là.

—

Durant une semaine, il n'y eut dans la maison que des odeurs de peinture et de térébenthine. Chaque soir, dès la dernière bouchée du souper avalée, Maurice se précipitait dans la pièce que Paul avait été chargé de couvrir de vieux journaux avant le repas. Le garçon était le seul membre de la famille obligé de se tenir en permanence sur les lieux parce qu'il devait essuyer les gouttes de peinture que son père répandait généreusement un peu partout.

Lorsque le plafond était peint, Maurice criait à sa femme de venir lui indiquer les endroits qu'il avait oubliés de peindre. Si elle ne trouvait aucun défaut au travail fait, le peintre s'emportait en disant qu'elle était trop paresseuse pour ouvrir les yeux. Si elle en découvrait trop, il se mettait invariablement en colère.

— Christ! Fais-tu exprès de me faire monter dans l'escabeau? finissait-il par lui dire, excédé.

— Si tu veux pas que je te le dise, t'as juste à pas m'appeler, répliquait-elle, elle aussi à bout de patience.

Maurice se mettait ensuite à peindre les murs et le cadrage de la fenêtre à larges coups de rouleau et de pinceau, sans trop se soucier des éclaboussures que son fils devait faire disparaître avant qu'elles ne sèchent. Lorsque la pièce était terminée, les feuilles de journaux étaient rassemblées et étalées dans la pièce suivante, et le tout recommençait. Vers dix heures, Maurice permettait à Paul d'aller se coucher et il poursuivait seul son travail durant une heure ou deux. Il n'était pas rare que le père poursuive sa tâche largement après minuit tant il avait hâte que tout soit terminé. Lorsque tout le monde était au lit, il appréciait le silence qui régnait dans l'appartement.

Bref, un peu plus d'une semaine après avoir commencé son grand ménage, Maurice Dionne donna son dernier coup de pinceau le vendredi soir, à deux heures et demie du matin. Fatigué, mais satisfait, il jeta un dernier coup d'œil à l'étroite salle de bain dont il venait de terminer la peinture. L'émail blanc étincelait sous l'éclairage de l'unique ampoule de la pièce. Comme chaque fois, il avait fini en étalant une épaisse couche de peinture blanche sur le siège en bois de la cuvette. Il nettoya ensuite son pinceau et son rouleau avant d'aller les ranger avec l'escabeau et les contenants de peinture dans la cave.

Pendant qu'il se nettoyait le visage, les mains et les avant-bras avec de la térébenthine au pied de l'escalier, Maurice entendit Jeanne lui demander à voix basse, du haut de l'escalier :

— As-tu fini ?

— Oui, j'arrive dans une minute. Il me reste juste à nettoyer mes lunettes.

Jeanne, à demi endormie, se rendit aux toilettes et elle en revenait quand elle croisa son mari qui refermait derrière lui la porte de la cave.

— J'ai enfin fini. Toute la maison a été peinturée d'un bout à l'autre, et tout a été replacé. As-tu vu la salle de bain ? demanda-t-il à Jeanne. Les murs sont devenus ben beaux.

— J'en arrive. Ça fait pas mal propre.

— J'espère que t'as relevé le siège ; il était frais peinturé.

Les yeux de Jeanne s'ouvrirent tout grands sous l'effet de la surprise. Elle venait de se souvenir brusquement que le siège était passablement collant lorsqu'elle s'était relevée quelques instants auparavant.

Maurice perçut son trouble.

— Tu t'es pas assise dessus ?

— Bien oui, répondit Jeanne, l'air piteux. Je dois avoir les fesses pleines de peinture.

— Sacrement ! jura Maurice. Il me semble que t'aurais pu regarder, non ! Là, je vais être obligé d'aller chercher ma peinture dans la cave et salir mon pinceau que je viens juste de nettoyer.

— Apporte-moi aussi de la térébenthine, fit sa femme.

— Ouais ! Mais touche plus à rien. J'ai pas envie de recommencer tout mon ouvrage, répondit son mari, en colère.

La jeune mère dut prendre plusieurs minutes pour nettoyer, à l'aveuglette, les dégâts causés par la peinture fraîche.

❧

Le lendemain avant-midi, Jeanne alla inscrire André à l'école Champlain. Il aurait ses six ans en septembre et il allait pouvoir commencer sa première année. Étrangement, ce geste qu'elle faisait pour la cinquième fois lui donna l'impression de vieillir. Cinq de ses enfants fréquenteraient l'école.

Sur le chemin du retour, la jeune mère de famille s'arrêta à l'hospice Gamelin pour recevoir l'une de ses trois piqûres hebdomadaires de fortifiant.

— Voulez-vous bien me dire ce que vous avez sur les fesses ? demanda l'infirmière Sirois en réprimant difficilement une envie de rire.

— Je pense que c'est de la peinture, dit Jeanne Dionne en rougissant un peu.

Elle lui expliqua comment l'incident s'était produit.

— C'est pas facile de se nettoyer dans ce coin-là quand on n'a pas de miroir sur pied. En plus, c'est de l'émail. Ça durcit vite et on dirait qu'il y a plus moyen de le faire disparaître.

— Je vais vous arranger ça, madame Dionne, dit l'infirmière en riant. C'est bien la première fois que j'ai une patiente qui s'encadre le derrière en blanc.

Chapitre 17

Le décès d'un voisin

Trois jours avant la fin des classes, un samedi matin, la sonnette de la porte d'entrée fit sursauter les Dionne en train de déjeuner. La sonnerie fut immédiatement suivie par des coups de poing assenés à la vitre de la porte d'entrée.

— Veux-tu bien me dire qui ça peut bien être à cette heure-là? demanda Jeanne qui, de saisissement, avait laissé tomber son couteau sur le bord de son assiette. Il est même pas huit heures.

Maurice se leva, traversa la salle à manger ainsi que le couloir et ouvrit. Aussitôt des cris hystériques emplirent le vestibule.

— Il est mort! Il est mort! hurlait Claudette Thériault en proie à une violente crise de nerfs. Venez voir!

En reconnaissant la voix de sa voisine, Jeanne se précipita dans le couloir et la saisit à la taille au moment où cette dernière allait se laisser glisser par terre.

— Amène-la dans la salle à manger, lui dit son mari et fais-lui boire quelque chose. Je vais aller voir ce qui se passe à côté.

Jeanne chassa les enfants de la salle à manger et fit asseoir sa voisine qui ne cessait pas de pleurer et de répéter:

— Il est mort! Il est mort!

— Qui est mort ? lui demanda Jeanne pour la forcer à reprendre pied dans la réalité.

— C'est son mari, dit Maurice déjà de retour. Avez-vous appelé la police, madame Thériault ?

— Pourquoi la police ?

— Je pense qu'on est mieux de l'appeler. C'est elle qui va s'occuper de tout.

À la vue des enfants entassés dans l'entrée de la cuisine, le père demanda à Paul et à Lise d'amener les plus jeunes dans l'une des chambres et de s'occuper d'eux. Ensuite, il saisit le téléphone et appela la police.

Pendant ce temps, Claudette Thériault racontait d'une voix saccadée, entre deux crises de larmes, comment elle avait découvert son Louis quelques minutes plus tôt.

— On s'est levés de bonne heure. Après le déjeuner, mon mari est allé s'asseoir dans sa chaise berçante pour finir de lire sa *Presse* d'hier. Pendant ce temps-là, je suis allée faire notre lit. Jacqueline a dormi chez ma sœur qui reste à Saint-Lambert et Robert est parti se chercher de l'ouvrage à Québec depuis trois jours. Je sais même pas où il est et…

La petite femme se remit à pleurer. Maurice alla lui préparer un verre de gin dans la cuisine et il le lui tendit.

— Buvez ça, madame Thériault. C'est pas ben bon, mais ça va vous remonter un peu.

Jeanne, désolée pour sa voisine, attendit patiemment qu'elle ait ingurgité l'alcool. L'autre le fit en esquissant une grimace.

— Quand je suis revenue dans la cuisine, cinq minutes plus tard, poursuivit-elle, je l'ai vu, la tête penchée, les lunettes sur le bout du nez, comme s'il s'était endormi en lisant. Ça lui arrive des fois. J'ai pas fait de bruit et j'ai lavé ma vaisselle du déjeuner. À la fin, j'ai eu pitié de lui en le voyant installé comme ça dans sa chaise et je lui ai dit qu'il serait ben mieux de retourner se coucher une heure... Il m'a pas répondu. J'ai regardé son visage : il était gris et...

Claudette Thériault se remit à pleurer bruyamment.

Quelques minutes plus tard, Maurice sortit en voyant s'arrêter devant la porte un véhicule de la police de Montréal suivie d'une autre voiture d'où descendit un médecin. Maurice fit entrer les policiers et le médecin dans l'appartement des Thériault et il les prévint que la veuve était chez lui, au 2321.

Pendant que le médecin examinait Louis Thériault, les policiers vinrent interroger sa femme et ils la ramenèrent avec eux dans son appartement.

— Appelez-moi si vous avez besoin de quelque chose, lui offrit Jeanne au moment où ils sortaient de la maison.

Sur le trottoir, il y eut un brusque silence chez la douzaine de badauds attirés sur les lieux par la présence de la voiture de police. On s'écarta pour ouvrir un passage aux policiers et à la femme qui leur jeta un regard affolé.

Maurice, demeuré debout sur le pas de sa porte, dut répondre à la question posée par un curieux.

— Son mari vient de mourir soudainement, répondit-il avant de rentrer.

Le corps de Louis Thériault fut emporté moins d'une demi-heure plus tard dans un véhicule noir de la maison Godin.

Peu après midi, Jeanne alla frapper à la porte de sa voisine. Une petite dame boulotte et frisottée vint lui répondre.

— Je suis la voisine de madame Thériault. Je suis venue prendre de ses nouvelles.

— Bonjour madame, fit l'autre à voix basse, sans lui proposer d'entrer. Je suis la sœur de Claudette. Je viens d'arriver avec sa fille. Le docteur lui a donné des calmants et elle dort.

— Tant mieux, fit Jeanne. Avez-vous eu des nouvelles de Robert ? Elle avait l'air bien inquiète de pas savoir où était son garçon.

— Je viens de lui parler. Il était chez un de mes frères. Il s'en vient.

— Bon, je vous laisse. Si c'est possible, j'aimerais que Jacqueline vienne nous dire quand son père sera exposé.

— Aussitôt que je le saurai, je vous ferai avertir, dit la sœur en refermant doucement la porte.

L'après-midi même, un crêpe noir fut fixé à la porte des Thériault, mais ce ne fut que le lundi après-midi que le salon Godin de la rue De Montigny ouvrit ses portes aux premiers visiteurs.

Jeanne et Maurice ne se présentèrent sur les lieux qu'au début de la soirée, après avoir confié la garde des enfants à Lise et à Paul.

À leur descente de voiture, Maurice dit à sa femme en regardant la façade du salon funéraire :

— Je m'habitue pas aux salons mortuaires. C'est peut-être nouveau, mais je trouve pas ça humain. C'était ben mieux quand on exposait nos morts dans notre salon… et ça coûtait surtout ben moins cher.

— Peut-être, fit Jeanne, mais c'est bien moins d'ouvrage avec un salon funéraire. As-tu pensé comment ça pouvait être difficile de recevoir tout le monde dans un petit appartement, d'offrir à manger et de dormir avec un corps exposé dans le salon ? Après ça, certains enfants avaient peur pendant des mois.

En pénétrant dans le salon envahi par l'odeur entêtante des œillets, Maurice ne put s'empêcher de répliquer :

— Voyons donc ! Faut pas exagérer. Tous les gens de ta famille qui sont morts ont été exposés chez eux. C'était pas la fin du monde. Aujourd'hui, on dirait que moins on en fait, moins on veut en faire…

— Chut! fit Jeanne en s'avançant vers Claudette Thériault, debout à la droite du cercueil où reposait son mari. Sa fille, Jacqueline, les yeux rougis, se tenait à ses côtés.

Les Dionne traversèrent le salon où une douzaine de personnes formaient trois petits groupes discutant à voix basse. Maurice et Jeanne s'agenouillèrent sur un large prie-Dieu placé près de la dépouille pour une brève prière.

Vêtu de son meilleur costume bleu marine, Louis Thériault était étendu dans un cercueil en chêne clair. Privé de ses lunettes et assez mal maquillé, le grand homme était pratiquement méconnaissable.

Maurice jeta un coup d'œil au défunt, mais il s'attarda plus à compter les quelques arrangements floraux disposés autour de la bière. Son épouse et lui se relevèrent en même temps et ils allèrent consoler durant quelques instants Claudette Thériault et sa fille. Ils ne virent pas son fils, Robert. Ils offrirent leurs condoléances aux deux frères et à la sœur du disparu avant d'aller s'asseoir dans un coin du salon.

Leur visite ne dépassa pas une demi-heure. Jeanne et Maurice se retirèrent discrètement quand ils virent arriver les Perron, les voisins qui vivaient au-dessus des Thériault.

— J'ai l'impression que madame Thériault va trouver longs les trois jours où son mari va être exposé, fit Jeanne à leur sortie du salon. S'il y a pas plus de monde que ça le soir, imagine-toi comment ça va être tranquille l'après-midi.

— Elle a une petite famille et lui, c'était pareil, rétorqua Maurice. C'est normal qu'il y ait pas plus de monde. En plus, c'était un couple ben tranquille. Elle et lui ont pas l'air d'avoir ben des amis.

— En tout cas, on devrait essayer de revenir demain soir, fit Jeanne. Le jour, je peux pas laisser les enfants. Les plus vieux vont à l'école et toi, tu travailles.

— On verra ça, conclut Maurice, bien décidé à ne pas remettre les pieds dans cet endroit.

En fait, les Dionne ne revinrent pas au salon Godin. Par contre, Jeanne n'eut aucun scrupule à demander à Lise de rater un avant-midi d'école pour garder André, Martine et Denis pendant qu'elle allait assister aux funérailles du voisin.

Quand le court convoi funèbre s'immobilisa devant l'église de la paroisse Saint-Vincent-de-Paul, une petite pluie chaude se mit à tomber. Il y avait en tout quatre voitures et le long corbillard noir. Les quelques spectateurs attendant sur le parvis s'empressèrent de pénétrer dans l'édifice quand les porteurs entrèrent, suivis par une quinzaine de parents.

Claudette Thériault, encadrée par son fils et sa fille, se mit en marche dans l'allée centrale, suivant le corps de son mari pour la dernière fois. Les curieux et les rares voisins venus assister au service funèbre prirent place sur les côtés et à l'arrière de l'église.

La cérémonie fut brève. Avant qu'on ne transporte le corps vers sa dernière demeure, le curé Perreault dispensa de façon très impersonnelle quelques paroles de consolation aux proches du disparu avant de bénir l'assemblée.

Lorsque le convoi funèbre eut pris la direction du cimetière Côte-des-Neiges, Jeanne revint lentement chez elle en empruntant la rue Fullum. La petite pluie avait cessé et déjà le trottoir fumait sous les chauds rayons du soleil. Deux jours plus tard, les enfants allaient tomber en vacances et remplir le quartier de leurs cris joyeux et excités.

—

Durant quinze jours, l'appartement voisin demeura inoccupé. Claudette Thériault et sa fille avaient été recueillies par son frère de Québec. Puis, un beau matin, Jeanne aperçut la corde à linge de sa voisine surchargée de vêtements mis à sécher. La veuve était revenue chez elle.

L'après-midi même, elle vint remercier Jeanne pour l'aide qu'elle lui avait apportée durant son épreuve. Puis, petit à petit, la vie reprit ses droits. Claudette Thériault ne parla pas d'emménager ailleurs. Elle se remit à partager son temps entre le ménage, les nouvelles du quartier et l'éducation de ses enfants.

On aurait pu croire qu'elle avait toujours vécu ainsi si elle n'avait pas laissé tomber de temps à autre dans ses conversations : « Si mon pauvre Louis voyait ça… »

Chapitre 18

Le dernier jour de classe

Enfin, le jour tant attendu par les jeunes arriva. Le mardi 21 juin, un soleil resplendissant accueillit les enfants lorsqu'ils mirent les pieds à l'extérieur ce matin-là. En chahutant, ils se dirigèrent tout joyeux pour la dernière fois vers l'école.

Plus question de s'encombrer d'un lourd sac d'école : les livres avaient été remis un à un aux enseignants, la veille. Les pupitres avaient été vidés et lavés. Aujourd'hui, les écoliers ne se présentaient à l'école que pour recevoir leur dernier bulletin scolaire, et surtout, pour assister à la distribution des prix. Vers onze heures, tout allait être terminé.

Insouciant comme d'habitude, Claude se chamaillait avec deux de ses camarades sur le chemin de l'école Champlain. La possibilité de ne pas avoir réussi sa 2e année ne parvenait pas à lui gâcher cette journée attendue avec tant d'impatience. À une trentaine de pieds derrière son cadet, Paul marchait seul. Les cheveux bruns soigneusement peignés, il portait une chemise à manches courtes que sa mère avait repassée quelques minutes auparavant, juste après avoir donné un coup de fer aux uniformes bleu marine et aux chemisiers blancs de ses sœurs. Il ne cessait de tripoter, dans la poche de son pantalon, un cinq cents qu'il dépenserait avant la fin de l'avant-midi.

Paul s'inquiétait moins des résultats du dernier relevé de notes qu'on allait lui remettre dans quelques minutes que des prix qui allaient être distribués dans la grande salle de l'école. Depuis quelques semaines, il rêvait de se voir remettre plusieurs livres qu'il aurait la joie de lire et de relire durant l'été.

Dans la cour de l'école, les enfants se réunirent autour de leurs enseignants et enseignantes qui affichaient un air aussi joyeux que le leur. Au son de la cloche, ils furent entraînés pour une dernière fois dans le local où ils avaient peiné durant dix longs mois.

Marcel Beaudry attendit un instant avant de laisser tomber lourdement sa main droite sur le dessus de son bureau pour obtenir le silence dans sa classe. Pour mettre un peu de suspense en ce dernier avant-midi, il commença la remise des bulletins par le 30e rang, celui décerné à Richard Daudelin, un cancre notoire. Daudelin se leva et alla chercher son bulletin sans manifester le moindre regret, ce qui sembla entamer un peu la bonne humeur affichée par l'enseignant.

— Je redouble, mais je m'en sacre, murmura Daudelin en s'assoyant derrière le pupitre voisin de celui de Paul. Je reviens pas au mois de septembre. Je commence demain à travailler au garage avec mon père.

Les cinq derniers élèves de la 6e année A avaient la mention «Reprendra sa 6e année en septembre prochain» inscrite sur les lignes de commentaires du feuillet cartonné jaune pâle.

Paul avait hâte de savoir s'il terminait parmi les trois meilleurs élèves de son groupe. Évidemment, il espérait détenir la première place, mais rien n'était sûr avec les résultats encore inconnus des examens qui avaient occupé les deux dernières semaines. Finalement, il fut déçu; il s'était classé au deuxième rang.

Ensuite, le grand moment arriva. Avant de permettre à ses élèves de se diriger vers la grande salle étrangement située sous les combles de l'école, Marcel Beaudry prit son air le plus menaçant pour les avertir.

— On ne court pas dans les escaliers. En plus, je ne veux pas en voir un changer de place en chemin pour être assis proche d'un de ses chums dans la salle, vous m'entendez?

Sur ces mots, il ouvrit la porte de la classe et fit signe aux premiers de sortir.

Les vieux escaliers en bois, pris d'assaut par plus de quatre cents écoliers, résonnaient bruyamment. Il y avait déjà une importante file d'attente à l'entrée de la salle. Un à un, chaque groupe entrait et prenait place sur les vieux sièges en velours élimé rouge vin qui ne servaient qu'une fois par année, le jour de la distribution des prix.

Comme les premiers rangs étaient réservés aux plus jeunes, les grands de 6e et de 7e année allaient être cantonnés dans les dernières rangées, près des portes.

— Tant mieux, chuchota Daudelin à Paul. Aussitôt que ça commence, je demande à Beaudry la permission d'aller aux toilettes et je me pousse de l'école. Je suis pas pour perdre des heures à m'ennuyer ici. J'ai assez vu cette maudite école-là.

Tout semblait déjà en place pour que la cérémonie se déroule sans heurt. Comme chaque année, le centre de la scène était occupé par une longue table sur laquelle avaient été disposées de minces piles de livres. Selon Paul, qui n'avait d'yeux que pour ce qui se trouvait sur cette table, les piles les plus imposantes contenaient jusqu'à quatre volumes.

Placés en retrait sur la scène, il y avait quelques fauteuils destinés à l'aumônier, au directeur, à son adjoint et à un ou deux invités d'honneur. Pour leur part, les enseignants demeuraient dans la salle avec leurs élèves pour maintenir l'ordre.

Le vacarme causé par des centaines de paires de pieds impatients de bouger et par le rabattement des banquettes sembla finalement inciter le directeur adjoint, l'imposant Hervé Magnan, à s'approcher du micro pour tester le son. Immédiatement, un silence pesant tomba sur la salle. Celui que les élèves surnommaient avec crainte le «roi de la banane», pour son adresse indéniable à frapper les mains tendues des indisciplinés avec son épaisse courroie en caoutchouc, jeta un regard froid sur les élèves de l'école.

Trois personnes montèrent alors sur la scène et demeurèrent debout devant les fauteuils.

— Il nous fait plaisir d'accueillir à cette remise des prix de fin d'année notre aumônier, monsieur l'abbé Laverdière, monsieur Aristide Dugré, commissaire à la Commission scolaire de Montréal, ainsi que notre directeur, monsieur Charles Bailly.

Chaque présentation fut suivie par une timide salve d'applaudissements amorcée par les enseignants assis dans la salle. Après un bref salut de la tête, le directeur et ses deux invités s'assirent.

— Nous commencerons par les élèves de 1re année A, poursuivit l'adjoint.

Comme on ne remettait un prix qu'à l'élève de chaque groupe qui s'était distingué en français, en arithmétique, en catéchisme et pour son assiduité et ses efforts, le nombre de récompensés de chaque classe était plutôt limité. Les dignitaires semblaient s'être préalablement réparti la tâche de remettre les prix et de féliciter les meilleurs écoliers. Ces derniers montaient rapidement sur la scène du côté gauche, recevaient les prix qu'ils avaient mérités et serraient la main du directeur, du commissaire ou de l'aumônier avant de descendre du côté droit. Tout se déroulait comme un ballet parfaitement rodé.

Lorsque Paul Dionne monta sur scène, le visage rougi par l'émotion, Charles Bailly, le directeur, lui tendit trois volumes réunis par un large ruban blanc. Marcel Beaudry lui avait décerné le premier prix en catéchisme, le premier prix en français et le prix de l'effort et de l'assiduité. De retour à sa place, le garçon s'empressa de regarder ce qu'il venait de gagner. À sa plus grande joie, il se rendit compte qu'il allait pouvoir lire durant l'été un *Héraut*, un *Bob Morane* et un roman d'aventure intitulé *Jos-bras-de-fer*. Bien sûr, il aurait préféré un *Tintin* ou un *Spirou*, mais ça le changerait des bandes dessinées des journaux *La Patrie* et *Le Petit Journal* qu'il trouvait dans les poubelles du quartier, chaque lundi matin, en revenant de servir la messe.

Enfin, après un bref discours du directeur, les enfants purent quitter la salle en bon ordre sous la surveillance de leurs enseignants. Dès qu'ils mirent les pieds dans la cour de l'école, les jeunes s'égaillèrent dans toutes les directions en poussant des cris de joie. Les vacances commençaient officiellement.

—

Aussitôt, un groupe important d'enfants se dirigea en courant vers l'entrée de la prison des femmes située rue Fullum, à une centaine de pieds de l'école Champlain.

On se précipitait vers le poste d'entrée de la prison dans l'espoir de se procurer un petit sac-surprise de friandises pour la modique somme de cinq cents. Il s'agissait là d'une tradition vieille de plusieurs décennies. Chaque année, lors de la dernière journée d'école, les prisonnières préparaient des petits sacs bruns remplis de bonbons, sacs fermés par un bout de laine rouge. C'était un événement très attendu par les élèves parce qu'ils savaient que ces sacs contenaient beaucoup plus que cinq cents de bonbons. Si on en désirait un, il fallait courir pour être parmi les premiers servis parce qu'il était reconnu qu'il n'y avait jamais assez de sacs pour tous les clients qui se présentaient.

Paul fut parmi les premiers à acheter son sac et, avant de quitter les lieux, il en inventoria le contenu. Ce dernier renfermait des lunes de miel, des boules noires, des boules à la noix de coco, quelques gommes à mâcher Juicy Fruit et une minitablette de chocolat Jersey Milk. Il referma précipitamment son petit sac de trésors et, content de son achat, reprit le chemin de la maison.

Il ne regrettait pas d'avoir dépensé tout l'argent qu'il avait gagné en allant porter au restaurant Brodeur les cinq bouteilles vides de Pepsi et d'Orange Crush trouvées durant sa tournée des poubelles de la rue Fullum, en début de semaine.

—

À la maison, l'atmosphère était à la fête. Jeanne, en train d'essuyer la figure de la petite Martine dans la cuisine, affichait une belle humeur qui faisait plaisir à voir. À ses côtés, encore vêtues de leur uniforme bleu du couvent, Lise et Francine racontaient leur avant-midi.

— En tout cas, j'ai passé, affirma Francine d'un air triomphant. Je trouve que sœur Marie-de-l'Enfant-Jésus a été pas mal effrontée d'avoir dit devant tout le monde que c'était un miracle.

— Elle a dit ça peut-être parce que t'as passé par charité, avança sa mère.

— J'ai eu 60 %. J'ai assez travaillé pour les avoir, il me semble.

— C'est vrai, convint Jeanne, mais c'est pas les gros chars.

— Moi, j'ai eu 62 %, dit Lise avec un petit air supérieur. Sœur Julien m'a dit que j'avais fait des gros progrès.

— Vous avez encore rien vu, leur dit leur mère d'un air décidé. Attendez que l'école recommence, je vais vous entreprendre toutes les deux. J'aurai plus honte d'aller chercher vos bulletins au couvent, je vous le garantis.

Paul entra et tendit à sa mère son relevé de notes. Jeanne déposa Martine par terre et scruta les résultats de son fils.

— C'est tout un bulletin, ça, fit-elle en passant sa main dans les cheveux de Paul. Une moyenne générale de 84 %... Le deuxième de ta classe ! Qu'est-ce que t'as reçu comme prix ?

Paul lui montra avec fierté ses trois livres.

— Et Claude ?

— Il s'en vient. Je l'ai vu avec Leclerc au coin d'Emmett.

— J'ai bien hâte de voir s'il a passé, lui.

À sa plus grande surprise, Claude remit à sa mère un bulletin dans lequel madame Clément, son institutrice, avait écrit qu'il serait pris à l'essai en 3e année en septembre prochain.

Claude ne chercha pas à connaître la réaction de sa mère. Dès qu'il lui eut remis son relevé de notes, il se dépêcha de quitter les lieux en disant :

— Je m'en vais jouer au cow-boy.

— On dîne dans dix minutes, le prévint sa mère. Si t'es pas là à midi, je démets la table et tu te passeras de dîner.

Déjà, la porte arrière de l'appartement avait claqué et tous entendirent la porte de la clôture heurter violemment le mur quand Claude la repoussa d'un coup de pied.

Cet après-midi-là, Paul eut la chance d'aller faire une course pour Amanda Brazeau au restaurant Brodeur, situé tout près, au coin des rues Archambault et Emmett. Claude, abandonné temporairement par ses copains partis s'amuser au parc Frontenac, accompagna son grand frère par désœuvrement.

Au retour, la voisine récompensa Paul en lui donnant un vingt-cinq cents princier. Cette manne était inattendue.

— Aïe ! j'ai fait la commission avec toi, lui rappela Claude. On devrait aller s'acheter un Minoroll chez Brodeur.

— Es-tu malade, toi ? Ça coûte sept cents chaque et ces cornets-là sont même pas bons. J'haïs ça. Il faut ôter le carton autour de la boule de crème en glace. Pouah !

— Un tablette de chocolat, d'abord !

— Ouach ! quand il fait chaud de même, le chocolat est tout fondu. Non, on va s'acheter chacun cinq petits sacs de chips à une cent. C'est moins cher et ça dure plus longtemps. Tu feras comme moi, tu les écraseras, ça en fait plus dans le sac.

— Qu'est-ce que tu vas faire avec le reste de l'argent ? demanda Claude d'un air intéressé.

— Je vais le garder pour un autre jour. On se paiera peut-être une grosse bouteille de Kik.

Les deux garçons entrèrent dans l'étroit restaurant Brodeur et ils prirent dix sacs de croustilles Maple Leaf à une cent. Ces petits sacs transparents ne contenaient en fait que des miettes de croustilles extrêmement salées. Mais les enfants en raffolaient.

— On va aller les manger dans la ruelle, dit Paul, sinon on va être obligés d'en donner à tout le monde.

⌒

À l'heure du souper, Jeanne fut toute fière d'apprendre à Maurice que leurs quatre enfants avaient réussi leur année scolaire. Elle ne mentionna pas plus les résultats mitigés de leurs deux filles que le passage à l'essai en 3ᵉ année prévu pour Claude. Ils avaient deux longs mois de vacances devant eux et beaucoup de choses risquaient d'arriver avant l'automne.

Après le lavage de la vaisselle, Maurice, qui prenait le frais dans la cour, rentra dans la maison.

— Est-ce que ça vous tente d'aller voir la fontaine lumineuse du parc Lafontaine? demanda-t-il aux siens.

La réponse fut enthousiaste.

— Nettoyez-vous un peu, exigea Jeanne. J'ai pas envie d'avoir honte de vous autres.

Quelques minutes plus tard, toute la famille Dionne s'entassa dans la Pontiac qui prit lentement la direction du parc Lafontaine où Maurice n'avait conduit les enfants qu'à deux ou trois reprises les années précédentes.

Pour les enfants Dionne, cet endroit était magique. Habitués aux mauvaises odeurs répandues par les cheminées de la Dominion Rubber et de la Dominion Oilcloth et à un environnement asphalté, ils ne parvenaient pas à se rassasier de toute cette verdure et de tous ces arbres. À leur arrivée au parc, ils virent que des milliers de Montréalais avaient déjà pris d'assaut les pelouses et les bancs du parc. Un peu partout, des gens avaient étendu des couvertures sur le gazon et s'y étaient installés ; tandis que d'autres déambulaient sans se presser.

Lorsque Maurice découvrit un banc libre situé près de la fontaine qui allait être illuminée à la tombée de la nuit, il y déposa Denis avant de s'asseoir en compagnie de Jeanne.

— On est chanceux, dit-il à sa femme d'un ton satisfait. On va être ben placés pour voir.

— C'est vrai qu'on est juste en face, confirma Jeanne. Étendez les couvertes pas trop loin, conseilla-t-elle à Paul et à Claude qui transportaient deux vieilles couvertures.

— Et éloignez-vous pas trop, leur ordonna Maurice au moment où une petite brise apportait une odeur agréable d'herbe fraîchement coupée.

Les enfants s'assirent sur l'herbe, à courte distance de leurs parents. En cette belle soirée estivale, le spectacle était extraordinaire. Ils regardaient avec envie tous ces gens se baladant dans des barques rouges ou vertes sur les canaux qui serpentaient à travers le parc.

— Regarde, dit Lise à la petite Martine assise près d'elle. Regarde le beau bateau qui s'en vient.

Martine eut une exclamation de joie en apercevant l'embarcation à aubes sur laquelle prenaient place une quinzaine de passagers.

Les enfants ne s'éloignèrent pas jusqu'au moment où une fanfare à l'uniforme rouge tapageur vint donner un concert après avoir pris place dans le kiosque situé tout près du restaurant du parc. Alors, avec la permission de leurs parents, ils quittèrent les couvertures sur lesquelles ils étaient assis pour s'approcher du kiosque. Paul et Claude en profitèrent pour explorer un peu les alentours.

Lorsque le soleil commença à descendre un peu après neuf heures, ils revinrent près de leurs parents pour assister au spectacle féerique de l'illumination multicolore des jets d'eau de la grande fontaine érigée au centre du parc. Sans être aussi magnifique et percutante qu'un feu d'artifice, la chose valait la peine d'être vue et elle émerveillait les adultes et les enfants.

Un peu après dix heures, Maurice se leva.

— C'est ben beau tout ça, fit-il, mais demain matin, il faut que je me lève pour aller travailler.

Ce soir-là, plus d'un enfant Dionne se coucha heureux de la belle soirée qu'il venait de vivre.

Chapitre 19

Le début de l'été

Paul Dionne devait se souvenir longtemps du début de cet été 1955.

Le dernier samedi de juin, Maurice hérita en maugréant du travail de gardien des enfants pendant que sa femme et sa fille aînée allaient acheter la nourriture pour la semaine. L'été, il arrivait que Paul soit remplacé par sa sœur aînée pour cette corvée.

Jeanne n'avait pas quitté la maison depuis une heure que Maurice, désœuvré, remarqua les cheveux passablement longs de Paul.

— Trouve-moi le *clipper*, dit-il à son fils. Je vais te couper les cheveux. Ça sera toujours ça de moins à faire à ta mère.

Malgré sa soudaine inquiétude, Paul alla chercher la tondeuse utilisée chaque mois par sa mère pour couper les cheveux de son mari et de ses enfants. Il n'avait jamais vu son père utiliser l'instrument.

— Apporte le petit banc dans la cuisine et mets-toi une serviette autour du cou, lui commanda Maurice.

Avec une mine de condamné, le garçon prit place sur le banc et il ferma les yeux pendant que son père manipulait sans trop de précaution la tondeuse et les ciseaux. À l'entendre ronchonner dans son dos, il aurait bien voulu voir ce qu'il faisait exactement. En attendant, il devait se contenter de prier intérieurement.

Quand il rouvrit les yeux un peu plus tard, sa serviette était couverte de mèches de cheveux bruns. Il y en avait aussi partout sur le plancher tout autour de lui.

Quelques minutes plus tard, son père déposa près de l'évier la tondeuse, les ciseaux et le grand peigne noir qu'il venait d'employer. Il arborait un air satisfait assez rassurant. Alors, Paul s'inquiéta moins de l'air frais qui venait lui caresser la nuque.

— Balaie les cheveux avant que ta mère revienne, lui ordonna son père.

Paul s'empressa de tout remettre en ordre. Au moment où il songeait à aller admirer le résultat du travail paternel dans le miroir installé au-dessus du lavabo, il entendit la voix de Lise et il vit sa mère pousser la porte de la cuisine. Toutes les deux avaient les bras chargés de sacs de provisions.

— Est-ce qu'on peut avoir un peu d'aide? demanda Jeanne, pâle de fatigue.

Paul alla immédiatement à sa rencontre pour la soulager de quelques paquets. À sa vue, sa mère poussa un cri horrifié. Alors, son fils devina l'étendue des dégâts sans les avoir constatés.

— Maurice Dionne, qu'est-ce que t'as fait là? s'exclama Jeanne en laissant tomber ses paquets sur la table de la salle à manger.

— Quoi? De quoi tu parles? demanda son mari avec la plus évidente mauvaise foi.

— Je te parle de la tête de Paul. Veux-tu bien me dire ce qui t'a pris de lui faire les cheveux?

— Ben, ils sont pas si pires que ça. Pourquoi tu t'énerves de même, sacrement!

Jeanne, folle de rage, attrapa alors son fils par une épaule et le fit lentement pivoter devant son mari.

— Regarde-lui donc la tête ! Si ça a du bon sens d'arranger un enfant comme ça !

— Christ ! C'est pas la fin du monde, protesta Maurice. Ça va repousser.

— En tout cas, touche plus à mon *clipper*, tu m'entends ? lui ordonna-t-elle toujours aussi furieuse en lâchant l'épaule de son fils.

Alarmé, ce dernier en profita pour se précipiter dans la cuisine et il se pencha devant l'évier, au-dessus duquel était fixé un petit miroir rectangulaire. Il ne remarqua rien d'extraordinaire sur le dessus et les côtés de sa tête, mais...

— Donne-moi dix minutes pour placer la commande, lui dit sa mère dans son dos. Après, je vais essayer de t'arranger ça. Mais sors pas dehors avant. J'ai pas envie que tout le monde se mette à rire de toi avec une tête de même.

Paul jeta un regard plein de rancœur à son père qui s'était retranché derrière son journal, apparemment insouciant.

Quelques minutes plus tard, Paul reprit place sur le petit banc et sa mère se mit à tourner autour de lui, cherchant de toute évidence la meilleure façon de réparer les dégâts causés par son mari.

— Aimerais-tu ça, une belle brosse bien courte ? finit-elle par demander à son fils.

— Est-ce que j'ai le choix ? demanda Paul avec mauvaise humeur.

— Je pense pas, fit sa mère. Ton père t'a pas laissé un cheveu en arrière de la tête.

— Exagère pas, fit Maurice, debout dans l'encadrement de la porte de la cuisine. Je les ai juste coupés un peu trop haut en arrière.

— Laisse faire, reprit Jeanne avec humeur. Si je le laisse de même, il va avoir l'air d'un vrai fou et il va être obligé de porter une tuque en plein mois de juillet pour pas faire rire de lui.

En fait, durant quelques jours, Paul arbora une vieille tuque rouge du Canadien trouvée au fond d'un placard de la maison. Il n'y renonça que le jour où il s'aperçut que certains camarades de jeux arboraient une coupe de cheveux ultracourte qui, avec un peu de bonne volonté, pouvait ressembler vaguement à la sienne.

—

Les vacances signifiaient aussi un changement de rythme important pour les enfants. Ils n'étaient plus obligés de se lever tôt pour aller à l'école. Souvent, c'était le bruit des sabots du cheval tirant la voiture du laitier dans la grande cour qui les réveillait. Le pauvre homme peinait dans les escaliers en transportant ses pintes de lait qui brinquebalaient dans un support en métal. Il rapportait à son véhicule les pintes vides dans lesquelles les clientes avaient glissé les coupons de commande.

Si, la plupart du temps, les jeunes Dionne rataient le passage du laitier, ils surveillaient de près l'arrivée du boulanger à la fin de l'avant-midi. Les coups d'avertisseur donnés par l'homme à la livrée grise déclenchaient une ruée des ménagères en direction du camion vert de la boulangerie Pom.

Aux yeux de Paul et de Claude Dionne, rien n'était plus appétissant que les brioches, les gâteaux, les beignes et les pains aux raisins déposés sur les étagères de ce coffre aux trésors à quatre roues.

L'homme devait se méfier des airs gourmands des gamins massés autour de lui. Il ne les quittait pas de l'œil tout le temps qu'il servait leurs mères qui se limitaient, pour la plupart, à n'acheter que des pains.

Lorsqu'il refermait les portes arrière de son camion d'un geste définitif, il assistait invariablement à un concert de protestations des enfants qui suppliaient leurs mères d'acheter au moins un gâteau. En guise de réponse, il n'était pas rare que certaines allongent une taloche bien placée à leur progéniture pour mettre fin aux lamentations.

—

Quatre jours après le début des vacances, la nouvelle fit le tour des enfants du quartier comme une traînée de poudre. La compagnie Carrière engageait pour l'équeutage des fraises et elle donnait deux cents pour le contenu équeuté de chaque casseau.

Dès le lendemain matin, un peu après sept heures, plus de cent enfants de tous les âges se massèrent devant la grande porte de l'entrepôt de la compagnie de la rue Notre-Dame spécialisée dans la fabrication de confitures.

Comme on ne laisserait entrer qu'un peu plus d'une cinquantaine d'enfants, la lutte était féroce à la porte et on y jouait durement des coudes pour protéger son espace vital.

À huit heures, la grande porte verte se leva lentement et les enfants les plus rapides se penchèrent pour se glisser à l'intérieur et se précipiter en criant vers les longues tables dressées au centre de la pièce mal aérée et peu éclairée. Chacune des cinq tables pouvait accueillir une douzaine de jeunes.

Paul, Lise, Francine et Claude Dionne restèrent groupés et ils coururent jusqu'à l'extrémité d'une table, la meilleure place pour choisir les casseaux contenant les plus grosses fraises. Ils s'assirent au bout d'un long banc.

Devant eux, le centre de la table était occupé par une ligne de contenants remplis de fraises cueillies la veille. Les surveillants remplaceraient ces derniers au fur et à mesure que leur contenu serait équeuté.

Sans plus se préoccuper des autres, les quatre Dionne se mirent immédiatement à la tâche. Comme un surveillant le leur avait expliqué l'année précédente, ils devaient renverser devant eux les fraises non équeutées. Leur travail consistait à enlever rapidement la queue de chacune. Les queues étaient jetées dans un récipient, tandis que les fraises propres à la consommation étaient déposées dans un autre. Le surveillant récupérait les fraises dans des seaux propres.

Les aînés des Dionne connaissaient les pièges de l'emploi. Par exemple, il fallait éviter de se retrouver au centre d'une table parce que les voisins y poussaient les contenants de petites fraises trop peu rentables à équeuter. Il n'était pas recommandé non plus de prendre place aux côtés des mauvais travailleurs plus intéressés à s'amuser à lancer des fraises aux autres qu'à gagner de l'argent. Les surveillants pouvaient vous confondre avec ces indisciplinés et finir par vous expulser, ce qui était catastrophique.

Mais la principale menace concernait la protection du fruit de son travail. On devait constamment tenir serrés les casseaux vides entre ses jambes, sous la table, pour trois excellentes raisons. En premier lieu, leur nombre déterminait le salaire qu'on vous verserait à la fin de l'avant-midi. Ensuite, certains enfants malhonnêtes étaient reconnus pour leur habileté à se glisser sous les tables pour dérober aux autres le fruit de leur labeur. Enfin, il arrivait souvent que la compagnie reçoive un arrivage de fraises plus important que prévu. Alors, à la fin de l'avant-midi, les surveillants tamponnaient la main droite des meilleurs équeuteurs et les invitaient à revenir après le dîner. Cet avantage rare donnait lieu à une lutte farouche entre les jeunes.

À midi, une sirène stridente se faisait entendre et tout cessait chez Carrière. Chaque enfant présentait alors au surveillant ses casseaux vides pour qu'il les compte et lui remette un reçu. Son salaire ne lui serait versé que le vendredi midi. Habituellement, on ne revenait s'entasser devant la grande porte que le lendemain matin.

Malheureusement, cet emploi rentable ne durait qu'une quinzaine de jours. Malgré tout, les enfants Dionne l'appréciaient parce qu'il leur permettait de rassembler toutes leurs économies pour acheter un beau cadeau d'anniversaire à leur mère, à la fin du mois de juillet.

Cet été-là, tous les quatre parvinrent à équeuter près de 1 500 contenants de fraises. Ils gagnèrent un peu plus de trente dollars. À la suggestion de leur père, ils décidèrent d'acheter à leur mère une polisseuse à plancher GE.

Le jour de son trente-deuxième anniversaire de naissance, Jeanne fut invitée à quitter la cuisine au milieu de l'après-midi pour laisser la place à son mari et à ses enfants. Lise et Francine aidèrent leur père à confectionner un souper de fête pendant que Paul allait chercher le gros gâteau abondamment décoré, commandé par son père, la veille, dans une pâtisserie de la rue Sainte-Catherine. Le repas fut joyeux. Par jeu, Jeanne ne cessait de houspiller les siens, les poussant à manger plus rapidement le jambon et les pommes de terre qui leur avaient été servis pour pouvoir enfin déballer les cadeaux déposés dans un coin de la salle à manger.

Maurice, magnanime, accepta que le dessert ne soit pris qu'après la remise des cadeaux. Les enfants étaient énervés, impatients de voir la réaction de leur mère quand elle découvrirait ce qu'ils lui avaient acheté.

Finalement, Jeanne eut la permission de voir ses cadeaux. Les trois paquets étaient tous des cadeaux de Maurice. Son mari lui avait acheté un ouvre-boîte mécanique, une chemise de nuit et des produits de beauté. Après avoir déballé chaque paquet, Jeanne s'extasiait sur la beauté de son contenu.

— C'est pas fini, dit Maurice quand les emballages eurent été ramassés et déposés dans la poubelle. Il reste encore le cadeau des enfants. Va le chercher avec Claude dans la valise du char, ajouta-t-il à l'endroit de Paul en lui tendant son trousseau de clés.

Ses deux fils revinrent quelques instants plus tard en portant une longue boîte de carton qu'ils déposèrent devant leur mère.

— Tous les enfants se sont mis ensemble pour t'acheter ça, déclara Maurice, aussi fier du cadeau que s'il l'avait payé lui-même. Ouvre-le.

Jeanne ouvrit la boîte et en sortit la polisseuse électrique en poussant des exclamations de joie, au plus grand plaisir des enfants qui l'entouraient.

— Attends. On va la brancher, dit Maurice en s'emparant du fil électrique. Tu vas pouvoir l'essayer.

L'appareil fit entendre un doux ronronnement lorsque Jeanne le mit en marche. Après l'avoir utilisé quelques secondes sur le linoléum de la salle à manger, elle examina le résultat.

— Penses-tu que c'est pas fin, cette machine-là ! dit-elle à Maurice. À cette heure, on sera plus obligés de frotter le plancher après l'avoir ciré. On va juste avoir à passer la polisseuse. Merci, les enfants ! C'est un des plus beaux cadeaux que j'ai reçus.

Sur ces mots, Jeanne embrassa chacun des siens en les remerciant.

— Bon. Il nous reste un beau gâteau de fête à manger, dit Maurice. Retournez vous asseoir à table. On n'est pas pour passer la soirée dans la maison.

◄

Il ne faut surtout pas croire que les enfants Dionne ne profitaient pas de leurs vacances estivales. La chaleur dégagée par l'asphalte et les odeurs nauséabondes des usines du quartier ne les empêchaient nullement de s'amuser.

Bien sûr, Paul et Claude auraient pu profiter d'un séjour aux Grèves de Contrecœur. Mais quand un représentant de la Saint-Vincent-de-Paul de la paroisse s'était déplacé pour faire cette proposition à Jeanne et à Maurice, ce dernier avait opposé un non catégorique en prétextant que leur mère avait besoin d'eux. Il n'était pas question que ses enfants échappent à sa surveillance durant trois longues semaines.

Les deux garçons avaient été ulcérés de voir leur père leur refuser de si belles vacances à la campagne.

Pire encore, la même semaine, la tante Laure avait appelé de Saint-Cyrille pour offrir de prendre Paul ou Claude chez elle durant tout l'été. De toute évidence, cette femme sans enfant cherchait à soulager sa sœur enceinte. Lorsque Jeanne mit son mari au courant de l'offre faite par sa sœur, ce dernier protesta avec la dernière énergie.

— Il en est pas question, bout de Christ! jura-t-il. Ils vont rester ici. Tu sauras qu'on n'a pas des enfants pour qu'ils aillent travailler comme des esclaves sur une terre. Si ta sœur veut de l'aide, elle a juste à faire des enfants.

— Elle nous offrait ça juste pour nous aider, plaida Jeanne.

— On n'a pas besoin de son aide, trancha sèchement Maurice en s'allumant une cigarette.

Dès le lendemain après-midi, comme pour se faire pardonner, le père de famille arriva à la maison en poussant devant lui une vieille bicyclette CCM rouge vin qui avait connu de meilleurs jours. Avant d'entrer dans la maison, il l'appuya contre la clôture.

— Venez voir ce que je vous ai apporté, dit-il aux siens.

Tous les Dionne sortirent dans la cour pour admirer ce que leur père avait transporté dans le coffre de la Pontiac.

— D'où est-ce que ce bicycle-là vient? demanda Jeanne.

— Un gars qui travaille avec moi s'en servait plus. Il me l'a donné.

— Il est pas mal haut, fit sa femme en l'examinant de plus près. C'est au moins un «28».

— Oui, je le sais, mais je vais baisser le siège, répliqua Maurice avec une certaine impatience. Il va faire l'affaire.

Paul, qui rêvait secrètement des nouvelles bicyclettes à trois vitesses avec un guidon recourbé, n'était guère enthousiasmé par ce qu'il voyait. Claude s'approchait déjà de l'engin quand son père le repoussa.

— Ôte-toi de là, toi. Tu vois pas que t'as pas les jambes assez longues pour rejoindre les pédales. C'est pour Lise et Paul. Attendez, je vais baisser le siège et vous allez pouvoir l'essayer.

— Mais c'est un bicycle de gars, p'pa, protesta mollement le garçon.

— T'es ben niaiseux, toi. C'est pas parce que le bicycle a une barre que ta sœur est pas capable de le conduire.

En quelques minutes, la selle fut baissée au maximum et Lise sortit de la cour en poussant devant elle la bicyclette en compagnie de toute la famille désireuse d'assister à son premier essai sur le nouveau vélo.

L'adolescente dut prendre appui sur la première marche de l'escalier qui conduisait chez les Moreau pour être capable de monter sur la haute bicyclette et elle partit lentement en zigzaguant dans la grande cour.

— Fais attention aux chars, lui lança son père tout de même un peu inquiet de voir son aînée contrôler aussi mal son engin.

Lise se rendit jusqu'au trottoir de la rue Fullum, fit un large virage et revint vers les siens. Au lieu de s'arrêter près d'eux, elle choisit d'escalader la petite butte haute d'environ quatre pieds qui permettait d'accéder à l'autre branche du L que formait la cour commune. Arrivée à la rue Archambault, elle fit demi-tour et revint.

Appuyés à la clôture qui limitait leur cour privée, tous les Dionne assistaient à la démonstration. Paul piaffait maintenant d'impatience. Il avait hâte d'essayer la nouvelle bicyclette qui, malgré son apparence peu reluisante, était tout de même sa propriété à 50 %.

Lise arriva au sommet de la butte et la descendit triomphalement en roues libres… Mais le spectacle fut gâché par l'incapacité de la cycliste d'utiliser correctement les freins.

Avec un cri de stupéfaction, les siens la virent foncer à toute vitesse dans la clôture. Il y eut un choc sourd suivi d'une chute fracassante. Maurice et Jeanne se précipitèrent vers l'accidentée. On ne voyait que des bras et des jambes sous la bicyclette dont les roues tournaient encore.

Le père redressa l'engin qu'il appuya contre la clôture et il aida sa femme à relever Lise en larmes, encore tout étourdie du choc qu'elle venait de subir.

— Veux-tu ben me dire, sacrement de sans-dessein, ce que t'as fait là ? lui demanda Maurice en colère. T'es pas capable de *braker*, non ?

— Maurice, tu vois bien que c'est parce qu'elle est pas encore habituée à conduire un gros bicycle, le raisonna Jeanne en lui faisant les gros yeux. À la longue, elle va être capable... Bon, t'as rien de cassé, reprit-elle à l'endroit de sa fille. T'as juste des égratignures aux genoux. Rentre, je vais te mettre du mercurochrome et des pansements.

Sans un regard pour son père et pour la bicyclette dont le guidon était maintenant un peu gauchi, l'aînée de la famille rentra dans la maison à la suite de sa mère en boitillant.

Maurice redressa le guidon et tendit la bicyclette à Paul.

— Monte dessus que je vois si t'as les jambes assez longues pour rejoindre les pédales, ordonna-t-il à son fils.

Paul s'exécuta. Il rejoignait le pédalier du bout du pied.

— Bon, c'est correct. Tu peux le prendre. Mais je veux pas te voir aller sur Sainte-Catherine, sur Fullum ou sur Notre-Dame avec. C'est trop dangereux.

Cette interdiction venait d'enlever tout intérêt à cette vieille bicyclette. Quel plaisir y aurait-il à sillonner inlassablement les petites rues Archambault et Emmett ou la ruelle Grant? À moins de désobéir durant le jour, quand son père était au travail...

—

Il faut bien admettre que chez les Dionne, la surveillance se relâchait très sensiblement durant la journée, quand le père était au travail.

Du matin au soir, Jeanne, enceinte et encore faible, ne savait où donner de la tête. Les soins réclamés par les trois plus jeunes enfants, la préparation des repas et ses autres tâches ménagères grugeaient la plus grande partie de son énergie. L'aide occasionnelle apportée par Lise et

Francine ne suffisait pas. Dans l'appartement surchauffé, la mère de famille se débrouillait comme elle le pouvait. Inutile de dire que Paul et Claude avaient les coudées franches et qu'ils en profitaient amplement. Tout ce que leur mère exigeait, c'était qu'ils se présentent à l'heure au dîner et qu'ils soient à la maison quand leur père rentrait du travail.

En ce mois de juillet, un lundi matin après avoir servi la messe, Paul eut un coup de chance extraordinaire. Il découvrit un vieux patin à roulettes un peu rouillé dans une poubelle. Tout excité, il rapporta son trophée à la maison.

— Tu sais ce qu'on va faire avec le patin ? demanda-t-il à son frère Claude. On va s'en servir pour construire une trottinette. On a tout ce qu'il faut. Si tu veux jouer avec, il va falloir que tu m'aides.

Claude accepta immédiatement d'aider son grand frère qui le chargea de trouver des clous et de rapporter son sac de capsules de bouteilles de boissons gazeuses dissimulé sous le lit.

Pendant que Paul descendait à la cave chercher une boîte en bois ayant contenu des oranges Sunkist et un bout de planche d'un peu moins de six pieds de longueur, Claude revenait avec ce que son frère lui avait demandé et il déposait le tout au milieu de la cour.

— Tu vas voir que c'est pas ben ben compliqué, dit Paul à son cadet. J'ai juste à dévisser les deux parties du patin et à les clouer à chaque bout de la planche. Tiens ben la planche pendant que je cloue.

Quand le garçon de onze ans eut bien fixé les deux sections, il renversa la planche et cloua la boîte en bois à une extrémité de cette dernière.

— Apporte-moi deux petits bouts de bois pour faire des poignées. Je vais les clouer sur la boîte, dit-il à Claude.

Après avoir fait cela, Paul s'amusa à orner l'avant de sa trottinette en clouant une dizaine de capsules de bouteilles. Vers la fin de l'avant-midi, il sortit de la grande cour et traversa la rue Fullum, suivi par son jeune frère. Sur le trottoir plus égal du côté ouest de la rue Fullum, le premier essai de son bolide fut concluant. Un pied sur la planche et l'autre servant à la propulsion, il parvint à atteindre une vitesse surprenante avec sa nouvelle trottinette.

Les deux frères s'amusèrent durant de longues minutes à sillonner la portion de trottoir entre les rues Notre-Dame et Sainte-Catherine. Après le dîner, Paul s'aperçut qu'il pouvait même amuser André et la petite Martine avec sa trottinette. Il les assoyait tour à tour au fond de la boîte, les jambes soigneusement alignées sur la planche, et il propulsait son engin à une vitesse raisonnable en tenant fermement les poignées. Les deux enfants poussaient des cris de joie en voyant défiler le trottoir à toute vitesse à quelques centimètres d'eux.

La fameuse trottinette aurait pu servir encore longtemps si Claude n'avait pas eu la malchance de heurter violemment la bordure du trottoir moins d'une semaine après sa construction. Cet après-midi-là, il revint tant bien que mal à la maison en tirant ce qui restait de l'engin qu'il avait construit avec son frère.

— Qu'est-ce que t'as fait à la trottinette? lui demanda Paul, catastrophé en faisant le tour de l'épave.

— La maudite roue d'en avant est partie. J'ai planté, répondit Claude, piteux. Je me suis fait mal à une jambe et j'ai déchiré ma chemise.

— La roue s'est pas détachée toute seule. Elle était clouée...

— En tout cas, je veux plus m'en servir de cette patente-là, fit Claude en allongeant un coup de pied rageur à ce qui restait de l'engin.

— Il y a pas de danger, répliqua Paul. Arrangée de même, la trottinette est pas réparable. C'est pas demain la veille que je vais te prêter quelque chose, toi.

———

En ce mois de juillet chaud et humide, la période de l'équeutage des fraises fut suivie, chez les Dionne, par l'apparition de la vieille bicyclette rouge et par la durée éphémère de la trottinette. On aurait dit que rien ne résistait très longtemps aux jeunes en vacances… Rien, sauf le plaisir sans cesse renouvelé de la baignade au bain Quintal.

Depuis plus d'un demi-siècle, Montréal s'était dotée de bains publics qu'elle avait mis à la disposition de sa population. Ces gros édifices en pierre grise étaient beaucoup plus faciles à fréquenter que la plage de Pointe-Calumet, au bout de l'île. Dans les quartiers où il existait de tels bains, la Commission scolaire de Montréal encourageait la direction des écoles primaires à les faire fréquenter par leurs élèves durant l'année scolaire.

C'est ainsi qu'à l'école Champlain, tous les écoliers de 6e année avaient eu l'occasion, le printemps précédent, de se rendre chaque semaine au bain Quintal situé au coin des rues Dufresne et De Montigny. Chaque mercredi après-midi, de trois heures à quatre heures, Marcel Beaudry avait conduit ses élèves à la piscine intérieure où un moniteur avait tenté, sans grand succès d'ailleurs, de leur enseigner les techniques de la natation.

Cette sortie hebdomadaire avait conquis Paul Dionne. Il n'était pas particulièrement brave dans l'eau, mais il adorait s'y tremper et s'y amuser. Au mois de juin, lorsque le moniteur avait invité tous les jeunes à venir profiter des installations du bain Quintal les lundi, mercredi et vendredi, de une heure à deux heures et demie, durant les vacances estivales, l'invitation n'était pas tombée dans l'oreille d'un sourd. Mais chez les Dionne, le problème consistait à obtenir la permission des parents.

En ce mardi étouffant de la mi-juillet, Paul entreprit de convaincre sa mère des bienfaits du bain Quintal. À ses yeux, le jeu en valait la chandelle.

— M'man, Claude et moi, on peut plus jouer avec personne. Tous les gars sont partis se baigner au bain Quintal.

— Vous avez juste à attendre qu'ils reviennent, rétorqua Jeanne avec une certaine impatience.

— Ils sont chanceux, eux autres, leurs parents les laissent aller se baigner, continua Paul comme si sa mère n'avait rien dit.

Jeanne cessa un instant de faire ingurgiter de la bouillie à Denis pour dévisager ses deux fils.

— Ça fait du bien de se baigner quand il fait chaud, s'entêta à plaider Paul.

— C'est trop loin. Il faut traverser la rue Sainte-Catherine et la rue De Montigny.

— Ben, voyons donc! On les traversait tous les jours ces rues-là pour aller à l'école. C'est pas plus dangereux durant l'été. Si vous aimez mieux, Claude et moi, on peut aller au bain Laviolette, mais il est encore plus loin, au coin de De Montigny et De Lorimier, en dessous du pont Jacques-Cartier.

— Essaie pas de faire le drôle, Paul Dionne, le prévint sa mère sévèrement. Je te dis que j'aime pas ça vous voir aller là. C'est une patente pour attraper des maladies. Tout le monde trempe dans cette eau-là. Je suis sûre qu'il y en a qui pissent dedans.

— Il y a des produits dans l'eau, m'man. Puis, on est obligé de prendre notre douche avant de sauter dans la piscine. Il paraît que c'est la même chose que quand j'y allais durant l'école.

— En plus, c'est pas mal creux, ajouta Jeanne.

— Ça commence à trois pieds, m'man, fit Paul d'un ton suppliant. Ça peut pas être dangereux. Si on sait pas nager, on nous empêche d'aller trop loin.

— Est-ce qu'il y a des surveillants au moins ?

— Il y en a tout le temps deux.

— Bon, je vais en parler à ton père à soir. C'est lui qui va décider.

— Nous autres, m'man, est-ce qu'on va pouvoir y aller aussi ? demandèrent Lise et Francine. Ça nous ferait du bien de nous baigner, nous autres aussi.

— C'est ça, et vous me laisseriez tout l'ouvrage sur les bras.

— Ben non, dit Francine. On n'irait pas tous les après-midi.

— À part ça, vous y pensez pas : vous baigner avec les garçons !

— Les filles se baignent pas avec nous autres, m'man, intervint Paul, se portant au secours de ses sœurs. Les filles peuvent y aller que de trois heures à quatre heures et demie, quand les gars sont plus là.

— On verra ça à soir avec votre père, promit Jeanne sans trop de conviction.

La mère de famille avait toujours nourri une certaine crainte à l'égard de l'eau et elle hésitait à se faire l'apôtre de la baignade, même si elle savait que ses enfants mouraient d'envie d'aller se rafraîchir durant les grandes chaleurs.

Ce soir-là, elle attendit que ses enfants soient au lit pour aborder la question avec son mari. Ils étaient assis tous les deux dans la cour, adossés au mur de la maison, sous la fenêtre de la salle de bain.

Paul, debout près de la porte de la salle de bain, écoutait ce qui se disait à l'extérieur.

— Les enfants ont bien chaud de ce temps-ci, dit Jeanne à Maurice.

— C'est normal, on est en plein cœur de juillet, répliqua son mari en allumant une cigarette.

— Ils aimeraient faire comme tous les enfants du coin et aller se baigner au bain Quintal de temps en temps, l'après-midi. Qu'est-ce que t'en penses?

— J'aime pas ben ça. Il y a toutes sortes de monde qui vont là.

— C'est vrai, convint Jeanne, mais d'un autre côté, ils sont surveillés, il y a des douches et ils apprennent à nager.

— Évidemment, toi, t'es d'accord avec ça parce que ça te débarrasserait des enfants pendant une couple d'heures.

— Dis donc pas n'importe quoi. Ça me dérange pas qu'ils y aillent ou pas, mais j'aime pas que nos enfants soient à part des autres.

— Tout ça, c'est parler pour rien dire. Ils ont même pas de costume de bain.

— Je pourrais peut-être en trouver à l'hospice…

Il y eut un long silence qui ne fut troublé que deux fois par Maurice écrasant bruyamment les maringouins qui lui tournaient autour.

— Ah! Puis fais donc ce que tu veux, laissa finalement tomber le père de famille. Mais je t'avertis: je m'en lave les mains s'il leur arrive un accident.

— Inquiète-toi pas, fit Jeanne. Je vais bien les avertir avant de les laisser partir.

— Bon, ça va, dit Maurice sur un ton exaspéré. Je me suis assez fait manger par les maringouins à soir; je rentre me coucher.

Sur ces paroles, il se leva, prit la chaise sur laquelle il était assis un instant plus tôt et rentra dans la maison qu'aucune brise ne venait rafraîchir. Jeanne le suivit sans dire un mot.

Dans la petite chambre verte surchauffée des garçons, Paul s'empressa de communiquer la bonne nouvelle à son frère Claude avant de se précipiter vers son lit.

Le lendemain avant-midi, peu après le déjeuner, la jeune mère confia André, Martine et Denis à son aînée en lui disant qu'elle s'en allait se faire donner sa piqûre de fortifiant chez sœur Thérèse de Rome et qu'elle allait en profiter pour tenter de dénicher des maillots de bain à ceux qui n'en avaient pas.

Une heure plus tard, elle rentrait à la maison, chargée d'un sac en papier brun.

— Je vous ai trouvé des costumes de bain, dit-elle fièrement à ses enfants qui l'entouraient dans la salle à manger. Tassez-vous, je vais vous montrer ça.

— Est-ce qu'il y en a un pour moi ? demanda Paul.

— Bien non, t'en as un qui te fait encore.

— Tiens, dit-elle à Claude en lui tendant une culotte bleu foncé. Va essayer ça. Je pense que ça va te faire.

Claude disparut en coup de vent dans la salle de bain et il revint, moins d'une minute plus tard, montrer à sa mère que le maillot lui allait.

— Et moi ? demanda André qui, à cinq ans, n'acceptait pas d'être oublié.

— J'en ai un aussi pour toi, lui répondit sa mère en repoussant une mèche de cheveux que la sueur collait sur son front. Mais tu vas attendre un peu parce qu'il va falloir que je le raccourcisse, ajouta-t-elle en tirant du sac un maillot de bain vert bouteille qu'elle lui montra.

— Avez-vous trouvé quelque chose pour moi, m'man ? demanda Lise.

— Oui, pour toi et pour Francine aussi.

— Où est-ce que vous avez acheté tout ça ? demanda l'aînée pendant que sa mère tirait deux autres maillots de bain du sac maintenant vidé de son contenu.

Jeanne rejeta le sac vide et étala sur la table les costumes de bain destinés à ses deux filles. L'un était noir avec une courte jupe ; l'autre était rouge vin.

— Es-tu devenue folle, Lise Dionne ? fit Jeanne avec humeur. Comme si on avait les moyens d'acheter quatre costumes de bain neufs.

— Ils viennent d'où d'abord ?

— Ils viennent du linge ramassé par sœur de Rome, cette affaire.

— Ouach ! des guénilles que d'autres ont mis, dit l'adolescente en laissant retomber sur la table le costume noir qu'elle venait de prendre.

— Aïe ! la duchesse, répliqua sa mère, reviens sur terre. On va les laver, ces costumes-là.

En voyant Francine s'emparer du costume rouge vin, Lise revint vers la table et prit l'autre costume. Elle le tint à bout de bras pour l'examiner.

— Mais, m'man, la petite jupe, c'est plus la mode pantoute. Il y a plus personne qui porte des costumes comme ça. Si je le mets, je vais faire rire de moi par les autres.

— Personne t'oblige à le mettre, ma grande. T'as juste à rester dans la maison. J'ai de l'ouvrage en masse pour toi.

Lise remit le costume sur la table et s'enfuit bouder dans sa chambre à coucher.

Au début de l'après-midi, Paul et Claude prirent chacun une serviette et se rendirent au bain Quintal. Une cinquantaine de gamins du quartier chahutaient, debout sur les marches du large escalier en ciment qui menait à la porte de l'édifice en attendant l'heure de pouvoir entrer. Pour Claude, c'était une initiation et il ne s'éloignait pas de son frère.

Lorsqu'un surveillant déverrouilla la porte, les enfants se précipitèrent vers les douches dans l'intention d'être les premiers à se jeter dans la piscine.

— Courez pas! cria le moniteur.

— Mais ça sent ben mauvais, se plaignit Claude en suivant son frère vers les douches.

— Beaudry nous a dit que c'est le chlore qu'ils mettent dans la piscine qui sent ça. Quand tu te mettras la tête dans l'eau, ouvre pas les yeux parce que ça va brûler.

Quelques minutes plus tard, l'énorme salle où était située la piscine résonnait de mille cris excités et d'appels. De temps à autre, le coup de sifflet d'un surveillant rappelait à un jeune garçon qu'il était défendu de courir autour de la piscine. Pendant que quelques braves, encouragés par les défis lancés par des copains, se lançaient des deux plongeoirs édifiés à l'extrémité où la profondeur atteignait huit pieds, d'autres s'amusaient à sauter un peu partout du bord de la piscine, au risque d'atterrir sur la tête d'un baigneur.

Paul n'eut pas à se préoccuper très longtemps de son jeune frère. Ce dernier avait rencontré deux camarades de classe et, la dernière fois qu'il les avait aperçus, tous les trois se chamaillaient là où l'eau était la moins profonde. Lui-même rencontra Serge Ménard et ils s'amusèrent longtemps à essayer de couvrir la plus grande distance sous l'eau sans remonter à la surface pour faire le plein d'air.

Quelques minutes avant la cloche annonçant la fin de la baignade, il y eut plusieurs coups de sifflet rageurs et un surveillant s'approcha à grandes enjambées de l'extrémité de la piscine en criant. Paul et son copain, curieux, sortirent de l'eau pour voir ce qui était la cause de cette colère.

Paul aperçut alors Claude tenu solidement par le bras par un surveillant qui le secouait d'importance.

— Ça fait trois fois que je t'avertis ! T'es sourd ou quoi ? hurla le surveillant, en colère. La première fois, tu te tiraillais dans l'eau. La fois d'après, tu courais. Et là, t'es en train d'essayer de noyer quelqu'un.

Claude gigotait dans le but de se libérer de la poigne solide qui le retenait.

— J'ai rien fait, protesta-t-il. C'est lui qui m'a sauté sur la tête, ajouta-t-il en montrant un petit blond qui se tenait tranquille au bord de la piscine.

— Ça va faire, tu m'entends ! T'es suspendu de la piscine pour le reste du mois. T'as plus le droit de venir avant le mois d'août. Va te changer et disparais.

Le garçon de huit ans quitta les lieux sous le regard goguenard des autres enfants. Sans un mot, Paul suivit son frère dans le vestiaire où étaient situées les douches.

— Le maudit chien sale ! Il m'a mis dehors et j'avais rien fait, se plaignit-il à son frère en sortant du bain Quintal.

— Ouais, fit Paul. En tout cas, tu vas trouver ça plate de pas revenir avant quinze jours.

— Ça me dérange pas, répliqua son frère, boudeur. De toute façon, j'aime pas ça. Il y a trop de monde.

Au moment où les deux frères entraient dans la cour, ils croisèrent Lise et Francine portant sous le bras une serviette de bain roulée.

— Tiens, la grande, t'as changé d'idée, fit Paul pour taquiner sa sœur aînée.

— Mêle-toi donc de tes affaires ! lui répondit Lise en faisant claquer la porte de la clôture.

Quelques instants plus tard, Paul apprit que sa mère avait enlevé la jupette des deux maillots de bain des filles et qu'elle les avait ajustés à la taille de Lise et de Francine. Évidemment, Lise n'avait pu alors résister à l'envie d'aller se baigner avec Francine en cette chaude journée de juillet.

Chapitre 20

L'aventure

La canicule ne relâchait pas son étreinte. Rien ne laissait présager un rafraîchissement de la température. Les quinze premiers jours de juillet avaient été si chauds et si humides qu'on avait l'impression de vivre continuellement dans un bain de vapeur. Le soir, les habitants de la rue Notre-Dame s'entassaient sur leur balcon ou s'appuyaient sur des oreillers à leurs fenêtres pour tenter de profiter du moindre souffle d'air frais.

Le second dimanche du mois, peu après le dîner, Maurice Dionne rentra dans la maison où sa femme et ses filles finissaient de laver la vaisselle du repas.

— Prépare les enfants, dit-il à Jeanne. On va aller faire un tour de char pour prendre l'air.

En un rien de temps, tous les enfants s'entassèrent dans la Pontiac dont toutes les glaces furent baissées et la voiture prit la direction du pont Jacques-Cartier. Il y avait tant de véhicules à l'entrée du pont en ce dimanche ensoleillé et chaud, qu'il fallut près d'une demi-heure pour se présenter à une guérite de péage.

Durant près de deux heures, Maurice Dionne sillonna à vitesse réduite les petites routes de la Rive-Sud en direction de l'ouest, heureux de faire respirer un peu d'air pur à sa famille. La campagne était magnifique en ce dimanche après-midi estival. Les enfants se montraient les troupeaux de vaches qui paissaient dans les champs. Le feuillage vert foncé des arbres était immobile et, de temps à autre, on apercevait l'eau calme d'une rivière qui étincelait sous les rayons du soleil. Lorsque la Pontiac traversait un village, la mère incitait ses enfants à se signer en passant devant l'église.

L'auto venait à peine de quitter le village de Sainte-Martine quand Jeanne dit à son mari :

— Il faudrait bien que tu trouves une place pour t'arrêter.

— Pourquoi ?

— Le petit s'est sali. Il faudrait que je le change. En plus, ça ferait du bien aux autres de se dégourdir un peu les jambes.

Comme pour donner raison à Jeanne, une odeur pestilentielle envahit la voiture et Claude se plaignit de ce que Francine prenait trop de place sur le siège arrière.

— Calvaire ! calmez-vous en arrière, jura Maurice contrarié par ce contretemps en tournant légèrement la tête vers les enfants assis sur la banquette arrière.

Le silence se fit immédiatement dans la voiture.

— C'est pas endurable cette senteur-là, dit-il à sa femme en réprimant son envie de se boucher le nez. Quand est-ce que cet enfant-là va être propre ? Il a presque deux ans.

— Ça s'en vient. Il l'est presque. Ça lui arrive presque plus de s'échapper. Pas vrai, Denis ?

Le petit commença doucement à pleurer, comme pour rappeler à ses parents sa situation inconfortable.

— Bon, je vais essayer de trouver un coin tranquille, dit le père en quittant la route asphaltée pour entrer dans un rang qui serpentait entre les terres.

Pendant quelques minutes, la Pontiac brune au toit beige s'avança lentement en soulevant un petit nuage de poussière. Puis, Maurice vira brusquement à gauche dans une cour envahie par de hautes herbes, cour au fond de laquelle se dressait une vieille maison couverte de bardeaux gris. L'habitation semblait abandonnée.

— Attendez-moi une minute, dit le père. Je vais voir s'il y a quelqu'un qui reste là. S'il y a personne, vous allez pouvoir descendre vous dégourdir les jambes.

Maurice ne demeura absent que quelques instants, le temps de faire le tour de la maison dissimulée en grande partie par trois grands érables qui la rendaient pratiquement invisible de la route.

— Descendez, dit-il aux siens, mais éloignez-vous pas. Paul, Lise, surveillez les plus jeunes pendant que votre mère change Denis.

Jeanne s'était déjà emparée du sac placé à ses pieds et elle s'empressa d'aller jusqu'au balcon sur lequel elle déposa Denis. Elle le changea en moins de deux minutes et elle revint vers son mari en train de fumer à l'ombre, appuyé contre le pare-chocs de la Pontiac.

— On dirait ben que ça fait longtemps que personne reste ici, dit Maurice en lui montrant la maison à un étage au toit rouillé très pentu. Ça doit faire au moins vingt ans que le dehors a pas été peinturé.

— C'est de valeur que plus personne s'en serve, dit Jeanne en déposant le petit dans l'herbe, à ses pieds. Elle a pas l'air en si mauvais état que ça.

— C'est en plein ce que je me disais, affirma Maurice. Même si elle est pas mal vieille, elle pourrait toujours servir de maison d'été à du monde qui ont pas les moyens de se payer un chalet, par exemple.

— C'est sûr, fit distraitement sa femme.

Maurice enleva soudainement son pied du pare-chocs.

— Dis donc, ce serait drôle si le propriétaire de cette cabane-là nous la louait pour mes deux semaines de vacances.

Jeanne n'eut pas à répondre à son mari. Une vieille camionnette rouge brinquebalante pénétra lentement dans la cour et vint s'arrêter derrière la Pontiac des Dionne. Un gros homme d'une soixantaine d'années s'en extirpa difficilement.

Il releva son chapeau pour essuyer avec un large mouchoir la sueur qui dégoulinait sur son front et il regarda d'un air un peu effaré tous ces enfants qui se regroupaient près de leurs parents.

— Avez-vous un problème ? demanda-t-il d'un air affable.

— Non, répondit Maurice un peu gêné. Les enfants étaient fatigués d'être enfermés dans le char et on est arrêtés juste cinq minutes pour leur permettre de se dégourdir les jambes. On voulait pas déranger ni prendre quoi que ce soit.

— Pour déranger, vous dérangez rien pantoute, fit l'autre avec un grand sourire et ça me surprendrait ben gros que vous trouviez quelque chose à prendre dans notre ancienne maison. Elle est vide. Je m'appelle Arthur Demers. Ma femme et moi, on reste juste à côté, à trois cents pieds, là où on s'est fait construire il y a huit ans. J'ai gardé la vieille maison parce que j'ai pas eu encore le temps de la faire démolir. Ça viendra l'automne prochain. Il va falloir le faire avant que des malfaisants y mettent le feu.

— Ah ! c'est de valeur ! s'exclama Maurice. Elle a l'air encore pas mal solide.

— Peut-être, mais elle a plus que cent ans. Il y a eu quatre générations de Demers qui s'en sont servi. C'est déjà pas mal.

À ce moment-là, sur un coup de tête, Maurice décida de se lancer.

— Est-ce que vous nous la loueriez pour deux semaines ? On reste à Montréal et les enfants auraient ben besoin de respirer un peu de bon air avant la fin de l'été.

Demers se gratta la tête en regardant un à un chacun des enfants avant de s'arrêter à Jeanne dont le visage blafard traduisait assez le degré d'épuisement.

— Non, je peux pas vous la louer, finit par laisser tomber le gros cultivateur.

Il y eut un « ah ! » de déception chez les plus âgés des enfants.

— Par contre, je peux vous la passer pour rien si vous êtes capables de vous arranger avec.

— Il y aura pas de problème, répondit Maurice avec enthousiasme. C'est la première fois que j'ai droit à deux semaines de vacances payées. Les passer avec ma femme et mes enfants à la campagne, ça va faire tout un changement !

— Bon, attendez-moi cinq minutes, je vais aller vous chercher la clé pour vous montrer le dedans. Peut-être que vous allez changer d'idée en le voyant.

Arthur Demers remonta à bord de sa camionnette et recula jusqu'à la route.

— T'es pas raisonnable, Maurice, déclara Jeanne. Comment on va faire pour les meubles ? Il te l'a dit lui-même qu'il y en avait pas. En plus, la maison doit être toute sale et pleine de mulots.

— Énerve-toi pas, fit Maurice, aussi excité que ses enfants. Avec les enfants, on va peut-être avoir besoin juste d'une seule journée pour la nettoyer. Pour les meubles, on va demander à Florent Jutras de venir avec son truck pour transporter les matelas et tout ce qu'il va nous falloir. Je te le dis, on va être ben en maudit dans cette maison-là pendant quinze jours. Puis les enfants vont avoir des belles vacances.

Comment résister à un enthousiasme pareil ? Maurice demeurait toujours l'homme aux emballements aussi soudains que passagers.

Arthur Demers revint en brandissant un gros trousseau de clés et, après quelques tâtonnements, il parvint à ouvrir la porte avant de la maison.

— Vous restez dehors, les enfants, ordonna Maurice en faisant signe à Paul et à Lise de descendre du balcon sur lequel ils venaient de monter.

Il régnait à l'intérieur une chaleur de four et des dizaines de mouches bourdonnaient derrière les fenêtres sales. Les pas résonnaient étrangement dans la maison presque vide.

— Il y a pas de vitres brisées et les moustiquaires sont encore pas mal, dit le propriétaire en faisant un geste vague vers les trois fenêtres qui éclairaient la grande cuisine.

— Vous avez laissé une table de cuisine et des chaises, constata Jeanne en montrant une grande table en bois couverte d'une épaisse couche de poussière et quelques chaises dépareillées.

— Oui. Vous pourrez vous en servir si le cœur vous en dit, fit Arthur Demers. Le plus important, c'est qu'il y a encore l'électricité. Comme ça, vous allez être capables de vous éclairer, et surtout, d'avoir de l'eau. Sans ça, la pompe du puits aurait pas marché.

— Il y a pas à dire, fit Maurice avec un grand sourire, on est vraiment chanceux.

— Vous êtes surtout chanceux d'avoir des toilettes dans la maison. Je sais que les gens de la ville sont pas ben fous des toilettes sèches dehors, ajouta le cultivateur avec un petit rire.

— Vous avez bien raison, dit Jeanne. J'ai été élevée sur une terre et notre visite qui venait de la ville aimait pas se servir de nos toilettes sèches.

— Ici, continua Demers, vous avez ce qui était le salon et notre chambre en plus de la cuisine. En haut de l'escalier, vous allez trouver quatre petites chambres. Là, par exemple, il y a plus un meuble.

— C'est pas grave, dit Jeanne, on se débrouillera.

— J'ai ben peur que vous ayez tout un ménage à faire pour être capables de vous installer.

— Vous inquiétez pas, monsieur Demers, fit Maurice. L'ouvrage nous fait pas peur.

— Bon, si c'est comme ça, je vais laisser la clé sur le rebord de la fenêtre du salon et vous aurez juste à venir vous installer quand vous le voudrez.

Ils sortirent tous les trois de la maison dont le propriétaire verrouilla la porte. Ce dernier quitta les lieux sous les remerciements de la famille Dionne.

Le retour en ville de la famille se fit dans une joie exubérante.

— Vous serez pas plus que deux par chambre, annonça fièrement Maurice à ses enfants.

— On va être ben, dit Paul à Claude, assis à ses côtés.

— Lise et Paul vont avoir leur chambre, reprit Jeanne à son tour. Claude va coucher avec André. Francine va coucher avec Martine. Denis va continuer à dormir avec votre père et moi dans la chambre du bas.

— Vous allez avoir un grand terrain pour jouer et il sera pas en terre, reprit Maurice.

— Est-ce qu'on va pouvoir se faire des arcs et des flèches ? demanda Claude.

— Pourquoi pas !

Pendant que les enfants faisaient des projets, sur la banquette arrière de la voiture, Lise, assise entre son père et sa mère, écoutait leur conversation.

— Samedi matin, on va partir ben de bonne heure pour aller faire un gros ménage. Si on perd pas de temps, je pense qu'on devrait être capables de revenir avant la noirceur. Comme ça, quand on arrivera la semaine d'après, on aura juste à installer les matelas et les affaires qu'on aura à apporter.

— S'il fait beau et pas trop chaud, on va y arriver, dit sa femme, plus pour ne pas le contrarier que parce qu'elle y croyait vraiment. Qu'est-ce qu'on va faire pour apporter tout ce qu'il va nous falloir là ?

Il y eut un bref silence avant que Maurice dise :

— Il va falloir que t'appelles ta sœur Laure pour lui demander si son mari pourrait pas venir nous déménager vendredi soir dans quinze jours ou le lendemain matin, au plus tard.

— As-tu pensé que Florent va peut-être être en train de faire ses foins ? lui demanda Jeanne. Ça se pourrait bien qu'il puisse pas venir. On aurait l'air fin, là. Avoir nettoyé la maison et pas être capables d'y aller.

— Inquiète-toi pas, fit Maurice, rassurant, on trouvera ben un moyen d'apporter nos guénilles là.

Cette inquiétude n'était pas fondée. Le soir même, Laure affirma à sa sœur que les foins seraient terminés avant la fin de la semaine suivante et que Florent viendrait sans faute les aider à transporter leurs affaires à Sainte-Martine.

—

Le samedi suivant, il faisait encore nuit quand toute la famille Dionne monta à bord de la Pontiac.

La veille, on avait entassé dans le coffre arrière tout le matériel de nettoyage nécessaire pour rendre habitable la maison de Sainte-Martine. À l'avant, Lise et sa mère tenaient sur leurs genoux Denis et Martine pour permettre aux passagers arrière de porter une boîte de nourriture et les produits de nettoyage qui n'avaient pas trouvé place dans le coffre.

Le soleil se leva au moment où la voiture surchargée traversait le village de Sainte-Martine encore endormi. Il n'y avait pas un seul nuage dans le ciel et un petit vent du nord rafraîchissait l'air.

Lorsque la Pontiac brune s'engagea quelques minutes plus tard dans la cour de la vieille maison abandonnée, les Dionne eurent l'impression d'arriver chez eux.

— Tu parles du bon monde ! s'exclama Jeanne en descendant de l'auto. T'as vu, Maurice ? Monsieur Demers a même fauché le terrain.

En effet, le terrain autour de la maison était méconnaissable. Arthur Demers était passé durant la semaine et il avait coupé les hautes herbes qui donnaient à son ancienne demeure un air abandonné.

La porte fut déverrouillée et en toute hâte, on transporta à l'intérieur tous les produits apportés.

— André, tu t'occupes de Martine et de Denis, lui dit sa mère en étendant une couverture sous un érable. Aussitôt que ça va être assez propre dans la cuisine, je vais venir les chercher.

Le petit garçon qui venait d'avoir six ans s'installa avec son frère et sa sœur sur la couverture.

Pendant que Jeanne répartissait les tâches entre les enfants, Maurice installait dans un coin de la cuisine un petit poêle électrique sur lequel il mit de l'eau à chauffer. Jusqu'à l'heure du dîner, la vieille maison ressembla à une véritable ruche. Les vitres furent lavées et on fit disparaître les innombrables toiles d'araignée qui ornaient les encoignures. Les planchers furent soigneusement balayés. Maurice, monté sur une vieille chaise, se mit à laver à l'eau fortement javellisée le plafond, les murs et le parquet en planches de chacune des chambres de l'étage.

Lorsque Jeanne annonça la pause du repas du midi, tout l'étage des chambres était propre.

— Pendant que vous mettez la table, fit Maurice à sa femme, je vais aller remercier le bonhomme Demers pour avoir coupé l'herbe. Paul, viens avec moi si tu veux.

— Il fait tellement beau, dit Jeanne, je pense qu'on va faire notre pique-nique dehors.

— OK. Je reviens dans cinq minutes.

En compagnie de son garçon, Maurice Dionne marcha les quelques centaines de pieds sur la route qui séparaient la vieille demeure de la grande maison de brique rouge habitée par les Demers. Au moment où ils pénétraient dans la cour de la ferme, Arthur Demers sortait de sa remise.

— Tiens, le monde de Montréal! s'écria-t-il jovial en les reconnaissant.

— Bonjour, monsieur Demers, fit Maurice en arborant son sourire le plus chaleureux. Je suis arrêté en passant pour vous remercier d'avoir fauché l'herbe.

— C'est rien. Ça fait juste un peu plus propre. J'aurais pas voulu que tu perdes un de tes petits dans l'herbe haute. Des plans qu'on le retrouve juste à l'automne, plaisanta le gros homme. Vous êtes venus nettoyer?

— Oui et ça avance ben, répondit Maurice en affichant un air satisfait. Les enfants nous donnent un bon coup de main.

— Ça va te prendre pas mal de meubles si tu veux être capable de rester là deux semaines.

— Oh! Ce sera pas si pire que ça, protesta Maurice. J'ai déjà amené un petit poêle électrique. Le pire, ça va être de déménager le frigidaire. C'est gros et c'est pesant. Mais on va se débrouiller.

Il y eut un court silence.

— Attends donc, je viens de penser à une affaire, dit soudainement Arthur Demers. J'ai un vieux frigidaire au fond de la remise qui me sert juste à refroidir de la bière. Je peux m'en passer pendant quinze jours. Qu'est-ce que tu dirais si je le mettais dans la pelle du tracteur et que j'allais te le laisser sur le balcon d'en arrière ? T'aurais juste à le brancher et ça te ferait quelque chose de moins à déménager la semaine prochaine.

— Ben là, vous me gênez pas mal ! s'exclama Maurice, reconnaissant.

— Viens, on va aller le chercher.

Suivi par Maurice et Paul, le fermier marcha jusqu'à son Massey-Ferguson stationné devant sa grange. Il démarra le véhicule et fit signe à Maurice d'ouvrir les portes de la remise. Il y pénétra au volant de son tracteur.

En moins de cinq minutes, les deux hommes installèrent un vieux réfrigérateur Bélanger dans la pelle du Massey-Ferguson et ils l'attachèrent solidement.

— Tu peux monter à côté dans la pelle, dit le cultivateur à Maurice. Il y a pas de danger.

Maurice s'empressa de prendre place dans la pelle.

— Toi, mon jeune, fit Arthur Demers à Paul en démarrant, tu peux monter derrière moi. Tiens-toi bien après mon siège parce que ça va brasser un peu.

Tout fier, Paul grimpa derrière le gros homme qui sortit son tracteur de la remise en marche arrière. Lorsqu'ils passèrent près de la maison, une petite femme sèche à l'air renfrogné sortit sur le balcon. Elle ne jeta même pas un regard aux visiteurs.

— Où est-ce que tu t'en vas comme ça ? demanda-t-elle à son mari.

— À côté. J'en ai pour cinq minutes.

— Niaise pas en chemin. Le dîner est prêt, lui dit-elle avant de rentrer en laissant claquer la porte moustiquaire derrière elle.

Arthur Demers s'engagea lentement dans le grand champ en friche qui séparait sa nouvelle demeure de son ancienne.

— Les enfants pourront venir jouer là, cria-t-il à Maurice pour être entendu malgré le bruit du moteur du tracteur. J'ai rien semé là cette année et mes vaches sont dans un autre champ, de l'autre côté de la grange.

Il contourna la maison par la gauche et les deux hommes déposèrent sans difficulté le vieux réfrigérateur sur le petit balcon arrière de la maison.

Jeanne, ravie, vint remercier leur voisin si obligeant.

— C'est rien, madame Dionne. Tant mieux si ça peut vous servir. Bon, vous m'excuserez, mais ma femme m'attend pour dîner et elle est pas patiente.

Sur ce, Arthur Demers repartit en envoyant la main aux enfants qui, à distance respectueuse, admiraient son tracteur depuis son arrivée.

— C'est toute une chance qu'on a, fit Maurice, soulagé. On n'aura pas à apporter notre frigidaire la semaine prochaine.

— Ça fait longtemps que j'ai pas rencontré un homme serviable de même, dit Jeanne.

— Parle pour lui, répliqua Maurice. Sa femme, elle, m'a l'air d'un maudit air bête. Pas un bonjour, rien.

— Elle est peut-être juste gênée.

— Ouais. Bon, dînons au plus vite si on veut finir notre ouvrage aujourd'hui.

Vers cinq heures de l'après-midi, tout le grand ménage était terminé. Maurice et sa femme rangèrent dans un placard les produits qu'ils voulaient laisser dans la maison et ils se firent aider par leurs enfants pour entasser le reste dans le coffre de la Pontiac.

— Qu'est-ce qu'on fait? demanda Maurice, indécis. On soupe ici ou on attend d'être en ville pour manger?

— Ce serait peut-être mieux de manger en ville. La maison doit être chaude sans bon sens avec les fenêtres fermées toute la journée. Si on arrive de bonne heure, on va les ouvrir et on dormira mieux à soir.

Fatigués, les Dionne rentrèrent en ville. Ils sentaient tous que la semaine à venir allait leur paraître interminable.

⁓

Durant toute la journée du vendredi suivant, le ciel avait été gris et menaçant. L'humidité rendait tout mouvement pénible. Maurice venait à peine de rentrer de son travail que le vieux camion International vert piloté par Florent Jutras s'arrêtait près de la clôture de la cour arrière.

De taille moyenne et sans une once de graisse en trop, le cultivateur de Saint-Cyrille avait sensiblement le même âge que Maurice.

— P'pa, fit Francine qui avait entendu le camion s'arrêter. Je pense que c'est mon oncle Florent.

Maurice se leva précipitamment pour aller accueillir son beau-frère pendant que Jeanne s'empressait d'ajouter un couvert sur la table.

— T'arrives juste à temps pour souper, Florent, lui dit Maurice en lui ouvrant la porte. Entre.

— J'ai mangé avant de partir, protesta faiblement l'homme au visage hâlé en serrant la main de Maurice.

Il embrassa Jeanne, Lise et Francine sur la joue.

— Eh ben ! Eh ben ! s'exclama-t-il, taquin, en regardant ses nièces. Ça va faire des beaux brins de fille, ça, si les petits cochons les mangent pas avant.

Les filles s'esclaffèrent.

— Et moi ? demanda la petite Martine en se plantant devant le visiteur.

— Toi, tu vas être la plus belle, affirma Florent Jutras en prenant la fillette dans ses bras et en lui plaquant un gros baiser sur la joue.

— Arrête, Florent, protesta Jeanne. Elles vont passer leur temps devant le miroir.

— Vous êtes ben chanceux d'avoir autant de beaux enfants, dit le beau-frère qui, après treize ans de mariage, n'en avait encore aucun. Bon, avez-vous beaucoup de stock à apporter ?

— Pas mal, fit Maurice. Hier soir, on a tout mis dans des boîtes. Après le souper, les gars vont commencer à les transporter à côté de ton truck.

— C'est ben correct, approuva l'oncle. En tout cas, il faudrait pas traîner. T'as vu le ciel ? Il est en train de noircir. Je pense qu'on va avoir un orage avant la fin de la soirée.

— Si ça peut faire disparaître l'humidité, fit Jeanne en passant une main sur son front couvert de sueur.

— En attendant, si la pluie se met à tomber pendant le voyage, tu risques d'avoir des matelas qui flottent dans ma boîte de truck… et ça, ça prend du temps à sécher en baptême, ces affaires-là. C'est de valeur, mais j'ai pas de grande toile pour couvrir tout le barda.

— C'est pas grave, affirma Maurice, fataliste. S'il mouille, il mouillera. Il y a rien qui va nous empêcher d'être à Sainte-Martine à soir. Les enfants tiennent plus en place.

Sur ces mots, tout le monde passa à table et on mangea avec un bel appétit malgré la chaleur et l'excitation du départ prochain.

La dernière bouchée avalée, Paul et Claude se mirent à transporter près du camion un nombre impressionnant de boîtes contenant de la vaisselle, de la nourriture, des vêtements, des ustensiles et des jouets. Ils laissaient tout sous la surveillance attentive d'André.

Au moment où Jeanne allait se charger d'une boîte, son beau-frère intervint.

— Laisse ça là, Jeanne. T'es pas pour te mettre à transporter des affaires pesantes dans ton état. On est ben assez nombreux pour s'en occuper. Pas vrai, Maurice ?

— Ben oui, renchérit Maurice Dionne. Contente-toi de desservir la table et de laver la vaisselle avec les filles pendant qu'on s'occupe des matelas.

Les deux hommes transportèrent un à un cinq matelas pris sur les lits de la maison et ils les déposèrent près du camion.

Florent abaissa alors le hayon arrière de l'International vert et il se hissa dans la benne. Maurice et ses fils lui tendirent la vingtaine de boîtes préparées la veille, les matelas, les couvertures, les oreillers, quelques chaises et une radio.

— T'as pas de gros meubles ? Pas de frigidaire et de poêle à transporter ? demanda le beau-frère, surpris, à Maurice pendant que Jeanne et ses filles finissaient de ranger la vaisselle du souper.

— Non, on est chanceux. Le propriétaire nous a passé un vieux frigidaire et j'ai déjà apporté là-bas un petit poêle électrique à deux ronds.

— Bon, si c'est comme ça, on peut y aller, dit-il en relevant le hayon. Qui voyage avec moi ? demanda-t-il à la cantonade.

Tous les enfants, excités à l'idée de monter pour la première fois dans un camion, voulurent monter aux côtés de leur oncle.

— Je pense que tu pourrais amener avec toi les garçons, fit Jeanne en enlevant son tablier.

— OK. Les deux plus vieux vont monter dans la boîte pour voir à ce que les affaires se promènent pas trop durant le voyage. Si la pluie se met à tomber, ils pourront toujours venir s'asseoir à l'abri en avant. André peut monter avec moi ; il y a de la place.

Remplis de fierté, Paul et Claude se hissèrent par-dessus le hayon et ils attendirent avec impatience le départ. L'un et l'autre hélaient des copains qui, curieux, s'approchaient pour savoir ce qu'ils faisaient à l'arrière de ce camion.

— C'est le truck de notre oncle, disaient-ils avec fierté. On s'en va en vacances à la campagne.

Pendant ce temps, leur père fit le tour de l'appartement, ferma toutes les fenêtres et verrouilla les portes avant de se mettre au volant de la Pontiac familiale où l'attendaient leur mère, Denis et leurs trois sœurs.

— Il est six heures et demie, fit Maurice en démarrant. On devrait arriver à la clarté. J'espère qu'on poignera pas l'orage. On aurait l'air fin si on arrive là-bas avec les couvertes et les matelas tout mouillés…

Le camion se mit lentement en branle derrière la Pontiac et ils quittèrent la cour pour s'engager dans la rue Fullum.

Les deux véhicules mirent plus de deux heures à se rendre à Sainte-Martine. La circulation abondante du vendredi soir les ralentit passablement. Cependant, à l'arrière du camion, Paul et Claude profitaient largement du voyage et ne s'inquiétaient pas du tout de l'orage menaçant. Il y eut des éclairs et des coups de tonnerre, mais pas une goutte de pluie ne tomba.

La plupart du temps, debout et se tenant solidement aux montants de la benne, les deux jeunes se laissaient griser par le vent qui les obligeait à fermer les yeux à demi.

Lorsque l'International tourna dans la cour de la vieille maison, à la suite de la Pontiac, le ciel était devenu noir, même s'il n'était pas encore neuf heures.

— Bon, on est mieux de se grouiller de tout rentrer avant que ça se mette à tomber, fit Maurice après avoir déverrouillé la porte et fait de la lumière.

Florent se dépêcha de se hisser dans la benne du camion pour tendre les boîtes aux Dionne. Avec l'aide de Maurice, il transporta les matelas dans chacune des chambres.

En quelques minutes, tout fut transporté à l'intérieur. On ouvrit les fenêtres pour laisser pénétrer un peu d'air. Soudain, au moment même où Claude entrait les dernières couvertures, un véritable déluge se mit à tomber.

— Tu parles d'une chance ! s'exclama Jeanne, soulagée de voir toutes les affaires des siens bien à l'abri à l'intérieur. Je vous fais un café ou je vous sers une bière ? demanda-t-elle à son mari et à son beau-frère.

— Un café ferait mieux l'affaire, répondit Florent, debout devant la porte moustiquaire et regardant tomber la pluie qui formait un rideau opaque tant elle était forte. J'ai un bon bout de chemin à faire pour rentrer.

— Pourquoi tu dormirais pas ici ? lui offrit Maurice. Il fait ben trop mauvais pour prendre le chemin.

— C'est pas si pire que ça, répliqua le cultivateur. La pluie tombe fort, mais elle va se calmer vite. En tout cas, elle va faire du bien à la terre si elle dure toute la nuit. Il y a rien de mieux qu'une petite pluie fine qui tombe longtemps.

— Reste donc. On a de la place, insista sa belle-sœur.

— Je le sais bien, mais Laure aime pas ça dormir toute seule et elle serait inquiète si je rentrais pas à soir.

Le cultivateur de Saint-Cyrille ne s'attarda pas longtemps. Après avoir bu une tasse de café, il se leva.

— T'as été bien fin de venir nous déménager, lui dit Jeanne, reconnaissante.

— Laisse-moi au moins te payer ton gaz, offrit Maurice qui avait déjà la main à sa poche.

— J'ai pas besoin de ton argent, Maurice. Ça m'a fait plaisir de venir vous donner un coup de main. Profitez de vos vacances. S'il y a pas d'imprévu, vendredi après-midi, le treize, je reviendrai vous chercher.

Sur ces mots, Florent embrassa sa belle-sœur et ses nièces, sortit sous le petit porche et courut jusqu'à son camion sous une pluie battante. Il démarra et alluma ses phares. Après avoir fait un salut de la main aux enfants qui le regardaient partir, debout sur le balcon, il fit faire demi-tour à son camion et reprit la route.

Tout le monde rentra dans la maison rafraîchie par le vent qui venait de se lever.

— Paul, fit son père. Va voir en haut si la pluie entre pas par les fenêtres ouvertes.

— Prenez ce qu'il faut pour faire votre lit et montez, exigea Jeanne en mettant dans l'évier les tasses sales. Même si les matelas sont à terre, je veux avoir des lits bien faits durant toutes les vacances.

Une minute plus tard, les enfants revenaient au rez-de-chaussée.

— On n'a pas de lumière dans notre chambre, se plaignit André.

— Nous non plus, firent en même temps Lise et Paul.

— J'ai oublié d'apporter des ampoules, admit Maurice.

— Pas moi, dit sa femme. J'en ai apporté une boîte. Je viens de les mettre dans l'armoire.

Maurice monta à l'étage et vissa une ampoule dans le plafonnier de chaque chambre avant de s'occuper des pièces du rez-de-chaussée.

Quand les enfants, excités, descendirent de nouveau dans la cuisine, leur père jugea bon de faire une mise au point.

— Bon, il est presque dix heures et il est temps que vous alliez vous coucher. On va passer deux semaines ici, en vacances. Chacun va faire sa part pour soulager un peu votre mère. Mais vous allez avoir la permission de vous coucher à dix heures tous les soirs. Est-ce que ça fait votre affaire, ça ?

Un « oui » enthousiaste lui répondit.

— Bon, montez vous coucher et je veux pas en entendre un.

— Il fait noir partout dehors, fit André en affichant un air un peu inquiet.

— Et il y a de drôles de bruits, ajouta son frère Claude.

— C'est ça la campagne, leur répondit leur mère. Ce que vous entendez, ce sont les criquets et les ouaouarons.

Peu rassurés, les deux garçons furent les premiers à monter à l'étage. Les autres les suivirent quelques instants plus tard. Ils étaient tous si fatigués que Maurice et Jeanne n'eurent pas à les rappeler à l'ordre.

— On dirait que la pluie s'est calmée un peu, dit Jeanne à son mari en entrant dans la pièce qui allait leur servir de chambre à coucher.

— Ouais, et c'est un peu plus frais. On va pouvoir mieux dormir, même si on couche sur un matelas posé sur le plancher.

— J'espère juste une chose, ajouta Jeanne. C'est qu'on ait bien vérifié les moustiquaires parce qu'avec cette température-là, on va avoir des maringouins en masse.

Maurice éteignit le plafonnier et quelques instants plus tard, tous les deux dormaient à poings fermés.

Très tôt, le lendemain matin, les enfants furent réveillés par les rayons de soleil qu'aucun rideau dans les fenêtres n'empêchait de pénétrer dans la maison. Seule la fenêtre de la chambre des parents était protégée par un drap.

En entendant des pas dans la cuisine, Jeanne et Maurice se levèrent. Pendant que Jeanne préparait un grand chaudron de gruau, Maurice sortit à l'extérieur après avoir allumé sa première cigarette de la journée.

— Tu peux pas avoir plus tranquille qu'ici, dit-il à sa femme en rentrant quelques minutes plus tard. Je pense qu'il y a pas eu un char qui est passé sur la route depuis hier soir.

— Il est encore de bonne heure, fit Jeanne. En tout cas, le ciel s'est nettoyé avec la pluie de cette nuit et c'est pas mal moins humide ce matin. On respire bien mieux.

Après le déjeuner, au moment où les trois garçons allaient se précipiter à l'extérieur, leur père les mit en garde.

— Je veux pas en voir un aller traîner chez les Demers, vous m'entendez ? Vous pouvez jouer sur notre terrain et sur celui d'à côté, mais vous approchez pas de leur maison et de la grange.

— Oui, p'pa, répondirent les garçons.

— Vos lits ont été faits ? demanda leur mère.

— Oui.

— Bon, allez jouer dehors, mais criez pas comme des sauvages parce que vous êtes à la campagne. On n'est pas obligés de se faire remarquer en arrivant.

Comme Paul portait sous le bras le *Héraut* gagné à l'école, son père l'avertit.

— Toi, passe pas la journée le nez fourré dans ton livre. Joue un peu avec tes frères.

Pendant que Claude et André s'amusaient à capturer des sauterelles, Paul, assis au pied de l'un des trois érables plantés près de la maison, relisait son livre. Un peu plus tard, Lise et Francine quittèrent à leur tour la maison et allèrent cueillir des fleurs sauvages dans le champ voisin et sur le bord du fossé. Maurice et Jeanne amenèrent avec eux les deux plus jeunes jusqu'à la ferme des Demers pour voir si le cultivateur ne pourrait pas leur fournir du lait durant leurs vacances. Ce dernier accepta avec plaisir de leur en céder une cruche tous les matins.

Après le dîner, même si la température était magnifique, Maurice décréta que tout le monde allait faire une sieste d'une heure. Bon gré, mal gré, les enfants durent se retirer dans leur chambre jusqu'au milieu de l'après-midi.

À leur réveil, chacun eut droit à deux biscuits et à un verre de lait. Ce fut le moment que choisit Claude pour gâcher l'humeur joyeuse de son père.

En voulant prendre ses biscuits dans la boîte déposée au centre de la table, le garçon de huit ans renversa son verre de lait.

— Christ! jura Claude à voix haute en regardant le liquide blanc se répandre sur son short bleu.

— Qu'est-ce qu'il vient de dire là, lui? demanda Maurice debout sur le balcon devant la porte moustiquaire.

Le père n'en croyait pas ses oreilles.

— Jeanne, qu'est-ce qu'il vient de dire? répéta-t-il plus fort en entrant dans la pièce.

Jeanne aurait bien voulu couvrir son fils, mais son intervention n'aurait fait qu'envenimer les choses. Un silence pesant était tombé dans la cuisine et aucun des enfants assis autour de la table n'osait bouger de crainte de s'attirer les foudres paternelles.

— T'as sacré ? demanda Maurice d'un ton menaçant à son fils de huit ans en levant la main comme pour le frapper.

Le petit baissa la tête, blanc de peur. Maurice n'acheva pas son geste.

— Va te mettre à genoux dans le coin ! hurla-t-il. Tu te lèveras quand je te le dirai.

Claude alla s'agenouiller dans le coin, face au mur.

— Vous autres, dit Maurice, en colère, à ses autres enfants, allez jouer dehors.

Ces derniers ne se firent pas prier pour sortir de la maison. Le père et la mère laissèrent le fautif seul dans la maison et allèrent s'asseoir sur le balcon pour profiter de la petite brise qui venait de se lever.

— Sacrement, veux-tu ben me dire comment t'élèves les enfants ? demanda rageusement Maurice à voix basse.

— Tu sauras que je les élève bien, Maurice Dionne. C'est pas de ma faute si t'es pas capable de dire deux mots sans sacrer. Le petit fait juste t'imiter. T'es le seul dans la maison à sacrer comme un charretier.

— Hostie ! je trouve que t'exagères. C'est rare en maudit que je sacre, tu sauras.

Maurice s'étira le cou pour regarder dans la cuisine par la porte moustiquaire. Il voulait s'assurer que le puni n'avait pas bougé et qu'il était encore à genoux dans un coin de la pièce.

— Je t'ai dit à genoux, pas assis sur tes talons, toi ! cria-t-il à Claude d'une voix mauvaise.

Le gamin sursauta et il se redressa. Il n'était dans cette position que depuis une quinzaine de minutes et il avait déjà mal aux genoux.

Les minutes passèrent très lentement pour le petit garçon qui entendait la voix de ses frères et sœurs qui avaient l'air de bien s'amuser dehors.

Une heure plus tard, Jeanne finit par chuchoter à son mari :

— Tu penses pas qu'il a eu sa leçon et qu'on pourrait lui dire de se relever ?

— Laisse-le attendre encore une dizaine de minutes. Ce sera pas le temps de le dompter quand il nous aura fait honte devant la visite.

Pendant ce temps, à l'intérieur, Claude ne savait plus sur quel genou faire porter son poids. Il allait se décider à demander à son père la permission d'aller aux toilettes pour soulager ses genoux quand ce dernier entra dans la cuisine en compagnie de sa mère.

— Lève-toi et va jouer avec tes frères, lui ordonna Maurice.

— Christ que j'ai mal aux genoux ! dit le gamin en se levant péniblement.

Rouge de colère, Maurice allait exploser et donner la fessée qu'il méritait à l'incorrigible quand Jeanne l'attrapa par un bras en lui faisant signe de ne pas bouger.

Insouciant, Claude franchit la porte moustiquaire après avoir pris ses deux biscuits qui étaient demeurés sur le coin de la table. Ses parents l'entendirent héler ses deux frères en train de jouer derrière la maison.

— Ça sert à rien de le battre, finit par dire Jeanne. Il s'en rend même pas compte.

— On n'est pas pour le laisser sacrer devant tous les autres ! protesta Maurice.

— Si on fait semblant de pas le remarquer, il va arrêter tout seul. On n'est tout de même pas pour passer notre temps à le mettre à genoux. T'as vu : ça a servi à rien.

— Tu parles d'un petit calvaire ! Il était à genoux parce qu'il avait sacré et…

Maurice et Jeanne se mirent à rire doucement en revivant en pensée ce qui venait de se passer.

—

La première semaine de vacances des Dionne se passa dans une douce euphorie et la belle température de ce début d'août n'y était pas étrangère.

Jeanne reprenait de belles couleurs. La cinquantaine d'injections de fortifiants qu'elle avait reçue durant les quatre derniers mois avaient aussi fait leur œuvre. La jeune mère de famille, enceinte de cinq mois, semblait se porter comme un charme. Elle appréciait surtout de voir Maurice plus détendu et moins sévère avec les enfants.

Il n'était intransigeant que durant les repas, et ses enfants ne l'ignoraient pas. Lorsqu'il était présent au bout de la table, il n'était pas question de gaspiller la moindre parcelle de nourriture. Malheur à celui ou à celle qui laissait quelque chose dans son assiette.

Il existait aussi des interdictions qu'on ne pouvait absolument pas transgresser. Ainsi, il était strictement défendu de beurrer son pain quand il y avait de la viande au menu ou de boire un verre de lait durant le repas. On ne le buvait qu'au dessert.

Maurice avait particulièrement à l'œil Lise et Francine. La première éprouvait une aversion marquée pour le gras du jambon et elle cherchait à échapper à l'étroite surveillance paternelle pour s'en débarrasser d'une manière ou d'une autre.

— On paie le gras comme le maigre, clamait Maurice en lui jetant un regard furibond quand il la voyait chipoter dans son assiette. Arrête de jouer avec et mange-le !

Cette obligation qu'elle jugeait inhumaine avait le don de couper l'appétit à l'adolescente. Alors, elle avait fini par conclure un marché avec son frère Claude. Elle le payait pour manger son gras de jambon. Si le père s'apercevait que certains morceaux passaient d'une assiette à l'autre durant le repas, il avait tout de même le bon sens de faire celui qui ne voyait rien. Pour sa part, Claude détenait un excellent moyen de chantage sur sa sœur aînée et il ne se privait pas de l'utiliser.

Il en allait de même avec Francine qui détestait, pour on ne sait quelle raison, le blanc d'œuf. Elle avait passé un marché identique avec son frère André, beaucoup plus malléable que Claude.

Mais durant les vacances, ces règles semblaient moins difficiles à supporter parce que Maurice affichait une bonne humeur inhabituelle. Et les enfants en profitaient aussi.

Tout d'abord, Paul avait demandé à son père la permission de coucher à l'extérieur, sous une tente fabriquée avec les couvertures de son lit.

— Pourquoi tu veux coucher dehors?

— Parce que c'est pas mal chaud dans ma chambre.

— Où est-ce que tu la bâtirais?

— En dessous du gros érable, devant la maison, p'pa.

Comme l'arbre n'était situé qu'à une vingtaine de pieds de la maison, Maurice ne se fit pas trop tirer l'oreille pour accorder la permission.

— Est-ce que je peux coucher dehors, moi aussi? demanda Claude quelques minutes plus tard.

— Si ton frère veut de toi dans sa tente, accepta Maurice. Mais je vous avertis tous les deux. Si je vous entends parler tard le soir ou si vous nous réveillez pour aller aux toilettes, vous allez rentrer coucher dans la maison.

— Et moi? demanda André.

— Toi, t'es encore trop jeune, fit son père. En plus, il y aura pas assez de place dans la tente de ton frère pour trois. Tu pourras y aller autant que tu voudras durant le jour s'ils t'invitent.

André monta bouder dans sa chambre.

Ainsi, à compter du troisième soir, Paul et son frère s'improvisèrent une tente en étendant sur une basse branche deux vieilles couvertures grises dont ils retinrent les coins avec des pierres trouvées dans le champ voisin. Les premiers soirs, leurs parents étaient convaincus que la nuit venue, les deux jeunes allaient les implorer de les laisser rentrer dans la maison par crainte de l'obscurité. Quand ils se rendirent compte que ça ne se produisait pas, ils cessèrent de s'inquiéter.

Ensuite, il y eut la période de la fabrication des arcs et des flèches. C'était l'idée de Claude. Selon lui, ces armes étaient nécessaires pour se défendre contre tout ce qui pourrait les attaquer la nuit dans leur tente.

Un matin, après être allés chercher la cruche de lait chez les Demers, Paul et Claude se mirent à la recherche de branches de la bonne grosseur dont ils enlevèrent l'écorce avant de tendre entre leurs deux extrémités une solide ficelle. Lorsqu'ils se furent assurés que leur arc se tendait bien, ils trouvèrent des branchettes assez droites qu'ils convertirent en flèches.

— Il faut s'exercer, décréta Paul quand ils eurent chacun cinq flèches dépourvues d'empennage et plus ou moins droites.

— Si j'en vois un tirer sur quelqu'un avec ça, les prévint leur père, je les casse et je les mets dans la poubelle.

— Non, p'pa. On va juste tirer sur une cible qu'on va accrocher sur l'arbre.

— Faites attention aux autres avec vos patentes de fou. Ça peut être dangereux.

Alors commencèrent d'interminables concours d'habileté entre les deux frères sur des cibles qu'André coloriait. Ils tiraient à tour de rôle sur une feuille clouée sur le tronc d'un arbre.

Le vendredi matin, Maurice se leva de mauvais poil. Voilà que tout à coup, la vie paisible à la campagne lui pesait. Il s'ennuyait.

— C'est une maudite vie plate quand même, dit-il à Jeanne après le déjeuner. C'est ben beau prendre du soleil, mais tout ce qui bouge par ici, c'est les vaches; et elles bougent pas vite.

— Qu'est-ce que tu veux faire? Tu veux tout de même pas t'en retourner déjà en ville?

— Ben non! Il nous reste encore une grosse semaine de vacances. Mais j'ai pensé qu'on pourrait peut-être inviter le «cheuf» à venir faire un tour… Juste pour lui montrer qu'il est pas tout seul à être capable de se payer un chalet d'été. Qu'est-ce que t'en penses?

— Je suis pas bien bien équipée pour recevoir ici. Avec mon poêle à deux ronds…

— Tu feras des sandwiches, trancha Maurice d'un ton décidé. Quand on va là, Simone se casse pas la tête, elle. Ça finit toujours par des sandwiches.

— C'est correct, accepta Jeanne. Tu veux les inviter pour quel jour?

— J'aimerais qu'ils viennent demain. De toute façon, mon frère est en vacances pour trois semaines. En allant faire les commissions à Sainte-Martine, je vais lui téléphoner.

Après s'être longuement fait prier, Adrien Dionne accepta de venir passer la journée du lendemain à Sainte-Martine avec sa femme et ses trois enfants.

— Pourvu qu'il fasse beau demain, dit Maurice à sa femme après lui avoir appris la nouvelle. Il manquerait plus qu'on soit obligés de passer toute la journée enfermés dans la maison. Ça, ce serait plate !

—

Il n'y avait pourtant aucune raison de s'inquiéter pour le temps. Le samedi matin, un soleil resplendissant accueillit les Dionne lorsqu'ils se levèrent. Après le déjeuner, il y eut branle-bas de combat dans la vieille maison. Tout le monde dut participer à un rapide ménage pour que l'oncle Adrien et sa famille trouvent une maison propre.

Vers onze heures, la Ford bleue du capitaine des pompiers entra lentement dans la cour et son conducteur vint la stationner près de la Pontiac de son frère.

Maurice, Jeanne et leurs enfants se précipitèrent à la rencontre des visiteurs.

— T'as pas eu trop de mal à nous trouver ? demanda Maurice à son frère vêtu d'une chemise blanche à manches courtes et d'un pantalon brun.

— Non, ç'a été facile avec les indications que tu m'as données au téléphone hier.

— Dites donc, c'est grand en pas pour rire ! s'exclama Simone en déposant un baiser sur la joue de sa belle-sœur.

— Il le faut ben, dit fièrement Maurice. Avec sept enfants, on pouvait pas se contenter d'un petit chalet. Il nous fallait toute une maison.

La grimace esquissée par son frère Adrien lui apprit que sa remarque avait fait mouche. Adrien Dionne louait tous les mois de juillet, depuis quelques années, un minuscule chalet à Saint-Eustache.

Maurice entraîna son frère et sa belle-sœur dans une visite de l'intérieur de la vieille maison. Les enfants ne les suivirent pas. Le cousin André accompagna Paul et ses deux frères dans la tente improvisée sous l'érable pendant que Louise et Aline s'installaient sur le balcon avec Lise et Francine pour se raconter leurs vacances.

Quelques minutes plus tard, Maurice revint à l'extérieur avec son frère aîné. Les deux hommes tenaient une bouteille de bière à la main.

— Il y a pas à dire, vous manquez pas d'espace et de bon air, ici, fit Adrien, poli, en jetant un regard autour de lui. C'est pas mal moins chaud que sur la rue Notre-Dame.

Il se retint à temps parce qu'il allait ajouter « et ça sent pas mal moins mauvais ».

— C'est sûr. C'est surtout reposant. Ça fait du bien à Jeanne et aux enfants, dit Maurice en affichant l'air satisfait d'un propriétaire comblé.

Après le dîner composé d'une soupe et de sandwiches, les enfants retournèrent à leurs jeux. Jeanne profita de ce que les hommes étaient allés examiner de près la Pontiac de Maurice pour parler à Simone de ses problèmes de santé et surtout de son inquiétude à la pensée de l'arrivée de son huitième enfant dans quelques mois.

L'après-midi passa rapidement. Les adultes firent une longue balade à pied dans le rang et ne se préoccupèrent pas beaucoup des jeunes à qui Lise avait reçu l'ordre de verser de grands verres de Kik cola ou d'orangeade Denis.

Vers cinq heures, Adrien ne donnait aucun signe de vouloir quitter les lieux avec sa famille.

Quand Maurice proposa de la boisson gazeuse, Jeanne sauta sur l'occasion pour l'accompagner à l'intérieur sous le prétexte de l'aider à transporter les verres.

— Qu'est-ce qu'ils attendent pour partir ? lui demanda Maurice à voix basse. Il est déjà cinq heures et…

— Tu les as invités pour la journée. Ils doivent penser qu'on va les garder à souper.

— Calvaire! jura Maurice. Il faut être épais rare pour pas se rendre compte qu'on aimerait les voir partir.

— Bon! Qu'est-ce qu'on fait pour le repas? J'ai rien à leur servir, moi.

— Laisse faire. On va aller manger au petit restaurant à patates frites de Sainte-Martine. Tu vas voir que la «moumoute» va grimacer quand il va être pris pour payer pour sa gang. Ça me surprendrait pas qu'il se trouve une bonne excuse pour s'en retourner en ville sans souper.

Sur ces mots, Jeanne et Maurice allèrent rejoindre leurs invités. À la grande déception de Maurice qui n'avait pas prévu une telle dépense, sa proposition d'aller souper tous ensemble au restaurant fut acceptée d'emblée par tout le monde, surtout par les enfants. Pour les enfants de Jeanne, tout excités à l'idée de manger des hot dogs et des frites, il s'agissait vraiment de quelque chose d'exceptionnel qui ne se produisait même pas une fois l'an.

En quelques instants, tout le monde prit place à bord des deux voitures. Francine, qui s'entendait particulièrement bien avec sa cousine Aline, monta dans la voiture de son oncle Adrien.

Au moment où la Pontiac entrait dans le village, Maurice avertit sévèrement ses enfants.

— Écoutez-moi ben, là! Ce repas-là va nous coûter ben cher. Je vous paie un hot dog, une patate frite et un Coke à chacun... Rien de plus. Que j'en voie pas un venir m'en demander plus pour me faire honte devant le monde. C'est compris? Pas plus qu'un hot dog.

Les deux voitures s'arrêtèrent côte à côte devant le petit restaurant à la sortie du village. Ce dernier n'était qu'un vieil autobus orangé désaffecté bordé de quelques tables à pique-nique disposées sous un auvent vert décoloré par le soleil.

— Assoyez-vous, les femmes, suggéra Maurice à Jeanne et à Simone. Adrien et moi, on va commander. Les enfants vont nous donner un coup de main pour transporter les affaires aux tables.

Sans attendre la réponse, Maurice s'approcha immédiatement du comptoir minuscule derrière lequel s'affairait déjà le gros restaurateur chauve et sa femme. Il commanda neuf hot dogs, neuf frites et neuf Coke. Sa précipitation était moins due à la faim qu'à son désir de faire comprendre à son frère Adrien qu'il n'avait nullement l'intention de payer le repas de ses invités.

Le pompier comprit le message et il prit le temps de demander à chacun des siens ce qu'il désirait manger avant d'aller passer sa commande, à son tour, au restaurateur.

Les odeurs qui se dégageaient du restaurant étaient si appétissantes que les enfants en salivaient. Ils frétillaient d'impatience et ne cessaient de s'étirer le cou pour voir apparaître les premiers contenants de frites dorées sur le comptoir.

Sur un signe de leur père, Paul et Lise apportèrent d'abord les boissons gazeuses aux tables et ils les distribuèrent. Quand les frites et les hot dogs furent prêts, ils firent plusieurs va-et-vient entre le comptoir et les tables.

— Francine, au lieu de jacasser pour rien, dit Maurice avec une certaine impatience, viens donc nous donner un coup de main.

Francine quitta sa cousine et rejoignit son père devant le comptoir. Ce dernier lui remit les deux derniers hot-dogs commandés avant de tirer de sa poche son porte-monnaie pour régler l'addition.

Francine avait toujours eu un solide appétit. Ce jour-là ne faisait pas exception. Les sandwiches avalés au repas du midi étaient digérés depuis longtemps. Bref, elle avait faim et l'odeur de friture dégagée par le restaurant n'arrangeait pas les choses.

Celle qui venait de célébrer son dixième anniversaire dévora le premier hot dog en deux bouchées en retournant vers les tables à pique-nique où les siens attendaient. Avec un bel appétit, elle prenait une bonne bouchée dans le second quand son frère Claude se précipita vers elle pour lui dire :

— Aïe! C'est le hot dog de p'pa que tu manges!

La fillette ouvrit de grands yeux sous le coup de la surprise et pâlit. Elle sortit précipitamment de sa bouche le bout de hot dog qu'elle venait de croquer et s'affaira à tenter de le recoller à l'autre partie avant que son père ne se rende compte du crime.

— T'as pas entendu ce que p'pa a dit? ajouta Paul d'un ton accusateur en passant près d'elle. Un hot dog chacun.

— Je l'ai pas entendu. J'étais dans le char de mon oncle, fit Francine, au bord des larmes.

L'oncle Adrien, de retour du comptoir où il avait pris les hot dogs destinés aux siens, entendit l'échange entre les enfants de son frère.

— C'est pas grave, dit-il à voix basse à sa nièce. Tiens! tu donneras celui-là à ton père, dit-il en lui tendant l'un des hot dogs qu'il destinait à sa famille. Mange celui que tu viens de commencer.

— Merci, mon oncle, fit Francine en esquissant un mince sourire de reconnaissance.

— Qu'est-ce qui se passe? demanda Maurice qui venait de finir de régler l'addition.

— Rien, répondit Simone qui venait d'entendre les dernières paroles de son mari. C'est Adrien qui est pas capable de compter. Il a oublié de commander un hot dog pour lui.

— Je m'en occupe, dit le pompier en retournant vers le comptoir.

Maurice se glissa sur le banc, aux côtés de sa femme, et il dévora ses frites et son hot dog. Soudainement, il s'aperçut que sa fille Francine tendait à son frère Claude les deux tiers de son hot dog.

— Qu'est-ce qu'il y a? Es-tu malade, toi?

— Non, p'pa. J'ai juste pas ben faim.

— Ah ben! Ça c'est rare, dit Maurice en se tournant vers Simone. D'habitude, elle dévore tout ce qu'il y a dans son assiette.

— Probablement trop de soleil, ajouta Adrien en venant prendre place près de sa femme.

Avant de quitter Maurice et sa famille, Adrien et Simone tirèrent du coffre arrière de la Ford un paquet enrubanné qu'ils tendirent à Paul dont ce serait le douzième anniversaire deux semaines plus tard.

— Tu ne l'ouvriras que le jour de ta fête, lui dit tante Simone en déposant un baiser sur la joue de son filleul.

Paul, rouge de plaisir, prit le paquet et remercia son parrain et sa marraine.

Après le départ des visiteurs, Lise, dont le treizième anniversaire aurait lieu trois jours après celui de son frère, ne put s'empêcher de s'exclamer d'un air dépité :

— Je te dis qu'il y en a qui sont chanceux! Moi, tout ce que j'ai eu comme cadeau de grand-mère Sauvé, c'est un chapelet à ma première communion.

— Viens pas te plaindre, fit son frère Claude. Moi, j'ai jamais rien eu de ma tante Laure.

Le lendemain, une pluie fine et chaude tomba toute la journée. Obligés de demeurer à l'intérieur, les Dionne redécouvrirent les plaisirs du Parchési et du jeu d'échelles et de serpents. Maurice et Jeanne s'amusèrent autant que leurs enfants. Le soir venu, Maurice se mit à raconter une histoire interminable aux plus jeunes. Ils la trouvèrent si passionnante qu'ils obligèrent leur père à inventer de nouvelles péripéties dès le lendemain soir.

La dernière semaine de congé de Maurice fut marquée par le retour du beau temps. Les enfants, conscients que leurs vacances à la campagne tiraient à leur fin, s'épuisaient dans des courses folles et des jeux qui ne prenaient fin qu'au coucher du soleil.

Cette année-là, Jeanne proposa de célébrer les anniversaires de Paul et de Lise deux semaines à l'avance. Chacun y alla de son petit cadeau et leur mère leur confectionna pour l'occasion un gâteau au chocolat garni de bougies qu'ils durent éteindre d'un seul souffle. Paul ouvrit le paquet donné par son parrain et sa marraine. Il contenait un coffre à crayons en bois, une boîte de vingt-quatre crayons de couleur Canadiana et une plume. Un véritable trésor.

— Quand ta tante m'a appelée au mois de juillet pour savoir ce que t'aimerais, dit Jeanne à son fils, je lui ai dit que t'aimerais avoir des crayons de couleur. Comme tu vois, ton oncle et ta tante ont ajouté un coffre et une belle plume.

— T'oublieras pas de les remercier quand on sera revenus en ville, ajouta son père.

Pour sa part, Lise avait reçu de ses parents un ensemble à broder et Jeanne se mit en tête de lui enseigner le point de croix durant le reste de la semaine. Francine écoutait les explications et elle se révéla bien meilleure que son aînée dans ce domaine.

En fait, il n'y avait qu'un Dionne qui paraissait avoir hâte de voir arriver la fin de ces vacances champêtres: Maurice. De toute évidence, il n'était pas taillé pour vivre à la campagne. Le bruit et l'agitation de la ville lui manquaient de plus en plus. Pour s'en convaincre, il n'y avait qu'à le regarder frotter la Pontiac chaque jour.

— Arrête, Maurice, lui disait Jeanne en riant, tu vas finir par user la peinture.

— Il y a pas de danger, répliquait-il avec humeur. Avec ce maudit chemin en terre, il y a pas moyen d'avoir un char propre. Il y a toujours de la poussière dessus.

Puis, le vendredi arriva beaucoup trop rapidement au goût des enfants.

Le matin, il fallut tout amasser et empiler sur le balcon en attendant l'arrivée de l'oncle Florent. Prévenu du départ imminent de la famille, Arthur Demers vint chercher son vieux réfrigérateur au milieu de l'avant-midi. On vérifia chaque pièce pour s'assurer de ne rien y avoir laissé et on attendit.

Assis sur le balcon, les pieds dans le vide, les enfants étaient tristes de quitter l'endroit où ils avaient eu tant de plaisir. Ils regardaient autour d'eux comme pour bien s'imprégner des lieux.

— C'est plate de s'en aller déjà, dit Paul sans s'adresser à quelqu'un en particulier.

— Moi, j'aimais ça, ici, conclut le petit André.

— Nous autres aussi, ajoutèrent les autres enfants.

— Écoutez. C'est pas la fin du monde si on part, fit leur mère en tentant de les consoler. On est venus juste pour les vacances. À part ça, il y a rien qui dit qu'on reviendra jamais ici.

Finalement, Florent Jutras arriva au volant de son International sur le coup d'une heure de l'après-midi. Il refusa de dîner en alléguant qu'il avait déjà mangé et surtout qu'il voulait partir sans trop tarder de crainte d'être pris dans la circulation dense du pont Jacques-Cartier au moment de retourner chez lui, à Saint-Cyrille.

— Mets rien dans la valise de ton char, dit-il à Maurice. J'ai de la place en masse dans mon truck.

Comme pour le départ de Montréal, le camion fut chargé en un temps record.

— Pendant que vous fermez la maison, je vais prendre de l'avance, dit Florent à son beau-frère. Paul et Claude peuvent rester dans la boîte. André va voyager avec moi en avant, comme quand on est venus il y a quinze jours.

— OK, fit Maurice. On va te rejoindre en chemin. On va faire un dernier tour de la maison avant d'aller porter les clés au voisin. Bon voyage.

Le camion vert fit demi-tour et prit lentement la route en soulevant un nuage de poussière.

Maurice et Jeanne entrèrent une dernière fois dans la vieille maison où ils avaient connu quinze jours de vacances inoubliables. Ils vérifièrent une dernière fois si toutes les fenêtres avaient bien été fermées et ils verrouillèrent la porte.

— Embarquez, on s'en va, dit Maurice aux siens en jetant un dernier coup d'œil à la vieille maison avant de s'asseoir derrière le volant de la Pontiac.

Maurice et Jeanne descendirent de voiture chez Arthur Demers. En les voyant arriver, le propriétaire sortit de chez lui et s'approcha de leur auto.

— On vous remercie ben gros de nous avoir prêté votre maison, monsieur Demers, dit Jeanne. Ça nous a fait des bien belles vacances.

— Merci aussi pour le frigidaire, ajouta Maurice en lui tendant la clé de la maison. Ce serait normal que je vous dédommage au moins pour l'électricité qu'on a pris, dit-il en mettant la main à sa poche.

— Laisse faire l'électricité. C'est pas ça qui va me ruiner, dit en souriant le cultivateur. Je suis bien content que vous ayez aimé vos vacances. Si vous avez une chance de revenir dans le coin, arrêtez me dire un petit bonjour.

— On n'y manquera pas, dit Jeanne.

Sur un dernier signe de la main, les Dionne reprirent la route.

— C'est ben de valeur que sa femme ait l'air aussi bête, dit Maurice. On l'a pas vue une maudite fois durant quinze jours. Elle s'est enfermée dans la maison chaque fois que je suis allé là.

— Tu lui as jamais parlé, Maurice. C'est peut-être une femme gênée.

— Arrête donc! Moi, je pense plutôt qu'elle aime pas pantoute le monde de la ville. C'est rien qu'une sauvage… En tout cas, ça nous a pas empêchés d'avoir des maudites belles vacances, non?

— Certain.

— C'est de valeur qu'on puisse pas revenir l'été prochain. Le bonhomme a dit qu'il allait la faire démolir cet automne. Peut-être qu'on pourrait lui faire une offre pour l'acheter, rêva tout haut Maurice.

— Voyons donc, Maurice! le reprit Jeanne, plus réaliste. Où est-ce qu'on prendrait l'argent pour la payer? On n'a pas une cenne. Ça prend tout pour payer notre loyer et nourrir les enfants.

— Peut-être qu'on trouverait un moyen…

— Maurice, tu t'es pas vu les derniers jours. Tu tenais plus en place. T'es pas fait pour la campagne. En plus, te vois-tu en train d'entretenir cette vieille maison? Ça nous coûterait les yeux de la tête.

Le silence se fit dans la voiture qui prit la direction de Montréal. Quelques instants plus tard, Jeanne reprit la parole.

— En tout cas, on a tout de même été chanceux de tomber sur du bon monde comme monsieur Demers.

Pour moi, il a eu pitié de nous autres quand il nous a vus avec les enfants devant son ancienne maison. Même s'il nous connaissait pas, il nous l'a prêtée sans nous demander une cenne.

— Ça lui coûtait rien de faire ça, protesta Maurice en s'allumant une cigarette.

— Voyons, Maurice, il était pas obligé. Il a fait ça par pure charité chrétienne.

Chapitre 21

Du bois, encore du bois

L'intermède des vacances à la campagne fut vite oublié. Dès le lundi matin, Maurice Dionne reprit son travail et la vie retrouva son cours normal.

Avant de quitter la maison ce matin-là, il déposa un cinq cents sur le coin de la table et dit à Paul :

— Va faire aiguiser les deux lames de scie cet avant-midi. Elles sont dans la cave. Dis-leur que j'en ai besoin demain.

Par cette simple phrase, son père venait de lui signifier la fin de ses vacances. Comme à chaque fin d'été, les jeux et la lecture allaient être remplacés par le sciage du bois qui servirait de combustible durant tout l'hiver.

Dès leur première année rue Notre-Dame, les Dionne s'étaient rendu compte qu'ils n'étaient pas assez riches pour chauffer l'appartement uniquement avec du charbon. Ce combustible coûtait beaucoup trop cher. Alors, Maurice avait décidé d'imiter un collègue de travail demeurant à Laval-des-Rapides et il s'était mis à acheter pour presque rien du bois tiré de vieilles maisons en voie de démolition. Il s'agissait d'un bois bien sec qu'il suffisait de scier et de corder. Bien sûr, il fallait du charbon pour chauffer l'appartement durant les nuits glaciales de janvier et de février, mais chez les Dionne, on n'en utilisait qu'avec parcimonie.

Lorsque le père de famille avait pris cette décision, la chance lui avait souri. Un voisin lui avait vendu pour une bouchée de pain son vieux banc de scie. C'est ainsi que naquit chez les Dionne la tradition de consacrer la seconde portion du mois d'août au sciage du bois.

Paul n'avait pas besoin de demander la raison de la pièce de cinq cents déposée sur le coin de la table. Son père lui payait ainsi l'aller ou le retour en tramway, à son choix, jusqu'à la rue Amherst, là où était située la petite échoppe de l'aiguiseur. La distance à parcourir était pourtant assez longue pour justifier l'usage du tramway à l'aller comme au retour, mais Maurice refusait d'en donner plus à son fils.

— Quand est-ce que le bois va arriver? demanda Paul à son père.

— Je sais pas. Peut-être ben aujourd'hui. J'en ai demandé avant qu'on parte en vacances. Ils m'ont dit qu'ils m'en enverraient cette semaine. Va pas porter les lames avant neuf heures: ils seront pas ouverts.

— OK, p'pa.

— Demande à Claude de t'aider à monter le banc de scie de la cave et placez-le dans la cour, proche de la porte de la cuisine.

Dès le départ de son père, Paul se mit à pester.

— Maudit gratteux! Il pourrait ben me donner dix cents. Ça va me prendre au moins une heure pour marcher jusque-là. À la longue, les lames, c'est pesant.

Après avoir sorti le banc de scie dans la cour, une simple table en contreplaqué d'un mètre carré dotée d'une scie ronde fonctionnant grâce à un petit moteur vissé sur le plateau inférieur, Paul tenta de persuader son frère Claude de l'accompagner rue Amherst, mais ce dernier refusa, alléguant qu'il préférait aller jouer avec des amis.

Lorsque l'adolescent revint à la maison à la fin de l'avant-midi, il découvrit un amas impressionnant de vieilles planches, de poutres et de madriers hérissés de clous rouillés que la benne d'un camion avait déversés près de la clôture, dans la grande cour.

— C'est tout un voyage de bois! s'exclama-t-il à l'adresse de sa mère occupée à étendre son linge frais lavé sur la corde. C'est de valeur que la porte de la clôture soit pas plus grande. Le truck aurait pu reculer dans la cour et...

— Dis pas ça, fit sa mère. Si c'était comme ça, ton père mettrait son char dans la cour et les plus jeunes auraient plus de place pour jouer. En tout cas, il va falloir rentrer ce bois-là dans la cour au plus vite avant que monsieur Moreau et son garçon reviennent de travailler. Le bois est à la place où ils stationnent leurs chars.

— Après le dîner, Claude va m'aider et on va commencer à l'empiler dans la cour. Par exemple, Martine pourra pas jouer là et il va falloir ôter le parc de Denis; il va être dans les jambes.

— Vous ferez attention de pas marcher sur un clou rouillé. C'est dangereux pour le tétanos, dit Jeanne avant de rentrer dans la maison en portant son panier vide.

Durant tout l'après-midi, les deux garçons empilèrent tant bien que mal dans la cour le vieux bois laissé par le camion. Quand Maurice rentra après sa journée de travail, il fut tout heureux de voir la pile de bois haute de près de six pieds qui couvrait un bon tiers de la cour.

— À soir, on pourra pas scier parce que j'ai pas les lames, dit-il à ses fils, mais on peut commencer à fendre les madriers trop larges et surtout les grosses poutres. On va se servir des coins, de la hache et de la masse. Allez les chercher dans la cave.

Ce soir-là, les voisins n'entendirent que les coups de masse et de hache donnés par Maurice. Les habitués savaient que ce n'était que le doux prélude à un bruit beaucoup plus agaçant : celui de la scie mécanique qu'ils allaient entendre chaque soir durant près de deux semaines.

—

Le lendemain soir, le véritable travail commença. Dès son retour à la maison, Maurice installa une lame sur son banc de scie et brancha le moteur. Le travail de Paul et de Claude consistait à l'approvisionner en planches et en madriers au fur et à mesure qu'il en avait besoin.

La cigarette fichée entre les lèvres, les manches de chemise retroussées, Maurice Dionne présentait inlassablement des pièces de bois à la lame qui tournait. Ses dents attaquaient tout dans un miaulement strident et assourdissant en faisant lever un léger nuage de bran de scie.

Maurice coupait des morceaux de bois d'environ seize pouces, qu'il laissait tomber au fur et à mesure à la gauche du banc de scie.

Quand le père faisait une courte pause pour laisser refroidir le moteur qui avait tendance à surchauffer, les deux jeunes se précipitaient près du banc de scie, chargeaient leurs bras de pièces de bois et les transportaient à travers la cuisine et la salle à manger avant de les lancer au bas de l'escalier qui conduisait à la cave.

— André, la porte ! criait Paul ou Claude qui, les bras pleins, ne pouvaient ouvrir eux-mêmes la porte de la cave.

André s'empressait de venir ouvrir la porte et de la refermer aussitôt après le départ de ses frères. Il n'était pas question de laisser cette dernière ouverte avec Martine qui jouait dans la pièce et le petit Denis qui était toujours là où il ne fallait pas.

De temps à autre, Paul s'emparait d'une pelle et jetait dans la poubelle une pelletée de bran de scie accumulée.

Ce ballet bien ordonné des deux frères n'était troublé que lorsque Maurice n'avait pas vu ou n'avait pu éviter un clou dissimulé dans la vieille pièce de bois qu'il était en train de scier. Alors, il se produisait un bruit de métal torturé suivi d'une pluie d'étincelles. L'incident était inévitablement accompagné d'un « Christ ! » retentissant de l'ouvrier. Le morceau de bois était dégagé de la lame et Maurice s'empressait de couper le courant pour voir à quel point les dents de la lame avaient été endommagées par sa maladresse.

À ce moment-là, il n'était pas bon de se trouver trop près de lui. Durant quelques minutes, il cherchait à déverser sa frustration sur quiconque commettait la moindre erreur.

Après cet examen sommaire, il remettait le moteur en marche et le ballet, un moment interrompu, se poursuivait.

Quand l'obscurité rendait toute opération de sciage impossible, Maurice arrêtait le moteur et une paix extraordinaire tombait sur la cour des Dionne.

— Je me demande comment ça se fait qu'aucun voisin s'est jamais plaint de tout le bruit qu'on fait, dit Jeanne ce soir-là en sortant dans la cour pour la première fois de la soirée.

— On fait pas tant de bruit que ça ! protesta Maurice, fatigué et de mauvaise humeur.

— On entend la scie jusqu'à la rue Archambault, dit-elle sans exagérer.

— On a toujours scié notre bois, fit Maurice qui, levant la tête, se rendit tout de même compte qu'aucun voisin ne veillait sur son balcon malgré la douceur de la soirée.

Jeanne avait suivi son regard.

— Tu vas voir que dans cinq minutes, tout le monde va être revenu s'installer sur son balcon.

— En tout cas, on fait pas exprès de déranger. On n'a pas le choix si on veut se chauffer cet hiver, conclut Maurice en dévissant la lame utilisée durant la soirée.

Pendant cet échange entre leurs parents, les garçons s'empressèrent de ramasser le bois scié et de le transporter jusqu'à la cave.

— Est-ce que ça fait un bon tas dans l'escalier? demanda Maurice à Paul.

— Il va falloir faire débouler le tas, p'pa, si on veut être capables de passer demain matin pour aller corder le bois.

— Bon, fit Maurice, satisfait du travail accompli. Il est déjà pas mal tard. Mangez quelques biscuits et allez vous coucher. Paul, tu iras porter demain sur la rue Amherst la lame qu'on a prise aujourd'hui ; elle coupe déjà plus.

Ça y était. La corvée reprenait. Il allait devoir se taper la longue promenade forcée au moins deux fois durant la semaine.

Quand tous les Dionne rentrèrent dans l'appartement, ils trouvèrent Lise en train de balayer la cuisine et la salle à manger pour la troisième fois de la soirée.

— Le bois salit partout, se plaignit-elle à sa mère à voix basse. Je passe mon temps à balayer du bran de scie et des copeaux.

— Lamente-toi pas pour rien, ma grande. Ça va être comme ça pendant deux semaines, le temps que ton père scie les trois voyages de bois qu'on va recevoir.

En rentrant dans sa chambre, Lise ne put s'empêcher de dire à Francine :

— Avec ce bois-là, on est comme dans une prison. Il y a pas moyen de sortir en arrière et p'pa veut pas qu'on s'assoie en avant à cause des robineux qui passent. Tout ce qui nous reste, c'est d'étouffer dans la maison. Si encore on avait le droit de traverser de l'autre côté de la rue pour aller au carré Bellerive…

— Es-tu malade, toi ? fit sa sœur. C'est ben trop dangereux. C'est plein d'ivrognes étendus sur les bancs. Je voudrais pas aller là, moi.

—

Le lendemain, après sa course chez l'aiguiseur, Paul descendit à la cave en compagnie de son frère Claude. La descente était toujours assez périlleuse parce que les garçons devaient s'asseoir sur l'amoncellement de morceaux de bois qui encombraient l'escalier jusqu'à la première marche et se laisser glisser dans le noir jusqu'en bas, malgré les clous qui pointaient dans toutes les directions. C'était ce qu'ils appelaient faire débouler le bois. Là, ils reprenaient pied tant bien que mal et ils s'empressaient de se rendre au centre de la cave où ils devaient allumer l'unique ampoule qui éclairait l'endroit.

Parvenus sur les lieux, les deux frères se partageaient le travail. Claude, debout près de l'escalier, lançait au fond de la cave les morceaux de bois que Paul cordait jusqu'au plafond. Le sol couvert d'une épaisseur respectable de détritus rendait l'opération plutôt malaisée. De plus, il régnait dans l'endroit une odeur de moisi et une pénombre difficilement supportables.

Quand tout le bois scié la veille était cordé, les deux garçons quittaient la cave avec le soulagement de mineurs heureux de retrouver enfin l'air extérieur.

Même si Paul accordait beaucoup d'attention à la solidité de ses cordes de bois, il n'était pas rare d'entendre un grondement venu de la cave durant la journée. Ce dernier ne pouvait avoir qu'une origine : une corde de bois venait de s'écrouler.

— Tu sais pas corder! reprochait alors Claude à son frère.

— Je voudrais ben te voir à ma place, toi, rétorquait Paul. Comment tu veux que le bois tombe pas avec toute la merde qu'il y a à terre. Il y a pas moyen de faire tenir une corde d'aplomb.

Sans ajouter un mot, Paul descendait à la cave et recommençait en ronchonnant le travail fait la veille ou le jour même.

Et le soir, le même scénario reprenait. Seul un orage important ou la visite de parents pouvait le troubler. Dès son arrivée du travail, Maurice s'empressait de changer de vêtements avant de s'installer derrière son banc de scie jusqu'à l'obscurité. Sa soirée de travail n'était brisée que par une pause de quelques minutes, le temps d'avaler rapidement son souper.

Quand le samedi arrivait, il fallait «donner un coup de cœur», comme le disait Maurice. Debout à six heures, il attendait huit heures avec une impatience croissante. C'était l'heure qu'il jugeait acceptable pour commencer à scier sans déranger le sommeil des voisins.

Dès que le moteur de la scie était mis en marche, ses fils savaient qu'une journée de douze heures de travail les attendait. Ce jour-là, leur père sciait tant de bois qu'il leur fallait dégager l'escalier de la cave à deux ou trois reprises pour pouvoir continuer à déverser du bois scié dans la cave. Cela signifiait que la plus grande partie de la journée du lundi serait occupée à corder tout ce bois... Une chance qu'on ne travaillait pas le dimanche chez les Dionne.

Maurice avait bien tenté une timide ouverture dans ce sens pour contrer cette règle, mais il avait trouvé sur son chemin une Jeanne intransigeante et furieuse.

— Il est pas question que tu te mettes à scier un dimanche! Tu m'entends, Maurice Dionne?

— Grimpe pas sur tes grands chevaux, Jeanne Sauvé ! Ce serait pas un crime de scier un peu durant l'après-midi, après être allés à la messe le matin.

— Non. T'as travaillé toute la semaine ; t'as besoin de te reposer. J'ai pas envie de me faire montrer du doigt par tout le monde du coin. En plus, j'ai fait mon ménage avant d'aller à la messe, à matin, t'es pas pour me le salir tout de suite. Des plans pour qu'il t'arrive un accident en travaillant le dimanche…

Maurice se le tint pour dit et n'insista pas. Un peu superstitieux, il craignait de s'attirer le mauvais sort en ne respectant pas le jour du Seigneur.

Ses fils, qui avaient assisté à l'échange, poussèrent un profond soupir de soulagement quand ils constatèrent la victoire de leur mère. Ils appréciaient cette journée de repos bien méritée.

—

Au fil des jours, Paul et Claude s'imaginaient que ce travail harassant ne prendrait jamais fin. Ils le trouvaient d'autant plus décourageant que les trois livraisons de bois de démolition survenaient à quelques jours d'intervalle les unes des autres. Elles étaient si rapprochées que le bois de la livraison précédente n'était jamais encore entièrement scié.

— Maudit ! jurait Paul, au lieu de baisser, le tas arrête pas de grossir.

Bref, cela ressemblait plus à l'un des douze travaux d'Hercule et les deux frères en arrivaient à se décourager devant une telle tâche.

Pourtant, le jour finissait toujours par arriver où Maurice disait :

— Demain soir, si tout va ben, on va avoir passé à travers tout le bois. On en a une quinzaine de cordes dans la cave. Avec ça, on va en avoir assez pour chauffer la maison l'hiver prochain. Il restera juste à commander un peu de charbon, et on va être parés.

C'est ce qu'il dit le dernier vendredi soir du mois d'août.

Pour Paul, il n'y avait pas de plus beaux moments dans l'année que lorsqu'il cordait les dernières bûches sciées par son père. Enfin, la vie normale reprenait. La cour était débarrassée de tout le bois qui l'avait encombrée. Le banc de scie avait retrouvé sa place dans la cave. Tout le bran de scie avait été jeté à la poubelle. Bref, les Dionne avaient cessé d'attirer l'attention de tout le voisinage par le bruit qu'ils produisaient.

Il restait encore quelques jours de vacances avant la fête du Travail et le retour en classe. Les jeunes Dionne étaient bien décidés à en profiter.

Chapitre 22

Un voyage inoubliable

Le samedi soir, au moment où Paul et Claude montaient de la cave après avoir cordé les derniers morceaux de bois, le téléphone sonna dans la salle à manger.

Pendant plusieurs minutes, leur mère parla à grand-mère Sauvé qui appelait de Drummondville où elle demeurait depuis le début de mai.

— Je peux bien lui en parler, m'man, fit Jeanne, mais je serais surprise qu'on y aille. Il vient de finir de scier son bois pour l'hiver. Il est pas mal fatigué. Je vous rappelle.

Jeanne raccrocha et elle alla jusqu'à la salle de bain où Maurice achevait de se laver. Après une journée à scier en plein soleil, il en avait besoin.

— Maurice, ma mère vient de téléphoner.

— Oui, qu'est-ce qu'elle voulait ?

— Elle aimerait qu'on aille dîner demain midi.

— Il en est pas question, dit abruptement Maurice. On n'a pas de gardienne pour les enfants.

— Elle veut qu'on y aille avec les enfants.

— Voyons donc, ça a pas d'allure d'arriver à neuf pour dîner quelque part.

— Elle dit qu'elle aimerait voir les petits. Elle les a pas vus depuis l'hiver passé. Elle s'ennuie d'eux autres. Je sais que t'es bien fatigué et…

299

— Christ! c'est pas une question de fatigue, jura Maurice en sortant enfin de la salle de bain. C'est juste que j'ai pas le goût d'aller courir jusqu'à Drummondville en plein dimanche.

— On n'a même pas encore vu leur nouvelle maison, dit sa femme d'une voix plaintive.

— Inquiète-toi pas, on finira ben par la voir. Ça fait juste quatre mois qu'ils restent là.

— Ça fait longtemps que j'ai pas vu ma mère et mon père. Je les aurai pas toujours. J'aurais aimé ça aller les voir, ajouta Jeanne, l'air misérable.

Pendant de longues minutes, Maurice se laissa supplier par sa femme avant de finalement céder. Si Jeanne avait hâte de revoir ses parents, lui, il était surtout attiré par la balade en auto jusqu'à Drummondville, malgré tout ce qu'il en disait.

— OK, rappelle ta mère pour lui dire qu'on va y aller. Demande-lui son adresse et comment on fait pour se rendre là. Demain matin, on va partir de bonne heure et on va revenir avant le souper, trancha-t-il.

Un sourire de bonheur intense illumina les traits de Jeanne.

— Grouille, la houspilla son mari. Rappelle-la, mais essaye de te souvenir que c'est une longue distance et que ça coûte cher.

—

Le lendemain matin, les Dionne s'entassèrent dans la Pontiac dès la fin de la messe et Maurice prit la direction de Drummondville sous un ciel nuageux.

— Dis-moi pas qu'il va se mettre à mouiller, grommela-t-il d'assez mauvaise humeur. Il manquerait plus que ça!

Les enfants vont être obligés de rester en dedans et on s'entendra pas parler.

— J'pense pas, tenta de le rassurer Jeanne. Regarde vers l'est. On dirait que ça s'éclaircit. On va avoir une belle journée.

Une heure trente plus tard, Maurice pénétra dans Drummondville. Pendant quelques minutes, il roula sur la rue Herriot qui longeait la rivière Saint-François, mais très rapidement, il se sentit perdu dans cette ville où il n'était venu qu'à quelques rares occasions les années passées. Il finit par s'arrêter le long d'un trottoir.

— Bon, où est-ce qu'on va ? demanda-t-il à Jeanne. Hier, t'as demandé à ta mère comment on se rendait chez eux. Elle t'a expliqué le chemin. Réveille, calvaire ! On n'est pas pour passer la journée à chercher.

Jeanne fit comme si elle ne remarquait pas la mauvaise humeur de son compagnon.

— Elle m'a dit qu'ils restaient dans le quartier Saint-Jean-Baptiste.

— Ça m'en dit des affaires, ça ! explosa Maurice. Où est-ce qu'il est, ce maudit quartier-là ? À gauche ? À droite ? Tout droit ?

— M'man m'a dit de tourner à droite et de monter la rue Saint-Pierre. Il paraît qu'on a juste à traverser des *tracks* de chemin de fer et on est rendus. Ils restent au 68, rue Jeanne-Mance.

Pendant de longues minutes, Maurice, de plus en plus impatient, roula un peu partout, incapable d'identifier un des repères donnés par sa belle-mère.

Entassés dans l'auto, aucun des enfants n'osait dire un mot de peur de s'attirer les foudres de leur père dont ils sentaient que la patience était à bout.

— Puis ! Vois-tu quelque chose ? hurla ce dernier à sa femme.

— Je pense qu'on est mieux de s'arrêter à un garage pour demander notre chemin, dit-elle.

Maurice tourna rageusement le volant pour faire demi-tour et revenir vers une station-service Esso qu'il avait aperçue quelques instants plus tôt.

— Veux-tu que j'aille lui demander le chemin? demanda Jeanne en voyant le pompiste sortir du garage.

— Laisse faire. Tu m'as assez fait perdre de temps comme ça. Je vais y aller.

À travers le pare-brise, Jeanne vit le pompiste faire des gestes et Maurice hocher la tête à plusieurs reprises. Une minute après, ce dernier se réinstalla derrière le volant et démarra la Pontiac.

— C'est juste deux rues en arrière du garage, lança-t-il d'un ton accusateur.

Cinq minutes plus tard, Jeanne repéra la petite maison en brique beige portant le numéro 68.

— Grand-père est assis sur le balcon, fit Lise en montrant Léon Sauvé en train de lire son journal.

La Pontiac tourna et vint s'arrêter dans l'étroite allée asphaltée qui longeait la maison. Léon Sauvé se leva et appela sa femme à travers la porte moustiquaire. Il alla ensuite accueillir les Dionne qui descendaient déjà de voiture.

— Mon Dieu que ça fait longtemps que je vous ai vus! s'écria Marie debout sur le balcon et s'essuyant les mains sur son tablier.

La grand-mère, endimanchée et le chignon blanc impeccablement coiffé, embrassa et serra dans ses bras chacun de ses petits-enfants. En tenant l'un puis l'autre à bout de bras, elle s'extasiait sur sa bonne mine et n'en revenait pas de constater à quel point chacun avait grandi depuis le jour de l'An.

Léon finit par inviter les visiteurs à entrer dans la maison d'où s'échappaient toutes sortes d'odeurs appétissantes.

— Ça sent bon en sacrifice! s'exclama Maurice en posant le pied dans la maison.

— Je vous ai cuisiné un bon rôti de veau et un gâteau aux épices, répondit sa belle-mère en tenant contre elle la petite Martine. Venez les enfants, je vous ai préparé un petit quelque chose à manger en attendant le dîner.

Pendant que Jeanne mettait un tablier pour aider sa mère à terminer la préparation du dîner, Léon entraînait son gendre dans une visite guidée de la petite maison que sa femme et lui habitaient depuis quelques mois.

— Puis, beau-père, comment vous aimez ça, la retraite? demanda Maurice.

— Le temps est pas mal plus long que je le pensais, répondit le petit homme, sans trop d'enthousiasme.

— Vous avez travaillé fort toute votre vie. Vous avez ben gagné de vous reposer un peu.

— On dit ça, mais c'est pas comme ça que ça se passe. La journée est longue en torrieu quand tout ce que t'as à faire, c'est de regarder passer les chars et lire *La Presse*.

— Voyons, monsieur Sauvé, ça doit pas être si pire que ça. Je changerais ben de place avec vous, moi.

— C'est ce que tu penses, toi. Les journées finissent par être toutes pareilles. On sait jamais quel jour de la semaine on est rendu. En plus, t'as la bonne femme sur le dos.

— Comment ça? fit Maurice, intrigué.

— Ben, ta femme finit par te faire sentir que tu sers plus à rien, que t'es dans ses jambes du matin au soir et que tu l'énerves. Elle passe son temps à te chercher de l'ouvrage pour t'occuper… C'est tannant en maudit!

— C'est sûr que vivre ailleurs que sur une terre, c'est pas mal différent. J'espère au moins que vous aimez

Drummondville. Vous avez Claude qui reste ici. Florent et Laure sont pas ben loin.

— Ouais! Mais on les voit pas tellement plus parce qu'ils restent pas loin. Ils ont leurs tâches. En tout cas, si je pouvais me trouver une petite job, je pense que je la prendrais, conclut-il.

L'invitation de passer à table de Marie Sauvé mit fin aux confidences de son mari.

En quelques minutes, les enfants vidèrent leur assiette. Maurice leur permit d'aller jouer dehors en leur recommandant de ne pas trop s'éloigner. Jeanne se leva et alla déposer un Denis somnolent sur le lit de ses parents. Ainsi, les adultes purent discuter de différents sujets sans avoir à se préoccuper des oreilles indiscrètes des enfants.

Avant le repas, Marie avait eu l'occasion de féliciter sa fille pour son air en santé et elle s'était informée de sa grossesse de plus en plus apparente. Par ailleurs, elle avait fait comprendre à Jeanne, à mots couverts, à quel point son père vivait un début de retraite difficile.

Pendant près de deux heures, on se donna aussi des nouvelles des membres de la famille et les Sauvé décrivirent leur nouvelle vie à Drummondville.

Subitement, Maurice regarda l'heure à sa montre et sursauta en voyant qu'il était déjà plus de trois heures.

— On s'ennuie pas, dit-il à ses beaux-parents en se levant de table, mais il va falloir qu'on y aille.

Jeanne l'imita.

— Lise! appela Maurice par la porte moustiquaire. Dis aux autres de venir dire bonjour à grand-père et à grand-mère. On s'en va.

— Il manque Francine et Claude, annonça l'adolescente en entrant dans la maison en compagnie de Martine, d'André et de Paul.

— Où est-ce qu'ils sont? demanda sa mère.

— Ils sont partis jusqu'au bout de la rue.

— Est-ce que ça fait longtemps ? fit Maurice, mécontent.

— À peu près dix minutes, dit Paul.

— Allez me les chercher, ordonna leur père. Dépêchez-vous. On attend après eux autres pour partir.

En ronchonnant, Paul et Lise sortirent de la maison. L'un prit à droite et l'autre à gauche en arrivant au trottoir dans le but d'aller avertir les deux promeneurs de se hâter.

Quelques minutes plus tard, tous les deux revinrent bredouilles. Quand ils avouèrent à leurs parents ne pas avoir vu Francine et Claude, Maurice se fâcha.

— Les deux maudits innocents ! Je vais être obligé de prendre le char pour aller les chercher. Trop bêtes pour se rendre compte qu'on est à la veille de partir. Attends que je leur mette la main dessus.

— Voyons, Maurice, c'est pas la fin du monde, dit sa belle-mère pour le calmer. Ce sera pas long qu'ils vont revenir. Fume une cigarette tranquillement. Ils vont être ici dans cinq minutes.

— Ces enfants-là écoutent juste quand ça fait leur affaire, madame Sauvé, répliqua Maurice d'une voix rageuse.

Puis, trop excédé pour tenir compte des conseils apaisants de sa belle-mère, le père de famille sortit en trombe de la maison et monta à bord de sa Pontiac.

— Arrive, Paul. Tu regarderas comme il faut des deux côtés de la rue. On va faire le tour des petites rues autour. Ils peuvent pas être ben loin. Sacrement ! Si tu les avais surveillés mieux, ce serait pas arrivé !

Durant plusieurs minutes, Maurice roula à vitesse réduite dans les petites rues voisines de la rue Jeanne-Mance. Il passa même deux fois sur certaines pour s'assurer que ses deux enfants n'étaient pas là.

— Ils vont en manger une maudite, eux autres! rageait-il au volant.

Pendant ce temps, Léon avait entrepris de remonter à pied la petite rue Jeanne-Mance et d'interroger les voisins qui étaient assis sur leur balcon. Aucun n'avait vu le frère et la sœur.

Lorsque son beau-père revint à la maison, Maurice arrivait de sa tournée infructueuse dans le quartier. Folle d'inquiétude, Jeanne ne cessait d'aller et venir entre la cuisine et le balcon.

— Bon, décida sa mère. Ça va faire! Personne les a vus, ces enfants-là. On appelle la police.

— Mais madame Sauvé... voulut objecter Maurice.

— Il y a pas de «mais», répliqua sa belle-mère. On a beau pas être dans une grande ville comme Montréal, il peut arriver toutes sortes d'affaires à des enfants.

Sur ce, la vieille dame chaussa ses lunettes, trouva dans le bottin le numéro de la police et téléphona.

Moins de quinze minutes plus tard, un véhicule s'arrêta devant la porte et deux gros policiers en descendirent sans se presser. Ils retrouvèrent toute la famille réunie sur le balcon des Sauvé.

À la vue de cette voiture de police arrêtée devant une maison de leur rue par un calme dimanche après-midi, les curieux commencèrent à affluer vers le domicile des Sauvé. Les gens s'arrêtèrent sur le trottoir, échangeant à voix basse des commentaires entre eux pendant que l'un des policiers priait Jeanne de donner une description des enfants disparus.

— Ma fille a dix ans. Elle a les cheveux et les yeux bruns. Elle porte une robe rouge, des bas blancs et des souliers noirs.

— Et votre garçon? demanda l'agent le plus âgé.

— Claude a huit ans. Il a les cheveux et les yeux de la même couleur que ceux de sa sœur. Il porte un short bleu et un chandail blanc. Qu'est-ce que vous allez faire pour les retrouver ? demanda-t-elle d'une voix angoissée.

— Vous venez de nous dire que vous avez demandé aux voisins et que personne les a vus. Votre mari a fait le tour des rues sans les voir. Nous, on va lancer un appel aux voitures qui patrouillent dans le secteur. Le problème, c'est le bois qu'il y a au bout de la rue Saint-Pierre, la rue à côté. S'ils sont entrés là, on risque d'avoir de la misère à les retrouver vite. Mais inquiétez-vous pas, on va les retrouver.

Un homme à demi chauve debout sur le trottoir entendit les dernières paroles prononcées par le policier. Sans hésiter, il s'avança dans l'allée asphaltée des Sauvé et il s'adressa aux Dionne et aux policiers.

— Ça peut être dangereux en jériboire si les enfants sont dans le bois. Il y a un bassin d'acide de la Celanese dans ce bois-là.

— Oui, mais il est clôturé, dit le plus jeune des policiers, surtout pour rassurer les parents.

— Il est clôturé, mon œil ! La clôture a pas plus que quatre pieds de haut. N'importe quel enfant est capable de passer par-dessus. On est une quinzaine de personnes ici, on serait capables d'organiser tout de suite une battue. C'est à peu près sûr qu'ils sont dans le bois si personne les a vus dans les rues autour.

Il y eut un concert d'approbations dans le groupe de badauds.

— Bon, qu'est-ce qu'on attend ? demanda l'homme avec une certaine impatience.

Léon, Maurice, Lise et Paul descendirent du balcon et rejoignirent immédiatement les gens qui se mirent en marche vers le haut de la rue Jeanne-Mance. Jeanne voulut les imiter. Elle en fut empêchée par sa mère et l'un des policiers.

— À votre place, madame, je bougerais pas d'ici, dit ce dernier. Ça se peut que quelqu'un vous les ramène pendant que les autres vont faire la battue dans le bois. En plus, dans votre état…

— Il a raison, Jeanne, approuva Marie Sauvé. Rentre dans la maison. On va prier et on va attendre là des nouvelles.

— Inquiétez-vous pas, madame, ajouta le policier en descendant les marches. On va faire tout notre possible pour les retrouver vite. On va faire notre rapport et après, on va aider à la battue.

Jeanne entra dans la maison en compagnie de sa mère et se laissa tomber sur une chaise, près de la table de cuisine. Le visage blanc, elle avait du mal à arrêter ses larmes de couler.

— Arrête de pleurer pour rien, lui ordonna sa mère. Ils sont pas morts, tes petits. Ils vont revenir.

— Je suis certaine qu'il leur est arrivé quelque chose, se lamenta Jeanne en s'essuyant les yeux avec un mouchoir qu'elle avait tiré de la manche de son chemisier.

— On va dire un chapelet pour que la Sainte Vierge nous aide à les retrouver, dit Marie d'un ton sans réplique.

À l'instant même, le petit groupe de volontaires arrivait à l'extrémité de la rue Saint-Pierre qui débouchait sur le boisé qu'il se proposait de ratisser. Au moment où les gens passaient devant la dernière maison de la rue, son propriétaire, un homme aux lunettes à la monture en corne apparut soudainement à la porte de sa maison.

— Qu'est-ce qui se passe ? demanda-t-il à l'un des bénévoles.

— On cherche deux enfants. On a peur qu'ils se soient perdus dans le bois, répondit Léon Sauvé en s'arrêtant.

— Une petite fille et un petit gars ?

— Oui, vous les avez vus ? demanda Maurice, plein d'espoir.

— Ils sont ici. Ma femme et moi, on vient de les faire entrer. Ma femme vient de leur servir un verre de jus d'orange.

— Où est-ce que vous les avez trouvés ?

— C'est pas moi qui les ai trouvés ; c'est mon gars. Il a entendu pleurer en passant devant le champ. Il est allé voir et il les a trouvés là, tous les deux en train de pleurer. Ils étaient complètement perdus. Quand je vous ai vus passer, je m'en allais justement appeler la police.

Sur ces mots, il ouvrit la porte et il demanda à sa femme d'amener Francine et Claude qui arboraient tous les deux une belle moustache orangée laissée par le jus. Les deux enfants avaient un air piteux et ils craignaient manifestement de se faire disputer.

Maurice remercia les gens qui avaient accueilli son fils et sa fille et tous ceux qui s'étaient déplacés pour participer à la battue. En compagnie de son beau-père, il ramena ses enfants à la maison sans plus ouvrir la bouche. Francine et Claude marchaient devant leur père et leur grand-père, en compagnie de Lise et de Paul, tout heureux de les avoir retrouvés.

Dès qu'ils passèrent la porte, Jeanne se précipita à leur rencontre et les serra contre elle. Elle avait tellement eu peur de les avoir perdus.

— Seigneur ! Qu'est-ce qui vous est arrivé ? demanda-t-elle à Francine.

Terrassée par toutes ces émotions, cette dernière se mit à pleurer.

— Arrête de pleurer comme une niaiseuse et dis-nous ce qui est arrivé, lui ordonna sèchement son père.

— Ben, on est allés marcher jusqu'au coin de la rue, dit la gamine en reniflant. Puis, on a tourné et on a marché un peu sur l'autre rue quand un gros chien est sorti d'une cour et s'est mis à nous courir après en jappant.

— On a eu peur, avoua Claude.

— On a couru jusqu'au champ, mais il a continué à vouloir nous mordre…

— Puis? fit Jeanne.

— Ben, on a voulu se cacher dans le bois. Il a arrêté de courir après nous autres, mais on s'est perdus. On retrouvait plus notre chemin. C'est un homme qui nous a trouvés et il nous a amenés dans sa maison.

— Ce serait pas arrivé si t'étais restée ici avec tes frères et tes sœurs, dit Maurice. Avec cette maudite niaiserie-là, t'as dérangé tout le monde, même la police.

— Chicane-les pas, dit Marie à son gendre. Tu vois ben qu'ils ont eu assez peur comme ça. Après tout, c'était pas de leur faute.

— Parlant de la police, je vais la rappeler pour lui dire qu'on a retrouvé les enfants, fit Léon, soulagé.

Après l'appel téléphonique du grand-père, les Dionne durent attendre encore quelques minutes, le temps que les policiers viennent interroger les deux enfants et s'assurer que tout était rentré dans l'ordre. Dès le départ des deux agents, Maurice se leva.

— Bon! c'est ben beau tout ça, mais on va aller faire un bout de chemin, dit-il, la mine sombre. Il est déjà passé cinq heures. On va arriver au pont Jacques-Cartier à l'heure du gros trafic. On va avoir toute la misère du monde à le traverser.

Marie connaissait bien le caractère emporté de son gendre. Elle se doutait que le voyage de retour allait être pénible parce qu'il ferait supporter à toute sa famille sa mauvaise humeur et l'énervement qu'il venait de vivre.

— Tu pars pas d'ici avant que les enfants aient soupé, décréta-t-elle. Ces enfants-là ont dîné de bonne heure et t'arriveras pas en ville avant un bon bout de temps.

Léon donna raison à sa femme.

— Ta belle-mère a raison. En plus, tu viens de dire toi-même que le trafic va être difficile à l'heure où tu vas arriver au pont. Aussi ben prendre ton temps avant de partir. De toute façon, t'arriveras pas plus vite en ville.

Maurice jeta un coup d'œil à Jeanne qui s'était bien gardée de faire connaître son opinion.

— Qu'est-ce que t'en penses?

— À toi de décider, Maurice. C'est toi qui conduis.

À contrecœur, Maurice reconnut que ses beaux-parents avaient raison et il accepta le repas proposé par sa belle-mère.

Vers sept heures, la famille Dionne quitta finalement les lieux en multipliant les remerciements et les promesses de revenir bientôt.

Tout au long du trajet de retour, il n'y eut pas un mot échangé dans la Pontiac. Jeanne, comme ses enfants, sentait que le moindre incident servirait de prétexte à Maurice pour exploser.

Dès que la porte du 2321, rue Notre-Dame se referma sur le dernier enfant, Maurice se contenta de dire:

— Allez tous vous coucher. Il est assez tard. Je vous ai assez vus pour aujourd'hui.

Jeanne ne dit pas un mot. Elle alla déposer Denis sur son lit dans le but de le préparer pour la nuit.

— Tu parles d'une maudite journée! dit Maurice en s'assoyant dans sa chaise berçante après être allé chercher une bouteille de Coke dans le réfrigérateur. Je vais m'en souvenir longtemps de celle-là!

Chapitre 23

La fin de l'été

Dès les premiers jours de septembre, la température devint plus fraîche. Le soleil était encore présent durant de longues heures, mais les journées raccourcissaient et les enfants pouvaient jouer à l'extérieur moins longtemps après le souper.

Chez les Dionne, on parla un certain temps de soumettre André à l'ablation des amygdales, perspective qui n'avait pas du tout l'air d'enchanter le garçon de six ans, du moins jusqu'au moment où ses aînés – qui n'avaient pas échappé à cette intervention chirurgicale bénigne – lui aient fait comprendre qu'il perdait une magnifique occasion de manger de la crème glacée autant qu'il en voudrait.

Alors, André se mit à harceler sa mère pour subir l'épreuve lui aussi. Il trouvait injuste de ne pas profiter des mêmes avantages que cette intervention avait procurés aux autres.

— Ça va faire! finit par dire Jeanne, à bout de patience. Arrête donc de faire le gros bébé et de te laisser raconter n'importe quoi par les autres. Tu sais bien qu'on leur a jamais donné autant de crème en glace. Ils t'ont pas dit que ça faisait mal, cette opération-là? Tu peux rien avaler pendant une semaine… En plus, si on te faisait opérer là, tu pourrais pas commencer l'école en même temps que les autres. Compte-toi chanceux de pas être obligé de passer par là.

En catimini, Claude fit croire à son cadet qu'il était pour cesser bientôt de grandir et qu'il serait bien plus petit que lui et Paul parce qu'il aurait encore ses amygdales.

Malheureusement pour lui, son père l'entendit raconter ces mensonges à son frère.

— Toi, ça va faire tes maudites niaiseries ! lui cria son père en lui assenant une bonne taloche. Va te coucher.

— C'est pas vrai ce que ton frère vient de te raconter, dit Jeanne à André. Regarde, ton père et moi, on n'a jamais eu cette opération-là et on n'a pas arrêté de grandir.

Il faut croire que cette explication maternelle le persuada parce que l'enfant cessa de parler de ses amygdales et il s'attacha à profiter de ses derniers jours de vacances, comme ses frères et ses sœurs.

—

À la fin du souper, la veille de la fête du Travail, Maurice évoqua la possibilité d'amener toute la famille au parc Belmont pour que les enfants s'amusent dans les manèges avant de reprendre l'école.

Un silence plein de tension tomba autour de la table. Les aînés retinrent leur souffle. Ils craignaient d'entendre leur mère émettre une objection contre le projet paternel. Ils savaient, eux, qu'à la moindre opposition, ce dernier ferait machine arrière, trop heureux d'économiser l'argent que lui coûterait cette sortie. Déjà, ils devinaient qu'il regrettait à demi d'avoir émis cette idée.

Jeanne jeta un regard aux visages rayonnants de joie anticipée de ses enfants assis autour de la table et elle n'eut pas le cœur de leur refuser ce plaisir. Pourtant, elle aurait eu de bonnes raisons de s'insurger contre l'idée.

Depuis une dizaine de jours, elle essayait de réaliser des miracles pour parvenir à habiller convenablement ses enfants pour l'école.

Évidemment, Maurice n'avait pas prévu de dépenser un sou pour quelque chose d'aussi terre à terre que les vêtements de ses enfants. Que la mère se débrouille ! Il ne se rendait même pas compte de tout le travail qu'elle devait abattre pour arriver à vêtir convenablement les cinq enfants qui allaient fréquenter l'école dans quelques jours.

Pour y parvenir, elle n'avait eu d'autre choix que de retourner puiser fébrilement dans les trésors du vestiaire communautaire tenu par sœur Thérèse de Rome. De retour à la maison, elle avait décousu les vieux vêtements rapportés, les avait retaillés aux mesures des enfants, les avait cousus et les avait repassés. Pour la première fois depuis très longtemps, aucun des vêtements portés par les aînés n'allait à un frère ou à une sœur plus jeune. De toute façon, ils étaient trop usés.

— Ce serait une bonne idée, finit-elle par dire en feignant l'enthousiasme. Quand est-ce que tu veux nous amener là ?

— On est aussi ben d'y aller à soir, laissa tomber Maurice. Le parc Belmont est ben plus beau le soir, aux lumières, pas vrai les enfants ?

Tous les enfants approuvèrent bruyamment la remarque de leur père.

— Bon, allez vous préparer et faites ça vite. Je veux pas revenir à la maison trop tard. Paul, mets le carrosse de Denis dans la valise et attention de pas grafigner la peinture du char.

— Prenez-vous tous un chandail avant de partir, ajouta leur mère. Là, on n'est pas mal, mais vous allez vous apercevoir que sur le bord de la rivière des Prairies, le soir, on gèle vite.

Moins d'un quart d'heure plus tard, toute la famille Dionne s'entassa dans la Pontiac et Maurice se dirigea vers la rue Papineau qu'il emprunta jusqu'au boulevard Gouin qu'il longea vers l'ouest. Pendant ce temps, à l'arrière de la voiture, les aînés, excités par la perspective des manèges qui les attendaient, racontaient aux plus jeunes combien ils s'étaient amusés au parc Belmont, deux ans auparavant.

Lorsque Maurice arrêta l'auto dans le stationnement du parc, le soleil descendait déjà à l'horizon et les premières ampoules multicolores s'allumaient au-dessus des guichets à l'entrée du parc d'attractions. On déposa Denis dans son carrosse.

— Restez en arrière de moi, ordonna le père en prenant place devant l'un des guichets pour payer les billets d'entrée des siens.

Un instant plus tard, toute la famille pénétra à sa suite sur le site.

— Attendez-moi ici, je serai pas long, fit-il en se dirigeant sans attendre vers un kiosque près duquel une quinzaine de personnes faisaient la queue.

Pendant cette attente, les Dionne se tinrent groupés près d'une tente devant laquelle un crieur public à la voix de stentor invitait la clientèle à venir admirer la femme à barbe. Les enfants, fascinés par la grande roue installée au centre du parc ainsi que par les manèges voisins d'où s'échappaient des cris excités, n'accordaient cependant aucun intérêt au boniment de l'homme. Les ampoules clignotantes de toutes les couleurs, la musique tonitruante, les odeurs de friture, les cris des bonimenteurs et les mouvements désordonnés de la foule contribuaient à les exciter.

Après cette attente qui leur sembla interminable, ils aperçurent leur père qui revenait en tenant en main plusieurs lisières de coupons bleus.

— Aïe! s'exclama Claude en se tournant vers son frère Paul, as-tu vu le paquet de coupons que p'pa a acheté? On va ben être capables d'essayer toutes les patentes qu'il y a dans le parc!

— T'es malade, toi. Tu te souviens pas qu'il faut pas mal de coupons pour embarquer dans la plupart des manèges.

Lise confirma ce que son frère venait de dire. Cette remarque de ses aînés refroidit un peu l'enthousiasme de Claude.

— C'est ben grand ici, fit le petit André en tournant la tête dans toutes les directions.

— Aie pas peur, le tranquillisa Francine. T'as juste à rester avec nous autres. Il y a pas de danger.

— J'ai pas peur, répliqua avec aplomb le garçon de six ans. Je trouve ça le fun.

Quand Maurice s'approcha, ses enfants l'entourèrent immédiatement.

— Écoutez-moi ben, leur dit-il en élevant la voix pour bien se faire entendre malgré le bruit ambiant. Je vais vous donner à chacun six coupons. C'est tout ce que vous allez avoir pour la soirée. Faites d'abord le tour des manèges et regardez combien chacun coûte en coupons avant de vous décider. Après, vous choisirez. Pressez-vous pas.

— Surtout, essayez de pas vous séparer, leur conseilla leur mère en tendant un biscuit à Denis qui s'irritait de sentir son carrosse immobile depuis quelques minutes. C'est surtout pour toi que je parle, Francine. Pour une fois, fais pas la tête folle. Suis les autres.

— De toute façon, on va être dans le coin, continua Maurice. Regardez. On est en face de l'entrée du parc. Au fond, il y a des tables à pique-nique au bord de la rivière. C'est surtout là que votre mère et moi on va être. Vous viendrez nous rejoindre là quand vous aurez fini.

— Pas de chicane surtout, les prévint Jeanne. Amusez-vous. Pensez à tout l'argent que votre père dépense à soir pour vous permettre de passer une belle soirée.

Maurice distribua équitablement les coupons et il fit signe à ses enfants d'aller s'amuser.

— Vous en gardez pas pour Martine ? s'inquiéta Lise.

— J'en ai pour elle aussi.

— Voulez-vous que je l'amène dans des manèges ?

— Laisse faire. Ta mère va s'occuper de Denis ; moi, de Martine. Fais comme les autres. Va t'amuser toi aussi.

Lise rejoignit ses frères et sa sœur qui se faufilaient déjà dans la foule.

Ils ne jetèrent qu'un coup d'œil en passant aux stands d'adresse. Lancer une boule sur des quilles ou des dix sous dans des soucoupes, crever des ballons avec des dards ou tirer de l'eau de la bouche de clowns en plastique leur semblait dénué de tout intérêt.

— Moi, je veux aller dans le Scenic, dit Francine d'un ton décidé en montrant les échafaudages métalliques au sommet desquels passaient des wagons lancés à une vitesse folle d'où fusaient des cris assourdissants. C'est ce qui est le plus le fun.

— C'est quoi ? demanda André.

Tout en marchant, elle expliqua à son jeune frère comment étaient faites les montagnes russes et quelles sensations extraordinaires on éprouvait quand le wagon qui te transportait semblait plonger dans le vide.

— Tu disais pas ça quand je t'ai amenée la dernière fois, s'interposa Lise, un peu jalouse de voir son frère André prendre pour paroles d'évangile tout ce que Francine affirmait. T'as pas arrêté de crier comme une folle.

— Tu sauras, Lise Dionne, que le Scenic me fait pas peur, affirma Francine sur un ton frondeur. Qui vient avec moi ?

Personne ne répondit.

— Vous êtes trop peureux pour embarquer là-dedans, déclara-t-elle pour provoquer sa sœur et ses frères.

— On va commencer par regarder les autres manèges, affirma Paul d'un ton raisonnable. Regarde. As-tu vu comment ça coûte pour monter dans le Scenic? Quatre billets… Si tu montes là-dedans, tu pourras juste aller dans un petit manège niaiseux après.

Cette remarque sembla faire réfléchir Francine. Les jeunes passèrent alors sans s'arrêter devant les montagnes russes. Ces dernières ne manquaient pas d'amateurs de sensations fortes si on se fiait à la longueur de la file d'attente qui s'étirait devant le portail.

— On peut aller dans les tasses tournantes ou les voiliers dans les airs, dit Lise en montrant les deux manèges situés côte à côte, à la gauche des montagnes russes. C'est juste deux coupons.

— Attends, fit Claude en s'approchant des autos tamponneuses. Ça, c'est le fun. Regarde et ça a l'air de durer longtemps.

— C'est quatre billets comme le Scenic, laissa tomber sa sœur.

Durant une dizaine de minutes, les cinq frères et sœurs circulèrent ensemble entre les divers manèges, s'arrêtant de temps à autre près d'un garde-fou pour évaluer si le degré de plaisir qu'ils pourraient tirer de tel ou tel manège justifiait le déboursé exigé.

Finalement, Claude fut le premier à en avoir assez de se contenter de regarder les gens s'amuser. Il se planta devant les autres pour leur déclarer:

— Moi, j'essaye le Scenic avec Francine.

— Bon, fit cette dernière, heureuse d'avoir quelqu'un qui l'appuyait. Toi, André?

Ce dernier hésita.

— Ce serait mieux s'il choisissait quelque chose de moins dangereux, dit Lise en quêtant l'approbation de Paul.

— Oui, approuva ce dernier. Il risque d'être malade là-dedans… Et m'man sera pas contente si vous le faites restituer partout.

Les deux autres n'insistèrent pas.

— Allez-vous nous attendre? demanda Francine. P'pa veut pas qu'on se sépare.

— Allez-y. On dirait qu'il y a moins de monde que tout à l'heure. On vous attend à la sortie, déclara Lise.

Pendant que Francine et Claude prenaient place dans la ligne d'attente, Paul et Lise entraînèrent leur jeune frère avec eux dans le Roller, un manège dont les véhicules tournaient assez vite pour donner une impression de griserie. André apprécia beaucoup sa première expérience.

Revenus près du Scenic, ils attendirent durant de longues minutes le retour de Francine et de Claude.

Finalement, ils les aperçurent en train de franchir le tourniquet de sortie. Claude était pâle et sa sœur riait à gorge déployée.

— Aïe! Vous l'avez pas vu, vous autres! Un peu plus, il m'arrachait le bras à force de se tenir après moi. Il criait qu'il allait mourir!

— Francine Dionne, ma maudite menteuse! s'écria Claude, fâché au point d'en oublier ses nausées. J'ai pas eu peur. J'étais seulement surpris. Toi, tu t'es pas entendue crier comme une folle. On aurait dit un cochon qu'on égorge et…

Déjà, Paul et Lise entraînaient André avec eux, ne s'occupant plus de leur frère et de leur sœur qui se contentèrent de se faire les gros yeux avant de se mettre en marche à leur suite.

Francine accepta de dépenser ses derniers coupons en imitant Lise et André qui, après une longue hésitation, décidèrent de rendre visite à la maison des fantômes. Pendant ce temps, Paul renonça à deux autres coupons pour faire une balade en voilier aérien en compagnie de Claude.

— C'est plate, firent Claude et Francine après avoir expérimenté chacun un second manège, on peut plus embarquer dans rien. On n'a plus de billets.

— Nous autres, il nous en reste encore deux, dit Lise d'un air supérieur. Moi, ça me tente d'essayer la Chenille. Qui vient avec moi?

— C'est quoi, la Chenille? demanda André.

— Tu le sais, je te l'ai montrée tout à l'heure en passant devant. C'est l'espèce de train qui tourne vite et qui se recouvre d'une toile en roulant. Ça a l'air le fun.

— OK, j'y vais avec toi.

— En tout cas, nous autres, ça nous tente pas de vous attendre pour rien. On va aller rejoindre p'pa et m'man, déclara Francine en son nom et en celui de son frère Claude.

— Tu vas te faire chicaner, la mit en garde sa sœur aînée. M'man a demandé de pas se séparer.

— Ben non! Elle a dit ça parce qu'elle pensait qu'on pouvait se perdre. Mais il y a pas de danger de se perdre. On sait où se trouvent les tables à pique-nique.

Claude et Francine, inséparables ce soir-là, tournèrent le dos aux autres et se mirent en marche vers l'extrémité nord du parc Belmont.

Après quelques tâtonnements, les trois autres se retrouvèrent devant le manège que Lise voulait essayer. Une déception l'attendait.

— Aïe! C'est pas vrai! dit-elle en se tournant vers Paul qui marchait quelques pas derrière elle et André. Ils demandent trois coupons.

Paul ne dit pas un mot. Lise et André s'approchèrent de la barrière pour mieux examiner le train miniature qui roulait de plus en plus vite sur une piste ovale inclinée.

— Je te dis qu'on n'est pas chanceux, dit l'adolescente dépitée à son frère André. Ça aurait été tellement le fun d'embarquer là-dedans.

Pendant un instant, Paul joua avec ses deux derniers coupons au fond de sa poche. Finalement, il se décida à en tirer les deux petits rectangles bleus et il les tendit à sa sœur aînée.

— Tiens, vas-y avec André. Avec ces deux-là, ça vous en fait six. Vous en avez juste assez.

— Oui, mais toi? demanda Lise, un peu gênée par la générosité de son frère.

— Ça me tente plus d'embarquer dans rien. Prends-les.

Lise s'empara des deux coupons avant de demander:

— Est-ce que tu nous attends?

— Non. Tu sais où se trouvent les tables à pique-nique?

— Oui, par là, fit-elle en pointant le doigt devant elle.

— Bon, je vois pas pourquoi je vous attendrais.

Lise poussa André devant elle jusqu'au préposé à qui elle remit les six coupons. Quand elle se tourna vers Paul, ce dernier avait déjà disparu, happé par la foule.

—

Le geste de Paul n'était généreux et désintéressé qu'en apparence. Depuis son arrivée au parc Belmont, il cherchait désespérément un moyen de fausser compagnie à ses frères et à ses sœurs pour dépenser les trente cents enfouis au fond de l'une de ses poches de pantalon.

Dès l'annonce de la sortie par son père, il s'était faufilé dans la chambre des garçons et il avait profité de l'absence de Claude et d'André pour glisser la main sous son matelas et en tirer le vieux porte-monnaie dans lequel il dissimulait ses économies.

Il se dépêcha d'en verser le contenu sur la couverture grise étendue sur son lit et il compta fébrilement la somme éparpillée devant lui. Il possédait quatre dollars et demi. Pas mal après tous les cadeaux d'anniversaire qu'il avait dû acheter durant l'été. Tout cela provenait de son travail de servant de messe et de la vente de bouteilles vides. Tendant l'oreille pour s'assurer que personne ne venait vers la chambre, il hésita durant un court moment sur l'importance de la somme qu'il pouvait se permettre de prélever sur son magot. Il opta finalement pour trente cents qu'il se promit de dépenser dans l'achat de nourriture.

Depuis le début de l'été, il était constamment affamé. Si ses parents ne l'avaient pas sermonné, il se serait souvent rendu malade en dévorant plus que ce que son estomac pouvait digérer.

Or, depuis son arrivée au parc d'attractions, l'odeur omniprésente de frites le torturait au point que ça en était devenu insupportable. Depuis deux heures, il salivait à la seule pensée des frites dorées, salées et vinaigrées comme il les aimait. Il y avait aussi les hot-dogs et... Fait certain, il aurait volontiers donné tous ses coupons à ses frères et sœurs en échange d'un peu de liberté de mouvement.

Combien de hot-dogs allait-il pouvoir s'acheter avec les frites? Pour trente cents, il allait s'acheter deux hot-dogs et une frite. Il lui resterait peut-être même assez d'argent pour une orangeade, comme à la salle de billard de la rue Sainte-Catherine. L'adolescent eut un sourire gourmand à la pensée que dans cinq minutes, il allait savourer tout cela, en toute quiétude.

Quand il s'aperçut que Lise et André avaient franchi la barrière, il s'empressa de diriger ses pas vers le comptoirrestaurant où on vendait aussi de la barbe à papa et des boissons gazeuses. En faisant la tournée des manèges avec ses frères et sœurs en début de soirée, il était passé devant l'endroit à deux ou trois reprises. Il savait exactement où il était.

À son arrivée devant le comptoir, il prit place derrière trois consommateurs aussi impatients que lui de manger. Le temps d'arriver au comptoir, deux autres personnes pressées attendaient derrière lui.

— Oui ? demanda la jolie serveuse coiffée d'une sorte de petit chapeau rouge et blanc.

Paul allait commander tout ce qu'il rêvait de manger quand il leva la tête vers le grand tableau suspendu au-dessus du comptoir, tableau sur lequel les prix étaient affichés. Ce n'était pas possible ! Ils vendaient une portion de frites vingt cents ! Un hot dog coûtait vingt-cinq cents ! Un cola ou une orangeade, dix cents ! Le garçon consulta une seconde fois les prix. Il n'y avait pas d'erreur, c'était bien ça. Du coup, il ne savait plus quoi choisir. Devait-il opter pour un hot dog sans boisson gazeuse ou pour une frite avec l'orangeade ?

— Fais ça vite, mon garçon, fit une serveuse plus âgée. Il y a du monde qui attend.

— Une patate frite et une orangeade, dit Paul, la voix éteinte et rouge de confusion.

— Va au bout du comptoir, on va te donner tes affaires, dit la même serveuse d'un ton impatient, après s'être emparée de ses trente cents.

Un employé lui tendit une portion de frites et un verre en carton rempli aux trois quarts d'orangeade pétillante. Avant de quitter l'endroit, Paul sala et vinaigra largement ses frites et il chercha des yeux un lieu moins voyant où emporter son verre et ses frites. Il n'aurait plus manqué que ses parents, l'un de ses frères ou l'une de ses sœurs le voient en train de s'empiffrer seul.

Durant quelques instants, il paniqua à l'idée de ne pas parvenir à trouver une place retirée, loin des lumières éblouissantes.

— Les maudits voleurs! jura-t-il entre ses dents tout en cherchant. Le casseau est même pas plein et le verre non plus à part ça! À la salle de *pool* sur la rue Sainte-Catherine, t'as une patate frite, deux hot-dogs et un Coke pour trente cents!

Plus il y pensait, plus il rageait, persuadé d'avoir été volé. Sa rage était en train de lui gâcher le plaisir qu'il avait tant anticipé.

Enfin, il découvrit un coin moins éclairé et moins fréquenté entre deux kiosques. Il déposa son verre entre ses pieds et, debout, appuyé au mur de l'un de ces kiosques, il commença à manger ses frites en épiant nerveusement les alentours. Il ne pouvait même pas savourer en paix ce qu'il venait de payer deux fois trop cher parce qu'il craignait trop d'être repéré à tout moment par l'un des siens.

— Il manquerait plus que ça, grommela-t-il à mi-voix.

Pour échapper à ce danger, l'adolescent mangea trop vite et son plaisir en fut grandement gâché.

Après s'être essuyé la bouche et les doigts avec son mouchoir, il s'empressa de se diriger vers les tables à pique-nique. Lise et André devaient avoir fini leur tour de manège.

Au moment où il s'y attendait le moins, il tomba sur Claude.

— Où est-ce que t'étais? On te cherche partout, dit le cadet d'un air soupçonneux. Grouille! Viens-t'en! P'pa est pas de bonne humeur.

Paul allongea le pas pour aller rejoindre sa famille regroupée près d'une table.

— T'es fiable, toi! l'apostropha son père en le voyant arriver. T'es supposé surveiller les plus jeunes et c'est après toi qu'on doit courir. Où est-ce que t'étais passé, sacrement?

— Je cherchais des toilettes, p'pa. J'avais envie.

— En as-tu trouvé? lui demanda sa mère.

— Oui, par là, fit Paul en indiquant vaguement une direction.

— Bon, arrivez. Il est tard, fit Maurice, impatient. Ceux qui ont envie se retiendront. Ils iront aux toilettes à la maison. Je travaille, moi, demain.

Les Dionne quittèrent rapidement le parc Belmont. Tout le monde monta à bord de la Pontiac sans rien dire. La belle excitation du début de la soirée avait cédé le pas à la fatigue. Le père, la mine sombre, semblait regretter d'avoir tant dépensé en une soirée.

Lorsque la voiture s'arrêta dans la grande cour, à faible distance de la clôture, Jeanne et son mari durent réveiller Martine et André qui s'étaient endormis durant le trajet.

Après avoir remercié et embrassé leurs parents, les enfants allèrent se coucher sans se faire prier.

— Je pense que les enfants ont bien aimé leur soirée, fit remarquer Jeanne à son mari au moment de se mettre au lit.

— J'espère ben, dit Maurice d'un air renfrogné. J'ai dépensé à soir plus que ce que je gagne dans une journée d'ouvrage.

—

Le lendemain, à la fin de l'avant-midi, Claude rejoignit son frère Paul en train de lire, étendu sur son lit.

— Où est-ce que t'as dépensé l'argent qui manque dans ton portefeuille? demanda-t-il effrontément.

— Quel argent? De quoi tu parles? fit Paul en se redressant brusquement.

— J'ai compté ton argent à matin. Il manque trente cennes.

— Mon argent? Dans mon portefeuille? demanda Paul, stupéfait d'apprendre que ses économies étaient à la merci de son cadet.

— Tu pensais que je savais pas où tu cachais ton argent, hein? Ça fait longtemps que je sais que tu le caches en dessous du matelas.

— Mon maudit voleur! fit l'aîné d'un ton menaçant.

— Tu sauras, Paul Dionne, que j'ai jamais pris une cenne dans ton portefeuille. Ça arrive juste que je compte l'argent que t'as. Hier, t'avais plus d'argent qu'à matin. Je l'ai compté après le déjeuner. Où est-ce que tu l'as dépensé? Au parc Belmont?

À cette évocation, le visage de Paul rougit violemment.

— C'est pas de tes maudites affaires! explosa-t-il. Si jamais tu vas dire ça à p'pa ou à m'man, moi, je vais leur dire que tu m'as volé de l'argent.

— Énerve-toi pas! Je voulais juste savoir ce que t'avais fait avec, tenta de le calmer Claude en esquissant un petit sourire finaud. T'as dû te bourrer tout seul, comme un cochon.

— J'ai le droit de faire ce que je veux avec mon argent. OK! À cette heure, ferme ta gueule et laisse-moi tranquille, répliqua Paul en lui tournant résolument le dos.

Cet après-midi-là, Paul attendit que son frère quitte la maison avant de s'emparer de son porte-monnaie et d'aller le dissimuler dans l'une des six vieilles glacières qui achevaient de rouiller dans un coin de la cave.

Chapitre 24

Le retour à l'école

Deux jours plus tard, dès sept heures, le mardi matin, la maison ressemblait à une ruche. Leur déjeuner à peine avalé, les enfants se bousculaient autour de l'unique évier de la maison, dans la cuisine, pour se laver la figure et se peigner. Paul était le seul à ne pas prendre part à la cohue parce qu'il était habillé depuis longtemps, étant allé servir la messe de six heures à la maison-mère des Sœurs de la Providence.

— Voulez-vous vous calmer ! leur cria leur mère à bout de patience. L'école commence pas avant huit heures et demie. Vous êtes pas pour partir à sept heures et niaiser dans la cour de l'école tout ce temps-là.

— Claude est devant le miroir depuis dix minutes, se plaignit Lise en tentant de repousser son frère cadet.

— C'est pas vrai, maudite menteuse ! répliqua ce dernier en la menaçant avec le peigne qu'il brandissait. Je viens juste d'arriver. J'essaie de me faire une raie droite. Ça marche pas.

Jeanne assit la petite Martine dans la chaise berçante et se fraya un chemin jusqu'à l'évier.

— Arrive que je te peigne, dit-elle à Claude en tendant la main pour prendre le peigne qu'il tenait.

La mère plaqua les cheveux bruns rebelles et elle les sépara par une raie très droite du côté gauche de sa tête.

— Bon, c'est correct comme ça. Va faire ton lit et oublie pas ton bulletin sur le frigidaire. T'en as besoin.

— Moi, m'man, fit André en s'avançant fièrement vers sa mère.

— Toi, t'es correct. Lise t'a peigné tout à l'heure et t'es tout propre pour commencer ta première journée à l'école. Salis-toi pas avant de partir. Va t'asseoir en attendant que Paul t'amène.

— M'man, fit Paul, c'est moi qui l'amène à l'école; mais c'est Claude qui va le ramener. Je veux pas passer mon temps à l'attendre, moi.

— Non, non. Ton père a bien dit hier que c'est comme ça qu'il veut que ça se fasse. On veut pas voir André traverser la rue Sainte-Catherine tout seul. Vous êtes assez vieux, toi et Claude, pour prendre soin de votre petit frère.

— Il est mieux d'apprendre à marcher vite, par exemple, ajouta Claude en faisant une grimace à son frère André.

Jeanne ne répliqua pas. Elle tourna son attention vers ses deux filles qui avaient déjà endossé l'uniforme bleu marine exigé par les dames de la congrégation Notre-Dame qui leur enseignaient au couvent.

Les habitudes de Lise n'avaient pas changé : à treize ans, elle se donnait des petits airs délurés agaçants et ne manquait jamais une occasion de se regarder dans un miroir quand l'occasion se présentait.

— Lise, arrête de te regarder comme si tu te voyais pour la première fois et approche que j'arrange une de tes tresses, dit sa mère. Le ruban est mal attaché.

L'adolescente eut un soupir excédé et lissa la jupe de son uniforme avant de s'approcher de sa mère.

— Occupe-toi moins de tes cheveux et un peu plus de ce qui doit entrer dans ta tête, tu m'entends ? Je veux pas de bulletins comme ceux de l'année passée.

— La sœur m'haïssait.

— J'ai déjà entendu ça. Change de chanson et laisse faire les excuses ! Je t'avertis tout de suite. Cette année, je te défendrai pas. Si tes notes sont mauvaises, tu t'expliqueras avec ton père.

En entendant l'avertissement de sa mère, Francine tenta de se glisser silencieusement dans la chambre à coucher des filles pour échapper au sermon qu'elle sentait venir.

— Toi, sauve-toi pas ! lui ordonna sa mère. Que j'entende pas que tu fais la tête folle cette année ! Si les sœurs se plaignent de toi, tu vas avoir affaire à ton père, toi aussi… Allez tous me mettre de l'ordre dans vos chambres avant de partir… Et que j'en vois pas un essayer de cacher ses traîneries en dessous du lit, vous m'entendez ?

Vers huit heures, la mère s'assura que chacun de ses enfants avait pris son bulletin avant de les laisser quitter la maison. Elle sortit à l'extérieur et se rendit jusqu'à la porte de la cour pour voir partir André, encadré de ses deux frères. Le petit bonhomme allait entrer dans un monde qu'il était impatient de connaître depuis plusieurs mois.

Jeanne sentit un pincement au cœur en le voyant disparaître à la sortie de la grande cour. C'était comme si elle venait de perdre un de ses enfants. André n'avait même pas tourné la tête vers elle pour lui envoyer la main. Un autre venait de quitter ses jupes.

Il lui semblait que c'était la veille qu'elle le guidait pendant qu'il faisait ses premiers pas. Une vague de nostalgie la submergea et elle eut même envie de pleurer. Elle avait la pénible impression qu'on venait de lui dérober quelque chose d'important, d'avoir brusquement vieilli. Ses enfants lui échappaient les uns après les autres. Bien sûr, il lui restait encore Martine et Denis à la maison, et un autre serait bientôt là. Mais pour combien d'années encore ? Le temps filait tellement vite.

Elle rentra lentement dans l'appartement où elle trouva Martine en train de s'amuser avec son frère Denis.

—

Au couvent de la rue Sainte-Catherine, rien n'avait changé en apparence depuis le mois de juin précédent. Les élèves pénétraient dans la cour par l'entrée située rue Dufresne et elles rejoignaient avec des cris de joie des camarades perdues de vue durant les longues vacances estivales.

Les mains perdues dans les vastes manches de leur robe noire, les religieuses de la congrégation Notre-Dame patrouillaient deux par deux dans la cour. Leurs hautes cornettes les grandissaient. Leur large « bavette » empesée les obligeait à un port de tête rigide.

Quand une religieuse sortit pour sonner la cloche, le silence tomba sur la cour. Mère Sainte-Anne, la directrice, apparut dans l'escalier qu'elle descendit lentement. Elle tenait à la main une liasse de feuilles. Arrivée à la moitié de l'escalier, la religieuse souhaita brièvement la bienvenue aux élèves, nouvelles et anciennes.

Ensuite, sans plus attendre, la supérieure invita les filles qu'elle allait nommer à rejoindre la religieuse qui s'avancerait. Alors, d'une voix assez puissante pour couvrir le bruit de la circulation automobile de la rue Sainte-Catherine, elle se mit à désigner des élèves qui se regroupèrent autour de celle qui allait leur enseigner durant toute l'année.

—

Au même moment, le scénario n'était pas tellement différent à l'école Champlain, au coin des rues Logan et Fullum.

Trente minutes avant le début des classes, des groupes d'élèves commencèrent à envahir la cour de l'école. Quelques enseignants circulaient déjà parmi eux pour empêcher les bousculades. Le nez appuyé sur le treillis qui clôturait la cour, plusieurs mères de jeunes enfants de première année guettaient avec une certaine inquiétude les réactions de leur fils à ce premier contact avec le monde de l'éducation.

Au son de la cloche, comme le prévoyait le règlement, tout mouvement cessa immédiatement dans la cour. Un silence pesant tomba sur les quatre cent cinquante écoliers. La porte arrière de l'école s'ouvrit pour livrer passage au directeur, à son adjoint et aux instituteurs qui n'assuraient pas déjà la surveillance dans la cour. Il y eut un bref coup de sifflet et, suivant les directives de l'adjoint, les élèves se rapprochèrent en silence à une vingtaine de pieds des enseignants placés sur une ligne, à la droite et à la gauche du directeur. Seuls la plupart des enfants de six ans, dont c'était le premier contact avec l'école Champlain, demeurèrent craintivement près de la clôture, à portée de voix de leur mère. Mais, ce matin-là, il n'y eut pas de crises de larmes chez ceux qu'on allait appeler les bébés de l'école. Les institutrices chargées de leur enseigner les rassemblèrent avec un grand sourire accueillant et les conduisirent rapidement vers leurs salles de classe. Les mères, rassurées, quittèrent une à une les lieux.

Paul pouvait enfin respirer. Il avait poussé André vers les institutrices de 1re année et il venait de voir disparaître son frère à l'intérieur de l'école. Il pouvait maintenant se concentrer sur ce qui était vraiment important, soit les nouveaux professeurs, et surtout, l'identité de celui qui allait être titulaire de sa classe.

Du coin de l'œil, il aperçut son frère Claude à quelques mètres à sa droite, en train de chuchoter avec deux copains malgré le règlement qui l'interdisait. Un vague mouvement à l'arrière lui fit deviner l'approche d'un surveillant. Claude se préparait à connaître un début d'année remarqué...

Paul cessa de se préoccuper de son autre frère pour penser à ce qui l'attendait. À son avis, cette année scolaire 1955-1956 était pleine de promesses. Élève de 7e année, il allait appartenir au groupe des aînés de l'école.

En tendant le cou, il n'aperçut aucune nouvelle figure chez les instituteurs alignés devant le mur de l'école. Maintenant, qui allait lui enseigner? Que le directeur et son adjoint soient encore Charles Bailly et Hervé Magnan importait peu. Ils étaient des personnages avec qui la majorité des élèves n'avait jamais de contact. Non, la question importante était bien l'identité de l'instituteur avec qui il allait vivre sa dernière année à Champlain.

L'adjoint demanda aux élèves d'être attentifs et d'aller se placer devant l'instituteur qui les appellerait.

Une enseignante de 2e année se détacha alors de ses collègues et, une liste à la main, elle se mit à nommer la trentaine d'écoliers qui allaient être dans sa classe. Quand ses élèves se furent placés sur deux rangs devant elle, elle les entraîna vers la porte arrière de l'école et tout le groupe disparut dans l'obscurité du sous-sol de l'établissement.

Miraculeusement, Claude Dionne avait eu la bonne idée de se taire avant l'intervention du surveillant qui se dirigeait vers lui. En cette première journée d'école, rien ne l'inquiétait. Il ne possédait qu'une certitude : la personne qui lui enseignerait ne serait plus une femme. Les institutrices n'avaient la charge que des écoliers de 1re et de 2e année à Champlain. L'école jouissait d'une telle réputation d'abriter une clientèle difficile que les autorités refusaient de confier des groupes d'enfants plus âgés à une femme.

Paul vit Étienne Séguin, un gros et grand quinquagénaire bourru, s'avancer après le départ de deux autres classes de 2e année. L'adolescent se rappelait trop bien l'année qu'il avait passée dans le groupe de cet instituteur en fin de carrière. Il faisait régner une discipline de fer dans son local grâce aux châtiments corporels qu'il distribuait généreusement. Il était célèbre dans le quartier à cause de l'épaisse courroie de caoutchouc qu'il plaçait dans la poche arrière de son pantalon. Il la maniait avec une rare dextérité. Malheur au premier qui s'avisait de vouloir lui tenir tête.

Le hasard voulut que le troisième nom de la liste du redoutable pédagogue soit celui de Claude Dionne. Quand Paul se rendit compte que son jeune frère venait de décrocher le gros lot, il ne put s'empêcher de sourire. Claude allait en voir de toutes les couleurs durant les dix prochains mois. D'ailleurs, ce dernier devait avoir entendu parler de l'instituteur parce qu'il s'avança vers lui en arborant un air mécontent.

Durant les minutes suivantes, les groupes de 4e, 5e, 6e année et deux classes auxiliaires de redoubleurs furent constitués puis acheminés à leur tour dans l'école. Il ne resta plus alors dans la cour que les grands, les élèves de 7e année.

Soudainement, Paul Dionne réalisa que Marcel Beaudry, son professeur de 6e année l'année précédente, était encore debout aux côtés du directeur, de l'adjoint et d'un enseignant de 7e année.

— Qu'est-ce que Beaudry fait là ? demanda-t-il à voix basse à Serge Allaire, un camarade debout près de lui.

L'autre n'eut pas le temps de lui répondre. Le petit homme sec et nerveux fit deux pas en avant, brandit sa liste et se mit à appeler ceux qui allaient être ses élèves dans la classe de 7ᵉ année A. Allaire fut le premier nom appelé, précédant de peu celui de Paul Dionne.

Pendant qu'il attendait que Marcel Beaudry ait fini d'appeler à lui les élus, Paul eut tout le temps nécessaire pour réaliser que l'instituteur avait changé de niveau et qu'il allait lui enseigner de nouveau durant toute l'année. À cette pensée, une étrange allégresse s'empara de lui. Il eut même envie de se frotter les mains d'aise. Sa 7ᵉ année n'allait pas manquer d'intérêt. Il héritait d'un enseignant qu'il connaissait bien et auquel il n'aurait pas à s'adapter. Bien sûr, il ne lui avait pas pardonné de l'avoir surnommé *Plaster* l'année précédente, mais lui, au moins, il ne piquait pas des crises de colère pour rien comme Lalonde qui avait la charge de l'autre classe de même niveau.

Quand le groupe se mit en marche vers l'école, Paul jeta un coup d'œil aux autres garçons qui en faisaient partie. Parfait. Il les connaissait tous et, à moins d'imprévu, aucun n'était en mesure de monopoliser le premier rang. Quelle belle année il allait avoir ! Si c'était comme les années passées, il allait pouvoir profiter de cours de natation au bain Quintal le mercredi après-midi de septembre à décembre et, surtout, il allait fréquenter la fameuse classe de menuiserie le vendredi après-midi, un privilège réservé exclusivement aux finissants de Champlain. À cette seule pensée, l'adolescent en avait des frissons de plaisir anticipé.

⚊

Ce midi-là, chacun des enfants Dionne affichait une mine différente en s'assoyant autour de la table pour dévorer le pâté chinois préparé par leur mère.

André, la mine réjouie, avait raconté en détail tout ce qu'il avait fait avec madame Mercier durant l'avant-midi. Il avait adoré sa première expérience et il n'avait qu'une hâte, retourner le plus rapidement possible à l'école.

Pour sa part, Lise avait abandonné temporairement son air boudeur coutumier.

— Je suis chanceuse, affirma-t-elle en remplissant de lait le verre de Martine. La sœur que j'ai cette année est jeune. Elle sourit tout le temps. Elle est pas bête comme ses pieds comme sœur Julien. Elle a dit qu'on était pour avoir le droit de parler de temps en temps.

— Si vous passez votre temps à jacasser, comment vous allez apprendre? lui demanda sa mère, sceptique.

— Ben, on parlera pas tout le temps, m'man. Juste des fois. Il paraît que la 7e est pas mal dure et...

— Oui, mais t'as la chance d'être en même année que Paul parce que t'as redoublé ta 5e. Quand tu vas avoir de la misère, il pourra peut-être t'aider.

— Voyons, m'man, fit l'aînée, offusquée. Je suis pas niaiseuse. Si votre chouchou a compris, moi aussi, je vais comprendre.

Jeanne ne releva pas l'impudence de sa fille.

— Et toi, Francine?

— Moi, c'est pas sûr que je vais aimer mon année. Sœur Émérentienne est une petite vieille qui passe son temps à taper partout avec sa baguette. J'ai peur qu'elle finisse par crever un œil à quelqu'un avec ça. Elle crie déjà comme un putois. J'ai pas hâte de voir ce qu'elle va faire quand la classe va commencer pour de bon.

— T'as juste à écouter et il t'arrivera rien.

Jeanne se leva un bref moment pour aller chercher une pinte de lait dans le réfrigérateur et elle revint s'asseoir au bout de la table.

— Paul, tu m'as pas dit quel professeur tu vas avoir cette année ?

— Je suis chanceux, m'man. Je vais être encore dans la classe de Beaudry, comme l'année passée, répondit l'adolescent en ne faisant aucun effort pour cacher sa satisfaction.

— Je suis bien contente pour toi, dit sa mère.

— Comme ça, tu vas pouvoir continuer à être son chouchou et à avoir des bonnes notes, intervint Lise, acide.

— T'es ben niaiseuse, toi ! répliqua son frère, fâché par la remarque. Tu sauras que j'ai des bonnes notes parce que je travaille.

— La paix, tous les deux ! leur ordonna Jeanne en se tournant vers Claude.

Assis à la place occupée habituellement par son père, Claude n'avait pas ouvert la bouche depuis son retour de l'école. Il affichait une véritable mine de condamné.

— Qu'est-ce que t'as à faire cette tête d'enterrement, toi ? lui demanda sa mère.

Le garçon ne répondit pas.

— Il est dans la classe de Séguin, répondit Paul, à sa place.

— Tant mieux, se réjouit Jeanne. Tu vas bien apprendre avec lui. Paul peut te le dire ; c'est un bon professeur.

— C'est un vieux maudit fou, explosa Claude.

— Aïe ! sois poli ! le réprimanda Jeanne. Pourquoi tu dis ça ?

— Il m'a déjà engueulé parce que...

— T'as parlé, compléta Paul. Avec lui, tu la fermes. T'as pas le choix. Où est-ce que tu t'es assis dans la classe ?

— Ben, en arrière, cette affaire. Penses-tu que j'étais pour m'installer en avant comme un téteux ? Le bonhomme a dit en entrant que les places en avant étaient pour ceux qui avaient des barniques.

— T'aurais pu au moins t'asseoir au milieu. Tu vas t'apercevoir qu'il est toujours sur le dos de ceux qui sont assis en arrière de la classe.

— En tout cas, il est mieux de pas trop m'écœurer, le bonhomme.

— Claude ! l'avertit sa mère, la mine sévère.

Le garçon se contenta de hausser les épaules.

Cet après-midi-là, chacun revint à la maison avec un sac d'école rempli de livres qui devaient être rapportés couverts et identifiés dès le lendemain matin à l'école. De plus, chaque enfant exhiba une liste de tout le matériel scolaire dont il allait avoir besoin. Pendant que Maurice, assis au bout de la table dans sa chaise berçante, se retranchait dans la lecture du journal, Jeanne distribuait à chaque enfant les cahiers lignés, les carnets de leçons et les transparents qu'elle avait achetés la semaine précédente.

— Les autres affaires, m'man ? demanda Francine.

— Attends une minute.

Jeanne disparut dans sa chambre et elle revint avec deux vieilles boîtes à chaussures dans lesquelles elle avait obligé les siens à déposer les crayons à mine, les règles à mesurer, les coffres à crayons, les gommes à effacer, les porte-plumes et les plumes lorsqu'ils étaient revenus de leur dernière journée de classe en juin.

— Est-ce qu'on prend nos affaires de l'année passée ? demanda Paul, la main sur son coffre en bois.

— Oui.

— Si c'est comme ça, protesta Francine, il va me manquer des affaires.

— Inquiète-toi pas, j'en ai acheté un peu, lui dit sa mère.

— Moi, je suis supposé commencer à écrire à l'encre, dit Claude. Séguin…

— Monsieur Séguin, le reprit sa mère.

— Monsieur Séguin a dit qu'il fallait qu'on ait une bouteille d'encre bleue. Il y a un trou sur notre bureau pour ça. Il a dit qu'il allait la remplir quand elle serait vide.

— Je le sais, fit sa mère. J'en ai une pour toi. J'ai aussi un porte-plume à cinq cennes et trois petites plumes à une cenne. Attention de pas les épointer.

Ensuite, elle alla chercher plusieurs grandes feuilles de papier brun de un mètre carré dans le but de commencer à couvrir les livres des plus jeunes.

— Vous autres, les trois plus vieux, dit-elle à Lise, Paul et Francine, vous êtes capables de couvrir vous-mêmes vos livres. Faites attention de pas gaspiller le papier.

— On n'a pas de *scotch tape* pour coller les coins ? demanda Lise.

— C'est pas nécessaire, décréta Jeanne. Si tu plies ton papier comme il faut, il va tenir. Faites quelque chose de propre et écrivez bien votre nom.

— Moi, ce que j'haïs le plus couvrir, c'est le gros caté-chisme, affirma Francine. Quand tu l'ouvres, la couver-ture tient jamais. Il est trop épais.

— Au lieu de te plaindre, la réprimanda son père en abaissant son journal, tu ferais mieux de te grouiller et de commencer à couvrir tes livres. Si t'as pas fini quand va arriver l'heure d'aller te coucher, tant pis pour toi. Tu vas finir demain matin avant d'aller à l'école.

Comme la place manquait sur la grande table de la salle à manger, Lise alla travailler dans sa chambre, tandis que Paul s'installait sur le petit comptoir près de l'évier dans la cuisine. Ce dernier détestait recouvrir ses livres de papier brun. Depuis plusieurs années, il rêvait d'être un jour assez riche pour s'acheter le papier de couleur en similicuir en vente à la mercerie située en face de l'église. Il choisirait le bleu sans hésiter. Il lui semblait que ce serait tellement plus agréable d'ouvrir des livres et des cahiers recouverts d'un tel papier.

Chapitre 25

Le cinéma

En cette troisième semaine de septembre, l'automne s'installait discrètement, comme s'il avait peur de faire fuir les derniers vestiges de l'été. Devant le presbytère de la paroisse Saint-Vincent-de-Paul, les feuilles des deux érables étaient à peine agitées par la brise. L'air était encore si doux que le curé Perreault avait entrouvert l'une des fenêtres de son bureau.

Il ne parvenait pas à se concentrer sur le rapport qu'il était en train de rédiger pour l'archevêché. Pour la troisième fois en quelques minutes, il se leva, fit le tour de son imposant bureau en chêne et alla se planter devant la fenêtre qui donnait sur la rue Sainte-Catherine. Pendant un long moment, il regarda les passagers d'un autobus descendre à l'arrêt de la rue Fullum. Un peu plus loin, il aperçut quelques rares passants qui, en ce milieu d'avant-midi, avaient l'air de n'avoir rien d'autre à faire que de se promener. Puis, l'ecclésiastique se résigna à laisser tomber le rideau qu'il avait un peu écarté pour retourner s'asseoir derrière son bureau.

Durant un instant, il pianota sur le meuble avant de se décider finalement à en entrouvrir le premier tiroir pour en tirer un petit miroir qu'il se mit à manipuler de façon malhabile pour tenter d'apercevoir l'arrière de sa tête. Depuis la veille, il avait répété la manœuvre une bonne vingtaine de fois, dans le but d'apercevoir... d'apercevoir ce que l'abbé Laverdière avait bien vu, lui. Ça tournait vraiment à l'idée fixe.

—

La veille, René Laverdière s'était présenté en retard au souper dans la salle à manger. Le vicaire s'était excusé auprès de son curé et de son confrère, et il était passé derrière son supérieur pour rejoindre sa place à table. À un certain moment, il avait dit à Damien Perreault d'un air malicieux:

— Monsieur le curé, je crois bien que vous êtes à la veille de vous peigner comme moi. Vous allez voir que c'est pas mal d'ouvrage de se cacher le crâne quand il reste juste une poignée de cheveux à étaler.

— Vous feriez mieux de changer vos verres, l'abbé, avait brutalement répondu Damien Perreault. J'en suis pas encore à perdre mes cheveux, grâce à Dieu.

— Ah! c'est drôle! s'entêta le vicaire en allongeant un léger coup de pied sous la table à l'abbé Dufour qui ne perdait rien de l'échange. J'avais pourtant bien l'impression que vous vous dégarnissiez pas mal en arrière de la tête. C'est pas une tare de devenir chauve, monsieur le curé. Ça rend pas plus laid. Regardez-moi, par exemple.

— Je suis pas d'humeur à plaisanter, l'abbé, fit sèchement le curé Perreault. Gardez donc vos farces plates pour vous.

Mais la remarque avait fait mouche et semé l'inquiétude dans l'âme du curé. Durant le reste du repas, Damien Perreault s'était cantonné dans un silence boudeur. Il s'était retiré tôt dans sa chambre où il avait passé de longues minutes à essayer d'apercevoir son début de calvitie. Comme il n'y parvenait pas, il se tâtait délicatement l'arrière de la tête du bout des doigts, sans parvenir à déceler le moindre indice.

Inutile de dire que le quinquagénaire avait passé une nuit fort agitée. Dans ses cauchemars, ses paroissiens riaient à gorge déployée en le découvrant un matin chauve comme un genou.

—

Le curé Perreault avait toujours été très fier de son épaisse chevelure ondulée. Lorsqu'elle était devenue blanche, il avait trouvé qu'elle lui conférait un air digne de bon aloi. Il la brossait plusieurs fois par jour et il ne lui serait jamais venu à l'idée de paraître en public sans s'être préalablement assuré d'être soigneusement coiffé. En fait, ce n'était qu'une petite coquetterie sans grande conséquence. Cette manie n'avait jamais été bien méchante et il aurait été l'homme le plus surpris du monde si quelqu'un avait osé lui dire qu'il était vaniteux.

— C'est pas possible, murmura-t-il ce matin-là, en se tâtant encore une fois le sommet du crâne du bout des doigts. Je ne suis pas en train de perdre mes cheveux. Dans ma famille, il n'y a pas de chauve. Seigneur, il y a bien assez que j'aie cette grosse bedaine, ajouta-t-il en se flanquant une tape sur le ventre d'un air dégoûté.

On frappa à la porte de son bureau.

— Oui, dit le curé en rangeant précipitamment son miroir dans le tiroir de son bureau.

— Je peux vous dire deux mots? demanda l'abbé Laverdière après avoir poussé la porte.

Damien Perreault réprima une grimace d'agacement en voyant son vicaire et il prit l'air de celui qui est surchargé de travail.

— Qu'est-ce qu'il y a encore ? demanda-t-il d'un ton rogue.

— Écoutez, monsieur le curé, fit l'abbé en esquissant un pas en arrière. Si vous êtes trop occupé, je reviendrai vous voir plus tard, quand vous aurez un moment libre. Il n'y a rien qui presse.

— Non, entrez et assoyez-vous, fit Damien Perreault d'une voix tranchante en déposant sa plume.

René Laverdière prit place sur la chaise placée devant le bureau en chêne.

— Bon, qu'est-ce qu'il y a ?

— Depuis la fin de l'été, monsieur le curé, je cherche un moyen d'occuper les jeunes de la paroisse durant les fins de semaine. La plupart n'ont pas l'air de savoir quoi faire de leur peau.

— Puis, qu'est-ce que vous avez trouvé ? demanda le curé pour forcer son subordonné à abréger.

— J'ai pensé que ce serait une bonne idée de leur projeter des films le samedi après-midi dans la salle paroissiale.

Damien Perreault plissa les yeux pour mieux dévisager son vis-à-vis et il lui demanda d'une voix lente et vaguement menaçante :

— Quoi ? Répétez-moi donc ça, l'abbé.

— On pourrait organiser des projections de films dans la salle paroissiale, comme le font d'autres paroisses comme Saint-Eusèbe et Saint-Pierre-Apôtre, par exemple.

— Êtes-vous tombé sur la tête, l'abbé ? Vous voulez permettre que des garçons et des filles se retrouvent pendant des heures dans le noir, et dans la salle paroissiale, en plus.

— J'ai pensé qu'on n'était pas plus bêtes que les autres paroisses qui le faisaient déjà. Je n'aimerais pas qu'on pense qu'à Saint-Vincent-de-Paul, on est trop arriérés pour être un peu à la mode.

L'abbé Laverdière savait qu'il venait de toucher un point sensible de son supérieur qui tenait à la réputation de sa paroisse.

— C'est sûr qu'on n'est pas plus bêtes que les autres, laissa tomber Damien Perreault sur un ton adouci.

— Ce ne serait pas pire qu'au cinéma Bijou ou qu'au cinéma Arcade, monsieur le curé. Ce serait même pas mal mieux parce que nous autres, on surveillerait ce qui se passe dans la salle.

— Ah oui ! Et on peut savoir comment vous allez vous y prendre ?

— J'ai pensé que les Chevaliers de Colomb et des parents accepteraient de venir nous donner un coup de main.

— Vous avez pensé ou vous en avez déjà parlé ? demanda le curé d'une voix devenue soudainement plus incisive.

Sentant le danger, René Laverdière se résigna à mentir pour sauver son projet. Il connaissait assez bien son curé pour savoir à quel point il était chatouilleux quand il s'agissait de son autorité.

— J'ai seulement pensé, monsieur le curé. Je sais que si le projet vous paraît réalisable, vous allez vouloir rencontrer les gens dont on va avoir besoin.

— Vous avez bien fait… Mais pour les films, qu'est-ce que vous allez montrer à nos jeunes ? Qui va décider ce qui est bon pour eux ?

— On peut toujours se fier au jugement de l'archevêché pour ça. On pourrait louer seulement les films qu'il recommande.

— Bon. Mais à part distraire les jeunes, quel avantage la paroisse va-t-elle tirer de tous ces dérangements ? Comment on va payer le bedeau pour le surplus de travail que ça va lui causer ? Avec quel argent on va louer ces films-là ?

Le vicaire s'attendait à ces questions depuis le début. Il s'avança sur le bout de son siège en se frottant les mains. Les préoccupations de l'administrateur chez Damien Perreault n'étaient jamais très loin et ne tardaient jamais à pointer le bout de l'oreille.

— C'est là que ça devient vraiment intéressant pour nous, monsieur le curé. On va demander aux enfants quinze cents comme prix d'entrée. C'est le même prix qu'à Saint-Eusèbe. Notre salle peut contenir jusqu'à deux cents personnes. La location du film coûte presque rien et on n'aura qu'à donner deux dollars à monsieur Tremblay pour placer les chaises et balayer la salle. Tout le reste, ce sera des profits qui viendront grossir notre petite caisse d'aide aux familles pauvres.

— Bon.

— Si les projections du samedi ont du succès, on pourrait même envisager d'en faire le dimanche après-midi, ajouta le vicaire sentant poindre la victoire.

Le curé Perreault demeura sans réaction et regarda son vicaire d'un air impavide.

— On pourrait même organiser une sorte de petit restaurant au fond de la salle, dit l'abbé Laverdière, enthousiaste. Un restaurant qui vendrait juste des chips et de la liqueur, ce n'est pas difficile à installer et ça rapporte pas mal. Si on faisait ça, on serait mieux qu'à Saint-Eusèbe qui n'a pas de restaurant. On pourrait même prendre une bonne partie de la clientèle de notre voisine avec ça.

— Savez-vous, l'abbé, fit Damien Perreault d'un air goguenard, je vous écoute parler depuis un bon moment, et je me rends compte que votre vocation était peut-être bien plus d'être commerçant que prêtre.

— J'avais peut-être l'étoffe de devenir un grand curé, répliqua le vicaire de façon assez irrévérencieuse. Ça se pourrait que personne à l'archevêché ne s'en soit encore aperçu.

Damien Perreault préféra ne pas relever l'insolence de son subordonné.

— Personnellement, l'abbé, je ne le crois pas. Le travail d'administration exigé d'un curé est si délicat que vous y auriez probablement laissé vos derniers cheveux.

Et, avant même que le vicaire ait pu formuler une dernière réplique, le curé Perreault conclut abruptement en lui disant :

— Je vais penser à tout ça à tête reposée et on en reparlera dans quelques jours.

—

Trois jours plus tard, Gustave Comtois, le trésorier des Chevaliers de Colomb, se présenta au presbytère après le souper en compagnie de Cécile Dansereau, la présidente des Dames de Sainte-Anne. Le curé Perreault les avait invités à venir le rencontrer.

La servante introduisit les deux visiteurs dans le bureau du curé. En passant devant l'abbé Laverdière qui assurait la permanence cette semaine-là, Gustave Comtois, un petit homme sec à l'air compassé, lui adressa un clin d'œil de connivence.

Pendant près d'une heure, Damien Perreault entretint ses deux paroissiens du projet de projection de films comme s'il en était l'instigateur. Quand il se fut assuré de la collaboration des membres des deux organisations paroissiales qu'ils représentaient, l'ecclésiastique se leva, ouvrit la porte de son bureau et invita l'abbé Laverdière à se joindre à ses invités.

— Monsieur l'abbé, je viens de parler à monsieur Comtois et à madame Dansereau de notre idée de cinéma paroissial. Ils ont décidé de nous apporter leur soutien.

Le vicaire adressa aux deux paroissiens un sourire de reconnaissance.

— Ils sont prêts à fournir quatre surveillants et l'un des surveillants se chargera de la comptabilité et de la vente des chips et de chocolat du restaurant. Il n'y aura pas de liqueur. J'ai parlé à notre bedeau et il m'a dit que ça ferait bien trop de dégâts sur le plancher parce que les jeunes en échapperaient partout.

— Parfait.

— Mais je vous avertis. Je vous tiens responsable de cette organisation-là. Si je reçois la moindre plainte, on arrête tout. C'est sur vous que ça va retomber.

— Pas de problème, monsieur le curé. Ça va marcher.

— En tout cas, on essaie ça jusqu'aux vacances des fêtes, ajouta Damien Perreault. Si on s'aperçoit que ça coûte plus cher que ça rapporte, on annulera.

— D'accord. Est-ce que vous avez décidé quoi faire des profits ?

— Ne vous occupez pas de ça, le réprimanda sèchement son supérieur. Les places où dépenser l'argent dans cette paroisse sont plus nombreuses que les sources de revenus.

Il y eut un temps mort avant que Gustave Comtois aborde le premier problème, et il était de taille.

— On a la salle et on a les chaises, monsieur le curé. Mais où est-ce qu'on va trouver le projecteur ?

— Et la toile ? ajouta Cécile Dansereau d'un air pincé. On est tout de même pas pour projeter les films sur un mur ou sur un drap.

On sentait que la digne dame n'était guère en faveur du projet et qu'elle n'y participait qu'à son corps défendant parce que son curé le lui avait expressément demandé.

— Ça, c'est sûr, continua le trésorier. Il faut pas oublier qu'on va tout de même charger quinze cennes.

Les jeunes sont pas bêtes. Si on leur montre pas des bons films et sur une vraie toile, ils vont aller ailleurs.

— Ne vous inquiétez pas avec ça, fit le vicaire avec un large sourire. J'ai un contact. Il est disposé à nous prêter sans frais un bon projecteur et une toile presque neuve pendant deux mois, le temps qu'on ait assez d'argent pour les payer. Il va nous les vendre au prix du manufacturier.

— Qui est-ce ? demanda le curé, soupçonneux.

— Un ami de ma famille, un bon catholique prêt à aider notre paroisse.

— Parfait, conclut Damien Perreault en se levant pour signifier la fin de la rencontre.

—

Paul Dionne n'apprit la nouvelle que par le plus pur des hasards dans la cour d'école, le dimanche suivant, au moment où son instituteur sifflait pour ordonner aux jeunes de se mettre en rangs.

À la paroisse Saint-Vincent-de-Paul, certaines traditions avaient la peau dure. Parmi les plus impopulaires chez les enfants d'âge scolaire, il y avait celle qui consistait à exiger d'eux qu'ils se présentent avant huit heures et demie chaque dimanche matin dans la cour de leur école pour signaler leur présence à leur instituteur avant de se mettre en rang. Chaque enseignant conduisait ensuite son groupe en bon ordre et en silence jusqu'à l'église, et il assurait une surveillance étroite de ce dernier tout au long de la basse messe. On ne permettait à aucun élève de joindre les rangs en cours de route, même s'il demeurait tout près de l'église. S'il n'avait pas été présent dans la cour au moment du départ, c'était considéré comme une absence et cette dernière était sanctionnée par une heure de retenue le lundi après-midi suivant.

Ce dimanche-là, Paul trouva la messe démesurément longue. Les claquements secs des claquettes en bois manipulées par une religieuse, surveillante d'une classe de filles du couvent installée dans les derniers bancs de l'église, le faisaient sursauter chaque fois.

Dès la fin de la cérémonie, l'adolescent se précipita vers un nommé Morin qui lui avait annoncé la nouvelle dans la cour de l'école sans avoir eu le temps de lui donner des détails.

— C'est quoi, ton affaire de films? demanda-t-il à son camarade de classe.

— T'en as pas entendu parler?

— Non.

— Depuis hier, on peut aller voir toutes sortes de bons films dans la salle paroissiale le samedi après-midi. Ça coûte juste quinze cennes.

— Y es-tu allé?

— Mon frère y est allé, lui. Il y a même des *cartoons*. Hier, c'était un western de Lone Ranger. Tu peux même acheter des chips pendant les vues, si ça te tente.

De retour à la maison, Paul attendit le repas du midi pour lâcher sa bombe.

— Des vrais films? demandèrent en même temps Lise et Francine, enthousiasmées par cette perspective.

— Des vrais, confirma leur frère.

— Juste pour quinze cennes? fit Claude, aussi emballé que les autres.

— Il paraît.

Maurice, qui n'avait encore rien dit, finit d'avaler sa bouchée de spaghetti avant d'intervenir.

— «Juste quinze cennes!» singea-t-il avec une certaine méchanceté. Vous êtes riches, vous autres. Votre mère et moi, on s'arrache le cœur pour vous habiller et vous nourrir, et vous êtes prêts à gaspiller de l'argent dans ces maudites niaiseries-là !

— Ben non, p'pa, voulut timidement protester Paul.

— Toi, ferme ta gueule et arrête de mettre des idées de fou dans la tête des autres ! T'as compris ?

Paul, rouge de confusion, se tut, ayant subitement perdu l'appétit en même temps que son enthousiasme pour la nouvelle qu'il venait de rapporter à la maison.

— Si jamais j'entends dire qu'il y en a un qui a dépensé une cenne pour aller voir un film, il va s'en souvenir. À cette heure, mangez et je veux plus entendre un mot.

Le silence tomba sur la salle à manger. À aucun moment Jeanne n'essaya d'intervenir. Comme son mari, elle croyait qu'il y avait des dépenses plus essentielles que le visionnement de films. Bien sûr, elle l'aurait dit autrement à ses enfants, mais…

Durant l'après-midi, la pluie se mit à tomber et les enfants durent se contenter de demeurer à l'intérieur. Juché sur le lit du haut, Paul essayait de s'intéresser à la lecture d'une bande dessinée tirée d'un vieux journal quand son frère Claude vint le rejoindre.

— Tu t'es fait parler dans la face à midi, dit-il à son aîné, à mi-voix.

— Aïe ! Commence pas, toi, fit Paul entre ses dents. De ce temps-ci, il m'écœure assez. Il est toujours sur mon dos à me donner des ordres. Il est jamais content de rien.

— Pourquoi il « se pompe » comme ça ?

— Je le sais pas, affirma Paul à voix basse. On lui a rien demandé. Il s'enrage comme si on lui avait demandé de nous payer les « petites vues ». Moi, j'ai assez d'argent pour y aller si je veux… Mais même si c'est moi qui paye avec mon argent, il veut pas. Je trouve ça écœurant !

À compter de ce jour, chez les Dionne, il ne fut plus question des projections de films qui avaient pourtant lieu chaque week-end dans la salle paroissiale. Quand les copains demandaient pourquoi on ne les avait pas vus le samedi précédent, les enfants s'inventaient des sorties ou des tâches auxquelles ils n'avaient pu échapper.

Chapitre 26

La surprise

Octobre arriva sans crier gare, apportant avec lui un ciel gris prometteur de pluies froides. Les quelques arbres du carré Bellerive situé du côté sud de la rue Notre-Dame perdaient leurs feuilles qui venaient joncher les pelouses jaunies du parc.

Le vent glacial avait chassé les gens du quartier de leur balcon. On ne les apercevait plus que fugitivement au moment de leur retour du travail ou quand ils allaient déposer leurs poubelles métalliques sur le trottoir de la rue Fullum, à l'extrémité de la grande cour. Il était passé, le temps de l'année où Armand Moreau, Marcel Ménard et Maurice Dionne, chargés d'une chaudière remplie d'eau et de chiffons, s'empressaient de laver leur voiture tôt le samedi matin. Tout était devenu froid, gris et morne.

Le passant pressé ne voyait plus que des fenêtres aveugles et il n'entendait plus que de rares cris de jeunes enfants chaudement vêtus que des parents s'entêtaient à faire jouer à l'extérieur malgré le temps froid. On aurait dit que toute la vie avait fui avec l'arrivée du mauvais temps pour aller s'abriter derrière les murs épais des vieilles maisons en brique. D'ailleurs, les locataires de la plupart des maisons de cet îlot de la rue Notre-Dame avaient déjà procédé au remplacement des persiennes par des fenêtres doubles dès le début du mois.

Bref, en cette mi-octobre, on sentait déjà l'approche de l'hiver. Les lumières étaient souvent allumées avant la fin de l'après-midi dans ces grands appartements mal éclairés et les conversations tenues d'un balcon à l'autre avaient cessé.

En ce lundi matin frisquet, chez les Dionne, Jeanne s'était presque résignée à «s'enfermer», comme elle le disait, jusqu'au printemps suivant. Même Amanda Brazeau, victime de son arthrite, ne venait plus lui rendre visite depuis une semaine.

Vêtue d'une vieille veste de laine brune, Jeanne transporta avec peine à l'extérieur un plein panier de vêtements mouillés qu'elle venait de passer dans le tordeur de sa laveuse après les avoir lavés et rincés.

— Approche-toi pas de la laveuse, dit-elle à sa petite Martine qui venait d'avoir quatre ans. Reste avec Denis et joue avec lui.

Sur ces mots, elle referma la porte derrière elle et déposa par terre son lourd panier avant de se mettre à étendre les vêtements sur sa corde dont les poulies grinçaient.

Elle jeta un coup d'œil autour d'elle. Elle ne vit du linge à sécher que sur la corde de madame Rompré.

— Pour moi, se dit-elle à mi-voix, c'est la dernière fois que je peux étendre dehors. La semaine prochaine, je vais être obligée d'étendre dans la maison.

Enceinte de sept mois, Jeanne ne s'était jamais sentie aussi lourde lors de ses précédentes grossesses. Décoiffée et le teint blême, elle avait du mal à s'étirer pour atteindre sa corde à linge. Se pencher pour puiser dans son panier lui donnait un mal de dos insupportable. Elle avait perdu depuis longtemps le léger bronzage acquis l'été précédent et elle s'essoufflait rapidement au moindre effort.

— Si cet enfant-là peut arriver, dit-elle à mi-voix en posant ses deux mains sur son ventre proéminent.

Il lui semblait qu'elle n'avait jamais été aussi grosse auparavant, et elle avait du mal à refouler une vague inquiétude.

Lorsqu'elle rentra dans la maison quelques minutes plus tard, elle sursauta en entendant un coup de sonnette rageur.

— Qui ça peut bien être en plein milieu de l'avant-midi de même ? dit-elle à haute voix en allant répondre à la porte avant.

À sa grande surprise, la future mère découvrit sur le pas de sa porte le docteur Bernier, le chapeau planté droit sur sa tête et l'air aussi peu aimable que d'habitude. Elle lui ouvrit.

— Bonjour docteur, fit-elle en adressant un sourire de bienvenue au praticien. Je pensais justement aller vous voir un jour ou l'autre à votre bureau.

Charles Bernier entra dans le vestibule et retira son chapeau.

— C'est drôle, moi, je te pensais morte, dit le praticien en examinant sans indulgence sa patiente. T'es pas venue me voir depuis le printemps passé. Qu'est-ce que t'attendais ?

— J'ai fait ce que vous m'avez dit de faire, docteur. J'ai reçu mes soixante piqûres de fortifiants.

— Ouais ? On le dirait pas à te voir.

Jeanne saisit le regard du médecin qui venait d'apercevoir la laveuse au centre de la cuisine et les vêtements sales déposés par terre et répartis selon leur couleur. Gênée, elle s'empressa de le faire passer au salon.

— Excusez-moi, je suis en train de faire mon lavage.

Charles Bernier retira son manteau noir qu'il déposa avec son chapeau sur le divan.

— Je suis venu voir un patient sur la rue Poupart. Je me suis dit que ça ferait pas de mal de faire un saut jusqu'ici, juste pour voir si tu m'avais remplacé par un docteur plus jeune.

— Bien non, docteur Bernier. Vous savez ce que c'est. J'ai commencé à recevoir les piqûres, puis les enfants sont tombés en vacances… J'avais plus une minute à moi.

— Bon, mais là, ils sont retournés à l'école et tu vas te dépêcher de t'occuper de toi et du petit qui s'en vient. Il est temps que je t'examine, tu trouves pas? Pendant que tu te prépares, je vais jeter un coup d'œil aux deux petits diables que j'ai aperçus tout à l'heure dans la salle à manger.

— Oh! docteur, la maison est tout à l'envers. Il y a encore du linge à terre. Je viens de le trier.

— Laisse faire. Je sais ce que c'est. Va te préparer et appelle-moi quand tu seras prête.

Le docteur Bernier prit sa trousse et sortit du salon. Il alla rejoindre Martine et Denis, assis sur une vieille couverture étendue sur le plancher, dans un coin de la salle à manger.

Quelques minutes plus tard, il les quitta et vint examiner soigneusement leur mère.

— Va te rhabiller, dit-il à Jeanne à la fin de son examen en retirant son stéthoscope.

Lorsque Jeanne revint dans le salon, Charles Bernier avait déjà refermé sa trousse et endossé son manteau.

— Puis, docteur? demanda Jeanne.

— Tout est correct. Tes deux derniers sont en santé. Dans ton cas, tes piqûres t'ont fait du bien. C'est ce qu'il te fallait pour te remettre d'aplomb. Si tu les avais pas eues, t'aurais jamais été capable de porter des jumeaux.

— Des jumeaux! s'exclama Jeanne dont le cœur eut un raté.

Elle avait pâli sous le choc et elle avait même senti ses jambes prêtes à se dérober sous elle.

— Ben oui! Des jumeaux! poursuivit Charles Bernier. J'entends clairement deux cœurs. Si t'étais venue me voir avant, j'aurais pu te le dire tout de suite... Mais au fond, à bien y penser, ça aurait pas changé grand-chose.

Jeanne éclata en sanglots convulsifs.

— Bon, qu'est-ce que t'as à pleurer comme une Madeleine? demanda le praticien, agacé.

— J'en ai déjà sept, se plaignit Jeanne en tentant inutilement d'arrêter de pleurer. Deux de plus, c'est pas humain... Comment je vais faire? On n'arrivera jamais à nourrir autant d'enfants.

— Tu vas te débrouiller. Neuf enfants, c'est pas la fin du monde. Nos mères en ont eu seize et même des fois dix-huit ou vingt, et ça les a pas fait mourir.

— Neuf... neuf enfants, répéta Jeanne, au bord du désespoir.

— Aïe! Ça va faire! tonna le médecin à bout de patience. Tu devrais plutôt prier le bon Dieu de te donner deux autres enfants en bonne santé au lieu de te lamenter pour rien.

— Pour rien?

— Oui, pour rien, affirma avec force le médecin. Redresse-toi un peu et conduis-toi comme une vraie mère, pas comme une enfant.

— Mon mari, lui...

— Quoi, ton mari?

— Il va faire une vraie crise quand il va savoir ça.

— S'il en fait une, appelle-moi. Je viendrai le calmer, moi, ton Maurice Dionne. C'est lui qui les a faits, ces enfants-là, non? À cette heure, il a juste à s'organiser pour les accepter et les faire vivre... En attendant, voilà deux bouteilles de tonique. Je veux que t'en prennes une grande cuillerée matin et soir.

— Oui, docteur, fit Jeanne en reniflant.

— Je suppose que tu veux accoucher ici, comme pour les autres.

— Oui. Je pensais…

— Bon. Aussitôt que t'auras tes premières contractions, tu m'appelles, tu m'entends ? Attends pas trop longtemps. C'est pas un avion que j'ai, c'est un char. Tu te connais. D'habitude, t'es une rapide. Arrange-toi pas pour accoucher toute seule.

Tout en parlant, Charles Bernier s'était dirigé vers la porte.

— Combien je vous dois pour votre visite et vos deux bouteilles de tonique, docteur ? demanda Jeanne, inquiète soudainement des honoraires à verser au praticien.

— Veux-tu pas m'achaler avec ça ! répondit Charles Bernier d'une voix bourrue. On dirait que tu penses juste à l'argent. T'es donc ben riche pour vouloir en donner à gauche et à droite. Occupe-toi plutôt de tes jumeaux qui s'en viennent et organise-toi pour qu'ils viennent au monde en santé.

Sur ces mots, le docteur Bernier ouvrit la porte et sortit.

Jeanne ne trouva jamais une journée aussi longue que celle-là. Elle ne cessait de s'inquiéter des réactions de son mari à la nouvelle qu'elle avait à lui communiquer. Elle termina son lavage et prépara le dîner des enfants comme une automate, incapable de penser à autre chose qu'à la crise que Maurice ne manquerait pas de faire en apprenant qu'il allait être père de jumeaux. La vie s'acharnait sur elle et sur sa famille. Comment allaient-ils survivre ? N'auraient-ils donc jamais droit à un peu de répit et de bonheur ?

L'après-midi se traîna lentement, même si ses appels à sa mère et à sa sœur Laure lui avaient un peu remonté le moral. Elle aurait pu prier, comme sa mère le lui avait suggéré, mais elle s'en sentait incapable, ne cessant d'imaginer la réaction violente que Maurice allait avoir.

Pour ajouter à son angoisse, à l'heure du souper, Jeanne se rappela soudainement que son mari ne rentrerait probablement pas avant neuf heures parce que, ce soir-là, il commençait à faire l'entretien des bureaux d'une petite agence. Elle était si anxieuse qu'elle fut incapable d'avaler une bouchée de nourriture.

En plus de son emploi régulier au Keefer Building, Maurice avait maintenant quatre clients chez qui il faisait le ménage une fois par semaine. Elle avait beau ne pas voir la couleur de cet argent supplémentaire qui tombait dans les goussets de son mari, il n'en restait pas moins qu'il semblait moins nerveux quand le compte d'électricité ou le loyer devait être payé. Depuis la mi-septembre, le père de famille travaillait deux soirs par semaine en plus de la journée du samedi pour satisfaire aux obligations de ce second emploi.

Ce soir-là, un peu avant neuf heures, tous les enfants étaient au lit, sauf Martine. La petite avait commencé à tousser après le souper et elle faisait un peu de fièvre. Jeanne achevait de lui faire ingurgiter une cuillerée de sirop Mathieu quand Maurice rentra, fatigué de sa longue journée de travail.

Après avoir enlevé son coupe-vent, il s'assit sur une chaise, au bout de la table. Jeanne ne dit rien. Elle renvoya Martine se coucher puis alla faire réchauffer l'assiette de fricassée de bœuf qu'elle avait conservée pour le souper de son mari, assiette qu'elle lui servit avec une tasse de café.

— Comment ça a été ? lui demanda-t-elle en faisant allusion à l'agence Remington où il avait travaillé pour la première fois.

— Pour moi, ça faisait au moins un mois que personne avait nettoyé les bureaux. Une vraie soue à cochons !

— As-tu juste les planchers à laver ?

— Non, il faut que je balaie partout, que j'époussette les bureaux, que je vide les paniers et les cendriers avant de laver les planchers. Au moins, c'est pas trop loin. C'est sur Dorchester.

Maurice continua à manger durant un instant avant de demander à sa femme sans trop marquer d'intérêt :

— Y a-t-il eu quelque chose de nouveau aujourd'hui ?

Pendant un instant, Jeanne eut envie de cacher à son mari la visite du médecin et son diagnostic. Puis, elle songea qu'elle ne voulait pas revivre une autre journée comme celle qu'elle venait de passer. Après avoir poussé un long soupir, elle décida de se jeter à l'eau.

Son hésitation n'échappa pas à Maurice qui leva les yeux de son assiette pour s'attarder sur les traits tirés de sa femme.

— Le docteur Bernier est passé à matin.

— Comment ça ? Pourquoi tu l'as appelé ? demanda Maurice en laissant tomber sa fourchette.

— Je l'ai pas appelé, se défendit Jeanne. Il était dans le coin pour voir un malade et il est arrêté en passant pour m'examiner. Il trouvait que ça faisait trop longtemps que j'étais pas allée à son bureau.

— C'est sûr, répliqua Maurice sur un ton sarcastique. Ça fait ben longtemps qu'on n'a pas été lui porter notre argent.

— Il faut être juste, Maurice. On peut pas dire qu'il exagère et qu'il fait de l'argent avec nous autres. On lui a même pas encore payé l'accouchement de Denis. En tout cas, quand je lui ai offert de le payer, il a rien voulu savoir.

— Bon, v'là au moins une bonne nouvelle, dit Maurice, rassuré… Puis, tout est correct ? demanda-t-il après un court silence.

— Oui. Il m'a examinée et il a trouvé que tout allait bien. Il a même entendu deux cœurs...

Pendant quelques secondes, Maurice Dionne continua à mastiquer la bouchée de fricassée qu'il venait de porter à sa bouche. Puis, il s'arrêta brusquement et il faillit s'étouffer en l'avalant de travers.

— Deux cœurs! C'est quoi encore, cette histoire de fou là?

— Ça veut dire que j'en attends deux, dit Jeanne à voix basse en arborant, malgré elle, un air coupable.

— Hostie, par exemple! jura Maurice en reculant brutalement sa chaise. C'est pas vrai! On va pas en avoir deux autres à nourrir!

— ...

— C'est juste à nous autres que des affaires de même arrivent! explosa Maurice Dionne. Christ! On se désâme du matin au soir pour faire vivre sept enfants et il nous en tombe deux autres d'un coup sur la tête. Moi, j'en veux pas! Tu m'entends, Jeanne Sauvé, J'EN VEUX PAS! Fais ce que tu veux avec, mais moi, j'en veux pas!

— On n'a pas le choix, dit Jeanne en élevant la voix pour la première fois. Ces enfants-là s'en viennent et on peut rien faire.

— Comment t'as fait ton compte pour me faire ça?

Au bord des larmes, Jeanne se leva et alla déposer la vaisselle sale dans l'évier de la cuisine pendant que son mari s'allumait nerveusement une cigarette. Il passa le reste de la soirée à se bercer dans sa chaise, le visage fermé, l'air d'en vouloir au monde entier.

Jeanne le laissa digérer la nouvelle sans tenter de le consoler ou de le rassurer. Pourquoi l'aurait-elle aidé? Il n'avait pas eu une seule parole de réconfort à son endroit. Il ne lui avait même pas demandé comment elle allait arriver à constituer un second trousseau en si peu de

temps. Il ne s'inquiétait pas pour elle ni pour l'accouchement. Elle le reconnaissait bien là. Tout ce qui dérangeait
son bien-être ou sa routine était laissé aux autres parce
que c'était leur faute, jamais la sienne.

Au moment de se mettre au lit, elle finit par avouer à
Maurice ce qu'elle s'était refusée à admettre toute la
journée.

— J'ai parlé à Laure aujourd'hui.

— Puis?

— Je lui ai dit que j'attendais des jumeaux.

— Et après?

— Il faut croire que j'avais pas l'air trop contente de les
avoir parce qu'elle m'a offert de les adopter.

— Les adopter? demanda Maurice, stupéfait.

— Oui. Elle peut pas avoir d'enfant. Florent et elle
sont prêts à prendre nos jumeaux dès que je les aurai mis
au monde. Elle m'a juré qu'ils seraient bien traités et
qu'ils manqueraient jamais de rien.

— Mais t'es complètement folle, Christ! Penses-tu
qu'on va donner nos enfants comme ça? Si ta sœur veut
des petits, qu'elle en fasse ou qu'elle aille les adopter dans
une crèche. Moi, mes enfants, je les garde. Elle a du front
tout le tour de la tête de venir essayer de nous voler nos
petits, celle-là!

— Elle disait ça pour nous rendre service.

— Arrête donc, toi! T'es pas assez fine pour te rendre
compte que ta sœur voulait te voler tes propres enfants!
Rappelle-la et dis-lui que c'est non. Il manquerait plus rien
que ça qu'on donne nos enfants, ajouta Maurice, franchement furieux.

Il était trop énervé pour s'apercevoir qu'à peine une
heure plus tôt, il refusait d'accueillir ces enfants-là.

— C'est un longue distance, objecta Jeanne.

— Laisse faire le longue distance. Fais ce que je te dis.

— On va attendre demain matin, si ça te fait rien. Il est bien trop tard pour appeler. Florent et Laure doivent dormir depuis un bon bout de temps.

— Tu l'appelleras quand les enfants seront partis à l'école, trancha Maurice. Il manquerait plus qu'ils pensent qu'on cherche à se débarrasser d'eux autres.

— Bon. C'est correct si c'est ce que tu veux, mais que je t'entende plus jamais dire que tu veux plus de nos jumeaux, dit Jeanne d'un ton ferme.

Maurice fit comme s'il n'avait pas entendu la menace de sa femme et il se leva pour aller mettre du bois dans la fournaise du couloir.

— T'essaieras de me trouver un autre lit de bébé, poursuivit Jeanne. Après mon accouchement, on va les installer tous les deux dans notre chambre. Denis est assez vieux pour aller coucher dans le grand lit du bas, dans la chambre des garçons.

Chapitre 27

Un achat extraordinaire

Au début d'août, la mercerie des sœurs Messier de la rue Sainte-Catherine, voisine de la fruiterie Decelles, ferma ses portes. Durant quelques semaines, il fut impossible de savoir quel commerçant viendrait s'installer dans ce local parce que la vitrine était occultée par du papier brun. Comme ce magasin n'était pas situé sur le chemin de l'école Champlain, Paul Dionne l'avait à peine remarqué les rares fois où il était passé devant.

Le jeudi matin de la dernière semaine de septembre, son copain Leclerc se précipita vers lui en le voyant dans la cour de l'école. Comme d'habitude, il n'arrivait qu'une ou deux minutes avant que la cloche ne sonne.

— Aïe ! Dionne, il faut que tu viennes avec moi après les confessions, s'empressa-t-il de dire. Je vais te montrer quelque chose de rare.

— Où ça ?

— C'est pas loin. Sur Sainte-Catherine. T'en reviendras pas. Attends-moi en sortant de l'église. Je pense qu'on va aller à la confesse assez tard pour pas être obligés de revenir à l'école avant le dîner.

Le petit blond au chandail troué à une épaule faisait allusion à la confession obligatoire à l'église paroissiale à laquelle les élèves devaient se rendre la veille de chaque premier vendredi du mois.

Le copain de Paul ne s'était pas trompé. Les élèves de 7e année ne quittèrent l'école en rangs et en silence qu'un peu après dix heures. Paul n'aperçut Leclerc qu'au moment où son groupe pénétrait dans l'église. Il lui fit un signe discret de la main.

Les élèves de 7e année A s'installèrent dans les bancs, à l'avant de l'église, et les enseignants laissèrent une dizaine de bancs libres entre ce groupe et celui de 7e année B auquel appartenait Jean Leclerc.

Les élèves virent les abbés Laverdière et Dufour traverser le chœur et faire une rapide génuflexion devant l'autel avant de se diriger chacun vers l'un des confessionnaux situés du côté droit de l'église. L'un et l'autre portaient un surplis blanc et une étole mauve. Dans la semi-obscurité qui régnait dans le temple, les lumières placées au-dessus de la porte de deux confessionnaux s'allumèrent en même temps et les confessions commencèrent selon un rituel bien rodé.

Tous les écoliers étaient assis en silence pour faire leur examen de conscience. Au signal de l'instituteur, quatre élèves se levèrent. Les deux premiers allèrent s'agenouiller dans les deux isoloirs placés à gauche et à droite du confesseur pendant que les deux autres se tenaient debout, à quelques pieds de chacun des isoloirs, prêts à aller se confesser à leur tour.

Ils savaient tous comment le sacrement de la pénitence était administré. Le prêtre ouvrait un guichet et se penchait vers le pénitent pour l'entendre réciter la formule consacrée servant d'introduction à l'énumération de ses fautes. Après avoir posé une ou deux questions pour s'assurer que l'élève n'avait rien oublié dans un recoin de sa conscience, il lui donnait l'absolution assortie d'une pénitence qui allait d'une dizaine de chapelet à un chapelet complet, selon la gravité des fautes confessées. Après avoir promis de ne plus recommencer, le pénitent quittait le confessionnal et le guichet se refermait dans un bruit sec. L'élève suivant prenait la place libérée pendant que le confessé allait s'agenouiller à sa place pour exécuter sa pénitence.

Cet avant-midi-là, lorsque tous les élèves du groupe se furent confessés, Marcel Beaudry donna le signal du départ. Habituellement, il ramenait tout le groupe à l'école s'il s'était produit la moindre indiscipline durant les confessions ou s'il restait plus d'une heure avant le dîner. Autrement, il libérait les élèves dès que le dernier d'entre eux avait posé le pied sur le parvis de l'église. Comme il était un peu plus de onze heures, l'enseignant dit à ses élèves d'aller dîner.

Comme promis, Jean Leclerc entraîna Paul Dionne de l'autre côté de la rue Sainte-Catherine.

— Il faut pas que ce soit trop loin, l'avertit Paul. Ma mère haït ça quand on arrive en retard au repas.

— Ben non, énerve-toi pas, fit Leclerc. C'est juste à côté de chez Decelles.

Ce disant, les deux adolescents s'arrêtèrent devant l'ancienne mercerie. Le magasin portait maintenant le nom de Ameublements Beaulieu. Une énorme banderole rouge sur laquelle était inscrit le mot « Nouveau » pendait au-dessus d'un étrange appareil de près de cinq pieds de longueur. Ce dernier occupait tout le centre de la vitrine. De toute évidence, les deux fauteuils noirs et la petite table de salon en acajou n'avaient été posés près de ce meuble que pour le mettre en évidence.

— Regarde ! dit Leclerc d'un air triomphant.

— J'espère que tu m'as pas fait marcher tout ça pour me montrer ce gros radio-là, protesta Paul, l'air un peu dégoûté.

— C'est pas un radio, c'est une nouvelle patente. Mon père dit qu'ils appellent ça une télévision. Je suis venu voir ça hier soir. Le propriétaire du magasin l'allume le soir. Tu me croiras pas, mais ça montre des films, cette affaire-là. C'est difficile à croire, hein ? Mon père est allé en voir une vendredi soir passé dans un magasin de la rue Mont-Royal. Il dit qu'on entend aussi les acteurs parler.

— Dans cette affaire-là ? demanda Paul, en montrant l'appareil d'un air sceptique. Mais là, on voit rien.

— C'est sûr qu'on voit rien. Ça marche juste le soir. Hier soir, je suis venu voir, j'ai rien entendu parce que le magasin était fermé, mais j'ai vu par la vitrine. Je te le dis, c'est comme aller aux vues.

Paul, incrédule, colla son nez contre la vitrine pour mieux regarder cette merveille.

— Il faut que tu viennes voir ça un soir, ajouta son ami, enthousiaste. Tu le regretteras pas. Mon père dit que le propriétaire la laisse marcher toute la soirée dans la vitrine, même si le magasin est fermé.

— Tu peux être certain que je vais essayer, lui promit l'adolescent, alléché par la description donnée par son copain.

Le soir même, Paul parla du téléviseur durant le souper. Il n'osa pas avouer qu'il était allé en voir un chez Beaulieu parce qu'on lui aurait reproché de traîner après l'école. Mais il raconta que des gars de sa classe en avaient vu un chez Beaulieu et qu'ils l'avaient vu fonctionner dans la vitrine.

— Une autre affaire de fou, décréta Maurice. Pour moi, ça vaudra jamais un bon radio et ça doit coûter une fortune. Ça poignera jamais, une affaire comme ça. C'est pas fait pour le monde ordinaire. J'ai vu de la publicité dans le journal. Ils vendent ça jusqu'à six cents et même sept cents piastres.

Chez les Dionne, il n'y avait qu'une radio et elle était posée en permanence sur le réfrigérateur, hors de la portée des enfants.

Maurice n'était pas un grand amateur d'émissions radiophoniques, mais il ne détestait pas écouter *Un homme et son péché*, *Le Survenant*, *Nazaire et Barnabé* ou les blagues de Berval et de Gamache. Par contre, Jeanne allumait l'appareil dès le départ des enfants pour l'école. Elle aimait toutes les émissions tout en ayant une nette prédilection pour *Chez Miville* et *Je vous ai tant aimé*. Bref, sans le dire ouvertement, elle partageait l'opinion de son mari. La télévision ne parviendrait jamais à détrôner la radio. Elle n'était qu'une nouveauté appelée à disparaître rapidement.

Le parti pris de ses parents n'empêcha pas Paul d'avoir envie de voir un téléviseur transmettre des images, mais pour y arriver, il aurait fallu qu'il puisse sortir après le souper, une permission jamais accordée aux enfants Dionne durant l'année scolaire. Par conséquent, l'adolescent demeura avec son envie inassouvie… du moins pendant quelques semaines.

—

Un peu plus d'une semaine après avoir appris la naissance prochaine de jumeaux, Maurice revint de son travail le vendredi soir en affichant un petit air mystérieux qui intrigua les siens.

— Qu'est-ce qui se passe ? finit par demander Jeanne après le souper.

— Rien, laissa-t-il tomber.

— Maurice, je te connais comme si je t'avais tricoté, reprit sa femme. Qu'est-ce que tu mijotes ? Pas encore un changement de char, j'espère !

— Ben non. Parle donc avec ta tête. Mon char va ben. Pourquoi je le changerais? Non, j'ai une surprise pour vous autres.

— C'est quoi la surprise? demanda la petite Martine en s'approchant de son père.

— Ça, vous le saurez demain avant-midi, pas avant. Tout ce que je vous conseille, c'est de pas trop vous éloigner de la maison demain matin, conclut Maurice qui était au septième ciel d'être le centre de l'attention de tous.

— Voyons, p'pa, vous êtes pas pour nous faire attendre jusqu'à demain, protesta Lise au nom de ses frères et sœurs.

— Gages-tu, la grande? répliqua son père, malicieux.

— T'es pas raisonnable, Maurice, dit Jeanne avec un demi-sourire. Tu nous mets l'eau à la bouche, et après ça, tu dis plus un mot.

— Non, vous verrez demain.

Sur ce, Maurice alla chercher dans sa chambre un roman usagé de X-13, payé dix cents dans une tabagie voisine de la banque, coin Sainte-Catherine et Dufresne, et il s'installa dans sa chaise berçante pour le lire.

À la vue de leur père se plongeant dans une activité aussi inhabituelle, les enfants, dépités, comprirent qu'ils ne parviendraient pas à lui arracher plus d'informations. Ils durent se rabattre en ronchonnant sur leurs devoirs de week-end dont ils avaient pris l'habitude de se débarrasser le vendredi soir.

Quand arriva l'heure du coucher, Francine tenta d'amadouer son père pour lui tirer les vers du nez.

— Envoyez donc, p'pa, dites-moi ce qui va arriver demain. Je le dirai pas à personne. Promis!

— Embrasse-moi et va te coucher, toi, dit Maurice en riant. Tu sauras rien de plus que les autres en venant me minoucher.

Avant de se mettre au lit, le père de famille alla dans le salon pour repousser le divan et déplacer la table basse qu'il déposa sous l'unique fenêtre de la pièce.

— Veux-tu bien me dire quel mauvais coup tu nous prépares, toi? lui demanda sa femme avec un rien d'inquiétude dans la voix.

— Attends demain. Tu verras ben.

— Tu vas pas faire le ménage chez un de tes clients demain?

— Non, je me suis arrangé pour le faire lundi soir.

⬥

En ce dernier samedi matin d'octobre, la pluie battait les fenêtres et un vent violent poussait les feuilles des érables du carré Bellerive au fond du stationnement de la Dominion Oilcloth.

Levé dès six heures, Maurice avait allumé la fournaise du couloir et le poêle à bois de la cuisine pour réchauffer l'appartement où la température était glaciale et humide.

Un à un, les enfants se levèrent. Paul et Lise firent griller du pain en aplatissant les tranches avec une spatule sur le dessus de la fournaise. L'odeur de ce pain grillé était si appétissante que les plus jeunes ne parvenaient pas à s'en rassasier.

— Ça va faire pour les toasts, décréta leur père. Vous êtes pas pour manger deux pains en toasts pour déjeuner. Limitez-vous un peu!

Un peu plus tard, pendant que les trois aînés attendaient avec impatience le début de *Zézette*, leur émission radiophonique préférée, leur père se mit à faire les cent pas entre le salon et la salle à manger. Il était si énervé qu'en entendant la fameuse phrase de Jeanne-d'Arc Charlebois: «C'est l'fun qui commence!» il alla baisser le volume de la radio. Il avait écarté les rideaux masquant l'unique fenêtre du salon et il semblait épier la rue Notre-Dame, comme s'il attendait quelqu'un.

Paul allait protester qu'ils n'entendaient plus rien quand il saisit le regard d'avertissement que sa mère lui adressait. Vu l'état d'esprit de son père, il était mieux de se taire et de tendre l'oreille pour entendre les explications données par Ovila Légaré à sa fille incorrigible.

Soudainement, les enfants virent leur père aller ouvrir la porte du vestibule, puis la porte d'entrée. Il parlait à quelqu'un sur le trottoir.

— Enlevez-vous du courant d'air, commanda-t-il à Martine et à André qui s'étaient avancés dans le couloir pour voir de quoi il s'agissait.

Maurice recula pour laisser entrer dans l'appartement deux hommes transportant avec peine une grande boîte de carton qui semblait assez lourde.

— La première porte à droite, leur indiqua Maurice.

Les deux livreurs déposèrent leur colis au centre du salon pendant que Maurice refermait la porte d'entrée derrière eux. Jeanne et les enfants s'étaient entassés dans la pièce communicante voisine, la chambre à coucher, et ils regardaient la boîte en essayant de deviner ce qu'elle contenait.

— On va vous l'ouvrir, déclara le plus jeune des livreurs à Maurice.

— Non, laissez faire. Je suis capable de m'en occuper.

— C'est peut-être mieux qu'on le fasse, monsieur, reprit l'autre livreur. Si le meuble est égratigné ou s'il y a eu quelque chose de brisé durant le transport, vous aurez juste à le refuser et le magasin va être obligé de vous le remplacer tout de suite.

— OK. Allez-y d'abord.

En moins d'une minute, les deux hommes éventrèrent le carton et firent apparaître devant les yeux éblouis des enfants un magnifique téléviseur Admiral. Pendant que les deux employés du magasin d'ameublement rassemblaient les morceaux de carton, Maurice examinait soigneusement le meuble en chêne dans lequel l'appareil était encastré. Il était impeccable.

— Où est-ce que vous voulez qu'on vous l'installe ? demanda l'un des deux hommes en faisant signe à son collègue de soulever le meuble.

— Dans le coin, répondit Maurice en indiquant l'encoignure du salon qu'il avait libérée la veille.

— On va vous brancher les oreilles de lapin, dit le même livreur en plaçant sur le meuble une petite antenne qu'il brancha rapidement à l'arrière du téléviseur.

— Bon, attention, on l'allume ! annonça l'autre livreur en se tournant vers les enfants que la surprise laissait sans voix.

Ces derniers, toujours debout dans l'encadrement entre le salon et la chambre à coucher de leurs parents, braquèrent leurs yeux sur l'écran.

L'écran demeura noir durant un long moment, le temps que les lampes chauffent. Finalement, un dessin étrange et assez flou apparut. Une fois l'antenne bien orientée, l'image devint une tête d'Amérindien.

— L'image est ben correcte, déclara le plus jeune des livreurs à Maurice. Vous avez là une vraie belle télévision, monsieur. Avec Admiral, il y a pas de problème ; vous avez une bonne garantie si jamais quelque chose brise.

Maurice remercia les deux hommes et il les accompagna jusqu'à la porte d'entrée. Quand il revint dans le salon, il alla immédiatement éteindre l'appareil.

— Restez pas là pour rien, dit-il aux siens. Il y a rien à la télévision avant six heures.

Toute la famille reflua vers la salle à manger. Maurice alla chercher un Coke dans le réfrigérateur et s'alluma une cigarette d'un air satisfait.

— Puis, qu'est-ce que vous pensez de ma surprise? demanda-t-il.

Jeanne, qui s'était difficilement retenue devant les livreurs, ne put attendre davantage pour laisser éclater sa mauvaise humeur.

— Ma foi du bon Dieu, t'es pas raisonnable, Maurice Dionne! Acheter une télévision avec tout ce qui s'en vient! On a de la misère à joindre les deux bouts. On tire le diable par la queue. Toi, tu vas dépenser… Combien ça t'a coûté, cette affaire-là?

— C'est pas de tes maudites affaires! explosa à son tour son mari, toute sa bonne humeur soudainement envolée. Si j'ai acheté ça, c'est que j'en avais les moyens. Inquiète-toi pas; j'ai pas emprunté pour l'acheter.

Un à un, les enfants quittèrent discrètement la pièce, peu désireux d'être mêlés à une autre des nombreuses disputes dont l'argent était l'enjeu.

— Avec cet argent-là, on aurait pu se payer des affaires bien plus urgentes, ajouta Jeanne, un ton plus bas.

— Je l'ai gagné, cet argent-là. J'aurais pu le boire ou changer de char. Ben non, j'ai décidé de vous faire plaisir et de vous acheter quelque chose que personne dans le coin a encore. Et toi, tout ce que tu trouves, c'est de venir m'écœurer!

— Une télévision! Qu'est-ce que le monde va penser de nous autres? Une famille de neuf enfants, pauvre comme la gale, mais avec une télévision dans le salon…

— Ça regarde pas personne. On doit rien à personne. On a encore le droit de faire ce qu'on veut, Christ! protesta son mari avec véhémence.

Jeanne renonça à poursuivre la discussion. Comme d'habitude, elle était encore la première à déposer les armes. Maurice s'enferma dans un silence plein de rancœur et ne desserra pas les lèvres jusqu'au souper. Assis dans sa chaise berçante, il se contenta de se bercer, regrettant déjà d'avoir dépensé cinq cents dollars sur un coup de tête. Il ne savait même plus ce qui l'avait motivé quand il était entré chez Living Room Furniture, la veille, après son travail. Pourquoi avait-il acheté ce téléviseur ? Pour se faire plaisir ? Pour faire plaisir aux siens ? Pour épater la famille et les voisins ? Il ne s'en rappelait plus.

Ce n'est qu'à la fin de l'après-midi qu'il se décida à ouvrir la bouche.

— Fais à souper de bonne heure, dit-il sèchement à sa femme. La télévision commence à six heures.

Ces simples mots mirent fin au conflit et à la bouderie qui avaient gâché cette journée pourtant mémorable.

Chez les Dionne, le bœuf haché et la purée de pommes de terre servis au souper furent vite avalés tant on était impatient d'aller admirer la nouveauté qui trônait dans le salon depuis la fin de l'avant-midi. Après le lavage de la vaisselle, Maurice établit les règles qui allaient régir l'usage du téléviseur.

— Personne s'assoit sur les fauteuils du salon, dit-il aux siens. Les divans sont pas neufs, mais on n'est pas pour les ruiner. Votre mère et moi, on va prendre nos chaises berçantes. Vous autres, vous pouvez vous asseoir à terre sur des coussins ou sur vos oreillers. Vous allez être ben mieux de même. Vous allez être juste à la bonne hauteur pour regarder la télévision.

En moins de temps qu'il ne fallut pour le dire, les enfants se munirent d'un coussin ou d'un oreiller et ils vinrent s'asseoir aux pieds de leurs parents.

Maurice alluma le téléviseur et, comme par magie, la tête d'Amérindien apparut à nouveau sur l'écran.

— Bon, c'est pas encore commencé. Écoutez-moi ben, dit-il à ses enfants. Je veux jamais en voir un allumer la télévision. Et assoyez-vous pas trop près parce que c'est mauvais pour les yeux. On va éteindre les lumières. On n'est pas pour dépenser pour rien de l'électricité. À partir d'à soir, vous aurez le droit de la regarder jusqu'à huit heures, pas une minute de plus, et à la condition que vos devoirs soient tous faits.

À ce moment-là, l'image fixe disparut de l'écran et les Dionne purent voir pour la première fois de leur vie une émission télévisée. Cela les émerveilla, même si, durant la soirée, les émissions en langue anglaise – langue qu'ils ne comprenaient pas – étaient beaucoup plus nombreuses que celles en langue française.

À l'instant où le *Jackie Gleason Show* commençait, Maurice envoya coucher ses enfants. Paul quitta le salon à regret. Il aurait donné tout au monde pour continuer à regarder le petit écran.

— C'est chien de nous envoyer coucher, contesta Claude avec mauvaise humeur, une fois entré dans la chambre des garçons, à l'autre extrémité de la maison. On dérangeait pas personne, là. On disait pas un mot. Maudit que c'est plate !

— Ferme ta boîte, chuchota Paul. Tu vas réveiller Denis.

Pour sa part, Jeanne fut conquise par la télévision dès le premier soir. Lorsque Radio-Canada annonça soudainement la fin de ses émissions en faisant entendre l'hymne national à onze heures, elle sursauta.

— Est-ce que c'est déjà fini ? demanda-t-elle à son mari.

— Ben oui. Tu me diras pas que c'est pas le fun, lui fit remarquer Maurice d'un air triomphant en se levant pour éteindre l'appareil.

— Il faudrait être difficile. Je trouve même de valeur que ça finisse d'aussi bonne heure.

Maurice était heureux de voir que son achat était enfin apprécié à sa juste valeur.

— Il faut quand même pas exagérer, la réprimanda son mari. Ça fait plus que quatre heures que la télévision marche. Les lampes chauffent. Il faut pas s'organiser non plus pour passer à travers dès le premier soir. À part ça, je trouve qu'arrêter autour de onze heures, c'est une belle heure. Il faut se lever le lendemain.

Jeanne ne trouva rien à ajouter. Pendant que Maurice rapportait les deux chaises berçantes dans la salle à manger, elle alla réveiller les garçons pour qu'ils aillent aux toilettes avant la nuit.

De retour dans sa chambre à coucher, elle retrouva Maurice en train de se préparer pour la nuit.

— Qu'est-ce que tu dirais si on invitait mon frère à venir regarder la télévision demain soir ? lui demanda-t-il. Le « cheuf » va être vert de jalousie quand il va voir qu'on a été capables de se payer ça.

— J'espère que c'est pas pour ça que tu veux l'inviter, rétorqua Jeanne en connaissant d'avance la véritable réponse.

— Ben non, c'est juste pour lui montrer, protesta Maurice avec une certaine hypocrisie.

Maurice ne pouvait vraiment pas résister au besoin de démontrer à sa famille que son emploi de concierge lui permettait de s'offrir un luxe qu'eux-mêmes ne possédaient pas encore.

—

Le lendemain soir, Adrien et Simone, accompagnés de leurs trois enfants, arrivèrent au 2321, rue Notre-Dame sur le coup de sept heures.

Dès leur entrée dans la maison, Maurice s'empressa de les conduire au salon où le téléviseur était déjà allumé.

— Ah cré maudit! s'écria Adrien en ouvrant de grands yeux en découvrant l'appareil.

— Qu'est-ce que t'en penses? lui demanda fièrement son hôte.

— C'est toute une télévision que tu t'es payée là, Maurice! s'exclama son frère aîné avec suffisamment d'envie pour lui faire plaisir.

— Elle est vraiment belle, ajouta Simone en tendant son manteau à Lise qui s'était avancée pour débarrasser son oncle et sa tante.

Francine et Paul s'occupaient déjà de leurs trois cousins qui n'avaient d'yeux que pour le gros téléviseur Admiral.

Avant l'arrivée des visiteurs, Maurice avait exigé la disparition de tous les coussins et oreillers du salon. Par conséquent, comme tout le monde s'installait dans cette pièce pour regarder l'émission en cours, certains enfants durent s'asseoir sur le parquet, faute de place sur le divan et les deux fauteuils.

— Maudit, as-tu gagné le Sweepstake pour te payer une affaire de même? demanda Adrien en vérifiant du bout des doigts la position de sa perruque.

— Ben non, fit Maurice en riant. Assoyez-vous. Ça faisait longtemps que je pensais à en acheter une. Avec ça, les soirées sont pas mal moins longues, je te le garantis.

Pendant un long moment, Adrien, Simone et leurs enfants fixèrent le petit écran comme s'ils étaient hypnotisés par lui.

— Sais-tu que cette affaire-là va faire mal aux cinémas, finit par dire Adrien d'un air entendu. Ceux qui vont acheter ça auront plus le goût pantoute d'aller payer pour voir un film. Ils vont l'avoir gratuitement ce film-là, chez eux, ben au chaud.

— Mais c'est tellement cher, dit Maurice avec l'espoir que son frère lui demande le prix payé pour son appareil.

— Tu sauras me le dire dans une couple d'années, dit Adrien d'un air averti. Je suis certain que les prix vont baisser et de plus en plus de gens vont en acheter. Là, le monde attend pour voir si ça va être résistant. Quand les compagnies vont avoir amélioré leurs télévisions, tu vas t'apercevoir qu'il va s'en vendre pas mal.

Le visage de Maurice se rembrunit un peu parce qu'il venait de percevoir dans les dernières paroles de son frère une critique à peine voilée.

— En tout cas, ajouta Simone, j'espère que ça nuira pas au radio. Je suis ben prête à me passer de télévision encore un bout de temps, mais pas du radio.

Jeanne se mit à discuter à mi-voix avec sa belle-sœur de leurs émissions radiophoniques préférées pendant que les deux frères tentaient de suivre le *Ed Sullivan Show* qu'ils voyaient tous les deux pour la première fois.

Vers dix heures, Adrien donna le signal du départ aux siens.

— Bon, on s'ennuie pas, dit-il à Jeanne et à Maurice, mais il faut qu'on y aille. Les enfants vont à l'école demain et moi aussi, je travaille de bonne heure.

Avant de quitter l'appartement des Dionne, Adrien et sa femme tinrent à réitérer leurs félicitations pour l'achat du téléviseur.

— Vous êtes ben chanceux, leur dit Adrien avant de sortir. Vous avez une ben belle télévision.

Maurice et Jeanne les remercièrent d'être venus veiller avec eux.

— Si je te revois pas avant ton accouchement, ajouta Simone à voix basse à sa belle-sœur, je te souhaite bonne chance. Si t'as besoin d'aide, donne-moi un coup de téléphone. C'est entendu qu'on va venir chercher Denis et Martine aussitôt que le travail aura commencé.

— Quelle que soit l'heure, Maurice, tu nous appelles, hein! fit-elle en se tournant vers son beau-frère.

— C'est promis.

Quand la porte se fut refermée sur les visiteurs, Jeanne ne put s'empêcher de dire à son mari :

— Adrien et sa femme, c'est du bon monde. Ils sont toujours prêts à rendre service. En plus, ils oublient jamais la fête de Paul.

— Ouais, fit Maurice, mais le «cheuf» aime ça donner des leçons aux autres. Et moi, ça m'écœure. T'as vu? Il m'a jamais demandé combien ma télévision m'a coûté. Il est ben trop jaloux pour ça. De toute façon, lui, il est trop *cheap* pour se payer une affaire comme ça.

—

La semaine suivante, Maurice finit par se lasser de montrer son acquisition tant à la parenté qu'aux voisins. Jeanne allait entrer dans son neuvième mois et les longues visites en plus de sa tâche quotidienne commençaient à la fatiguer.

Lorsque la procession des admirateurs eut pris fin, les enfants Dionne goûtèrent enfin aux plaisirs de regarder la télévision. Maurice leur permit de regarder leurs émissions préférées comme *Le Grenier aux images* de grand-père Caillou, le vendredi, ainsi que *Pépino et Capucine*, le dimanche soir.

Le père découvrit rapidement que la télévision pouvait représenter un merveilleux moyen supplémentaire pour discipliner ses enfants. À la moindre incartade, il privait le fautif de télévision. Cette privation devint rapidement la pire punition qu'il pouvait infliger.

Chapitre 28

La maladie

Novembre 1955 débuta de façon remarquable en recouvrant tout le paysage de quatre pouces de belle neige blanche dès sa première nuit.

Ce lundi matin là, à leur lever, les enfants découvrirent, émerveillés, un paysage tout blanc. Toute la grisaille de l'automne s'était mystérieusement évanouie durant leur sommeil. La terre de la grande cour, les autos stationnées et les déchets poussés par le vent étaient disparus comme par magie. Soudain, tout était plus clair et plus gai que d'habitude.

Ce matin-là, Jeanne eut beaucoup de mal à faire déjeuner ses plus jeunes qui voulaient se précipiter à l'extérieur pour avoir le temps de se confectionner des balles de neige avant qu'elle ne fonde.

— Elle fondra pas; il fait ben trop froid pour ça, déclara Paul qui revenait de servir la messe. On gèle ben raide.

— Ça, ça veut dire que vous mettez vos bottes, votre tuque et vos mitaines avant de sortir dehors, fit Jeanne avec impatience, en beurrant une rôtie pour le petit Denis.

— Ça glisse mal avec des bottes, protesta Claude.

— Toi, que je t'attrape pas à glisser avec tes nouvelles bottes, tu m'entends ? Il y a rien de pire que ça pour passer à travers. On n'a pas les moyens de t'en acheter d'autres cette année.

— Ben non, je glisserai pas, dit Claude en se levant de table.

— Pas de lançage de balles de neige non plus, lui commanda sa mère. Tu peux crever l'œil de quelqu'un avec ça.

— OK.

— Si j'apprends que t'as fait le malcommode en t'en allant à l'école, tu vas avoir affaire à ton père quand il va revenir de travailler.

Les dernières paroles de Jeanne se perdirent dans le bruit de la porte que Claude ferma bruyamment derrière lui en sortant. Il avait été le premier habillé et il s'amusa à frapper à la fenêtre de la cuisine pour narguer ceux et celles qui n'avaient pas encore fini de déjeuner.

Lorsque Paul et André quittèrent la maison pour prendre le chemin de l'école, Claude ne les accompagna pas. Il préféra attendre l'arrivée de Lise et de Francine à l'extrémité de la grande cour pour leur mettre de la neige dans le cou. Aussitôt son mauvais coup perpétré, il s'enfuit en riant.

— Attends à midi, toi, lui crièrent ses sœurs en colère. Tu vas en manger toute une.

Seul un éclat de rire leur répondit.

❧

Mais cette première journée de novembre allait se révéler riche en surprises.

Vers dix heures et demie, Hervé Magnan, l'adjoint du directeur, vint frapper à la porte de la 7e année A. Marcel Beaudry alla lui ouvrir. Il y eut un bref chuchotement entre l'instituteur et l'adjoint.

— Dionne, viens ici, lui ordonna son enseignant, en maintenant la porte de la classe entrouverte.

En entendant son nom, Paul sentit le sang refluer de son visage et il eut du mal à se rendre à l'avant de la classe tant il se sentait les jambes molles. Qu'est-ce qu'il avait bien pu faire de mal pour que Magnan vienne le chercher en pleine classe ?

— Prends ton manteau et suis-moi, lui ordonna Hervé Magnan pendant que Marcel Beaudry refermait la porte de la classe dans le dos de l'adolescent.

Paul alla prendre son manteau et ses bottes dans le vestiaire, la petite pièce annexe de la classe, et il suivit l'adjoint, à demi mort d'inquiétude.

Sans un mot, ils descendirent un étage et ils prirent la direction des bureaux, lieu où Paul n'avait jamais mis les pieds durant les six années qu'il avait fréquenté l'école Champlain. Par la porte ouverte du secrétariat, il sursauta en découvrant son frère André assis sur une chaise devant le bureau de la secrétaire de l'école. Le gamin portait déjà son manteau et ses bottes.

— Ton petit frère est malade, déclara Magnan en entrant dans la pièce. Je pense que t'es mieux de le ramener à la maison.

— Oui, monsieur, dit Paul, immensément soulagé de ne pas avoir été pris en faute.

— Tu diras à ta mère qu'on a essayé de la contacter par téléphone, mais la ligne était toujours occupée.

— Oui, monsieur.

— Reviens pas avant le dîner ; ça vaut pas la peine. Passe par la porte d'en avant.

— Merci, monsieur.

Paul entraîna avec lui son jeune frère. Ils descendirent l'escalier extérieur et prirent le chemin de la maison.

Dès son arrivée à la maison, Jeanne s'empressa de prendre la température de son troisième fils et elle le mit au lit.

— Qu'est-ce qu'il a ? demanda Paul.

— Il fait de la fièvre et il tousse. Je le sais pas encore. Je lui ai donné une aspirine et un peu de sirop. On va le laisser dormir. Après le dîner, je vais aller voir dans mon livre ce qu'il peut bien avoir.

Après le départ des enfants pour l'école, Jeanne alla poser une main sur le front d'André. La fièvre n'était pas tombée et le malade eut une quinte de toux sèche en s'éveillant à demi. Jeanne lui donna une autre cuillerée de sirop Mathieu et le borda.

Elle alla chercher dans le dernier tiroir de son bureau, sous une pile de vêtements, un petit livre qu'elle rapporta dans la salle à manger. *Médecine pour tous* était un petit volume commandité par une compagnie pharmaceutique que le docteur Bernier lui avait offert quelques années auparavant. Depuis, Jeanne l'utilisait régulièrement quand l'un des siens présentait des symptômes de maladie infantile qu'elle ne reconnaissait pas.

Dans le cas d'André, elle était certaine qu'il ne s'agissait ni de la rougeole, ni de la varicelle. Paul et Francine avaient eu ces deux maladies et elle en aurait immédiatement reconnu les signes extérieurs. Elle se mit à feuilleter le livre. Au mot « scarlatine », elle vit que la fièvre était le plus souvent accompagnée d'une toux sèche et de points rouges dans la saignée des bras.

Elle se précipita dans la chambre des garçons pour examiner les bras du malade. Les points rouges étaient bien présents. Comme l'auteur recommandait de prévenir son médecin dans un cas semblable, Jeanne décida d'appeler immédiatement le bureau du docteur Bernier. Elle expliqua la maladie d'André à la secrétaire du médecin.

Cette dernière lui promit de prévenir le docteur dès qu'il reviendrait de la tournée de ses malades, mais elle l'avertit qu'elle ne l'attendait pas avant l'heure du souper.

Un peu rassurée, Jeanne raccrocha.

Durant l'après-midi, elle confectionna un lit à André sur le divan du salon pour que lors de sa visite, le médecin n'ait pas à pénétrer dans la petite chambre des garçons, pièce sans éclairage et encombrée par la laveuse dans laquelle étaient déposés les vêtements sales de la famille.

Quand Maurice rentra du travail, il sursauta en apercevant André couché dans le salon.

— Qu'est-ce qu'il fait là ? demanda-t-il à sa femme.

— Il est malade. Paul a dû le ramener de l'école au milieu de l'avant-midi.

— Bon, v'là autre chose ! Qu'est-ce qu'il a ?

— J'ai bien peur qu'il ait attrapé la scarlatine. J'ai appelé le docteur Bernier. Il doit venir le voir.

— Calvaire ! La malchance nous lâchera donc jamais ! s'exclama Maurice Dionne en s'assoyant dans sa chaise berçante.

—•—

Le docteur Bernier ne fit son apparition qu'un peu après huit heures ce soir-là. Le praticien, fatigué par sa longue journée de travail, était encore plus bougon que d'habitude. Dès son entrée dans la maison, il demanda sans s'encombrer de formules de politesse :

— Qu'est-ce qu'il y a ? Il paraît que c'est un de tes jeunes qui a attrapé quelque chose ? Où est-ce qu'il est ?

— Je lui ai fait un lit dans le salon, répondit Jeanne pendant que Maurice prenait le manteau que le médecin lui tendait. Je pense que c'est la scarlatine.

— Bon, je vais l'examiner, fit Charles Bernier qui ne sembla prêter aucune attention au téléviseur neuf qui trônait dans un coin de la pièce.

Le médecin n'eut besoin que de quelques minutes pour décréter qu'il s'agissait bien de la scarlatine.

— Dans un cas pareil, dit-il à Maurice et à Jeanne en retirant son stéthoscope, on n'a pas le choix. C'est une maladie très contagieuse qui peut avoir des conséquences graves si elle est mal traitée. Il faut l'envoyer à l'hôpital Pasteur.

— Quand ça ? demanda Maurice, secoué par le ton un peu lugubre du médecin.

— Tout de suite. Je les appelle et ils vont envoyer une ambulance. Où est votre téléphone ?

— Dans la salle à manger, fit Jeanne en lui indiquant le chemin.

— Je pourrais peut-être aller le conduire moi-même, suggéra Maurice.

— Non, laisse faire. Ils aiment mieux venir chercher les patients à la maison. De toute façon, c'est pas loin d'ici. C'est sur Sherbrooke, au coin de Moreau.

Immédiatement, Maurice se rappela le grand édifice de brique rouge à deux étages situé un peu en retrait de la rue Sherbrooke, à l'est de la rue Frontenac.

Charles Bernier raccrocha après une conversation d'à peine deux minutes.

— Bon, ils envoient une ambulance. Elle va être ici dans une demi-heure environ. Habille-le chaudement et prépare-lui un peu de linge dans un sac, dit-il à Jeanne. Tu le donneras aux ambulanciers

Puis, remarquant l'air inquiet de Jeanne, il se fit moins bourru.

— Mets-toi pas à l'envers pour ça, dit-il à la mère. La scarlatine, c'est pas la fin du monde. Pasteur est spécialisé dans le traitement de ce genre de maladie. Ils vont garder ton gars moins de quinze jours et il va te revenir en pleine santé.

— Oui, fit Jeanne d'une toute petite voix.

— Je pense pas qu'ils vous laissent monter dans l'ambulance et ça vous servirait à rien d'aller à l'hôpital ce soir, ajouta le praticien. Les visites sont seulement l'après-midi.

— Merci, docteur, fit Jeanne, un peu plus rassurée.

— Donne-moi donc mon manteau, dit le docteur Bernier à Maurice. J'ai encore un malade à voir dans le coin. Vous direz aux ambulanciers que je vais passer remplir les papiers à l'hôpital dans environ une heure.

Maurice aida le praticien à endosser son manteau et lui ouvrit la porte.

— Bonsoir, docteur. Merci encore, dit-il à Charles Bernier qui était déjà en train de déverrouiller la portière de sa Chevrolet noire stationnée illégalement devant la porte.

Maurice referma la porte et il alla rassurer André pendant que Jeanne préparait quelques vêtements.

Lise, Paul, Claude et Francine avaient entendu la conversation téléphonique du médecin et ils avaient attendu son départ avec impatience.

En les voyant debout à la porte de leur chambre, Jeanne leur permit d'aller voir leur frère étendu sur son lit improvisé dans le salon avant l'arrivée de l'ambulance.

— Approchez-vous pas trop de lui, leur recommanda-t-elle à mi-voix. Il a la scarlatine et c'est contagieux.

Lorsque les enfants se présentèrent à la porte du salon, Maurice ne trouva rien à redire à ce que, pour une fois, ils violent l'heure du coucher.

Quelques minutes plus tard, ils virent les clignotants rouges d'une ambulance reflétés dans la fenêtre du salon.

Il y eut un claquement de portières à l'extérieur, claquement suivi presque immédiatement d'un coup de sonnette impératif.

Deux infirmiers transportant une civière entrèrent dans la maison.

— Enlevez-vous de là, les enfants, dit Maurice.

Ces derniers refluèrent vers la chambre de leurs parents et ils regardèrent les deux hommes étendre André sur la civière en faisant des plaisanteries avec le petit malade pour le rassurer.

Quand la porte d'entrée se referma sur eux, Jeanne ne put s'empêcher d'éclater en sanglots, imitée par ses enfants.

— Arrêtez de pleurer pour rien, leur dit leur père, en cachant mal l'émotion qui le gagnait subitement. Allez vous coucher; vous avez de l'école demain.

Ce soir-là, Maurice et Jeanne n'eurent pas le cœur de regarder la télévision. Ils décidèrent de se mettre au lit tôt. Alors qu'il retirait ses souliers, assis au pied du lit, Maurice ne put s'empêcher de dire à sa femme :

— Maudit que Bernier est bête. Plus bête que ça, tu crèves !

— Peut-être, dit Jeanne, mais c'est la bonté même. Quelle que soit l'heure où on l'appelle, il vient toujours. En plus, une fois sur deux, il refuse de se faire payer.

— Il est pas obligé d'être bête comme ses pieds quand il nous parle.

Il y eut un bref silence entre le mari et la femme. Au moment d'éteindre la lampe de chevet, Maurice demanda :

— Comment veux-tu que j'aille voir André avec leurs heures de visite l'après-midi ? Ils doivent ben savoir que le monde travaille le jour, sacrement !

— Je vais garder Lise à la maison demain après-midi et je prendrai l'autobus pour aller le voir, fit Jeanne. C'est pas ben loin. Je vais lui apporter son livre à colorier et ses craies. J'ai complètement oublié de les mettre dans son sac.

—

Le lendemain après-midi, une infirmière conduisit la mère dans un couloir vitré à mi-hauteur d'où elle pouvait voir la salle où son petit garçon de six ans était alité.

Jeanne aperçut une vaste salle commune occupée par dix-huit lits séparés les uns des autres par une petite table de nuit et un paravent. André occupait le second lit à gauche de l'entrée et elle le vit assis dans son lit, en train de feuilleter un livre d'images.

— C'est bien calme, constata Jeanne.

— C'est pas toujours comme ça, lui dit l'infirmière, mais vous savez que les enfants n'ont pas le droit de descendre de leur lit ou d'échanger quelque chose avec leur voisin. Tout doit passer par la désinfection. La règle est très stricte et on la fait respecter.

— Pourquoi ? ne put s'empêcher de demander la mère.

— Mais, madame, pour éviter les risques de contagion. Votre fils est en isolement. Vous lui avez apporté un cahier à colorier, des craies et des bonbons. Tout ça va lui être remis demain après être passé à la désinfection.

— Comme ça, je peux pas aller l'embrasser et aller lui parler.

— Non, madame. Vous pouvez juste lui envoyer la main de loin.

Jeanne Dionne resta durant quelques minutes debout dans le couloir à envoyer la main à son fils malade avant de retourner, bouleversée, à la maison.

—

Deux jours plus tard, Maurice et Jeanne étaient en train de regarder un combat de lutte à la télévision entre Yvon Robert et Vladek Kowalski quand Claude apparut soudainement à la porte du salon.

— Qu'est-ce que tu fais debout à cette heure-ci ? lui demanda son père, mécontent.

— Je sais pas ce que Paul a, p'pa, mais il se lamente dans son lit. Il m'empêche de dormir.

— Seigneur, qu'est-ce qui arrive encore ? fit Jeanne en se levant péniblement de sa chaise. Retourne te coucher. Je vais aller voir ce que ton frère a.

Jeanne se rendit dans la petite chambre au bout de l'appartement. En pénétrant dans la petite pièce, elle entendit une toux sèche venant du lit supérieur.

— Monte en haut et réveille ton frère, dit-elle à Claude.

Ce dernier obtempéra.

— Descends, Paul, dit-elle à son aîné que Claude venait de secouer.

L'adolescent descendit difficilement du lit et suivit sa mère dans la cuisine.

— Qu'est-ce que t'as ?

— Je sais pas ce que j'ai, m'man. J'ai de la misère à avaler et j'ai mal à la tête.

— Bon, t'as peut-être attrapé la grippe, dit Jeanne. Laisse-moi regarder ça.

La température avait baissé dans la cuisine parce que Maurice avait déjà cessé d'alimenter le poêle à bois.

Jeanne connaissait la crainte irraisonnée de son fils pour les médicaments. S'il se plaignait d'être malade, ce devait être sérieux. Habituellement, il préférait endurer son mal plutôt que d'avoir à absorber la moindre pilule. Chaque fois, cela prenait l'allure d'un drame et il fallait que Maurice se fâche pour le décider à avaler son médicament.

Au premier coup d'œil, Jeanne vit de quoi il s'agissait.

— J'ai bien peur que t'aies la même chose qu'André, dit-elle à son fils.

— Ben non, tenta de se rebeller Paul. C'est peut-être juste une grippe, m'man.

— Non, regarde tes bras. T'as la scarlatine. On va appeler le docteur Bernier.

Angoissé par ce que ce diagnostic impliquait, Paul se mit à marcher nerveusement dans la salle à manger pendant que sa mère allait prévenir son père, demeuré assis devant le téléviseur, dans le salon. Pour une fois, ce dernier fut fataliste et il accepta sans broncher ce nouveau coup du sort. Il se contenta de venir chercher son fils dans la salle à manger.

— Viens regarder la lutte avec moi pendant que le docteur s'en vient, lui dit-il à mi-voix pour ne pas réveiller les filles qui dormaient dans la pièce voisine.

Pendant tout le temps que sa mère téléphonait au médecin, Paul ne vit rien du match de lutte qui se déroulait au petit écran. Il priait pour que tout cela ne soit qu'un cauchemar et il promit un chapelet si sa mère s'était trompée.

Mais il n'en fut rien.

Après avoir appelé au domicile du docteur Bernier, Jeanne alla chercher quelques vêtements pour son fils et déposa le sac sur la table de la salle à manger avant de revenir dans le salon.

— Puis, est-ce que le docteur s'en vient? demanda Maurice.

— Il viendra pas. Je l'ai attrapé au moment où il s'en allait à un accouchement. Il m'a dit qu'il appelait Pasteur tout de suite. Ils vont envoyer une ambulance, comme pour André.

— Je peux pas aller à l'hôpital, protesta Paul après une quinte de toux sèche. J'ai de l'école demain. Je vais manquer mon année, fit-il dans une tentative désespérée d'éviter l'épreuve.

— Laisse faire ton année. Il y a pas de danger. Ce sera pas long. À l'hôpital, la garde-malade m'a dit qu'ils gardaient ceux qui ont la scarlatine qu'une dizaine de jours. Ça va être vite passé.

Vaincu, Paul se tut. Il se sentait trop malade pour ajouter quoi que ce soit.

— Je t'ai déjà préparé un peu de linge, fit sa mère. Si tu veux apporter un livre ou deux, on peut les mettre dans le sac. Va changer de combinaison et mets des bas propres. Après tu viendras t'étendre sur le divan.

À ce moment-là, Lise et Francine apparurent sur le pas de la porte du salon, suivies de près par Claude.

— Est-ce qu'on peut attendre l'ambulance avec Paul ? demanda Francine à ses parents.

Jeanne lança un coup d'œil à son mari avant de leur faire signe d'entrer dans la pièce.

— Claude, va chercher une couverte et un oreiller à ton frère pendant qu'il se change dans la salle de bain, se contenta de dire Maurice.

Une trentaine de minutes plus tard, le même scénario vécu quarante-huit heures auparavant se reproduisit. Les ambulanciers arrivèrent, installèrent Paul sur la civière et sortirent de la maison. L'adolescent eut à peine conscience qu'il tombait de légers flocons de neige en cette fin de soirée.

Le lendemain après-midi, Jeanne, malgré sa grossesse avancée, retourna à l'hôpital Pasteur. Cette fois-ci, elle s'y rendait pour voir deux de ses enfants malades. Malheureusement, Paul n'avait pas été installé dans la même salle qu'André. Lorsqu'elle demanda s'il était possible que les deux frères soient placés l'un près de l'autre, l'infirmière-chef se contenta de lui répondre qu'elle essaierait, mais qu'elle ne promettait rien.

La semaine n'allait pas prendre fin sans qu'un troisième Dionne ne soit hospitalisé à Pasteur. Cette fois-là, il s'agissait de Claude. La maladie le frappa au début du vendredi après-midi et son départ en ambulance se fit au vu et au su de tous les voisins. Par contre, il n'eut pas le réconfort apporté par ses frères et sœurs, déjà à l'hôpital ou encore à l'école.

Quand Maurice apprit cette nouvelle tuile en rentrant de travailler, il ne put réprimer sa colère.

— Calvaire! Est-ce que la malchance va nous lâcher? Est-ce qu'ils vont se ramasser tous les sept à Pasteur? Ça a pas une maudite allure! On est rendus avec trois là-bas.

Le lendemain après-midi, Jeanne découvrit avec plaisir que Claude avait été installé dans la même salle commune que Paul. Ainsi, les deux frères pourraient communiquer entre eux, même si les paravents les empêchaient de se voir.

Pour sa part, Paul était heureux que son frère ne puisse le voir. Il passait le plus clair de ses journées à prier et à promettre des chapelets s'il échappait à la piqûre et à la distribution quotidienne de médicaments. Il n'avait pas le culot de Claude qui, dès le premier jour, trouva le moyen d'éviter d'absorber sa potion d'huile de foie de morue en la cachant dans le tiroir de sa table de nuit.

Les jours suivants s'écoulèrent lentement, très lentement chez les Dionne. Jeanne ne parvenait pas à s'habituer à voir sa maison si vide et elle s'inquiétait pour ses enfants hospitalisés.

Son mari était aussi inquiet qu'elle, mais il ne le montrait pas. Cependant, sa peur de voir la scarlatine frapper tous les membres de sa famille était injustifiée parce que la maladie cessa ses ravages aussi soudainement qu'elle était apparue.

—

Dix jours plus tard, Jeanne ramena André de l'hôpital. La maladie ne lui avait laissé aucune séquelle et il put retourner à l'école dès le lendemain matin.

Ses deux frères reçurent ensemble leur congé de Pasteur deux jours après. Si Claude avait largement profité de son séjour à l'hôpital pour s'amuser, son frère aîné avait l'impression de quitter l'enfer. Il ne s'était jamais autant ennuyé. Il n'avait rien eu à lire dès le troisième jour de son hospitalisation et chaque heure lui avait paru une journée. Sa crainte incessante de recevoir une injection ou d'avoir à prendre des médicaments l'avait fait se sentir misérable. Tout cela mêlé à sa peur d'avoir été distancé en classe par des camarades l'avait fait piaffer d'impatience.

Bref, à la mi-novembre, les trois frères réintégrèrent l'école Champlain et, au fil des jours, Pasteur ne représenta plus qu'un souvenir parmi d'autres dans la mémoire collective des Dionne.

Chapitre 29

La tricherie

Après l'épidémie de scarlatine, la vie reprit son cours normal au 2321, rue Notre-Dame.

Même si on était encore officiellement en automne en ce début de décembre, la température se maintenait autour de -10 °F et deux tempêtes successives laissèrent derrière elles une trentaine de pouces de neige.

Dans la grande cour, les jeunes s'affairaient à parfaire une glissoire qu'ils amélioraient en glissant, assis sur un bout de carton. Du côté des Perron, les plus âgés avaient entassé un impressionnant amoncellement de neige près de l'escalier dans l'intention d'y sauter du balcon du premier étage.

Chez les Dionne, Jeanne avait été inflexible. Pas question de sauter du balcon; c'était trop dangereux.

— Tous les gars le font, voulut discuter Claude avec son entêtement habituel.

— Je t'ai dit non et ça reste non, tu m'entends? Si jamais j'apprends que t'as sauté, Claude Dionne, je le dis à ton père.

— Maudit que c'est plate ici! Il y a jamais moyen de rien faire! s'écria le garçon.

En signe de protestation, il claqua violemment la porte derrière lui en sortant.

—

Jeanne était de plus en plus grosse et, le matin même, Maurice lui avait formellement interdit d'aller ce soir-là à l'école chercher les relevés de notes des enfants.

— C'est la soirée des parents, avait-elle mollement plaidé. J'en ai jamais manqué une.

— Ben, tu manqueras celle-là, avait-il tranché en élevant la voix. En v'là toute une affaire, sacrement ! Si tu vas pas les chercher, ces bulletins-là, ils vont les donner aux enfants demain et ça finira là.

— Pourquoi tu y vas pas à ma place ?

— Es-tu folle, toi ? Penses-tu que je vais aller me mettre en ligne devant une porte de classe pour aller chercher un bulletin ? Après ma journée d'ouvrage, j'ai autre chose à faire que ça. En plus, à soir, je dois aller faire un ménage chez les Legault à Notre-Dame-de-Grâce.

Claude, Lise et Francine avaient bruyamment approuvé la décision de leur père lorsque leur mère la leur avait communiquée durant le déjeuner. Ils rapporteraient sans faute leur bulletin à la maison quand on le leur remettrait le lendemain. Jeanne leur jeta un regard soupçonneux. Elle devinait ce que cette serviabilité dissimulait. Tous les trois n'avaient pas l'air du tout impatients d'apprendre ce que leur enseignant aurait pu communiquer à leur mère. Seul Paul fut déçu de cette décision.

Par ailleurs, la mère ne pouvait rien dire devant son mari parce que depuis le début de l'année, elle n'avait cessé de lui cacher les mauvais résultats scolaires de Francine et de Claude. Leur premier relevé de notes avait été inquiétant et le suivant, purement catastrophique. Jeanne serait pour ainsi dire condamnée à signer rapidement leur bulletin de novembre quand ses enfants le lui présenteraient, sans en communiquer à Maurice les résultats qui ne devaient pas être très reluisants encore une fois. Elle était persuadée que le lendemain, son mari arriverait tard de chez les Legault et qu'il ne penserait plus du tout aux résultats scolaires de ses enfants.

Mais elle se trompait.

Le lendemain après-midi, dès son retour de l'école, Paul tendit à sa mère un bulletin fort acceptable. Il s'était classé troisième de son groupe pour le mois de novembre, ce qui, compte tenu de son absence causée par la scarlatine, était fort respectable. Pour sa part, l'institutrice d'André signalait qu'il était obéissant, mais qu'il éprouvait encore du mal à former correctement ses lettres. Les deux relevés furent signés en même temps.

Lise présenta sans honte à sa mère le carton jaune pâle où était inscrit 62 % comme moyenne générale.

— C'est pas mal mieux que le mois passé, dit Jeanne pour l'encourager. Continue.

— Et toi, Francine ? demanda-t-elle.

Francine, l'air piteux, déposa son bulletin sur la table de la salle à manger.

— 51 % ! Mais t'as encore descendu ! s'exclama sa mère.

— J'ai de la misère.

— Laisse faire la misère, toi. T'as lu ce que sœur Émérentienne a écrit ? « Élève peu sérieuse qui s'amuse plus qu'elle ne travaille. »

— Ah ! Elle ! s'exclama Francine, l'air dégoûté.

— Toi, ma tête folle, tu vas travailler ! Je te le garantis ! la menaça Jeanne, furieuse.

Francine alla bouder dans sa chambre.

— Et le tien, Claude ? demanda sa mère quand le garçon se fut installé à la table avec son sac d'école dans l'intention évidente de commencer ses devoirs en déployant un zèle anormal.

— Quoi ? demanda-t-il en prenant l'air surpris.

— As-tu fini de prendre ton air d'innocent ? le réprimanda sa mère. Je te parle de ton bulletin. J'ai vu celui des autres. Où est le tien ?

— Attendez. Je vais vous le donner. Il est dans mon sac.

Pendant deux ou trois minutes, Claude explora le contenu de son sac d'école posé sur la table. Comme il ne trouvait pas son relevé de notes, il finit par étaler devant lui tous ses livres et ses cahiers qu'il se mit à secouer dans l'espoir d'en faire tomber son bulletin s'il s'y était glissé. Il ne le trouva pas.

— Ah ben ! Je l'ai oublié dans mon pupitre, finit-il par avouer à sa mère, l'air piteux. Je vais l'apporter demain.

— Tu connais pas Séguin, lui fit remarquer Paul, assis à l'extrémité de la table, en train d'ouvrir son catéchisme. Si tu rapportes pas ton bulletin signé demain matin, il va te renvoyer à la maison le faire signer et tu vas avoir une retenue après l'école cette semaine.

— Aïe ! Ça, c'était dans ton temps. Le bonhomme est pas si mauvais que ça, lui fit remarquer Claude en lui jetant un regard assassin.

Jeanne rassembla les quatre bulletins qu'elle venait de signer et elle les déposa sur le dessus du réfrigérateur.

— Je vais les mettre là au cas où votre père voudrait les voir en rentrant. Oubliez pas de les prendre demain matin avant de partir pour l'école.

— Pourriez-vous mettre le mien en dessous des autres ? supplia Francine.

— Énerve-toi pas avec ça, lui dit Paul. On pourrait ben les mettre tout de suite dans nos sacs, p'pa les regarde jamais.

Comme prévu, Maurice arriva à la maison assez tard. Les enfants étaient couchés depuis près d'une heure. Il soupa rapidement et, au moment où il allait se lever de table pour s'installer devant le téléviseur, il dit à sa femme :

— Pendant que j'y pense, montre-moi donc les bulletins des enfants.

Le cœur de Jeanne cessa de battre durant une fraction de seconde.

— Ils sont pas mal, fit-elle. Il manque juste celui de Claude. Il l'a oublié dans son pupitre à l'école. Il va le rapporter demain.

— OK, OK, montre-moi les autres, dit Maurice avec impatience.

Jeanne se leva et lui tendit les quatre bulletins qu'elle venait de prendre sur le réfrigérateur.

Pendant un moment, il n'y eut pas un mot échangé dans la salle à manger. Paul, encore éveillé, tendait l'oreille pour saisir ce que se disaient ses parents.

— Celui de Paul est pas mal, laissa tomber Maurice.

« Pas mal », se dit à mi-voix l'adolescent, frustré de voir ses efforts si mal appréciés.

— Je vais te gager qu'il a jamais eu des notes comme ça quand il allait à l'école, lui, chuchota-t-il à Claude avant de remonter dans son lit.

— Laisse-moi dormir tranquille, fit son frère en lui tournant ostensiblement le dos.

— 62 %. C'est pas les gros chars, ça ! commenta Maurice en scrutant le relevé de notes de son aînée.

Maurice repoussa le carton et prit le suivant, celui d'André.

— Il faudrait que Paul ou une de ses sœurs l'aide à faire ses devoirs si t'as pas le temps de t'en occuper, dit-il à sa femme avec un rien de reproche. Il m'a l'air mal parti, lui aussi.

Maurice se pencha ensuite sur le bulletin de Francine. Il prit la peine de le relire avant de retourner voir celui de

Lise. Sans prononcer un mot, il se leva et ouvrit la porte de la chambre des filles qui donnait sur la salle à manger.

— Levez-vous toutes les deux, leur dit-il sans élever la voix pour ne pas réveiller Martine qui dormait dans un petit lit, au fond de la pièce. Faites ça vite.

Les deux filles entrèrent dans la salle à manger en se frottant les yeux comme si leur père les avait tirées d'un profond sommeil.

— Ça va faire la comédie! explosa ce dernier. Je viens de regarder vos bulletins. Toi, t'as eu 62 % et c'est pas assez... surtout que tes deux autres bulletins étaient encore plus faibles. À partir de demain soir, je veux que tu montres à ta mère ton carnet de leçons et tous tes devoirs! Va te coucher!

Lise aurait voulu protester, mais la colère de son père lui en enleva toute envie. Elle ne prononça pas un mot. Elle se contenta de retourner dans sa chambre et de se remettre au lit en ronchonnant.

— Qu'est-ce que t'as entre les deux oreilles, toi? demanda Maurice à Francine. Pas grand-chose, hein! Je vais te mettre du plomb dans la tête, la queue de classe. Pas de télévision de la semaine et tu te coucheras à sept heures tous les soirs! Tu vas voir! Tu vas être assez reposée pour travailler à l'école. Va te coucher; je t'ai assez vue!

La fillette ne se le fit pas dire deux fois. Elle tourna les talons et alla rejoindre sa sœur.

— L'autre, je veux voir son bulletin demain soir, dit Maurice d'un ton menaçant en parlant de son fils Claude. Il est mieux de pas l'oublier à l'école parce que ça va aller mal pour lui.

Le lendemain midi, un peu avant le retour de l'école des garçons, Jeanne reçut un appel téléphonique d'Étienne Séguin, l'instituteur de Claude. L'enseignant se rappelait vaguement d'elle puisqu'il l'avait rencontrée lors des remises des bulletins à l'époque où Paul fréquentait sa classe.

— Bonjour, madame Dionne. Je suis le professeur de Claude.

— Bonjour, monsieur Séguin. Je vous connais un peu. Mon fils Paul a déjà été dans votre classe.

— Je me rappelle bien de lui, confirma le gros homme. Son frère est un petit peu différent de lui, ajouta-t-il avec beaucoup de diplomatie.

— Il a plus de misère à l'école.

— Pas juste ça, madame. Avez-vous vu son dernier bulletin ?

— Non, il m'a dit qu'il l'avait oublié dans son pupitre hier.

— C'est bizarre, il me l'a remis ce matin, signé par vous.

— Par moi ?

— Oui, et j'ai trouvé votre signature assez différente des précédentes pour vous prévenir. Je pense, madame, qu'il a imité votre signature et qu'il faut sévir. Votre garçon me semble sur la mauvaise pente.

— C'est sûr qu'il a imité ma signature, admit Jeanne. J'ai même pas vu son bulletin. Je vais le punir, vous pouvez en être certain. Si jamais son père apprend ça, il est tellement mauvais qu'il risque de le tuer.

— Madame, je laisse ça à votre jugement. Moi, je vais le garder trois après-midi en retenue cette semaine ; mais franchement, ça ne me semble pas suffisant. La faute est grave… En tout cas, je vous ai renvoyé son bulletin ; j'aimerais que vous le signiez.

— Vous pouvez y compter, monsieur. Je vais y voir, et je vous promets qu'il ne refera jamais plus une affaire comme ça, dit Jeanne sur un ton décidé. Je vous remercie de m'avoir appelée.

Quelques minutes plus tard, Claude revint de l'école et entra dans la cuisine en arborant son air faraud habituel.

— Qu'est-ce qu'on mange pour dîner, m'man?

— Occupe-toi pas du dîner et montre-moi ton bulletin, toi, lui ordonna sa mère en tendant la main.

— Est-ce que je peux au moins ôter mes bottes avant?

— Grouille, j'ai le dîner à préparer.

À contrecœur, Claude tira son bulletin de la grande poche intérieure de son manteau et le remit à sa mère avec une certaine réticence.

Pendant qu'il allait déposer son manteau sur son lit, Jeanne examina le relevé de notes.

— Viens ici! lui cria-t-elle. 45 %! Qu'est-ce que tu fais à l'école?

— C'est dur. Puis, oubliez pas que j'ai été absent.

— Laisse faire! C'est quoi cette signature-là? lui demanda sa mère en pointant la signature qui apparaissait sur la ligne réservée à la signature des parents, au mois de novembre.

Il y eut un long silence.

— C'est quoi? répéta Jeanne Dionne, du feu dans les yeux.

— Ben, je voulais pas me faire chicaner parce que je l'avais oublié dans mon pupitre, se décida à avouer Claude. Ça fait que j'ai signé à votre place. C'est pas un crime!

— Imiter la signature de quelqu'un, c'est pas un crime! s'emporta Jeanne en lui assenant une vigoureuse gifle. T'es en train de devenir un vrai *bum*! Va pas t'imaginer que je vais te laisser faire ce que tu veux, toi!

Claude recula en se tenant la joue sur laquelle l'empreinte des cinq doigts de sa mère était nettement visible.

— Vous m'avez fait mal, se plaignit-il pour attendrir sa mère.

— Essaie pas de te plaindre, le prévint-elle. Ça, c'est rien à côté de ce que ton père va te faire à soir quand il va apprendre ce que t'as fait !

— Il va ben me tuer, dit Claude, réalisant soudainement la portée de son geste.

— Bien bon pour toi. Tu veux faire la tête croche. Ton père va te la redresser, lui.

— Séguin m'a déjà donné trois retenues.

— C'est pas assez !

— Faites pas ça, m'man. Je vous promets que je le ferai plus jamais, supplia-t-il.

— La prochaine fois, tu réfléchiras avant de faire une niaiserie.

Jeanne lui tourna le dos et se mit à dresser le couvert sans plus se préoccuper de lui. Il alla se réfugier dans sa chambre à coucher. Lise, Francine, Paul et André revinrent à leur tour de l'école et passèrent à table.

— Claude, viens dîner, lui cria sa mère.

— J'ai pas faim, répondit-il du fond de sa chambre où il s'était terré.

— Qu'est-ce qu'il a ? demanda Lise en parlant de son frère.

— Je le sais pas, mentit Jeanne. Il a dû manger des cochonneries en revenant.

Après le dîner, les quatre écoliers repartirent pour l'école sans Claude.

— Va-t'en à l'école, lui ordonna sa mère.

Claude quitta sa chambre, les yeux rougis, et il endossa lentement son manteau.

Jeanne eut soudainement pitié de son fils et elle se reprocha d'avoir agi si durement à son égard.

— Vous allez le dire à p'pa ? demanda-t-il, l'air misérable.

— Oui... à moins qu'on s'arrange tous les deux.

Aussitôt, une lueur d'espoir s'alluma dans le regard du garçon.

— N'importe quoi, m'man, n'importe quoi.

— Bon, écoute-moi bien. Si tu me promets de plus jamais refaire une chose pareille, je vais te laisser une chance. Mais ça va être la dernière, je te le garantis.

— Promis.

— Je vais signer ton bulletin et tu vas le rapporter à l'école cet après-midi. Quand ton père va demander à le voir, je vais lui dire que t'as été obligé de le rapporter après le dîner.

— C'est vrai, le bonhomme...

— Laisse faire, le coupa sa mère. Ton père va tout de même savoir que t'as eu juste 45 %.

— Vous allez lui dire pareil ? fit Claude, déçu.

— C'est sûr. Tu pensais tout de même pas que tu t'en tirerais comme ça. Pour la punition, tu peux t'attendre à un mois à te coucher de bonne heure et sans télévision.

— Mais, m'man, c'est ben trop, voulut protester Claude, révolté par la dureté de la sanction qui l'attendait.

— Aimes-tu mieux que je garde le bulletin et que j'explique tout à ton père ? Ça me dérange pas. Tu mangeras la volée de ta vie. Au fond, tu l'auras bien méritée.

— Non, non, c'est correct.

— Bon, grouille. Prends ton bulletin et va-t'en à l'école. Il manquerait plus que tu sois en retard.

Plus ou moins résigné à son sort, Claude prit le relevé de notes que sa mère venait de signer et il quitta la maison.

—

Cet après-midi-là, Claude ne revint à la maison que quelques minutes avant son père. Il venait de subir sa première retenue.

— Je te l'avais dit que Séguin te manquerait pas, fit Paul en le voyant entrer.

— Le gros écœurant, dit Claude, les dents serrées, pendant qu'il enlevait son manteau. Il est même pas resté pour me surveiller. Il m'a envoyé dans le sous-sol de l'école avec les autres en retenue et Magnan nous a placés debout entre les colonnes. C'est long en maudit une heure à niaiser là, debout.

— Bah! Ta retenue est faite. C'est fini, conclut son frère.

— Non. Il m'a donné deux autres retenues.

— Sacrifice! Il est ben plus dur qu'il l'était dans mon temps, s'étonna Paul avant de retourner dans la salle à manger pour ramasser ses effets scolaires encore éparpillés sur la table.

Évidemment, Claude ne dit pas un mot de la véritable cause de sa retenue et il espérait bien que sa mère garderait aussi le secret.

Maurice revint de son travail de mauvaise humeur et le souper se prit sans qu'il desserre les dents. Autour de la table, il n'y avait que Martine qui, entre deux bouchées, parlait à Denis à qui Jeanne tentait de faire avaler de la purée.

Après le repas, Maurice repoussa sa chaise berçante de la table et alluma une cigarette qu'il fuma en silence en buvant sa tasse de café. Pendant ce temps, Paul, Claude, Lise et Francine s'empressaient d'enlever les couverts et d'aider leur mère qui avait déjà commencé à laver la vaisselle dans la cuisine.

— Installez-vous pour faire vos devoirs, leur dit Jeanne en retirant son tablier à la fin de la corvée.

En voyant Claude traîner son sac jusqu'à la grande table de la salle à manger, Maurice se souvint brusquement qu'il n'avait pas vu son bulletin.

— Dis donc, toi, l'apostropha-t-il, est-ce que je vais finir par le voir, ton bulletin ?

Claude se figea et jeta un regard à sa mère qui venait de prendre Denis sur ses genoux.

— Il l'a déjà rapporté à l'école, Maurice, répondit-elle à son mari.

— Sans que je le voie ! s'exclama ce dernier.

— Son professeur a exigé que tous les bulletins soient rapportés cet après-midi. Mais je l'ai vu son bulletin…

— Il a l'air de quoi ?

— Il est pas beau. Il a eu juste 45 %.

— 45 % ! s'exclama Maurice. Sacrement de sans-cœur ! Tu fais quoi à l'école, à part faire le bouffon, toi ? demanda-t-il à son fils, l'air mauvais. Toi aussi, pas de télévision de la semaine à partir d'aujourd'hui et tu te coucheras à sept heures tous les soirs, tu m'entends ?

— Oui, p'pa, fit Claude, heureux malgré tout de s'en tirer à si bon compte.

— C'est pas assez, laissa tomber sa mère.

— Comment ça, pas assez ? lui demanda Maurice, surpris par cette sévérité inhabituelle.

— Il y a trop longtemps qu'il paresse. Je trouve qu'il prend des mauvais plis. Il reste presque trois semaines avant les vacances des fêtes. Moi, j'aimerais mieux que tu le fasses coucher à sept heures tous les soirs jusque-là… Et pas de télévision non plus.

Paul, étonné, regarda Lise et Francine qui ne perdaient pas un mot de ce qui était dit.

— Trois semaines ! ne put s'empêcher de s'exclamer Claude.

Jeanne lui jeta un regard d'avertissement.

— T'as entendu ta mère ? demanda Maurice, mena-çant. T'es puni jusqu'aux vacances... Et t'es mieux de te replacer, ma tête croche, parce que j'ai ben envie de t'en sacrer une tout de suite !

— Oui, p'pa.

Claude, l'air misérable, prit place à côté de Paul à la table et il sortit un cahier et son livre d'arithmétique.

À sept heures, les punis disparurent dans leur chambre pendant que les autres rangeaient leurs effets scolaires avant d'aller s'asseoir devant le téléviseur dans le salon. Les lumières s'éteignirent dans la maison et il n'y eut plus que l'éclairage blanchâtre diffusé par le petit écran qui se reflétait sur le mur du couloir.

Lorsque Paul entra dans la chambre des garçons, une heure plus tard, il s'aperçut que Claude, étendu sur la couchette inférieure, avait les yeux grands ouverts dans le noir.

— Je te dis qu'ils t'ont pas manqué, dit-il à son frère.

— Toi, le chouchou, achale-moi pas ! Tout le monde est sur mon dos aujourd'hui.

Sur ces mots, il se tourna sur le côté et ferma les yeux. Les émotions de la journée finirent par avoir raison de sa colère.

Chapitre 30

L'arrivée des jumeaux

Cette première semaine de décembre n'allait pas prendre fin sans une surprise de taille.

Ce midi-là, Lise revenait du couvent avec deux camarades de classe quand elle aperçut devant elle une grande femme entrant dans la grande cour en portant une petite valise en cuir brun. L'adolescente s'arrêta de marcher si brusquement que ses compagnes firent encore deux pas avant de s'arrêter à leur tour et de se retourner vers elle.

— Qu'est-ce que t'as ? lui demanda Gisèle Lacombe.

— Ah ben ! Je pense que la femme qui marche en avant de nous autres, c'est la tante de ma mère.

— Puis ? fit l'autre.

— Ce serait ben trop le fun que ce soit elle... Ma tante ! cria Lise en pressant soudainement le pas.

La grande femme, qui avançait précautionneusement dans la neige accumulée dans la grande cour, s'arrêta et se tourna vers les jeunes filles.

— Bonjour Lise, dit Agathe Lafrance en reconnaissant sa petite-nièce. Tu reviens du couvent ?

— Oui, ma tante, dit l'adolescente en la rejoignant. Mais pourquoi vous passez par en arrière ? C'est ben trop glissant. En avant, le trottoir est nettoyé au moins.

— Bien non, c'est pas si pire que ça, protesta l'institutrice retraitée. Je suis pas de la visite assez rare pour passer par en avant. On va se rendre sur nos deux pieds jusqu'à la porte d'en arrière si tu me donnes le bras.

Lise envoya la main à ses deux camarades et tendit le bras à la tante de sa mère. La grande femme maigre s'en empara.

Deux minutes plus tard, Lise ouvrit la porte arrière de la maison et fit entrer l'institutrice retraitée dont les lunettes rondes s'embuèrent instantanément.

— Ah bien! Vous parlez de la belle visite, s'écria Jeanne en découvrant sa tante debout sur le paillasson.

Jeanne vint l'embrasser et l'aida à retirer son manteau.

— Voulez-vous bien me dire pourquoi vous passez par la porte d'en arrière?

— Pour te faire la surprise, répondit-elle en dévisageant sa nièce.

— Qu'est-ce que vous faites en ville, ma tante? demanda Jeanne en l'entraînant vers la salle à manger. Assoyez-vous, je vais vous faire une tasse de café pour vous réchauffer en attendant le dîner.

— Laisse faire le café, je vais plutôt te donner un coup de main à mettre la table pendant que Lise va nous enlever ma valise des jambes. Tu me demandais ce que je faisais en ville?

— Bien oui.

— Ta mère et ton père sont venus faire un tour à Nicolet la semaine passée. Ta mère m'a dit que t'étais sur tes derniers milles avant d'accoucher... Est-ce que c'est vrai que t'attends des jumeaux?

— Il paraît, dit Jeanne qui s'était peu à peu habituée à l'idée d'avoir deux bébés d'un coup.

— Est-ce Dieu possible! s'exclama la tante. Deux autres... Bon! Je suppose qu'il est trop tard pour se lamenter et qu'il va bien falloir que tu les prennes, pas vrai?

— Ça, c'est sûr, dit Jeanne en se massant doucement le ventre.

— En tout cas, comme ta mère commence encore une bronchite, j'ai pensé que je pourrais venir t'aider à te relever. Si ça t'arrange, bien sûr.

— Voyons, ma tante, ça a presque pas de bon sens. J'ai l'impression d'exagérer. Vous êtes venue m'aider le printemps passé.

— Énerve-toi pas pour ça, ma petite fille. Les vieilles filles à la retraite servent pas à grand-chose dans la vie. Pour une fois que je peux être utile.

Pendant qu'elle parlait, Jeanne ne put s'empêcher de s'inquiéter de la réaction de Maurice lorsqu'il découvrirait le retour de la tante Agathe en rentrant de son travail.

Par contre, chacun des enfants sembla éprouver du plaisir à retrouver la vieille dame aux côtés de leur mère. Paul fut certainement celui à qui ce retour fit le plus plaisir parce qu'il savait que l'ancienne institutrice appréciait à leur juste valeur les efforts qu'il faisait pour obtenir de bons résultats scolaires.

Après le départ des enfants pour l'école, Jeanne parla plus librement de sa grossesse. Il ne lui serait jamais venu à l'idée d'en parler devant l'un de ses enfants. D'ailleurs, elle n'avait jamais abordé le sujet de la naissance des bébés avec aucun d'eux. C'était moins une question de pruderie que d'éducation. On ne parlait de ça qu'entre femmes.

— Ma belle-sœur Simone est supposée venir chercher Denis et Martine en fin de semaine, dit Jeanne, un peu malheureuse de se séparer de ses deux plus jeunes enfants, ne serait-ce que quelques jours.

— C'est parfait. Ça t'en fera tout de même deux de moins à t'occuper, déclara sa tante.

— Je pense que je vais m'ennuyer de mes petits.

— C'est normal, Jeanne, mais ça va passer vite, dit sa tante pour la réconforter. Bon, à cette heure, on va s'organiser, ajouta-t-elle, toujours aussi énergique. Ton mari ira coucher avec les garçons en arrière après ton accouchement. Moi, je m'installerai sur le divan dans le salon, même s'il est un peu court pour mes grandes jambes. Si les bébés se réveillent durant la nuit, je serai là pour te donner un coup de main.

— Voyons, ma tante, le divan est bien trop mou pour que vous dormiez dessus, protesta sa nièce.

— Mais non. Je suis grande, mais pas pesante, dit Agathe. Pour le reste, je me ferai aider par Maurice et tes enfants. Ensemble, on va être capables de faire les repas et d'entretenir la maison. Tu pourras prendre tout ton temps pour remonter la pente.

Il était évident que la sœur de sa mère avait déjà tout planifié dans sa tête et qu'elle n'accepterait pas d'être contredite.

— En attendant, tu vas aller t'étendre une heure ou deux pendant que je fais la vaisselle. Je vais m'occuper de Denis et de Martine. Ils ont besoin de faire une sieste, eux aussi.

Jeanne ne se fit pas prier pour aller se reposer. Elle dormit tout l'après-midi. Elle ne se réveilla qu'en entendant les enfants rentrer de l'école.

— Vous êtes pas raisonnable, ma tante. Vous m'avez laissée dormir tout l'après-midi, dit-elle en sortant de sa chambre.

— Et puis après ? Qui est-ce que ça a privé ? Assis-toi pendant que je vais donner quelque chose à manger aux affamés qui viennent d'arriver, dit tante Agathe en se levant de la chaise berçante après avoir déposé Denis par terre.

Maurice ne revint à la maison qu'un peu après huit heures, fatigué d'avoir dû aller repeindre une cuisine chez un client après sa journée de travail au Keefer Building. Les enfants étaient couchés et la cuisine n'était éclairée que par le petit néon branché au-dessus de l'évier. Lorsqu'il aperçut Agathe Lafrance debout dans la salle à manger, il sursauta violemment.

— Maudit que vous m'avez fait peur, ma tante ! s'exclama-t-il.

— J'ai toujours fait cet effet-là aux hommes, lui répondit la grande femme, non sans humour. Il faut croire que c'est pour ça qu'il y en a pas un qui m'a demandée en mariage.

Maurice enleva ses bottes et son manteau, et pénétra dans la salle à manger. Il vit Jeanne sortir du salon et venir à sa rencontre.

— Assis-toi, Maurice, lui dit la tante en allumant le plafonnier de la salle à manger. Ton souper va être prêt dans cinq minutes.

Maurice se laissa tomber sur une chaise, non sans avoir adressé un coup d'œil interrogateur à sa femme.

— Ma tante est venue exprès de Nicolet pour me relever après l'accouchement, dit-elle dans l'espoir que son mari saurait contenir sa mauvaise humeur.

— Voyons, ma tante, c'était pas nécessaire. On est capables de se débrouiller, plaida-t-il d'un ton pas tellement convaincant.

— Parle donc pas pour rien dire, Maurice Dionne, répliqua-t-elle. T'es pas dans la maison de la journée et Jeanne me dit que tu y es pas trois soirs par semaine non plus. Veux-tu bien me dire comment tu pourrais l'aider ?

— Ben, le soir, en revenant, je pourrais faire le lavage et étendre le linge.

— Pour les repas ?

— On pourrait se débrouiller. Lise pourrait faire dîner les plus jeunes.

— Qui s'occuperait de Denis et de Martine ? Ta belle-sœur est bien fine, mais elle gardera pas tes enfants indéfiniment.

— Francine ou Lise pourrait rester à la maison, le temps que leur mère prenne le dessus.

— C'est ça. Des plans pour leur faire manquer leur année d'école… Je suppose aussi que tu te lèverais la nuit pour les bébés.

— Ben oui.

— Ça a pas d'allure, trancha tante Agathe. T'as besoin de dormir tes nuits pour être capable de te lever et d'aller travailler le matin.

— C'est vrai, admit Maurice à contrecœur.

— En plus, si les douleurs commençaient en plein jour pendant qu'elle est toute seule avec les plus jeunes, qu'est-ce qui arriverait ? Y as-tu pensé ?

— La voisine aurait pu venir s'en occuper, répondit-il d'une voix hésitante.

— Tu trouves pas que c'est pas mal risqué ? Tu vois bien que ta femme doit avoir un peu d'aide pour se relever comme il faut de son accouchement. Je suis là pour ça et ça va faciliter la vie de tout le monde dans la maison.

Durant un instant, Maurice demeura silencieux. L'argumentation de la tante de Jeanne l'avait persuadé. Agathe Lafrance leur serait particulièrement utile, du moins durant la première semaine qui suivrait l'accouchement. Ensuite, il trouverait bien le moyen de s'en débarrasser d'une façon ou d'une autre.

— Vous êtes ben fine de vous déranger de même pour nous autres, finit-il par dire à son invitée.

Jeanne respira plus à l'aise en constatant la réaction de son mari.

— Vous avez vu notre télévision ? demanda Maurice, soudainement pressé de changer de sujet.

— Oui. On était en train de la regarder quand t'es arrivé.

— Qu'est-ce que vous en pensez? C'est une belle affaire, non?

— Bof! fit la célibataire, méprisante. Ça vaudra jamais un bon livre. Moi, le placotage inutile, ça me tape sur les nerfs.

— Vous dites ça parce que vous en avez pas, affirma Maurice avec une certaine insolence.

— Je te dis ça, Maurice, parce que j'en aurai jamais une, même si j'en ai les moyens un jour. Si les gens commencent à acheter ça, ils vont passer leurs soirées à regarder la télévision et ils se parleront plus.

Dépité par le peu d'enthousiasme de la vieille dame pour son achat, Maurice s'enferma dans un silence boudeur pendant son repas.

———

Très tôt, le samedi matin, Maurice était déjà parti pour aller faire le ménage chez deux de ses riches clients d'Outremont quand Adrien et sa femme Simone s'arrêtèrent à la maison pour ramener chez eux Denis et Martine. Jeanne leur présenta sa tante Agathe en train de laver la vaisselle du petit déjeuner avec l'aide de Lise et de Francine. Paul et Claude, prêts à aller jouer dehors, aidèrent leur oncle à transporter les vêtements et les jouets de leur frère et de leur sœur dans le coffre de l'auto.

— On est venus chercher les petits à matin, dit Simone à mi-voix à sa belle-sœur, pour que Maurice soit pas obligé de venir nous les porter quand tu vas accoucher. Il y a juste à te voir pour comprendre que ça approche.

— Vous êtes bien fins, Adrien et toi, fit Jeanne, reconnaissante. Si je me suis pas trompée dans mes dates, je devrais avoir mes petits en fin de semaine ou au début de la semaine.

— De toute façon, il y a pas de problème. Je vais garder tes deux plus jeunes aussi longtemps qu'il le faudra. Ça nous fait plaisir de les avoir, ajouta Simone en hissant Martine sur ses genoux. Pas vrai, ma grande fille ?

La petite lui adressa son sourire le plus charmeur.

Tante Agathe entra dans la salle à manger et se mit à habiller Denis pendant que Lise prenait Martine des bras de sa tante pour lui faire endosser son manteau et chausser ses bottes.

Adrien rentra dans la maison avec ses deux neveux.

— Prends bien soin de toi, dit-il à sa belle-sœur en prenant Denis, tout emmitouflé, dans ses bras.

— Bonne chance, ajouta Simone en tendant la main à Martine. Qu'est-ce que tu vas faire avec les autres quand le temps va être arrivé ?

— Monsieur Couture, notre voisin, s'est offert pour garder mes trois gars le temps nécessaire. Ma voisine de droite, madame Thériault, veut absolument que je lui envoie Lise et Francine.

— Tant mieux. Comme ça, tu vas avoir l'esprit plus tranquille, conclut Simone en se dirigeant vers le couloir à la suite de son mari. On va penser à toi et on va attendre que Maurice nous donne de tes nouvelles.

Jeanne, les larmes aux yeux d'avoir à se séparer de ses deux plus jeunes, embrassa ses deux bébés avant qu'ils ne la quittent. Adrien et Simone l'embrassèrent à leur tour avant de sortir de la maison.

— Ça me fait mal au cœur de les voir partir, dit Jeanne, émue, en regardant par la fenêtre du salon son beau-frère et sa femme prendre place dans leur voiture avec ses deux enfants.

— C'est pas pour longtemps, fit tante Agathe venue la rejoindre.

Un peu avant minuit ce soir-là, Jeanne ressentit les premières contractions.

Tante Agathe avait le sommeil léger. Couchée dans le salon, elle entendit geindre sa nièce dans son sommeil et elle se leva aussitôt. Comme il n'y avait pas de mur de séparation entre les deux pièces, il lui suffit de quelques pas pour se rendre au chevet de Jeanne sur qui elle se pencha.

— Qu'est-ce qu'il y a ? lui demanda-t-elle à voix basse.

— Je pense que le travail est commencé, fit Jeanne dans un souffle.

— Bon, on appelle le docteur et on s'occupe de toi.

Elle secoua Maurice que les plaintes sourdes de sa femme n'avaient pas réveillé, même s'il était couché à ses côtés.

— Maurice ! Maurice ! Lève-toi et appelle le docteur, lui dit-elle. C'est commencé.

Pendant que Maurice téléphonait au docteur Bernier, l'institutrice retraitée alla réveiller les enfants et elle leur conseilla de s'habiller rapidement.

— Il s'en vient, dit le père à la vieille célibataire qui se dirigeait vers la chambre à coucher pour voir comment allait sa nièce.

— Va voir si tes voisins sont prêts à recevoir tes enfants, lui dit-elle avant de disparaître dans la chambre.

Les enfants habillés, Maurice appela les deux voisins qui avaient proposé charitablement de les accueillir durant l'accouchement de leur mère. Germain Couture fut le premier à venir frapper à la porte d'entrée deux minutes plus tard. Maurice le fit entrer dans le vestibule.

— Venez, les garçons, dit-il à Paul, Claude et André, mal réveillés. Venez coucher à la maison. Dépêchez-vous. Il fait pas chaud.

Apercevant Agathe Lafrance en robe de chambre, il lui adressa un large sourire.

— Bonsoir, madame Lafrance. Content de vous revoir, dit le veuf à mi-voix.

— Moi aussi, monsieur Couture. Je pense qu'on va avoir une nuit mouvementée.

— Bonne chance! dit-il en fermant la porte derrière André, le dernier sorti.

Une minute après, Claudette Thériault, la tête hérissée de bigoudis et enveloppée dans son vieux manteau brun, frappa à la porte.

— Les filles sont-elles prêtes? demanda-t-elle à Maurice venu lui ouvrir.

— Oui, madame Thériault. Les voilà. Vous êtes ben fine de les prendre chez vous.

— Pensez-vous. Ça va faire plaisir à Jacqueline d'avoir des amies avec elle demain matin. J'espère que ça va ben se passer pour votre femme. Je vais prier pour elle.

La voisine poussa devant elle Lise et Francine, et traversa chez elle.

La maison parut alors étrangement vide à Maurice. Au moment où il allait pénétrer dans sa chambre, la tante Agathe le repoussa du plat de la main.

— Laisse faire ta femme et occupe-toi plutôt de chauffer la maison, lui commanda-t-elle sur un ton sans réplique. On commence à geler dans la chambre. Fais aussi chauffer de l'eau chaude. Je vais m'occuper du reste.

Dans la chambre à coucher, les plaintes de Jeanne montaient déjà en *crescendo*. Maurice était trop heureux de se tenir éloigné de l'endroit pour songer à protester.

Moins d'une demi-heure plus tard, il alla ouvrir la porte au docteur Bernier.

— Bonsoir, docteur.

— Bonsoir, bonsoir, répondit sèchement le praticien en lui tendant sa trousse.

Il retira rapidement ses caoutchoucs et son manteau en chat sauvage.

— Où sont les enfants ?

— Chez de la parenté et des voisins.

— Tant mieux. Ta femme est à combien de minutes ?

— Aux cinq minutes, fit Agathe Lafrance en sortant de la chambre. Tout est prêt pour l'accouchement, je pense.

— Vous êtes une parente ?

— Sa tante.

— Parfait. Toi, le père, t'as pas besoin d'être dans nos jambes. J'ai juste besoin de la tante de ta femme, dit Charles Bernier en entrant dans la chambre en compagnie d'Agathe.

Il referma la porte derrière lui. Après un rapide examen, le médecin vint dans la salle à manger, suivi de près par la vieille dame. Elle lui apporta immédiatement un bol d'eau tiède pour se laver les mains.

— Puis, docteur ? demanda Maurice, inquiet.

— Ça se présente bien. Ta femme a toujours eu des accouchements rapides. J'ai l'impression que dans une heure, une heure et demie, s'il n'y a pas de complications, tout devrait être fini. Reste là et continue à faire chauffer de l'eau… Bon, tout m'a l'air prêt, ajouta le docteur en voyant qu'on avait étendu sur la table un drap propre sur lequel on avait déposé tout ce qu'il fallait pour procéder à la toilette des nouveau-nés.

Charles Bernier ne s'était pas trompé de beaucoup. Peu après deux heures et demie, les cris du premier enfant se firent entendre et la tante Agathe s'empressa d'apporter le nouveau-né sur la table de la salle à manger.

Le père mit de l'eau chaude dans le bol posé sur la table et y ajouta de l'eau froide pour la tiédir.

— C'est un garçon, déclara-t-il.

— Laisse faire ça. C'est un détail. Lave-le plutôt, ordonna Agathe à son neveu par alliance, et dépêche-toi de l'habiller avant qu'il crève de froid, cet enfant-là... Attention à son nombril. Puis, échappe-le pas surtout. Moi, je retourne aider le docteur pour le deuxième. Il s'en vient lui aussi.

Énervé par les pleurs du petit être tout rouge qui gigotait devant lui, Maurice procéda tout de même rapidement à sa toilette avant de l'emmailloter.

— Vieille maudite folle! dit-il à mi-voix. Elle s'imagine peut-être que c'est le premier bébé que je lave.

Pour terminer, Maurice enveloppa son cinquième fils dans une petite couverture de laine et il le serra contre lui avant de s'asseoir dans la chaise berçante. L'enfant, bien au chaud, cessa immédiatement de pleurer et il s'endormit dans les bras de son père.

Quelques minutes plus tard, Maurice cessa d'entendre les «Pousse! Pousse plus fort!» du docteur Bernier. Il y eut un cri de libération et, peu après, tante Agathe sortit de la chambre en portant le second bébé.

En apercevant le premier bien endormi dans les bras de son père, l'infirmière improvisée déposa le second bébé sur la table.

— C'est un autre garçon, dit-elle à voix basse à Maurice. Surveille-le une minute, le temps que je prépare un bol d'eau tiède pour le nettoyer.

Elle revint avec la bouilloire, remplit le bol en plastique bleu laissé sur la table et vérifia la température de l'eau en trempant le bout des doigts avant de se mettre à laver avec délicatesse l'enfant dont les cris disaient assez qu'il n'appréciait pas beaucoup le contact de l'eau.

— Le docteur a presque fini, dit tante Agathe. Je te dis, mon garçon, que t'as une femme courageuse. C'est pas n'importe quelle femme qui peut se vanter de mettre au monde deux enfants sans se plaindre plus que ça.

— Je le sais, ma tante, dit Maurice qui regardait tour à tour ses deux fils.

— Tiens, prends-le, lui aussi, dit la vieille dame en déposant dans ses bras l'enfant qu'elle venait de finir d'envelopper dans une couverture. Je vais mettre une bûche dans la fournaise et donner un coup de main au docteur. Il faut remettre un peu d'ordre dans la chambre.

Quelques minutes plus tard, le docteur Bernier sortit de la chambre en compagnie d'Agathe qui s'empressa de lui remplir un bol d'eau chaude et de lui tendre une serviette propre pour qu'il puisse se laver les mains. Durant toute l'opération, le médecin bourru n'avait pas dit un mot. C'est en voyant Maurice berçant fièrement ses deux nouveaux fils qu'il se décida à ouvrir la bouche.

— T'es fier de toi, hein? fit Charles Bernier en déroulant ses manches de chemise. T'as raison. T'as maintenant deux beaux enfants de plus, et des enfants en bonne santé à part ça. Ils doivent peser tous les deux un peu plus de sept livres.

— Et ma femme, docteur?

— Ta femme est correcte. Juste trois points de suture. Mais elle va avoir besoin que tu l'aides. Vous êtes rendus à neuf. Il serait peut-être temps que tu penses à elle un peu et que vous vous arrêtiez. De toute façon, on en reparlera quand vous viendrez me montrer vos deux mousses après les fêtes.

— Oui, docteur.

— En attendant, viens lui montrer ses deux garçons avant qu'elle s'endorme. Elle a bien mérité de les voir.

La tante Agathe demeura dans la salle à manger pendant que le docteur Bernier suivait Maurice dans la chambre à coucher.

Dès son entrée, Maurice déposa dans les bras de Jeanne ses deux fils. Le visage blême aux traits tirés de la mère se transforma immédiatement à la vue de ses deux enfants qu'elle ne parvenait pas à quitter des yeux. Elle remarqua à peine le baiser que Maurice déposa sur son front pour la remercier.

— Mais ils sont bien beaux! s'exclama Jeanne avec fierté.

— Pas si beaux que ça, dit le docteur Bernier en esquissant un de ses rares sourires. Mais ils sont en santé en tout cas et ils ont tous leurs morceaux. Prends-en bien soin.

— Ayez pas peur, le rassura Jeanne. Je vais bien m'en occuper.

— Tu viendras me les montrer après les fêtes. Je veux aussi que tu traînes ton mari avec toi, ce jour-là. T'appelleras ma secrétaire pour prendre rendez-vous.

— Certain, docteur Bernier.

— Ah oui! Je veux pas entendre dire que tu t'es relevée trop vite. T'as de l'aide; profites-en. Tu restes couchée huit jours, pas un jour de moins. Tu m'entends, Jeanne Dionne?

— Oui. Je vous remercie bien gros pour tout ce que vous avez fait, docteur.

— Bon, je pense que j'ai plus rien à faire ici, dit le praticien. Il est temps que j'aille me coucher, moi aussi. Fais attention à toi et à tes bébés, et reprends des forces.

Sur ces derniers mots, il sortit de la chambre pour se retrouver face à face avec Agathe qui lui tendait déjà son paletot et son chapeau. Pendant que Maurice allait lui chercher sa trousse qui avait été laissée sur la table de la salle à manger, Charles Bernier ne put s'empêcher de dire à l'institutrice retraitée :

— Vous êtes pas mal efficace, vous. J'aimerais être aidé plus souvent par quelqu'un comme vous quand j'accouche une patiente. Vous auriez fait toute une garde-malade.

— Merci, docteur, mais je pense que ma vocation était d'enseigner.

— Merci beaucoup, docteur, dit Maurice à son tour en lui remettant sa trousse.

— Bonne nuit.

La porte se referma sur le médecin. Pendant que Maurice allait déposer chacun des nouveau-nés dans son petit lit, tante Agathe alla remettre de l'ordre dans la salle à manger. Après s'être assurée que Jeanne était déjà endormie, elle retourna se coucher sur le divan du salon.

Maurice remit du bois dans la fournaise du couloir, éteignit les lumières et alla s'étendre sur l'un des lits de la chambre des garçons. La fatigue eut vite raison de lui.

———

Les cris des jumeaux réveillèrent leur mère et tante Agathe quelques heures plus tard. De toute évidence, ils étaient affamés et ils s'arrangeaient pour le faire savoir.

Tante Agathe alla réveiller Maurice avant d'aider Jeanne à s'occuper des nouveau-nés.

— Maurice ! Lève-toi et chauffe-moi cette maison, dit-elle en serrant frileusement son épaisse robe de chambre autour d'elle. On crève de froid.

Maurice obtempéra en maugréant. Il ne retrouva sa bonne humeur qu'après avoir bu sa première tasse de café.

Après le déjeuner, quand tante Agathe eut terminé la toilette des bébés, elle suggéra au père de rapatrier ses enfants.

— Il est passé neuf heures. Il serait peut-être temps qu'ils voient leur mère et leurs nouveaux frères, ces enfants-là, tu penses pas ?

Quelques minutes plus tard, Lise, Francine, Paul, Claude et André étaient réunis autour de leur mère qui serrait contre elle les deux nouveaux petits Dionne qu'ils regardaient attentivement. Germain Couture et Claudette Thériault avaient décliné l'invitation de venir les voir immédiatement, préférant laisser quelques heures supplémentaires de repos à la mère. Ils avaient promis de venir faire une courte visite durant l'après-midi, si cela ne dérangeait pas.

Les enfants éprouvaient envers leurs nouveaux frères des sentiments partagés. Ils étaient tous contents de constater que leur mère était heureuse de les avoir. Si les deux bébés laissaient Claude et André assez indifférents, Lise et Francine ne pouvaient s'empêcher de penser que leur arrivée allait leur valoir un surplus de travail. Nécessairement, elles allaient être chargées d'une partie de leur surveillance et des soins à leur prodiguer. Il leur semblait qu'elles venaient à peine d'en sortir avec Denis et Martine.

Pour sa part, Paul était, de loin, celui qui entretenait les sentiments les plus égoïstes en regardant ses deux nouveaux frères. Il songeait que cet ajout important à la famille allait obliger tout le monde à s'entasser encore plus, tant dans la maison que dans l'auto. Leur apparition ne pouvait qu'empirer les difficultés financières des Dionne. Il pensait avec une certaine amertume qu'il n'avait pas fini d'assister à des disputes entre son père et sa mère à propos du manque d'argent. À la vue des deux petits que sa mère tenait contre elle, il essayait d'imaginer où ils allaient bien pouvoir dormir quand ils quitteraient leur petit lit d'enfant. « On va finir par coucher trois dans le même lit », se dit-il.

— Comment ils s'appellent ? demanda André à voix basse en désignant ses deux frères qui dormaient à poings fermés.

— On a décidé de les appeler Marc et Guy, répondit son père à la place de sa mère.

— Comment on va faire pour les reconnaître ? fit Lise. Ils se ressemblent comme deux gouttes d'eau.

— Celui qui a un petit ruban bleu au poignet, c'est Marc, dit Jeanne en lui montrant le poignet de l'un des petits.

— Bon, OK, c'est moi qui vais m'occuper de lui quand je serai à la maison, dit l'adolescente pleine de bonne volonté.

— Moi, je vais prendre soin de Guy, rétorqua Francine qui ne voulait pas être mise de côté.

— Vous êtes fines, les filles, fit tante Agathe. Maintenant, on va mettre les petits dans leur lit et laisser dormir votre mère.

La chambre se vida en un instant et les enfants prirent garde de ne parler qu'à voix basse tout l'avant-midi pour ne pas réveiller leur mère.

À la fin de l'avant-midi, Maurice téléphona à sa belle-mère pour lui apprendre l'heureuse nouvelle et il lui demanda de la communiquer aux frères et aux sœurs de Jeanne. Ensuite, il appela son frère Adrien et sa sœur Suzanne qui promirent de venir voir la mère et les petits le soir même.

◆

Ce soir-là, les deux couples vinrent rendre une courte visite à leur belle-sœur. Jeanne était heureuse de serrer contre elle Martine et Denis, même si cela faisait moins de quarante-huit heures qu'ils étaient absents de la maison.

— Je les ramène chez nous, lui dit Simone. Je les ai juste amenés pour qu'ils puissent voir leurs nouveaux petits frères.

Tante Agathe regarda Maurice qui se tenait en retrait et lui fit un signe de dénégation.

— T'es ben de service, Simone, mais je pense que Jeanne s'ennuie trop des deux enfants pour les laisser repartir, finit-il par dire à sa belle-sœur. Il faut croire qu'on n'a pas encore assez d'enfants dans la maison. De toute façon, tante Agathe m'a dit qu'elle était ben capable de s'en occuper.

Durant quelques instants, Simone et Adrien cherchèrent à les faire changer d'avis, mais ce fut peine perdue. Suzanne offrit deux petits pantalons et deux vestes en laine identiques à la mère.

— Comme je savais pas si t'étais pour avoir des filles ou des garçons, j'ai pas pris de chance. Je te les ai pris blancs.

Adrien tendit ses clés d'auto à Paul et il lui demanda d'aller chercher avec son frère Claude le paquet qu'il y avait dans le coffre arrière de son auto.

Quand les deux frères revinrent dans la maison, ils portaient un gros landau à deux places qu'ils transportèrent jusque dans le salon.

— Qu'est-ce que c'est? demanda Jeanne en étirant le cou pour voir.

— Attends, fit son beau-frère, on va le déplier. C'est un carrosse à deux places. Il se plie parce qu'il prend trop de place.

— Mais vous êtes complètement fous de dépenser autant, fit Maurice, enchanté de recevoir un tel cadeau.

— Ben non, répliqua Simone. C'est pas tous les jours qu'on a des jumeaux dans la famille. Puis, après tout, il va ben falloir que tu les sortes tes bessons si tu veux que le monde les voie.

Durant la semaine suivante, Jeanne ne cessa de recevoir des visiteurs. Certaines voisines, poussées par la curiosité, vinrent voir les nouveau-nés et s'extasier sur leur bonne mine. Quelques-unes, comme Claudette Thériault et Amanda Brazeau, apportèrent même un cadeau à la mère.

Germain Couture, toujours aussi discret, vint offrir ses services autant à Jeanne qu'à tante Agathe avant de retourner à sa solitude dans son appartement.

La plupart des frères et des sœurs de Jeanne trouvèrent le temps de venir à Montréal voir les deux nouveaux petits Dionne malgré les conditions routières difficiles de ce début d'hiver. Chacun apporta des présents pratiques qui vinrent enrichir le trousseau des deux bébés. Ces derniers reçurent des couvertures, des pyjamas, des bonnets, des couches, des maillots de corps et de chaudes enveloppes doublées pour leurs sorties.

Malgré tous ces dérangements, tante Agathe parvint à organiser la vie quotidienne dans la maison. Par exemple, elle voyait toujours à ce que les repas soient prêts à l'heure et le ménage soigneusement fait. Tous les enfants devaient participer aux diverses tâches, mais ils ne s'en plaignaient pas. Chaque matin, les lits étaient faits avant le déjeuner. De plus, chacun devait venir lui montrer qu'il avait fait sa toilette avant de partir pour l'école.

Il en allait de même pour les devoirs et les leçons. Pas un enfant ne pouvait en raconter à l'ancienne institutrice. Malheur à celui ou à celle qui essayait de ne pas faire son travail au complet. L'air sévère que prenait la grande femme avait tôt fait de dissuader le paresseux.

Pour la récitation quotidienne du chapelet, les enfants ne se faisaient pas d'illusion. Tante Agathe avait prouvé le printemps précédent qu'elle y tenait autant, sinon plus, que leur mère. Ils ne s'étonnèrent donc pas de la voir allumer la radio un peu avant sept heures chaque soir.

— À genoux, les enfants, disait-elle en donnant elle-même l'exemple. Le chapelet commence.

Par ailleurs, quand elle apprit de Jeanne les sanctions qui frappaient Francine et Claude, elle n'émit aucun commentaire. Si les fautifs avaient espéré un instant qu'elle demanderait à leur père de les oublier en raison de la naissance des jumeaux, ils en furent pour leurs frais. La tante se chargea de faire respecter les punitions comme si elle les avait elle-même distribuées.

Jeanne reprit rapidement des forces. Dès le troisième jour après son accouchement, elle se sentit de taille à se lever et elle en fit la remarque à sa tante.

— Il en est pas question, trancha Agathe Lafrance. T'as entendu ce que le docteur t'a dit ? Pas avant huit jours.

— Voyons, ma tante, je suis bien capable d'aller m'asseoir à la table de la salle à manger et d'éplucher au moins les patates. Je me sens un vrai membre inutile dans la maison.

— Toi, commence pas, la menaça sa tante, ses petites lunettes d'acier sur le bout de son nez. Va t'étendre et viens pas te mettre dans mes jambes. Ça va bien comme ça. J'ai pas besoin de toi.

Au fil des heures, au fond de sa chambre à coucher, Jeanne s'ennuyait et elle aimait que l'un ou l'autre de ses enfants vienne s'installer près d'elle quand il revenait de l'école. Elle aimait chacun d'entre eux et avait besoin de leur présence. Tante Agathe comprenait ce besoin et elle ne s'y opposait jamais, à moins de remarquer de la fatigue chez sa nièce.

Dès le quatrième soir après l'arrivée des bébés, Maurice accepta avec empressement l'invitation de sa femme de revenir coucher dans son lit, à ses côtés. Coucher à côté de son fils André dans l'un des lits de la petite chambre verte des garçons était devenu une épreuve insupportable tant le gamin bougeait durant son sommeil.

— Mais tu vas endurer les bébés, le prévint Jeanne. Ils se réveillent deux ou trois fois par nuit.

— Ça va être moins pire que d'endurer André, fit remarquer Maurice, reconnaissant.

À la fin de la seconde semaine de décembre, Maurice revint un soir avec le traditionnel sapin de Noël. Les enfants étaient déjà couchés depuis plus d'une heure.

— C'est pas parce qu'on a du nouveau dans la maison qu'on pourra pas fêter Noël cette année, dit-il aux deux femmes.

— Où est-ce qu'on va le mettre ? demanda Jeanne. Les autres années, on le plaçait entre notre chambre et le salon, mais cette année, il y a les lits des jumeaux.

— Je vais ôter la table de salon devant la fenêtre et on va le placer là.

— Fais donc ça, lui conseilla tante Agathe. Demain, j'aiderai les enfants à le décorer.

— Ben, il faudrait presque que j'installe les lumières à soir, ma tante, offrit Maurice, sans grand enthousiasme. C'est toujours ben compliqué de les démêler.

— Laisse faire les lumières. Je trouverai bien le moyen de me débrouiller demain. De toute façon, tu peux pas jouer là à cette heure ; tu vas réveiller les bébés.

Le lendemain soir, Maurice vit l'arbre de Noël tout décoré devant la fenêtre du salon. Même le petit village sur son lit de ouate blanche avait été reconstitué au pied de l'arbre. Il était bien forcé de reconnaître que la tante Agathe était une femme vraiment efficace. Elle venait de lui éviter une corvée.

— Allumez-le, ma tante, fit Jeanne, impatiente de le faire admirer par son mari.

Les lumières de l'arbre furent allumées. Il était resplendissant.

— Maudit, je pense que c'est le plus bel arbre qu'on a eu! s'exclama Maurice pour faire plaisir à la tante de sa femme et à ses enfants qui avaient participé à sa décoration.

— Je le sais pas, lui dit tante Agathe, mais toi, tu mériterais certainement de te faire tirer les oreilles pour ranger aussi mal tes décorations de Noël. Ça a pas d'allure de tout mettre en tas, au fond d'une boîte.

Le matin du neuvième jour après son accouchement, la tante Agathe découvrit, sans surprise, Jeanne en train de préparer le déjeuner de ses enfants.

— Sainte bénite! Je t'ai jamais entendue te lever, lui dit sa tante en la rejoignant dans la cuisine.

— Il était temps que je me lève, ma tante. J'étais en train de devenir une vraie paresseuse. Depuis que vous êtes dans la maison, je fais plus rien. Je me fais servir comme une reine.

— Exagère pas, la réprimanda doucement sa tante. Je t'ai juste donné une chance de remonter la pente.

— En tout cas, la maison a jamais été aussi en ordre.

— Maurice est déjà parti travailler?

— Ça fait dix minutes.

Tous les enfants furent heureux de découvrir leur mère debout ce matin-là.

Après le départ des aînés, Jeanne parla longuement à sa tante des cadeaux de Noël qu'elle espérait avoir le temps d'aller acheter à sa progéniture. Dès le début de novembre, la mère avait déjà préparé certains vêtements trouvés au vestiaire de sœur Thérèse de Rome. Elle se proposait de les offrir comme étrennes à certains. Il ne restait à acheter que quelques jouets qu'elle trouverait à l'Armée du Salut, au coin des rues Fullum et Sainte-Catherine, comme l'année précédente.

Les deux femmes occupèrent une partie de l'avant-midi à envelopper ces vêtements avec les restes de papier d'emballage des fêtes de l'année précédente. Quand le travail fut achevé, elles s'empressèrent de cacher ces paquets au fond de la garde-robe de la chambre des parents avant le retour de l'école des enfants.

Après le dîner, tante Agathe lava la vaisselle avec Lise et Francine pendant que Paul et Claude remplissaient la boîte à bois de bûches. Dès que les enfants furent partis, tante Agathe entra dans le salon et plia sans bruit les couvertures de son lit improvisé avant de déposer sur elles les deux oreillers qu'elle avait utilisés durant presque deux semaines. Ensuite, elle tira de sous le divan sa petite valise en cuir brun et elle y rangea ses quelques effets personnels.

Lorsque la vieille dame eut terminé, elle déposa sa valise dans le couloir et vint retrouver sa nièce occupée à nourrir l'un des jumeaux dans la salle à manger. Jeanne sursauta lorsqu'elle aperçut sa tante en train de placer son chapeau sur sa tête.

— Où est-ce que vous allez comme ça, ma tante ?

— Je pense qu'il est largement temps que j'aille voir si ma maison est encore debout, à Nicolet.

— Bien, voyons, ma tante ! Vous pouvez pas partir comme ça. Les enfants ont même pas eu le temps de vous embrasser.

— Bof ! Ces pauvres enfants peuvent bien se passer d'embrasser la peau toute ridée d'une vieille tante.

— Puis Maurice va être bien fâché de voir que vous êtes partie sans pouvoir vous remercier. Je suis certaine qu'il aurait au moins aimé aller vous reconduire jusqu'au terminus des autobus Provincial.

— Laisse donc faire. Je suis arrivée par mes propres moyens. Je suis aussi capable de m'en retourner sans me perdre.

Jeanne était vraiment bouleversée de voir sa tante partir si rapidement, sans avoir eu le temps de lui remettre le moindre cadeau pour la remercier de tout le travail qu'elle avait fait.

— Mais je sais même pas combien on vous doit. Je sais que ça a pas de prix tout ce que vous avez fait pour nous autres, mais quand même, j'aurais bien aimé vous...

— Jeanne Sauvé, veux-tu bien te calmer un peu! la réprimanda sa tante. Je suis venue pour t'aider. C'est fait. C'est pas la fin du monde. Tant mieux si j'ai pu te rendre service. Arrête de te mettre à l'envers avec ça.

La vieille dame endossa son manteau après avoir mis ses bottes et elle empoigna sa petite valise brune.

— Bon, c'est bien beau tout ça, mais il faut que je me dépêche si je veux pas manquer mon autobus.

Jeanne, les larmes aux yeux, embrassa sa tante et elle la remercia encore une fois avec effusion avant de refermer la porte derrière elle. Par la fenêtre du salon, elle la vit s'éloigner sur le trottoir couvert de neige, sa petite valise à la main.

Un peu plus tard, elle alla dans le salon chercher les couvertures utilisées par la visiteuse pour les ranger dans une armoire. Sous la dernière, elle découvrit une petite enveloppe blanche. Intriguée, elle l'ouvrit et y découvrit avec stupéfaction cinq billets de dix dollars ainsi qu'une carte qui lui était adressée.

Elle s'assit sur le divan pour la lire. De sa petite écriture ronde et soignée, sa tante avait écrit: «Un petit cadeau pour la naissance de Marc et de Guy. Je suis certaine qu'en cette période des fêtes, tu trouveras à l'employer. Tante Agathe.»

Lorsque les enfants rentrèrent de l'école, la plupart furent peinés en constatant le départ précipité de la tante de leur mère. Ils avaient appris à apprécier la bonté de cette parente toujours prête à leur venir en aide.

Paul fut probablement celui qui la regretta le plus. L'institutrice retraitée avait scruté ses résultats scolaires avec un intérêt non déguisé. Quand l'adolescent lui avait dit que son père envisageait sérieusement de le retirer de l'école à la fin de l'année, elle s'était insurgée. À son avis, ce serait un véritable gaspillage de talent et elle ne s'était pas cachée pour encourager Paul à poursuivre ses études.

— Il a l'étoffe pour faire un cours classique, avait-elle dit en secret à sa nièce. Pousse-le à continuer. Je suis certaine qu'il a tout ce qu'il faut pour réussir son cours et devenir prêtre.

— Un prêtre! s'était exclamée Jeanne. Mais il nous a jamais dit qu'il voulait en devenir un.

— Il n'est pas encore décidé, avait conclu franchement la vieille dame. Je pense que c'est ton rôle de mère de le lui faire comprendre.

Pour sa part, Maurice poussa un soupir de soulagement quand sa femme lui apprit le départ de la tante Agathe.

— Il était temps, se contenta-t-il de dire. Maudit! Je me sentais même plus chez nous.

— Maurice Dionne! s'exclama Jeanne. Tu devrais avoir honte de parler de même de ma tante. Elle s'est désâmée pendant deux semaines à nourrir tes enfants et à nettoyer ta maison… Et tout ça, sans que ça te coûte une cenne. Je te trouve pas mal ingrat!

— Fatigue-moi pas avec ça, rétorqua son mari avec une mauvaise foi évidente. Elle est venue pour enfin se sentir utile à quelque chose. Au fond, c'est nous autres qui lui avons rendu service.

Fâchée par tant d'ingratitude, Jeanne lui tourna le dos et retourna dans la cuisine préparer son souper.

Chapitre 31

La catastrophe

Après le départ de tante Agathe, Jeanne reprit sa lourde tâche sans une plainte. Les journées passaient rapidement au 2321, rue Notre-Dame. Les soins à apporter aux jumeaux s'étaient ajoutés à ses autres travaux de ménagère et de couturière. Toute la journée, elle lavait, repassait, raccommodait, cousait et cuisinait. Elle n'avait pas un moment de liberté. Sans se l'avouer, elle se réjouissait de voir Maurice rentrer tôt certains soirs parce qu'il l'obligeait à s'arrêter et à venir regarder la télévision à ses côtés durant une heure ou deux.

Depuis une semaine, les froids intenses alternaient avec d'importantes chutes de neige. Toutes les fenêtres de la maison, sauf celle du salon, étaient maintenant à moitié obstruées par la neige accumulée, ce qui accentuait l'impression d'emprisonnement de Jeanne.

— Si ça continue comme ça, dit-elle à ses enfants, il va falloir qu'on vienne nous déterrer le printemps prochain. On a déjà de la misère à voir dehors.

— On va pelleter devant les fenêtres en revenant de l'école, proposèrent en même temps Paul et Claude.

Malgré cela, la lumière extérieure n'entrait que chichement dans l'appartement peu fenêtré. Puis, les vacances scolaires arrivèrent. Sans l'avoir demandé, les Dionne eurent droit, cette année-là encore, à deux boîtes de

439

victuailles offertes par la Saint-Vincent-de-Paul trois jours avant Noël. Comme l'année précédente, Maurice ne se montra pas pour recevoir le don.

Dès le lendemain, la maison se remplit d'odeurs appétissantes de tourtières, de tartes et de dinde. Les enfants ne cessaient de tourner autour de leur mère pour qu'elle leur laisse goûter.

— Laissez-moi tranquille, finissait-elle par leur dire, et allez jouer dehors. Si je vous laissais faire, j'aurais plus rien à mettre sur la table pour le réveillon.

La veille de Noël, les traditions furent respectées. À sept heures, tous les enfants, sauf Paul et Lise, durent aller se mettre au lit jusqu'à onze heures, heure à laquelle André, Claude et Francine furent réveillés pour accompagner leur mère à la messe de minuit. Pour sa part, Maurice demeura à la maison pour garder les quatre plus jeunes.

Quand ils revinrent de la messe, les cadeaux étaient apparus au pied de l'arbre et le père Noël était déjà assis sur le divan, attendant surtout André, Martine et Denis, les trois seuls enfants de la famille qui croyaient encore à son existence.

Le bonhomme à la longue barbe distribua rapidement les cadeaux et les grands bas beiges remplis de bonbons clairs, de quelques chocolats, d'un sucre d'orge, d'une pomme et d'une orange. Il quitta les lieux dans l'indifférence presque complète des jeunes, trop occupés à développer leurs cadeaux.

Noël 1955 fut une réplique presque parfaite de celui de l'année précédente. Comme les bébés étaient encore trop fragiles pour être amenés à l'extérieur sans danger pour leur santé, les Dionne demeurèrent à la maison et reçurent les familles d'Adrien et de Suzanne pour la soirée.

La veille du jour de l'An, une tempête de neige laissa sur Montréal et sur une bonne partie du Québec près de vingt pouces de neige, paralysant presque totalement la circulation.

— Tu vois, chuchota Maurice à sa femme, au moment de se mettre au lit, même si on avait pu faire garder les jumeaux, on n'aurait pas été capables de se rendre jusqu'à Drummondville. Les chemins seront jamais ouverts à temps demain.

— Je pense que ça va être la première année où j'aurai pas reçu la bénédiction paternelle, dit tristement Jeanne.

— Tu la demanderas quand ton père viendra faire un tour. Tu m'as dit toi-même qu'il est supposé venir à Montréal avec Ouimet la semaine prochaine.

Jeanne se contenta de pousser un gros soupir.

Le lendemain, Jeanne revint difficilement de la grand-messe avec ses enfants.

— Ça a pas d'allure, dit-elle à Maurice en secouant la neige collée au bas de son manteau de lainage. On est obligé de marcher au milieu de la rue. Il y a pratiquement rien de nettoyé. On a pas vu un char rouler sur la rue Fullum. Tout a l'air bloqué.

— Je te l'ai dit hier. À matin, t'aurais été ben mieux de rester en dedans.

Les enfants allèrent ranger leur manteau dans leur chambre pendant que leur père revenait s'asseoir dans sa chaise berçante placée devant l'unique fenêtre de la salle à manger.

Jeanne alla rejoindre Paul dans la chambre des garçons.

— Viens demander sa bénédiction à ton père, lui dit-elle.

— Ah non! Pas encore! se plaignit l'adolescent. Pourquoi c'est pas Lise qui la demande? C'est elle la plus vieille.

— C'est au garçon le plus vieux de la demander, fit Jeanne d'un ton sans réplique. Grouille-toi qu'on en finisse. Fais pas attendre ton père.

Comme chaque année, la demande de la bénédiction paternelle donnait lieu à la même discussion parce que Paul était gêné de la demander à son père au nom de ses frères et sœurs. Pour lui, il s'agissait d'une corvée désagréable à laquelle il cherchait toujours à échapper.

Paul sortit de la chambre à contrecœur et il dit à Claude et à André de le suivre. Parvenu dans la salle à manger, il s'approcha de son père pendant que Jeanne faisait signe à Lise et à Francine d'amener avec elles la petite Martine.

— P'pa, voulez-vous nous bénir ? demanda Paul avant de se mettre à genoux devant son père, aussitôt imité par ses frères et ses sœurs.

Ému, Maurice se leva de sa chaise et posa ses mains sur la tête de ses enfants. Il récita une courte prière à voix basse avant de faire le signe de la croix.

Mis de bonne humeur par ce geste symbolique, le père se fit moins sévère pendant toute cette première journée de 1956. Durant l'après-midi, il y eut des échanges de vœux au téléphone avec la parenté et on invita Germain Couture et Claudette Thériault à venir manger un morceau de tarte.

—

Bien sûr, il y eut la fête des Rois six jours plus tard, mais cette fête semblait perdre en popularité chaque année. Elle représentait plus la fin de la période des fêtes qu'autre chose. Chez les Dionne, Jeanne confectionnait encore le fameux gâteau renfermant une fève et un pois pour désigner le roi et la reine de la journée, mais on aurait dit que le cœur n'était déjà plus aux festivités.

Les enfants allaient retourner à l'école le lendemain matin pour la plus grande satisfaction de la mère un peu étourdie de les avoir eus dans ses jupes durant deux semaines.

— On dira ce qu'on voudra, dit Jeanne à Maurice ce soir-là en dégarnissant le sapin de Noël, l'école est une bien belle invention. Je commence à être fatiguée de voir les enfants entrer et sortir de la maison toute la sainte journée et de les entendre se chicaner pour n'importe quoi.

—

Le mardi après-midi suivant, Jeanne découvrit devant sa porte son père et son beau-frère, Jean Ouimet. Elle fit entrer les deux hommes avec empressement.

— Vous autres, au moins, vous êtes de parole, s'exclama-t-elle, toute joyeuse de les voir.

Elle faisait référence à la promesse de Léon Sauvé de venir les visiter dès le début du mois.

Jeanne aida son père à retirer son manteau pendant que Jean Ouimet, un grand et gros homme de quarante ans, retirait ses caoutchoucs.

— T'as pas amené Germaine avec toi? lui demanda Jeanne.

— Pas moyen de trouver une gardienne pour les enfants, répondit l'agent d'assurances de Québec. Elle a bien été obligée de rester à la maison.

— Puis, m'man? demanda l'hôtesse en se tournant vers son père.

— Ta mère se relève pas vite. Après sa bronchite, elle a trouvé le moyen d'attraper la grippe. On a passé les fêtes enfermés. Aujourd'hui, comme Jean avait à faire à Montréal, j'ai décidé d'embarquer avec lui pour venir te voir, toi et les enfants.

Jeanne entraîna ses visiteurs dans la salle à manger et elle leur prépara une tasse de café après avoir demandé et obtenu de son père sa bénédiction pour la nouvelle année. Pendant que les deux hommes buvaient, elle vint leur montrer les jumeaux qui dormaient paisiblement dans leur lit.

Après quelques minutes à s'échanger des nouvelles, Jean Ouimet et son beau-père se levèrent.

— Où est-ce que vous allez comme ça? Vous venez d'arriver, dit Jeanne, surprise.

— Il nous reste encore une ou deux commissions à faire, dit Jean.

— Mais vous allez revenir souper avec nous autres.

Jean Ouimet, indécis, regarda son beau-père durant un court instant.

— Maurice va être bien fâché si vous venez pas souper à la maison. Il vous attendait tous les deux, ajouta Jeanne pour les convaincre de revenir.

— OK, fit son beau-frère. On va revenir vers six heures. Est-ce que c'est trop tard pour toi?

— Pantoute. Je vais faire souper les enfants de bonne heure. Comme ça, quand vous arriverez, vous allez avoir la paix pour jaser à table.

Lorsque les deux hommes revinrent peu avant six heures, Maurice, tout souriant, les accueillit. Après avoir parlé quelques instants avec les enfants, les invités passèrent à table et mangèrent avec un bel appétit.

— Jeanne m'a dit que t'étais venu faire une couple de commissions à Montréal, dit Maurice à son beau-frère. Dis-moi pas qu'on a des affaires que tu trouves pas à Québec?

— Ouais, fit le mari de Germaine Sauvé. De l'ouvrage, par exemple.

— De l'ouvrage ? demanda Maurice, étonné. Mais ta compagnie d'assurances…

— Ça fait des mois que j'ai de la misère à placer une police par semaine. J'ai beau me démener, ça marche pas mieux. Avec huit enfants à nourrir, je suis pas pour attendre un miracle. Je me cherche une autre job.

— Dire que ça a déjà si ben marché, dit Maurice en pensant à la maison et à la voiture luxueuse de son beau-frère.

— Comme tu peux voir, ça change vite, répliqua le grand et gros homme. Je cherche.

— À Québec ?

— À Québec, il y a rien pour moi. Je suis déjà allé voir un peu à Drummondville et à Sherbrooke. Les seules jobs que je trouve sont mal payées.

— Mais qu'est-ce que tu vas faire de ta maison ?

— La vendre, si je trouve quelque chose ailleurs. J'aurai pas le choix. Depuis une semaine, j'ai décidé de devenir mon propre boss, de me lancer en affaires.

— Dans quoi ? demanda Maurice.

— Sais-tu, mon Maurice, je pense que j'haïrais pas ça m'ouvrir un petit restaurant.

Un long silence tomba et chacun resta plongé dans ses pensées durant quelques instants.

Même si ce dernier se donnait parfois de grands airs avec son gros salaire, Maurice s'était toujours bien entendu avec ce beau-frère qui avait une famille presque aussi nombreuse que la sienne. Malgré ses huit enfants, Jean Ouimet roulait en Packard, habitait sa maison – déjà plus qu'à moitié payée, avait dit sa femme l'année précédente – et il buvait sec, surtout au travail.

— As-tu quelque chose en vue à Montréal ? finit par lui demander Jeanne.

— Oui, tiens-toi bien! répondit Jean Ouimet en souriant pour la première fois depuis plusieurs minutes. Je pense même que je suis sur le bord d'en acheter un.

— À Montréal? Où ça? demanda Maurice, intéressé.

— Pas bien loin de chez vous, fit le beau-frère.

— Pas ben loin?

— On pourrait même dire que par la porte d'en arrière, tu pourrais presque le voir.

— Arrête donc! s'exclama Maurice, sidéré. Où est-ce que t'as acheté?

— Le restaurant Brodeur, derrière chez vous, sur la rue Archambault.

— Hein! Le restaurant au coin d'Emmett et Archambault? C'est une farce que tu fais?

— Ben non.

— Comment t'as su qu'il était à vendre?

— Je le savais pas pantoute. Je suis venu à Montréal pour en voir un sur Papineau, fit Jean en écartant sa chaise de la table de la salle à manger. Un de mes voisins est venu voir de la parenté sur cette rue-là il y a une quinzaine de jours et il m'en a parlé. À l'entendre, le propriétaire demandait pas cher pour son commerce. J'ai pas arrêté d'y penser depuis ce temps-là. Finalement, j'ai décidé de venir voir cette affaire-là cette semaine avec le beau-père.

— Puis?

— Puis, le propriétaire a changé d'idée. Quand on est arrivés là cet après-midi, il voulait plus vendre. Il avait enlevé son annonce dans la vitrine. Il faut croire que j'ai eu l'air découragé parce qu'il m'a dit qu'il y avait deux ou trois petits restaurants comme le sien à vendre pas bien loin. Il m'a passé une feuille de journal où ils étaient annoncés et j'ai téléphoné. Le dernier qu'on est allés voir est le restaurant de Brodeur.

— Tu parles si c'est drôle! s'exclama Jeanne.

— Sur le coup, l'adresse m'a rien dit, ajouta son beau-frère. C'est quand le propriétaire m'a dit que je devais descendre la rue Fullum et que je trouverais Emmett entre Sainte-Catherine et Notre-Dame que j'ai réalisé que j'étais à côté de chez vous.

— Comment t'as trouvé le restaurant? demanda Maurice.

— Pas mal. Le bonhomme demande pas trop cher et l'appartement à côté a du bon sens. Je suis supposé revenir voir ça avec Germaine en fin de semaine. C'est elle qui va décider.

Après le départ des invités ce soir-là, Maurice ne put s'empêcher de dire à sa femme :

— Je suis certain que Ouimet s'est fait prendre saoul à l'ouvrage et qu'ils l'ont sacré dehors.

— Tu penses? demanda Jeanne, peu convaincue.

— Tu sais comme moi comment il aime boire. Il a vendu des assurances pendant vingt ans. Je suis sûr qu'il a pas lâché sa job comme ça. Ils ont dû le mettre dehors. Tu sais ben qu'on met pas dehors un père d'une famille de huit enfants comme ça, sans avoir une maudite bonne raison.

⸺

Mais Maurice Dionne se trompait. Un père de famille nombreuse pouvait être congédié aussi facilement qu'un autre travailleur. Il allait l'apprendre à ses dépens le lundi suivant.

Ce jour-là, Jeanne sursauta en voyant rentrer son mari à la maison un peu après une heure de l'après-midi. Il faisait près de -20 °F et un vent venu du nord faisait tourbillonner la neige dans la cour.

— Mais qu'est-ce qui se passe ? lui demanda-t-elle alors qu'il était en train de retirer ses bottes après avoir refermé la porte. Es-tu tombé malade à l'ouvrage ?

— Laisse-moi entrer et prépare-moi une tasse de café, se contenta de lui répondre Maurice, la mine sombre.

Jeanne le connaissait assez pour savoir que son air ne laissait présager rien d'agréable. Elle lui prépara une tasse de café pendant qu'il enlevait son manteau d'un air accablé.

Il s'assit dans sa chaise berçante. Après avoir avalé sa première gorgée de café, il dit tout à trac :

— Je viens de perdre ma job.

— Comment ça ? demanda Jeanne, soudainement alarmée.

— Je le sais-tu, moi, pourquoi ? s'emporta Maurice, soudainement mauvais. Ils m'ont fait monter au bureau sur l'heure du dîner et ils m'ont dit qu'ils avaient plus besoin de moi. Bonjour, bonsoir, rien de plus.

— Ça a pas de bon sens de traiter le monde comme des chiens comme ça, dit Jeanne. En plein mois de janvier, à part ça ! Ils savent pas que t'as neuf enfants à faire vivre ?

— Qu'est-ce que tu veux que ça leur sacre, sacrement ? C'est pas à eux autres, ces enfants-là !

Le mari et la femme se turent, cherchant à calculer les implications dévastatrices que cette mise à pied aurait pour eux et leur famille. Le silence n'était troublé que par les ordres donnés par Martine à son petit frère Denis avec qui elle jouait à la poupée à l'entrée du couloir.

— Comment on va faire pour arriver ? s'inquiéta Jeanne. On n'en avait déjà pas de trop.

— On va se débrouiller, finit par lui dire Maurice en donnant à sa voix une assurance qu'il était loin d'éprouver. On n'a pas le choix. En plus de Remington, j'ai encore trois clients chez qui je fais le ménage chaque semaine. Peut-être qu'il y en a un capable de m'aider à me trouver une vraie job.

— Dire que Germaine et Jean viennent juste de décider d'acheter le restaurant et de venir rester à côté de chez nous au commencement de février...

— Je vois pas pourquoi tu me parles de ta sœur et de sa famille, fit Maurice avec humeur.

— Je disais ça parce que Jean est comme toi ; il vient de perdre sa job, lui aussi.

— Christ ! c'est pas pantoute la même affaire ! la corrigea sèchement Maurice. En vendant sa maison, il a un peu d'argent à mettre sur un commerce, lui. Pas moi... En tout cas, demain matin, après avoir fait le ménage des Legault à Notre-Dame-de-Grâce, je vais commencer à chercher.

Ce soir-là, l'atmosphère ne fut pas à la fête chez les Dionne. Quand le père apprit la mauvaise nouvelle à ses enfants, Lise, Paul, Francine et Claude étaient assez âgés pour imaginer les conséquences qu'allait avoir la perte d'emploi de leur père.

— Comment on va faire pour manger ? demanda Claude à sa mère. Est-ce qu'on va être obligés d'aller quêter chez les voisins ?

— Aïe, le comique ! explosa Maurice, mêle-toi de tes maudites affaires et occupe-toi de tes devoirs !

Aucun des autres enfants n'osa faire allusion au malheur qui leur arrivait. Tous tentèrent de se concentrer sur leurs devoirs et sur leurs leçons. Paul était peut-être le plus angoissé de tous. La pauvreté lui faisait de plus en plus peur. En plus de la honte qu'elle lui faisait quotidiennement subir, la crainte de manquer de l'essentiel le hantait dorénavant. L'insécurité engendrée par le chômage de son père l'empêcha longtemps de s'endormir ce soir-là.

Durant les jours suivants, les espoirs de Maurice Dionne de trouver un emploi rapidement fondirent comme neige au soleil. Aucun de ses clients ne put l'aider. Le père de famille eut beau parcourir les petites annonces du journal et se présenter partout où on embauchait, on lui répondait invariablement ne pas avoir besoin d'un concierge. Il ne pouvait cependant renoncer. Il savait bien qu'effectuer quatre ménages durant la semaine ne lui rapporterait jamais assez d'argent pour nourrir les siens.

Après plus d'une semaine de recherches stériles, Maurice opta pour une solution pour le moins étrange pour se tirer d'affaires. Le seul fait de s'être engagé dans cette voie disait assez à quel point sa situation était désespérée.

Le tout débuta chez Dubuc, l'entrepreneur en démolition qui lui vendait son bois de chauffage depuis quelques années. Toujours à la recherche d'un emploi, Maurice s'arrêta à son bureau de la rue Frontenac le mardi matin. Marcel Dubuc n'avait pas de travail à lui offrir, mais par contre, il lui parla de la compagnie Molson qui offrait une prime intéressante à toute personne qui accepterait de démolir des maisons de la rue Plessis. L'entrepreneur affirma avoir refusé le contrat parce que ses employés étaient déjà à l'œuvre sur deux autres chantiers. Le petit homme énergique dit à Maurice que le travail proposé n'était pas sorcier et qu'il n'avait rien à perdre à essayer, si le contrat n'avait pas déjà été donné à quelqu'un d'autre.

Sans en parler à personne, le chômeur se présenta, une heure plus tard, dans les bureaux de la compagnie Molson de la rue Notre-Dame. Andrew Lester, le responsable du projet, le reçut immédiatement et ne fit aucun mystère du fait qu'il était encore à la recherche d'un démolisseur. Il lui expliqua que Molson avait acheté l'année précédente deux vieilles maisons inhabitées situées au coin des rues Plessis et Dorchester avec l'intention de les faire démolir. On désirait transformer les terrains en stationnement pour les employés dès le début du mois d'avril. Sans plus de cérémonie, il tendit un trousseau de clés à Maurice et il l'invita à aller voir par lui-même l'importance du travail à accomplir.

— Si vous êtes encore intéressé par la job, lui dit l'homme, revenez me voir avant le dîner. Si ça vous semble trop dur, vous laisserez les clés à ma secrétaire en passant.

Maurice se rendit au coin des rues Dorchester et Plessis, et il stationna sa Pontiac devant les deux vieilles maisons en brique rouge de deux étages. Il visita rapidement les lieux. Les maisons, inhabitées depuis plusieurs mois, étaient privées d'électricité et de chauffage. Il y avait même eu du vandalisme à l'intérieur de certains appartements. De la neige avait pénétré dans certaines pièces par les fenêtres fracassées. À la fin de sa brève visite, Maurice verrouilla les portes et revint chez Molson.

— Je suis capable de faire l'ouvrage, déclara-t-il avec aplomb au responsable en s'assoyant sur la chaise que lui désignait l'homme.

— Bon. On va signer un petit contrat, lui dit Lester en poussant vers Maurice un document déjà rédigé.

Maurice le prit, prêt à signer sans lire.

— Ne signez pas tout de suite, monsieur Dionne. Attendez que je vous explique, le tempéra l'autre avec un demi-sourire. Molson s'engage à vous verser trois cents dollars pour chacune des maisons si vous parvenez à les démolir dans les soixante-dix jours, soit pour le 1er avril.

— OK.

— En plus, elle vous donne le droit de vendre à votre profit tous les matériaux récupérables que vous pourrez tirer de ces maisons.

— Bon.

— Deux fois par semaine, Molson enverra une chargeuse et un camion vous débarrasser des matériaux dont vous ne voudrez pas.

— C'est parfait.

— Une dernière chose, monsieur Dionne. Je vous rappelle que tout devra être démoli pour le 1er avril. Vous pourrez laisser le plancher du rez-de-chaussée. Les bulldozers que nous enverrons pour égaliser le terrain démoliront le solage avec le plancher. Si vous êtes incapable de tenir les délais fixés, Molson se réserve le droit de vous retirer l'affaire et vous ne recevrez rien comme dédommagement de tout le travail que vous aurez fait. Est-ce bien clair ?

— Oui, confirma Maurice qui saisit la plume tendue par Lester et signa.

—

Ce midi-là, ce fut un Maurice Dionne fier comme un paon qui expliqua aux siens le travail qu'il venait de dénicher. Comme Lise souffrait d'un début de grippe, il insista pour qu'elle demeure à la maison durant l'après-midi et il en profita pour entraîner Jeanne sur les lieux de son futur chantier.

À la vue de ces deux grosses maisons en brique, Jeanne demeura sans voix.

— Viens voir en dedans, l'invita Maurice en tirant avec fierté de l'une de ses poches de manteau un trousseau de clés.

Tous les deux firent une visite rapide des deux maisons. Comme elles n'étaient pas chauffées, elles étaient glaciales en cet après-midi de janvier. Quelques minutes plus tard, Jeanne retrouva la chaleur de la Pontiac avec un plaisir non dissimulé.

— Qu'est-ce que t'en penses? lui demanda Maurice en s'assoyant derrière le volant.

— Mais elles sont bien grosses, ces maisons-là! Es-tu sûr que tu vas être capable de les jeter à terre tout seul?

— Ben oui.

— Il me semble que t'es pas outillé pantoute pour un ouvrage comme ça.

— Voyons donc. J'ai juste besoin d'une masse, d'une hache et d'une bonne *crowbar*, fit son mari avec impatience.

— Tu vas t'éreinter à travailler tout seul là-dedans. En plus, il fait bien trop froid. Comment tu vas te réchauffer? Il y a même pas d'électricité.

— Laisse faire ça, je m'arrangerai ben. Une bonne tuque et des mitaines chaudes vont suffire.

— Et s'il t'arrive un accident? Qui est-ce qui va s'en apercevoir?

— Arrête de t'énerver avec des niaiseries! lui ordonna Maurice en remettant la Pontiac en marche. On a besoin d'argent. J'ai la job qui va m'en donner. Ce sera pas facile, mais je devrais y arriver.

Ils rentrèrent à la maison. Maurice occupa le reste de son après-midi à amasser tous les outils éparpillés dans la cave et il les rangea dans le coffre de la Pontiac.

Le lendemain matin, à la première lueur du jour, il quitta l'appartement pour commencer sa première journée de travail d'entrepreneur en démolition. À la fin de l'avant-midi, pendant qu'il cherchait à se réchauffer dans la Pontiac dont le moteur tournait, il se rendit compte à quel point ce travail allait être beaucoup plus difficile qu'il l'avait cru la veille.

Chapitre 32

Les Ouimet

En cette fin de janvier 1956, le mercure ne monta pas un seul jour au-dessus de -25 °F. Le froid polaire qui régnait depuis près de deux semaines chassait les passants des rues et rendait pénibles tous les déplacements à l'extérieur.

Depuis une dizaine de jours, Maurice se levait à cinq heures et quittait la maison assez tôt pour être sur son chantier au lever du soleil. Il y travaillait jusqu'à ce que l'obscurité l'empêche de continuer. Lorsque le froid rendait ses doigts et ses pieds gourds au point de perdre toute sensibilité, il abandonnait ses outils sur les lieux durant quelques minutes pour se réfugier dans sa voiture dont il faisait fonctionner le chauffage.

Il avait beau travailler sans relâche, le travail avançait beaucoup moins rapidement que prévu. Le plus décourageant était qu'on venait parfois lui voler le soir ou la nuit une bonne partie des matériaux qui avaient quelque valeur de revente. Par exemple, il avait eu beaucoup de mal à retirer les lavabos et les cuvettes des toilettes des appartements des deux maisons sans les briser. La veille, il les avait entassés au premier étage à l'intention de Dubuc qui avait accepté de les acheter. À son arrivée ce matin-là, ils avaient tous disparu. Frustré, il avait juré toute la journée en arrachant les tuyaux, les seuls autres matériaux revendables dans l'immédiat. Le froid et l'humidité transperçaient ses vêtements. Il frissonnait malgré la sueur qui lui coulait dans le dos.

Quand il rentra à la maison ce soir-là, la table était mise pour le souper et les enfants attendaient son arrivée. Il sursauta en apercevant sa belle-sœur, Germaine Ouimet, confortablement assise dans sa chaise berçante. Il lui revint subitement à la mémoire que Jean Ouimet était revenu avec sa femme quelques jours après sa première visite pour lui faire voir le restaurant de Roméo Brodeur. À l'entendre, les deux hommes s'étaient mis d'accord rapidement sur un prix convenable et il avait été convenu que les Ouimet entreraient dans leur nouvelle demeure le premier jour de février.

La présence chez lui de la sœur de sa femme lui rappela brusquement qu'on était déjà le 1er février. Entièrement pris par son travail, il avait totalement oublié que les Ouimet emménageaient rue Emmett ce jour-là.

Maurice salua sa belle-sœur sans chaleur excessive et s'assit péniblement sur une chaise au bout de la table.

En réalité, il avait toujours eu du mal à supporter cette grosse femme geignarde qui ne cherchait qu'à susciter la pitié autour d'elle pour se faire aider. Elle avait dû être absente au moment où le courage et l'énergie avaient été distribués. Elle devenait intarissable quand elle racontait les douleurs que lui causaient son souffle au cœur, son asthme, ses varices et même son début de rhumatisme. Les larmes aux yeux, elle assurait que toutes ces maladies incapacitantes faisaient de sa vie un véritable enfer. Bien malin aurait été celui capable de faire la part de l'imagination dans tous ces maux.

— Avez-vous déjà fini votre déménagement? lui demanda Maurice en faisant un effort méritoire pour être poli.

— Ah! Je suis assez découragée! s'exclama la grosse femme. Tout est à l'envers dans la maison. Il y a rien de placé. Il y a pas la moitié des boîtes qui sont ouvertes. La vaisselle est pas placée dans les armoires. Les enfants courent partout. Les clients viennent même frapper dans la porte parce que le restaurant est fermé. Je sais plus quoi faire. C'est un vrai cauchemar.

— C'est normal, dit sèchement Maurice en jetant un coup d'œil vers Jeanne. C'est toujours comme ça dans un déménagement. Ça prend un peu de temps pour se remettre d'aplomb.

— Ah non! C'est pire chez nous.

— Où est Jean?

— Avec les enfants.

— Qui va leur faire à souper?

— Je le sais pas, fit Germaine d'une voix geignarde. Ils vont se prendre quelque chose dans le restaurant. Moi, je suis trop épuisée. Je suis plus capable.

— Bon, ben, mange avec nous autres et on ira jeter un coup d'œil chez vous après le souper, déclara abruptement Maurice. Le souper est prêt? demanda-t-il avec impatience à Jeanne. Il serait peut-être temps de manger. Il est passé six heures.

Pendant tout le repas, la sœur de Jeanne s'étendit avec force soupirs sur le calvaire qu'elle venait de vivre en préparant le déménagement familial de Québec à Montréal. À aucun moment elle ne mentionna le travail fourni par son mari et ses enfants. Maurice connaissait assez sa belle-sœur pour savoir qu'elle n'avait probablement pas fait beaucoup d'efforts ni changé son horaire un peu spécial.

Dans la famille, tout le monde savait depuis longtemps qu'elle ne se mettait au lit qu'aux petites heures du matin pour ne réapparaître qu'à l'heure du souper. C'était le moyen astucieux qu'elle avait trouvé depuis de nombreuses années pour échapper aux corvées. Lorsqu'elle émergeait dans la réalité, elle était toujours bouleversée de découvrir le désordre et la montagne de vaisselle sale laissée par ses huit enfants durant la journée. Habituellement, sa crise de larmes quotidienne suffisait à attendrir suffisamment son mari et ses aînés pour qu'ils remettent de l'ordre dans la maison sans qu'elle ait à lever le petit doigt.

Après le repas, Maurice confia la garde des plus jeunes à Lise et à Paul avant d'entraîner sa femme et sa belle-sœur à l'extérieur. Le trio traversa la grande cour et n'eut à parcourir qu'une centaine de pieds avant d'arriver au coin de la rue Emmett où se trouvait l'ancien restaurant de Roméo Brodeur.

«Restaurant» était un bien grand mot pour désigner le petit local de vingt-quatre pieds sur quinze occupant une infime partie du rez-de-chaussée de la vieille maison en brique à un étage. La porte du restaurant s'ouvrait sur la rue Emmett, à moins de six pieds de l'escalier extérieur qui permettait d'accéder à l'étage supérieur occupé par des locataires.

Maurice, Jeanne et Germaine entrèrent chez les Ouimet en empruntant la porte de leur appartement qui donnait sur la rue Emmett. Il régnait dans les lieux un fouillis indes-criptible. En apparence, rien n'était encore rangé. Jean et ses enfants étaient attablés dans la cuisine et mangeaient des petits gâteaux en buvant des boissons gazeuses prises à même le fonds de commerce.

Il était curieux de voir toutes ces grosses figures joufflues autour de la table. Si aucun Dionne n'avait un gramme de graisse superflue, il en allait tout autrement de leurs cousins et cousines. C'était probablement causé par leur habitude de manger n'importe quoi à n'importe quelle heure.

Pendant que Jean finissait de manger, Germaine mon-tra à ses invités les trois chambres à coucher en enfilade ainsi que le salon et la cuisine. Cette dernière pièce n'était séparée du restaurant que par un rideau défraîchi.

— C'est tellement sale que le cœur nous lève de dormir ici, dit Germaine de sa voix plaintive.

— C'est sûr que vous allez être obligés au moins de laver les murs et les plafonds, constata Maurice en examinant ces derniers avec un œil de connaisseur.

— Je pense que ça suffira pas, fit Germaine Ouimet. Il faudrait peinturer. Moi, je me sens pas la force de faire ça, et Jean va être pris par le restaurant à partir de demain.

Maurice sentit tout de suite où la grosse femme voulait en venir.

— Ton Yvon s'en va sur ses quinze ans. Il est ben capable de commencer à peinturer, dit-il. Sinon, engagez quelqu'un. Dans le coin, vous trouverez ben un homme qui va vous faire ça pour pas cher.

Jean vint se joindre à eux à ce moment-là et il les fit pénétrer dans le restaurant. Les deux vitrines de ce dernier donnaient sur les rues Emmett et Archambault. Les deux autres murs de la pièce étaient couverts par des étagères remplies de boîtes de conserve et de toutes sortes de produits, comestibles ou non. Il y avait aussi des présentoirs offrant des paquets de cigarettes, différentes sortes de gâteaux et diverses marques de tablettes de chocolat. La clientèle était tenue à distance de ces étagères par un comptoir et deux réfrigérateurs placés en équerre, réfrigérateurs dans lesquels on trouvait aussi bien des boissons gazeuses que des produits laitiers, quelques légumes frais et des viandes froides.

— Cré Maudit! Brodeur t'a laissé pas mal de stock, s'exclama Maurice en voyant tous ces produits.

— Oui, pas mal, fit le gros homme avec la fierté du nouveau propriétaire. Viens voir en arrière, ajouta-t-il en repoussant le mince rideau de plastique jaune qui dissimulait l'entrée d'une pièce située à l'arrière du magasin.

Cette pièce servait à ranger les caisses de bouteilles vides et à entreposer les produits livrés par les fournisseurs. Il y avait une porte qui s'ouvrait sur la petite rue Archambault.

— Tu manqueras pas de place, constata Maurice.

— Ben là, j'en aurai peut-être pas autant la semaine prochaine.

— Pourquoi ?

— Avant de partir de Québec, j'ai trouvé un poêle à patates frites et un autre pour faire des hot-dogs.

— Dis-moi pas que t'as l'intention de vendre des patates frites et des hot-dogs ?

— Ben certain. Je pense que ça va ben se vendre à part ça.

— Tu peux être sûr. Mais ça va aussi te donner pas mal plus d'ouvrage.

— L'important, c'est que ça me rapporte au plus vite. Je sais pas si tu le sais, mais j'ai été obligé de racheter une partie des comptes des clients du père Brodeur.

— Comment ça ?

— Il avait plus que neuf cents piastres de comptes pas payés par des clients. Il m'a dit que si je faisais pas crédit dans le coin, j'aurais presque pas de clients.

— Ça, c'est vrai. Mais pourquoi il les a pas collectés avant de vendre ?

— Il m'a dit qu'il avait essayé, mais que la plupart avaient pas d'argent pour le payer tout de suite. Il m'a juré que c'était du bon monde et qu'ils finiraient presque tous par payer leur compte.

— As-tu été obligé de tout payer ?

— Ben non, je lui ai donné la moitié. J'ai payé pareil quatre cent cinquante piastres. Je te garantis que je ferai pas comme lui. J'ai pas l'intention de faire crédit aussi longtemps, moi.

Après avoir fait le tour de la maison et du restaurant, Jeanne et Maurice, malgré la fatigue causée par leur longue journée de travail, aidèrent la famille de Jean Ouimet jusqu'à près de onze heures.

De retour à la maison, Maurice fulminait.

— Ça prend une grosse sans-dessein comme ta sœur pour venir s'écraser ici pendant que son mari et ses enfants se crèvent à tout placer chez eux.

— Tu la connais, Maurice, plaida mollement Jeanne, Germaine a jamais été bien forte.

— Lâche-moi avec ça, toi. Quand il s'agit de se lamenter, elle est forte, par exemple. Elle vient manger ici et elle a même pas le cœur de préparer à manger à ses enfants.

— Elle était trop fatiguée.

— Elle est venue au monde fatiguée, la grosse! s'exclama Maurice avec une joie mauvaise. Ce qu'il lui faudrait, c'est un bon coup de pied dans le cul pour la faire bouger.

— Maurice!

— En tout cas, je t'avertis, que je te vois pas aller travailler une minute chez les Ouimet. Je la connais, la Germaine. Elle va essayer de t'avoir en venant pleurer dans ton tablier. T'as assez d'ouvrage à la maison sans t'occuper de faire le sien en plus.

— Tu sais bien qu'elle fera pas ça, affirma Jeanne, pas du tout certaine d'avoir raison.

— On est allés leur donner un coup de main à soir. Ça va être le dernier pour un maudit bon bout de temps. Qu'ils fassent comme nous autres; qu'ils se débrouillent, conclut Maurice.

Durant les semaines suivantes, les Ouimet s'adaptèrent tant bien que mal à leur nouvel environnement. Si on se fiait aux confidences de Germaine à sa sœur, ils ne s'attendaient pas à se retrouver dans un milieu aussi pauvre et à travailler aussi dur pour gagner aussi peu d'argent. Leur restaurant n'était pas le Pérou, malgré l'ajout de la vente de frites et de hot-dogs.

Jean Ouimet dut apprendre à se tenir debout derrière un comptoir de sept heures le matin à onze heures le soir, sept jours par semaine. Vendre surtout des bonbons à un cent et des boîtes de conserve était beaucoup moins rentable que l'ex-agent d'assurances l'avait imaginé. De plus, dès le premier jour, il dut se rendre compte de son impossibilité de refuser de faire crédit à une grande partie de sa clientèle. S'il l'avait fait, il aurait dû fermer ses portes. Pour tout arranger, il était trop bonasse pour se fâcher contre les mauvais payeurs.

Leurs cinq enfants d'âge scolaire retournèrent à l'école dès le milieu de la semaine suivant leur installation. Thérèse et Céline furent inscrites au couvent de la rue Sainte-Catherine. Yvon alla terminer sa 9e année à l'école Meilleur de la rue Fullum. Pour sa part, la direction de l'école Champlain plaça Daniel en 6e année et Sylvain en 4e année. Dès leurs premiers jours à l'école, ces deux derniers se révélèrent particulièrement doués pour se faire rapidement des amis. En fait, ils étaient le plus souvent entourés d'un petit groupe de courtisans qu'ils gavaient de gâteaux, de tablettes de chocolat et de bonbons dérobés au restaurant avant leur départ de la maison. Il fallait les voir se faufiler derrière le comptoir et emplir leurs poches de tout ce qui leur tombait sous la main dès que leur père était appelé dans l'appartement par l'un ou l'autre de leurs frères cadets. Dès que ce dernier revenait prendre sa place derrière le comptoir, ils disparaissaient rapidement par la porte des livreurs. Pendant ce temps, leur mère dormait du sommeil du juste. Un fait était certain, on pouvait suivre la trace des deux frères sur le chemin de l'école par les gâteaux à demi mangés abandonnés çà et là et les sacs de croustilles vides jetés dans la neige.

Lorsque Claude osa raconter cela à table devant son père, ce dernier se fit sévère.

— Que j'en voie pas un aller traîner autour du restaurant pour quémander quelque chose aux Ouimet, dit-il aux siens. On n'est pas des quêteux.

— Si ça a de l'allure, reprit Jeanne, scandalisée par un tel gaspillage. Pendant que leur père se crève pour les faire vivre, les enfants jettent la nourriture.

— C'est comme ça quand il y a pas d'ordre dans une maison, conclut Maurice, sentencieux. Leur mère sert à rien ; elle dort.

—

En tout cas, le comportement de Germaine Ouimet prouva rapidement qu'elle avait compris que son beau-frère ne l'aimait pas particulièrement. Par conséquent, elle prit l'habitude de ne rendre visite à sa sœur que l'après-midi, du moins les jours où elle ne dormait pas. En règle générale, elle préférait téléphoner à Jeanne les soirs où elle savait que Maurice devait aller faire un ménage chez un client. Chacun de ses appels était une longue suite de jérémiades d'où il ressortait qu'elle regrettait la vie facile qu'elle avait connue à Québec.

Jeanne lui pardonnait facilement sa faiblesse de caractère, mais par contre, elle s'emportait quand sa sœur venait lui dérober ses visiteurs sous son nez.

Quand Germaine entendait dire que des parents devaient rendre visite aux Dionne, c'était inévitable. Jeanne la voyait arriver à petits pas prudents à travers la grande cour en provenance de la rue Archambault. Chaque fois, c'était le même scénario. La grosse femme feignait la surprise de découvrir l'un de ses frères ou l'une de ses sœurs en visite chez Jeanne, jouait la grande scène de la délaissée et quelques minutes plus tard, sous le prétexte de lui montrer quelque chose, elle l'entraînait chez elle. Dans la plupart des cas, Jeanne ne revoyait plus ses visiteurs, accaparés par sa sœur. Ce comportement avait le don de la mettre dans tous ses états. Elle avait beau dire à ses enfants de se taire et de ne pas mentionner devant leurs cousins et cousines une visite attendue, il n'y avait rien à y faire. Germaine Ouimet avait des antennes.

Maurice aussi était agacé par cette manie et il aurait volontiers remis sa belle-sœur à sa place si Jeanne ne le calmait pas chaque fois au nom de la bonne entente familiale.

— Le seul bon moyen d'empêcher la grosse Germaine de faire ça, disait Maurice à demi sérieux, ce serait de lui casser les deux jambes... Et encore !

Chapitre 33

L'accident

Durant tout le mois de février, malgré le froid et la neige, Maurice Dionne s'acharna à démolir ses deux maisons. Après quelques jours, il se rendit compte cependant qu'il perdait énormément de temps à vouloir démolir les deux immeubles en même temps et il décida de raser d'abord une maison avant de s'attaquer à l'autre.

En réalité, le doute s'était installé doucement en lui : il craignait de ne pas terminer le travail dans les délais prévus, même s'il travaillait six jours par semaine, du lever au coucher du soleil. Il avait opté pour cette solution parce qu'il avait fini par se persuader que Molson ne pourrait décemment lui refuser de lui verser au moins trois cents dollars s'il réussissait à démolir totalement l'une des deux maisons.

De toute manière, il ne pouvait faire plus. Il travaillait toute la journée sur son chantier et, quatre soirs par semaine, il quittait les siens après le souper pour aller faire ses ménages. Avec la vente de quelques matériaux récupérés sur le chantier, ce travail d'homme à tout faire représentait l'unique source de revenus de la famille.

Dès le premier samedi, Paul avait accompagné son père sur la rue Plessis et il avait rapidement appris combien il pouvait être pénible de travailler par grand froid de l'aurore au crépuscule. Bien avant la fin de la matinée, l'adolescent n'aspirait plus qu'à la pause du dîner où il aurait

465

enfin l'occasion de se réchauffer. Durant des heures, il transporta des gravats, du bois et de la brique arrachés par son père et les jeta dans la cour par une fenêtre.

Sans les avoir vus à l'œuvre, il savait par son père que deux ouvriers au volant d'une pelle mécanique et d'un camion venaient nettoyer les lieux chaque lundi et chaque jeudi matin.

—

Au début du mois de mars, la température s'adoucit légèrement, mais les chutes de neige se multiplièrent. Malgré la perte de temps causée par son inexpérience, Maurice était tout de même parvenu à démolir les deux étages de la première maison et il ne lui restait plus qu'à faire disparaître les murs du rez-de-chaussée avant de s'attaquer à la seconde maison.

Il était si angoissé à l'idée de ne pas terminer à temps son travail et de voir les primes promises par Molson lui passer sous le nez, qu'il s'était résolu, la semaine précédente, à vendre sa chère Pontiac 1951. L'argent manquait cruellement à la maison et il ne vit pas d'autre moyen de s'en procurer. La Pontiac disparut donc. Maurice consacra un peu plus de la moitié de la somme obtenue dans cette vente à l'achat d'une vieille Dodge familiale 1950 brune au degré d'usure assez inquiétant.

Le premier mercredi de mars, sa précipitation lui coûta cher. Au début de l'après-midi, une neige lourde se mit à tomber alors qu'il travaillait avec ardeur à démolir ce qui restait des murs du rez-de-chaussée. À un certain moment, après avoir donné un solide coup de masse, il dut faire un brusque écart pour éviter d'être frappé par un éclat de bois. Le sol se déroba brusquement sous ses pieds et il se sentit tomber sans pouvoir se retenir.

Dissimulée sous la neige, la trappe qui conduisait à la cave avait cédé sous son poids. Tout étourdi, Maurice se releva lentement. Dans le noir, il tâta autour de lui pour reprendre sa masse qui lui avait échappé des mains. Au-dessus de sa tête, il n'y avait que le carreau de la trappe qui était éclairé par la lueur grise du jour. Il allait se réjouir de ne s'être rien brisé dans une pareille chute quand il sentit un violent élancement dans son épaule droite au moment où il levait le bras.

— C'est pas vrai, bout de Christ! jura-t-il. Je me suis pas cassé un bras!

Le seul effort de gravir l'escalier conduisant au rez-de-chaussée suffit à l'inonder de sueur.

Laissant sur place ses quelques outils, il se traîna jusqu'à la vieille Dodge. Il s'assit péniblement derrière le volant et mit le chauffage en marche pour se réchauffer un peu. Après s'être allumé une cigarette tant bien que mal, il chercha à évaluer les dégâts causés par sa chute.

Il tâta avec précaution son bras droit. Le poignet, la main et le bras avaient l'air en bon état. C'était l'épaule. Il avait l'impression de s'être démis quelque chose.

— On peut dire que ça tombe ben! s'exclama-t-il avec rage.

Cette exclamation fut suivie d'un chapelet de blasphèmes. Il ne pouvait pas continuer à travailler dans un état semblable. Qu'est-ce qu'il allait faire avec un seul bras? Durant un long moment, il demeura assis dans son véhicule dont le moteur tournait. Finalement, la rage au cœur, il embraya et prit tant bien que mal la direction de la maison.

Ce ne fut qu'au coin des rues Fullum et Notre-Dame qu'il se décida brusquement à poursuivre son chemin jusque chez Boily, le guérisseur de la rue Moreau. Il venait de se rendre compte qu'il ne lui servait à rien de se réfugier à la maison sans se faire soigner d'abord.

— Si j'ai quelque chose de brisé, se dit-il à mi-voix, Boily va me le dire et j'irai à l'hôpital.

Après une courte attente, Ludger Boily, un petit homme chauve d'une cinquantaine d'années, le fit entrer dans son bureau. Il aida son client à retirer son manteau et son chandail.

— Détends-toi, dit-il à Maurice en constatant sa nervosité. Je vais juste tâter ton épaule pour voir les dégâts.

Avec une délicatesse surprenante, l'homme promena le bout de ses doigts sur l'épaule douloureuse.

— T'es chanceux dans ta malchance, lui dit finalement Boily. C'est juste ta clavicule qui est déboîtée.

Puis, sans prévenir, le guérisseur empoigna l'épaule et lui imprima une violente torsion qui fit pousser à Maurice un hurlement de douleur. Il faillit même perdre conscience sous le choc.

— Ce sera presque rien, voulut le consoler Boily en lui mettant le bras droit dans une écharpe. Tout ce que t'auras à faire, c'est de garder cette écharpe-là durant deux semaines. Après ça, tout va être comme avant.

Après avoir laissé cinq dollars à la secrétaire du guérisseur, Maurice reprit le volant et il rentra chez lui, la mine sombre.

En apercevant son bras en écharpe, Jeanne laissa tomber la poêle qu'elle venait de sortir de l'armoire et les enfants se précipitèrent vers leur père.

— Bonne sainte Anne! Qu'est-ce qui t'est arrivé? demanda sa femme, alarmée autant par sa pâleur que par son bras en écharpe.

— Je suis tombé, se contenta de lui répondre Maurice, de mauvaise humeur. Tu parles d'une maudite malchance! Je suis poigné avec ça pendant deux semaines. Je finirai jamais à temps de démolir les maisons!

Jeanne l'aida à retirer doucement son manteau.

— Commence par t'asseoir, lui dit-elle. Je vais te préparer un bon café.

Quand elle revint avec la tasse pleine de café fumant, Maurice était assis dans sa chaise berçante. Il était en train de broyer du noir. Il venait de s'allumer une cigarette. Les enfants, installés autour de la table de la salle à manger, faisaient leurs devoirs dans un silence inhabituel.

Après le souper, le démolisseur se mit à chercher difficilement dans sa poche de pantalon avec sa seule main valide.

— Qu'est-ce que tu cherches? demanda Jeanne en le voyant se contorsionner.

— Le papier où j'écris le numéro de téléphone de mes clients. Il faut que je les appelle pour leur dire que je pourrai pas aller faire leur ménage cette semaine. Tu me vois laver des planchers avec juste un bras? ajouta-t-il, rageur. Maudit que ça va mal!

— Attends! Pourquoi les appeler? J'ai juste à venir avec toi et tu me diras ce qu'il y a à faire.

— T'es pas malade, c'est de l'ouvrage ben trop dur, protesta mollement Maurice, tout de même séduit par l'idée.

Il craignait surtout de perdre ses clients au moment où il avait le plus grand besoin d'argent pour assurer la subsistance des siens.

— Voyons, Maurice! C'est pas plus dur que d'entretenir la maison ici, plaida Jeanne. Je serais même capable de peinturer.

— Il y a pas de peinture à faire, juste du ménage.

— Bon, qu'est-ce que t'en dis? On a ben trop besoin de cet argent-là pour s'en passer.

— Qui va s'occuper des enfants? demanda Maurice.

— On est capables de le faire, répondirent ensemble Paul et Lise, pleins de bonne volonté.

— C'est correct, fit Maurice, soulagé. Demain soir, on va aller chez Legault.

Maurice ne dit pas un mot de ses intentions concernant son chantier de la rue Plessis.

———

À cinq heures, le lendemain matin, Maurice se leva comme d'habitude et il alla jeter une bûche dans la fournaise. Il alluma ensuite le poêle de la cuisine. La maison était glaciale.

— Qu'est-ce que tu fais debout à cette heure-ci ? lui demanda Jeanne venue le rejoindre dans la cuisine.

— Ben, il faut ben que je me lève si je veux aller travailler.

— T'es pas malade, Maurice Dionne ? J'espère que t'as pas l'intention d'aller travailler arrangé comme ça, juste avec un bras.

— Occupe-toi pas de ça et fais-moi un lunch, répliqua Maurice avant d'aller se raser.

Avant que les enfants soient réveillés pour aller à l'école, il quitta la maison. Paul, qui revenait de servir la messe chez les sœurs de la Providence, salua son père de la main quand il vit passer la Dodge dans la rue Fullum.

Arrivé rue Plessis, Maurice ne perdit pas une minute. Il pénétra dans ce qui restait de la vieille maison et, à l'aide d'un seul bras, il entreprit de manier comme il pouvait un arrache-clou.

Au début de l'avant-midi, Marie Sauvé téléphona à sa fille pour prendre de ses nouvelles. Cette dernière ne put s'empêcher de lui raconter ce qui était arrivé à Maurice la veille.

———

Peu après midi, Maurice sursauta quand deux hommes frappèrent sur la glace latérale de sa Dodge où il s'était réfugié pour manger son repas du midi. En levant la tête, il aperçut, avec stupéfaction, son beau-père en compagnie de Florent Jutras. Il leur fit signe de le rejoindre à l'intérieur du véhicule.

— Ah ben sacrifice! Voulez-vous ben me dire ce que vous faites à Montréal tous les deux? leur demanda-t-il, heureux de les voir.

— Il paraît qu'il y a de l'ouvrage à faire par ici, lui répondit son beau-père en s'assoyant sur la banquette arrière du vieux véhicule, à côté de Florent qui avait laissé son camion quelques mètres plus loin, de l'autre côté de la rue.

— Comment ça?

— Pour dire la vérité, ajouta son beau-frère, on voulait voir depuis un bon bout de temps ce que t'étais en train de démolir. Germaine en a parlé à Laure il y a quinze jours.

— Ben, venez avec moi si vous êtes pas trop gelés. Je vais vous montrer ça.

Maurice s'extirpa difficilement de la voiture. Il les précéda de quelques pas et il leur montra ce qui restait de la première maison.

— Comme vous voyez, j'achève celle-là. Elle était pareille à l'autre, à côté.

— Ouais! fit Léon. Ça sera pas facile juste avec un bras.

— Je vais me débrouiller, fanfaronna un peu Maurice. Il me reste encore un peu plus que trois semaines pour finir la job.

Il fit faire une visite rapide de l'autre immeuble à ses deux invités avant de revenir à la Dodge.

— Ben, je pense que tu refuseras pas un petit coup de main, dit Florent. Le beau-père et moi, on a apporté exprès une couple d'outils dans le truck.

— J'ai pas pour habitude de faire travailler ma visite, se défendit Maurice Dionne sans trop de conviction.

— On n'est pas de la visite, lui répondit son beau-père. Jeanne a parlé à sa mère à matin et ça m'a donné le goût de faire quelque chose de mes dix doigts aujourd'hui. Ça fait que j'ai appelé Florent après son train et on a décidé de venir t'aider un peu.

Cet après-midi-là, les trois hommes unirent leurs efforts pour terminer la démolition de la première maison et ils eurent même le temps de s'attaquer à l'appartement du second étage de l'autre maison.

Quand l'obscurité s'abattit sur les lieux, Florent remit dans la benne de son camion ses outils, mais il ne toucha pas à ceux de son beau-père.

— Qu'est-ce que vous faites de vos outils, beau-père ? demanda Maurice, épuisé d'avoir travaillé sans relâche avec un seul bras toute la journée.

— Je pense que je vais les mettre dans la valise de ton char avec les tiens.

— Vous les rapportez pas à Drummondville ?

— Qui t'a dit que je m'en retournais à soir ? demanda le petit homme en souriant.

— Ben, je pensais que…

— Bien non. Florent s'en retourne parce que Laure peut pas toujours faire le train toute seule, mais moi, j'ai pas de train qui m'attend.

— Oui, mais la belle-mère, elle, elle va…

— Laisse faire ta belle-mère. Je lui ai dit que je resterais une couple de jours en ville. Crois-moi, ça va être pas mal moins fatigant que de faire ses commissions et d'être à ses ordres du matin au soir… d'autant plus que la prière va être certainement moins longue chez Jean que chez nous.

— Chez Jean ?

— Ta belle-mère a demandé à Germaine s'il y aurait pas une petite place chez elle pour me garder. Il paraît qu'il y a un divan-lit dans le salon pas mal confortable. Ma fille a gagné un pensionnaire. J'espère juste qu'elle me réveillera pas la nuit pour jaser avec elle, fit Léon. Moi, j'ai l'habitude de dormir la nuit, ajouta son beau-père avec un sourire en coin.

Maurice remercia avec beaucoup de reconnaissance son beau-frère Florent d'être venu l'aider. Ce dernier lui promit de revenir s'il en avait la chance et il disparut au volant de son camion vert.

Après le souper, ce soir-là, Maurice et Jeanne accompagnèrent Léon au restaurant des Ouimet où ils passèrent environ une heure avant de revenir à la maison.

— Veux-tu ben me dire pourquoi t'es allée raconter nos troubles à ta mère? demanda Maurice sans se fâcher.

— Je lui ai juste dit que tu t'étais défait la clavicule, répondit Jeanne. Mais tu connais m'man. Quand p'pa a parlé de venir t'aider, elle s'est dépêchée de demander à Florent de venir le conduire en ville.

— Je trouve ça gênant en maudit, admit Maurice.

— Tu les connais assez pour savoir que s'ils sont venus te donner un coup de main, c'est qu'ils en avaient le goût.

⸺

Dès le lendemain, Maurice Dionne découvrit rapidement que le vieux cultivateur possédait une bien plus vaste expérience que lui dans le domaine de la construction. Son beau-père avait souvent des idées ingénieuses qui permettaient de faire avancer beaucoup plus vite et de façon plus sécuritaire leur travail de démolisseurs.

Une routine s'établit rapidement sans qu'il y ait concertation véritable entre le gendre et son beau-père. Tous les matins, Maurice retrouvait son beau-père à sa porte à six heures et demie, pourvu d'un thermos de café chaud et de quelques sandwiches. Les deux hommes montaient dans la Dodge et se rendaient sur le chantier. Sans perdre de temps, ils se mettaient au travail, ne s'arrêtant que pour se réchauffer quelques instants dans l'auto et pour dîner. Ils rangeaient leurs outils un peu après quatre heures, au moment où l'obscurité rendait tout travail impossible. Alors, ils revenaient à la maison, se lavaient un peu et ils soupaient en compagnie de Jeanne et des enfants. Vers sept heures, Léon retournait au restaurant où l'attendait la famille Ouimet.

Cette semaine-là, Jeanne laissa la garde des enfants à Lise et à Paul quatre soirs pour aller faire le ménage, en compagnie de Maurice, chez les clients de son mari.

Un matin, au début de la semaine suivante, Léon découvrit que son gendre avait laissé à la maison l'écharpe dans laquelle son bras droit était habituellement retenu.

— Qu'est-ce que t'en as fait? demanda-t-il en montrant l'épaule de Maurice.

— Je l'ai ôtée hier soir. Ça m'achalait trop.

— Ouais, mais t'as pas peur que l'épaule te fasse mal?

— Elle est juste un peu sensible, dit-il en grimaçant. Ça va se replacer vite, vous allez voir.

En effet, l'épaule de Maurice ne sembla pas particulièrement l'ennuyer le reste de la journée et son humeur s'en ressentit beaucoup. Ce jour-là, il abattit sa meilleure journée de travail depuis le début du mois. Durant le souper, Maurice dit à son beau-père:

— Monsieur Sauvé, je vous remercie ben gros d'être venu m'aider. À cette heure, j'ai mes deux bras. Je vais être capable de me débrouiller tout seul.

— Quoi? Aurais-tu peur que je te nuise tout d'un coup? protesta Léon.

— Ben non ! Je voudrais pas non plus exagérer. Ça fait une semaine que vous travaillez avec moi. Vous êtes en train d'oublier que vous êtes à votre retraite.

— Viens pas me bâdrer avec ma retraite, toi ! C'est assez plate, cette vie-là ! protesta son beau-père. Ça fait presque un an que je tourne en rond dans la maison. C'est pas mal plus intéressant de travailler, tu peux me croire.

— Oui, mais…

— Laisse-moi faire. Quand je serai écœuré, je te le dirai. J'ai pas l'habitude de lâcher une job à moitié faite. En attendant, je peux encore en faire un bout avec toi.

— Faites à votre tête, beau-père, acquiesça Maurice en esquissant un sourire de reconnaissance.

—

Le mois de mars passa rapidement. La température se fit moins rigoureuse. Certains jours, à l'heure du midi, la neige fondait au soleil.

Maurice et Léon remplacèrent leurs lourds manteaux d'hiver par des vêtements un peu plus légers, et certains après-midi, il leur arrivait de ne plus porter leurs moufles et leur tuque.

Le 31 mars, la veille de l'échéance du contrat, Maurice ne doutait plus de terminer son travail à temps, grâce en grande partie à l'aide efficace de son beau-père. Au début de l'après-midi, il ne lui restait plus qu'à jeter par terre les deux derniers murs du rez-de-chaussée de la seconde maison quand l'un des camions qui venait débarrasser les gravats deux fois par semaine entra dans la cour.

— Attends donc, dit Léon à son gendre. Je viens d'avoir une idée qui va nous sauver du temps.

Le petit homme s'approcha du camionneur juché dans la cabine de son gros camion et il lui parla durant une minute ou deux avant de revenir vers son gendre.

— Sors de là, dit-il à Maurice en lui faisant signe de venir le rejoindre dans la cour.

Maurice obtempéra.

— Qu'est-ce qui se passe ?

— Attends. Tu vas voir. J'ai dit au gars que ça nous ferait pas mal au cœur si en reculant, il accrochait le coin de la maison.

Avant même que Maurice ait pensé à formuler une objection, le camionneur se mit en marche arrière et il heurta violemment l'un des murs de la maison avec sa benne.

Il y eut un craquement sinistre suivi d'un épais nuage de poussière de plâtre. Lorsque la poussière se fut déposée, les deux murs à démolir n'étaient plus qu'un informe tas de gravats. Faute de soutien, ils s'étaient écroulés l'un sur l'autre. Le camion avança de quelques mètres et s'arrêta. Quand le gros camionneur sortit de la cabine de son véhicule pour admirer son œuvre, Maurice s'avança pour lui tendre une cigarette.

— C'est drôle, dit l'homme avec un sourire en coin, je pensais que cette maison-là était pas mal plus solide que ça.

— Elle avait juste l'air, dit Maurice en riant.

— Je pense qu'il vous reste juste à pelleter, fit le camionneur en montrant le tas de gravats accumulés sur le plancher.

— On te remercie ben gros, conclut Léon. Ça va être pas mal moins fatigant comme ça.

— Il y a pas de quoi, rétorqua l'autre. Si je me trompe pas, j'en ai pour deux ou trois voyages encore et ça va être fini. Je vais avertir mon boss d'envoyer le bulldozer demain avant-midi pour démolir les deux solages.

Lorsque l'obscurité arriva, tous les gravats avaient été repoussés dans la cour, prêts à être chargés.

Ce soir-là, l'atmosphère était à la fête chez les Dionne. Maurice avait réussi à relever son défi. Il était parvenu à démolir les deux maisons dans les délais fixés par Molson. Le lendemain matin, il allait entrer en possession d'un beau chèque de six cents dollars, de plus d'argent qu'il n'en avait vu depuis près d'un an.

Euphorique, il déboucha deux bouteilles de bière et en offrit une à son beau-père.

— Buvons ça, monsieur Sauvé. Je pense qu'on l'a ben mérité. Demain matin, on va être pas mal plus riches.

Le retraité but une longue gorgée de bière et secoua la tête.

— Tu vas être plus riche, Maurice. Moi, je repars pour Drummondville après le souper. Ta belle-mère doit s'ennuyer de moi sans bon sens. Je suis parti depuis trois semaines.

— Elle pourrait peut-être attendre une journée de plus, beau-père, voulut argumenter Maurice, surpris de la décision soudaine de son compagnon de travail.

— Non, tout est arrangé. Jean est supposé me ramener à soir. Je lui ai promis des gallons de peinture qui servent à rien dans ma cave.

— Vous êtes sûr que c'est aussi pressant que ça ? J'aurais ben aimé que vous soyez là quand Lester me donnera notre chèque.

— C'est pas notre chèque, c'est le tien.

— Aïe ! le beau-père, vous avez démoli au moins la moitié de la deuxième maison avec moi. J'y serais pas arrivé si vous m'aviez pas aidé. Vous allez prendre au moins deux cents piastres pour tout l'ouvrage que vous avez fait.

— Je prends rien pantoute. J'en ai pas besoin de cet argent-là.

— Ça n'a pas d'allure, monsieur Sauvé! Vous l'avez ben gagné.

— Laisse faire. Je suis bien plus têtu que toi, Maurice Dionne. Je t'ai dit que j'en voulais pas et on reviendra pas là-dessus.

La bonne humeur régna tout au long du souper. Au moment du départ de son père, Jeanne ne put s'empêcher de le remercier avec des larmes aux yeux pendant que Maurice était allé chercher son manteau.

— Ça m'a fait plaisir, dit Léon Sauvé en embrassant sa fille. Prends bien soin de toi et de ta famille.

Après avoir embrassé chacun des enfants, le grand-père quitta l'appartement de la rue Notre-Dame à pied, en compagnie de son gendre qui tenait à l'aider à porter ses outils jusqu'au restaurant de Jean Ouimet.

Le lendemain midi, Maurice revint à la maison en brandissant fièrement son chèque.

— Tu sais ce que Lester m'a dit en me donnant le chèque? demanda-t-il à Jeanne, heureuse de voir cette aventure terminée.

— Non.

— Il m'a dit qu'il était sûr que je finirais jamais à temps parce que j'étais tout seul pour faire l'ouvrage.

— Il aurait pu te le dire.

— Je l'aurais pas écouté de toute façon. Le meilleur, c'est qu'il m'a aussi dit que Molson m'aurait donné un montant pareil, même si j'avais pas fini à temps. C'est sûr que ça aurait été moins que six cents piastres...

— Ça aussi, il aurait pu le dire.

— C'est certain. Je m'en serais moins fait pendant deux mois.

— En tout cas, c'est enfin fini, conclut Jeanne avec un soupir d'aise.

— C'est juste une façon de parler, dit Maurice sèchement. J'ai toujours pas de job. Demain matin, je vais aller à la banque changer le chèque et tout de suite après ça, je recommence à chercher.

— Tu pourrais peut-être te reposer deux ou trois jours, hasarda Jeanne.

— Je me reposerai quand j'aurai une vraie job.

Chapitre 34

L'imprévu

Dès les premiers jours d'avril, le printemps décida qu'il était temps de faire régner sa loi. Une petite pluie chaude et tenace s'attaqua résolument aux accumulations de neige grise qui se mirent à fondre et à reculer. Dans la grande cour, de larges plaques de terre firent leur apparition à côté de lacs miniatures où les petits venaient patauger quand ils échappaient à la surveillance de leur mère. L'odeur peu appétissante des déchets mis à nu par cette fonte rapide de la neige se joignit à celles dégagées par la Dominion Rubber et la Dominion Oilcloth.

Chez les Dionne, Maurice recommença à frapper aux portes pour trouver un emploi. Après quelques jours, il en vint même à regretter son travail harassant de démolisseur. Mais malgré tout, la chance lui sourit jusqu'à un certain point. Au début de la seconde semaine d'avril, l'avocat Legault le mit en contact avec le juge Louis Perron qui cherchait un homme à tout faire pour entretenir sa maison de Westmount.

L'épouse du magistrat fut si satisfaite de son travail soigné qu'elle le recommanda à sa fille Julia, sa deuxième voisine. Julia Desmarais engagea Maurice sans hésiter et lui promit la clientèle d'une ou deux de ses amies.

En d'autres termes, le chômeur pouvait maintenant compter sur une demi-douzaine de clients réguliers qui lui fournissaient assez de travail dans l'immédiat pour l'occuper six jours par semaine. Après avoir calculé l'argent qu'il rapporterait ainsi à la maison, Maurice décida de cesser de chercher un autre emploi pendant un certain temps. De toute façon, il manquait de temps et, de plus, l'entretien de toutes ces résidences lui rapportait plus que ce que lui procurait son ancien travail au Keefer Building.

Il prit donc l'habitude de quitter la maison à sept heures chaque matin au volant de sa vieille Dodge et de ne revenir qu'à la fin de l'après-midi.

Le matin du second lundi d'avril, Jeanne étendait des vêtements sur sa corde à linge quand un bref coup de sonnette à la porte d'entrée l'obligea à rentrer dans la maison.

— Veux-tu ben me dire qui vient me déranger de bonne heure comme ça ? demanda-t-elle à voix haute en traversant l'appartement pour aller ouvrir.

Par habitude, elle souleva le rideau qui masquait la fenêtre de la porte et elle aperçut Harold Smith, le responsable de l'entretien des maisons possédées par la Dominion Oilcloth.

Smith était accompagné par un grand homme maigre qui portait une planche à pince sur laquelle était retenue une épaisse liasse de feuilles.

— Qu'est-ce qu'il nous veut, celui-là ? murmura-t-elle. Ça fait au moins un an qu'il est pas venu ici.

Jeanne ouvrit la porte, mais elle n'invita pas les deux hommes à entrer.

— Oui ?

— Bonjour madame Dionne, fit Smith, un homme bedonnant et chauve. Je vous présente monsieur Charpentier. Il est inspecteur pour la Ville de Montréal. Il examine les maisons de la compagnie.

— Je comprends, le coupa Jeanne sans aménité, mais mon mari est pas là. Il travaille.

— C'est normal, madame, mais nous n'avons pas besoin de votre mari, précisa Smith. L'inspection dure juste quelques minutes. On vous dérangera pas longtemps.

— Il aimera pas bien ça que des étrangers entrent dans la maison quand il est pas là.

— C'est possible, madame, intervint l'inspecteur d'une voix assez caverneuse, mais la loi me donne le droit d'examiner toutes les maisons construites sur notre territoire, avec l'accord ou non des propriétaires et des locataires.

— Bon. Si c'est comme ça, entrez. Mais essayez de pas réveiller mes bébés qui dorment dans la chambre d'en avant.

Depuis leur naissance, les jumeaux de Jeanne avaient pris du poids et jouissaient d'une santé resplendissante. «De vrais anges!» avait coutume de dire leur mère, enchantée d'avoir des bébés aussi adorables qui ne lui causaient jamais aucun tracas.

Smith et l'inspecteur entrèrent dans le vestibule et refermèrent doucement la porte derrière eux. Jeanne fit quelques pas en arrière et les laissa passer. Charpentier ne pénétra pas dans le salon et la chambre communicante. Il ne passa que la tête dans chacune des pièces pour regarder rapidement l'état des plafonds et des murs.

— Est-ce qu'on peut aller en arrière? demanda-t-il à Jeanne qui obstruait le couloir.

— Allez-y, dit-elle en les précédant.

Charpentier, toujours suivi de Smith, examina la salle à manger, puis la chambre à coucher des filles avant d'entrer dans la petite cuisine dont il examina la fenêtre et la porte avant de jeter quelques notes sur sa feuille.

— Dites donc, il y a pas de cave en dessous de cette pièce? demanda-t-il à Smith en frappant le parquet du talon.

— Non.

— Ça veut dire que le plancher est construit directement sur la terre.

— Je pense que oui, répondit l'autre, assez hypocritement.

L'inspecteur secoua la tête et poursuivit son chemin jusqu'à l'étroite salle de bain et la petite chambre à coucher des garçons encombrée par le lit double superposé et la laveuse.

— Il y a combien de personnes qui couchent dans cette chambre? demanda Charpentier à Jeanne qui les suivait de près.

— Quatre.

L'inspecteur secoua la tête en regardant l'étroite fenêtre obstruée en partie par l'énorme lit.

— Bon. Il me reste juste à jeter un coup d'œil à la cave. Où est la porte?

— Dans la salle à manger.

L'inspecteur et Smith suivirent Jeanne jusqu'à la porte qu'elle leur ouvrit.

— Où est-ce qu'on allume? demanda le grand inspecteur en se penchant dans le noir.

— Au milieu de la cave, répondit Jeanne.

— Est-ce que ça veut dire que vous êtes obligée de descendre l'escalier dans le noir et de vous rendre jusqu'au milieu de la cave pour allumer?

— En plein ça.

Charpentier jeta un regard mécontent à Smith.

— Allez m'allumer la lumière pour que je puisse voir comment c'est en bas, dit-il à ce dernier.

— Vous avez une lampe de poche, madame? demanda le responsable des maisons de la Dominion Oilcloth.

— Non, répondit sèchement Jeanne.

Smith poussa un soupir résigné et il s'engagea avec précaution dans l'étroit escalier en tenant à la main son briquet allumé.

— Faites attention de ne pas mettre le feu, monsieur Smith, le mit en garde Jeanne, inquiète de le voir s'engager dans l'escalier à la lueur de cette maigre flamme.

L'arrivée de Smith au pied de l'escalier déclencha un bruit de trottinements de petites pattes qui le fit hésiter à poursuivre son chemin.

— Dépêchez-vous, monsieur, le pressa l'inspecteur, sagement demeuré sur le palier. On n'est pas pour passer la journée ici.

Smith finit par découvrir l'unique ampoule qui éclairait toute la cave et il tâtonna durant quelques instants avant de découvrir que l'unique moyen de l'allumer était de la visser.

Un moment plus tard, un maigre éclairage se fit au centre de la cave. Alors, Charpentier descendit précautionneusement à son tour, mais Jeanne demeura sagement au haut de l'escalier, dans la salle à manger. Elle se contenta de refermer la porte pour éviter que Denis ou Martine tombe dans l'escalier.

Quelques minutes plus tard, Charpentier revint dans la salle à manger, précédant Smith de peu.

— Est-ce que je peux me servir une minute de votre table ? demanda-t-il à Jeanne.

— Allez-y, fit-elle, un peu agacée par la durée de la visite des deux hommes.

L'inspecteur s'assit et compléta son rapport en moins de deux minutes.

— Bon, madame, je suppose que vous avez remarqué qu'il y a un bon deux pieds de déchets qui recouvrent tout le sol de votre cave.

— Oui, c'était là quand on a loué.

— Le problème, madame…

— Dionne.

— Le problème, madame Dionne, c'est que ça peut pas rester là. Il faut que ce soit nettoyé. Je vous laisse un avis de trente jours pour vider votre cave.

— Mais ça a pas d'allure, s'insurgea Jeanne. Comment voulez-vous qu'on vide ça ?

— C'est votre problème, madame. Je représente les services de santé de la Ville et je peux vous dire qu'on peut pas accepter que votre cave reste dans cet état de malpropreté.

— Mais c'est au propriétaire de s'en occuper. On l'a averti quand on a signé notre bail. Il a rien voulu faire. Vous pouvez le demander à monsieur Smith. C'est à lui qu'on s'est plaints.

— Avez-vous envoyé un avis enregistré à la Dominion Oilcloth ? reprit l'inspecteur, imperturbable. Si vous l'avez pas fait, c'est comme si vous aviez accepté les lieux dans l'état où ils étaient. Dans ce cas-là, les règlements municipaux vous tiennent personnellement responsables de la propreté des locaux que vous occupez.

— Vos règlements sont pas justes, répliqua Jeanne, rouge de colère. Vous devriez avoir honte de vous en prendre toujours au pauvre monde.

Charpentier laissa sur la table un exemplaire de son rapport et il se leva.

— C'est pas moi qui fais les lois, madame Dionne. Je me contente de les faire appliquer. À la place de votre mari, je commencerais à nettoyer sans perdre de temps parce que s'il dépasse le délai, les amendes vont lui coûter pas mal cher. Au bas de la feuille, il y a le numéro de téléphone de mon bureau. Si votre mari a besoin d'explications, il n'a qu'à m'appeler durant les heures ouvrables.

Sur ces mots, Charpentier quitta l'appartement, suivi de près par Smith qui était demeuré muet durant tout l'échange entre l'inspecteur et la locataire.

Lorsque Maurice rentra de son travail, Jeanne se contenta de lui tendre le rapport laissé par Charpentier.

— C'est quoi, cette maudite niaiserie-là ? explosa-t-il en rejetant la feuille sur la table.

Jeanne lui raconta la visite de Smith et de l'inspecteur, et elle lui expliqua ce que ce dernier exigeait.

— T'avais pas d'affaire à les laisser entrer quand je suis pas là ! lui cria-t-il. Je te l'ai déjà dit cent fois de pas laisser entrer des étrangers dans la maison.

— L'inspecteur m'a dit que la loi lui donnait le droit d'entrer n'importe où.

— Et tu l'as cru !

— Écoute, Maurice. Ça te sert à rien de t'en prendre à moi. J'ai rien fait et c'est pas de ma faute.

— En tout cas, l'enfant de chienne, il peut toujours attendre pour qu'on sorte une seule boîte de cochonneries de cette cave-là.

— Il a parlé d'amendes, ajouta Jeanne.

— Je l'appelle, décida brusquement Maurice en se levant de table. Il est pas encore cinq heures. Son bureau doit être encore ouvert. Il va m'entendre, le bâtard ! Je te garantis qu'il va apprendre que je suis pas une femme, moi. Il viendra pas m'écœurer.

Maurice téléphona au bureau de l'inspecteur. Par chance, ce dernier était encore là.

Jeanne, retranchée dans la cuisine où elle préparait le souper, tendait l'oreille. Comme elle s'y attendait, Maurice le lion s'était subitement transformé en agneau. Il parlait même à son interlocuteur d'une voix un peu plaintive pour l'inciter à laisser tomber ses exigences.

— Vous pourriez pas, au moins, nous fournir un truck ?

Après avoir raccroché, Maurice ne dit pas un mot durant de longues minutes. Ce n'est qu'après le repas qu'il finit par déclarer :

— Il y a rien à faire ; il faut vider la cave. L'écœurant, il veut rien savoir. Il veut même pas nous envoyer un truck qui chargerait tout ce qu'on sortirait de la cave.

— Comment tu vas faire ça ? demanda Jeanne en repliant la nappe qu'elle venait de prendre sur la table.

— Il y a pas trente-six moyens. Comme on peut rien sortir par en avant, on va être obligés de sortir ça dans des boîtes en passant par en arrière, après avoir traversé toute la maison.

— Mes planchers vont être propres encore !

— Tes Christ de planchers, t'auras juste à les laver ! s'écria Maurice en colère. As-tu pensé qu'on va être poignés pour charger ça dans la Dodge et qu'on n'a pas de place où aller porter ces maudites cochonneries-là ? Le baveux de l'hôtel de ville m'a dit que j'avais juste à me débrouiller avec ce que j'avais. J'ai même pas le droit d'aller porter ça au dépotoir municipal. Attends, j'ai des nouvelles pour lui.

— Qu'est-ce que tu vas faire ?

— Inquiète-toi pas, je vais me débrouiller et il va avoir une maudite belle surprise. On commence à soir.

Claude et Paul durent aller chercher des boîtes de carton au restaurant de leur oncle Jean qui en possédait toujours une quantité impressionnante. En compagnie de leur père, ils se mirent à les remplir dans la cave avec tous les déchets qui leur tombaient sous la main et ils les transportèrent à l'extérieur. On rabattit le siège arrière de la familiale et on entassa le tout dans la Dodge jusqu'au toit.

— Embarquez, dit Maurice à ses deux fils. On va aller jeter ça quelque part.

L'habitacle du véhicule était envahi par une telle odeur de pourriture et d'humidité que l'air en était irrespirable.

— Baisse un peu ta vitre, Paul, lui ordonna son père. Ça sent le diable dans le char.

— Où est-ce qu'on va porter ça, p'pa ? demanda Claude.

— Il fait noir ; on va en profiter, dit Maurice en remontant la rue Fullum au volant de la Dodge.

Maurice passa devant l'école Champlain avant de tourner vers l'ouest au coin de la rue Logan et il stoppa soudainement dans l'entrée du terrain de stationnement de semi-remorques voisin de la cour de l'école Champlain.

— Grouillez-vous, leur ordonna leur père en descendant de voiture. C'est ici qu'on décharge. Videz les boîtes et remettez-les dans le char.

En moins de cinq minutes, le contenu de la familiale se retrouva répandu dans l'entrée du stationnement.

En ce premier soir, les Dionne retournèrent deux autres fois au même endroit pour y déposer le contenu de leurs boîtes de détritus.

Le lendemain matin, Paul donna un coup de coude à son frère cadet quand, au moment de pénétrer dans la cour d'école, il aperçut une demi-douzaine de camionneurs en colère en train de se montrer le tas de déchets qui les empêchait de quitter le stationnement à bord de leur camion.

— Va jamais dire à personne que ça vient de chez nous, lui dit-il, honteux du comportement asocial de son père.

— Es-tu fou, toi ? chuchota son cadet. J'ai pas envie qu'on nous prenne pour des cochons. Parles-en surtout pas à André. Il sait pas que c'est ici qu'on est venus hier soir.

Si Maurice et ses deux fils mirent un peu moins de trois semaines à nettoyer la cave du 2321, rue Notre-Dame, une partie du mérite en revint à leur voisin, Germain Couture.

Le retraité remarqua tout le mal qu'ils se donnaient pour sortir les déchets de leur cave.

— À ta place, Maurice, je sais ben ce que je ferais, dit-il à son voisin, deux ou trois jours après le début du travail. Moi, je prendrais une masse et je défoncerais le solage de la maison dans la cour.

— Vous êtes pas sérieux ? demanda Maurice, incrédule.

— Certain. Creuse un peu et défonce-le sur trois pieds de long par deux pieds de haut. Ça va te prendre une heure. Après ça, t'auras juste à jeter par là dans la cour ce que tu sors de la cave sans avoir à monter et descendre l'escalier. T'auras même plus à traverser toute la maison.

— Oui, mais ce trou-là…

— Quoi, ce trou-là ? Ce sera pas la fin du monde. Ce sera comme une fenêtre. Tu prends un bout de *plywood* et tu le bouches quand t'as fini de t'en servir.

— Savez-vous que c'est pas bête votre idée, admit Maurice.

Le lendemain après-midi, Maurice n'eut besoin que d'un peu plus d'une heure pour pratiquer l'ouverture suggérée par le voisin dans le vieux solage, ouverture qu'il boucha avec quelques bouts de planche cloués sur un cadre de bois.

— C'est de valeur, p'pa, qu'on n'ait pas fait ce trou-là avant, dit Paul. Ça aurait été ben plus facile quand on sciait le bois, l'été.

— Christ que t'es sans-cœur ! s'écria Maurice qui avait senti la critique sous-entendue par cette remarque. Toi, tu ferais ben n'importe quoi pour pouvoir aller t'asseoir plus vite dans un coin avec un de tes maudits livres !

Claude jeta un coup d'œil à son frère aîné, mais il n'osa pas dire un mot.

Pour sa part, Jeanne, qui avait entendu l'échange, aurait bien aimé ajouter que ce vasistas improvisé lui aurait facilité la vie à elle aussi s'il avait été fait avant… Mais Maurice n'était pas d'humeur à tolérer la moindre remarque.

Il n'en resta pas moins que le chargement des déchets dans la voiture se fit beaucoup plus rapidement et avec beaucoup moins de difficulté à compter de ce soir-là. On s'installa même dans une certaine routine.

Chaque après-midi, avant le souper, Maurice et ses fils chargeaient la Dodge et on attendait l'obscurité pour aller en vider le contenu dans un endroit pas trop éloigné. Évidemment, Maurice ne retourna pas au stationnement de semi-remorques de la rue Logan, mais il ne manquait pas de terrains vagues à l'est de la rue Frontenac où les déchets pouvaient être abandonnés sans trop risquer de se faire prendre par des voisins ou une voiture de police. Ensuite, on s'empressait de revenir à la maison, de refaire le plein du véhicule et de retourner le vider.

Bref, avant la fin du mois d'avril, les Dionne vinrent à bout du nettoyage de leur cave et l'inspecteur Charpentier se déclara satisfait quand il vint examiner les lieux un lundi matin.

Le soir même, quand Jeanne fit part à son mari de la satisfaction exprimée par le fonctionnaire municipal, Maurice se contenta de dire :

— Il peut ben être content, l'écœurant. On a travaillé comme des fous pour nettoyer ce que d'autres ont sali.

— Il y a juste une affaire qu'il a pas aimé, ajouta Jeanne d'une voix hésitante.

— Quoi encore ? fit Maurice avec brusquerie.

— Il a dit que t'avais pas le droit de défoncer le solage de la maison sans un permis de la Ville. Smith a dit que ça se pourrait qu'il t'oblige à réparer le trou.

— Ah ben ! Lui, le sacrement ! Je lui conseille pas de venir me voir ! explosa Maurice. C'est à cause de lui qu'on a été obligés de nettoyer. Si jamais il a le front de se présenter ici, je vais le sortir à coups de pied dans le cul !

Mais Harold Smith ne se présenta pas chez les Dionne et il ne fut plus jamais question du nouveau vasistas.

Chapitre 35

Le cours classique

Le mois de mai s'était installé en douceur et tout avait semblé renaître à la vie. Peu à peu, l'air s'était réchauffé et avait incité les habitants du quartier à remplacer, une fois de plus, leurs doubles fenêtres par les persiennes estivales. Les chaises avaient fait leur apparition sur les balcons et dans les cours. À l'extérieur, les cris excités des enfants en train de jouer se mêlaient maintenant aux appels des parents.

De l'autre côté de la rue Notre-Dame, les branches des érables du carré Bellerive portaient leurs nouvelles feuilles vert tendre, donnant un semblant d'ombrage aux pelouses. Avec le retour du beau temps, les clochards du quartier étaient revenus occuper la plupart des bancs du parc.

Jeanne Dionne, assise près de la porte de la cuisine, dans la cour arrière, surveillait ses quatre plus jeunes enfants en reprisant des vêtements.

— Laisse les jumeaux tranquilles, dit-elle à Martine qui s'approchait un peu trop du landau rangé à l'ombre. Tu vas les réveiller. Va jouer avec Denis.

En cette fin d'après-midi, un coup de vent souleva soudainement un tourbillon de poussière et plaqua des papiers gras contre les murs des maisons voisines et contre les clôtures. Il transportait avec lui l'odeur nauséabonde de la Dominion Rubber dans cette cour en terre battue où pas un brin d'herbe n'avait eu la chance de pousser depuis de nombreuses années.

Tout à coup, Paul poussa la porte de la clôture et entra dans la cour. L'adolescent avait l'air maussade.

— Bonjour, m'man, fit-il sans enthousiasme, en repoussant Martine qui cherchait à s'emparer de son sac d'école.

— Bonjour. T'as juste le temps d'aller te changer avant que Lise arrive du couvent.

— Est-ce que c'est ben nécessaire que j'y aille ?

— Voyons donc, Paul. Il manquerait plus que ça que tu sois pas là. Envoye ! Va mettre ta chemise blanche. Grouille ! On est mieux d'être partis avant que ton père arrive.

Paul entra dans la maison sans rien ajouter.

———

Au début du mois, Jeanne était allée, encore une fois, à la distribution des bulletins, à l'école Champlain. Cette fois-là, Marcel Beaudry, l'instituteur de Paul, lui avait demandé si une décision avait été prise au sujet de l'avenir de son fils. Il avait longuement parlé de son talent et de sa détermination. Il l'avait laissée en l'assurant que Paul avait la capacité de réussir son cours classique. Selon lui, ne pas l'inciter à poursuivre ses études serait un véritable gaspillage de talent. En somme, ce discours reprenait presque mot pour mot celui tenu par la tante Agathe, l'automne précédent, ce qui poussa la mère à réfléchir.

De retour à la maison, Jeanne avait eu une discussion sérieuse avec l'aîné de ses fils au sujet de son avenir.

— Si tu veux devenir un prêtre, fit-elle, je vais essayer de faire comprendre à ton père de te laisser étudier.

— Ça me tente de faire un prêtre, dit Paul sur un ton qui manquait d'assurance. Mais ça sert à rien d'en parler à p'pa, il va dire qu'on n'a pas assez d'argent pour ça.

— On va bien voir, lui promit sa mère.

Paul se croisa les doigts et attendit avec une impatience croissante que sa mère en parle à son père ce soir-là.

La vie sacerdotale ne l'attirait pas particulièrement. Il servait plus la messe pour se procurer de l'argent de poche que par piété. Par contre, s'il y avait une chose dont il était certain, c'était qu'il ne voulait pas vivre toute sa vie comme ses parents, dans un appartement miteux, à tirer le diable par la queue. Il n'y avait rien qu'il désirait plus que sortir de cette misère et ne plus avoir à faire la tournée des poubelles chaque vendredi matin pour posséder un peu plus d'argent en vendant des bouteilles vides. Il rêvait d'avoir sa chambre, une chambre dont il pourrait ouvrir la fenêtre toute grande, et où il pourrait s'installer pour lire et faire ses devoirs quand il le voudrait. Il fallait qu'un jour, il puisse se payer des vêtements qui n'auraient pas été cousus à partir de vêtements usagés.

Pourtant, il n'eut ni à patienter très longtemps, ni à tendre l'oreille pour savoir ce que son père pensait de l'idée de le laisser poursuivre ses études. Quelques minutes après s'être mis au lit, il entendit les voix de ses parents en provenance de la salle à manger.

— Quoi? Qui est-ce qui t'a mis ça dans la tête? demanda Maurice à sa femme.

— Tout le monde dit qu'il a du talent pour les études. T'as juste à regarder ses bulletins.

— Écoute-moi ben, Jeanne Sauvé, répliqua sèchement son mari en élevant la voix. Tu vas arrêter de le couver. T'es en train d'en faire une maudite tapette. Il va finir sa 7e année, et après ça, il va aller se chercher une job.

En entendant cela, Paul sentit la colère l'envahir.

— Qu'est-ce que tu veux qu'il fasse à treize ans ?

— Il fera comme les autres, calvaire ! Il ira porter des commandes en bicycle ou il se trouvera une job pour aider un boulanger ou un laitier à faire sa *run* s'il trouve pas autre chose. Ce sera toujours mieux que moi. Il va avoir son diplôme de 7ᵉ année. Moi, j'ai lâché l'école en 4ᵉ.

— Et c'est le genre de vie que t'aimerais que ton garçon ait ? demanda Jeanne qui avait du mal à en croire ses oreilles.

— Pourquoi pas ? Il est pas plus fin que nous autres ! T'aimerais peut-être mieux qu'il vienne nous regarder de haut pendant qu'on se crèverait à le nourrir et à l'habiller. Non, non, il va aller travailler et nous payer une pension.

— Maurice, il veut devenir prêtre. On n'a pas le droit d'empêcher un de nos enfants de faire un prêtre, tu m'entends ?

— C'est de la maudite niaiserie…

— On a neuf enfants, on peut bien en donner un au bon Dieu. Si on refuse, ça nous portera pas chance.

— Tu comprends rien, toi ! Où est-ce que tu veux qu'on prenne l'argent pour payer des études comme ça ?

— Je le sais pas, mais, si tu le veux, j'irai en parler au curé Perreault.

— Achale-moi plus avec ça ! conclut brutalement Maurice Dionne en s'allumant une cigarette. Je veux plus en entendre parler.

Il n'y eut plus un mot entre le mari et la femme durant le reste de la soirée. Paul comprit que son père venait de se murer dans un silence boudeur. Il l'imaginait facilement encore assis dans sa chaise berçante, en train de fumer, l'air buté, le regard fixé sur un point du mur situé en face de lui.

Le lendemain matin, après le départ de Maurice, Jeanne dit à son fils :

— J'ai parlé à ton père hier.

— Je le sais, m'man, j'ai entendu. Il veut pas ; c'est pas une grosse surprise.

— Non, il a changé d'idée. Avant de partir, à matin, il m'a dit de faire ce que je voulais.

Le cœur de Paul s'emballa soudain.

— Est-ce que ça veut dire qu'il veut que j'étudie ?

— Ça veut dire, au moins, qu'on peut aller voir monsieur le curé pour savoir si on peut trouver de l'aide.

En entendant cela, le sourire de Paul s'effaça.

— Vous voulez dire qu'on va être obligés d'aller quêter. On va laisser faire, m'man. J'ai pas le goût de faire rire de moi.

— Aïe ! Paul Dionne, le réprimanda sa mère. Je me suis pas chicanée avec ton père pour rien, hier soir. Il y a encore rien de fait, mais on va aller au presbytère pas plus tard que cet après-midi pour voir ce que monsieur le curé peut faire pour nous aider.

Le ton était si définitif que l'adolescent ne trouva rien à dire. Pendant toute la journée, la démarche que sa mère se proposait de faire l'empêcha de se concentrer. Il la trouvait si humiliante qu'il était prêt à renoncer à son idée de poursuivre ses études.

⌒

En passant devant le miroir placé au-dessus de l'évier de la cuisine, Paul jeta un rapide coup d'œil à son image à qui il adressa une grimace de mécontentement. Il n'aimait ni ses cheveux bruns et raides, ni sa figure allongée et son cou étroit où saillait sa pomme d'Adam.

Il entendit la voix de Lise et il s'empressa d'aller rejoindre sa mère dans la cour. Déjà, cette dernière avait retiré son tablier en faisant ses dernières recommandations à sa fille aînée pour le souper.

— Arrive, ordonna-t-elle à son fils.

Ils sortirent dans la grande cour et la traversèrent en direction de la rue Fullum. Claude et André, qui revenaient de l'école sans se presser, voulurent les accompagner.

— Allez-vous-en à la maison tous les deux, leur dit leur mère, impatiente… Et faites pas enrager Lise parce que vous allez avoir affaire à moi quand je vais revenir.

Paul et Jeanne marchèrent jusqu'au presbytère. Devant l'édifice, l'air embaumait l'odeur entêtante des lilas. D'un geste décidé, la mère ouvrit la petite barrière en fer forgé et monta l'escalier qui conduisait à la porte d'entrée. Paul la suivit en traînant les pieds.

— Est-ce que je peux vous attendre dehors, m'man?

— C'est ça. T'aurais l'air fin, hein? lui dit-elle à mi-voix avant de sonner à la porte. Ta mère irait demander de l'aide pour toi pendant que tu prendrais l'air sur le perron du presbytère.

La servante vint ouvrir la porte.

— Est-ce que je pourrais parler à monsieur le curé? demanda Jeanne

— Les heures de bureau sont presque finies, fit remarquer la dame au chignon gris d'un air peu engageant. Je vais aller voir. Vous pouvez aller vous asseoir dans la salle d'attente. Qui est-ce que je dois annoncer?

— Madame Dionne.

Jeanne et son fils entrèrent dans la salle d'attente. La servante revint moins d'une minute plus tard.

— Si vous voulez bien me suivre, madame.

Jeanne se leva et poussa son fils devant elle jusqu'à la porte du bureau de Damien Perreault qui se leva lorsqu'ils pénétrèrent dans la pièce. Le gros homme les invita à s'asseoir avant de se laisser tomber dans son fauteuil.

— Ça fait longtemps que je vous ai vue, madame Dionne, dit le prêtre qui ne l'avait pas reconnue. Qu'est-ce que je peux faire pour vous ?

Le curé aligna les papiers déposés devant lui sur son bureau, repoussa un peu son fauteuil et dévisagea sa paroissienne et son fils.

— Bonjour, monsieur le curé. Je suis venue vous voir pour vous parler de Paul, mon garçon que j'ai amené avec moi. Il veut devenir prêtre. Son professeur me dit qu'il a assez de talent pour faire son cours classique. Ça fait deux ans qu'il a le premier prix de catéchisme.

— C'est long, un cours classique, fit observer le curé Perreault. Ça dure huit ans. Est-ce que t'aimes assez les études pour étudier aussi longtemps ? demanda-t-il à Paul.

— Oui, monsieur le curé.

— Après ça, il y a quatre ans d'études au grand séminaire. T'es prêt à te rendre jusque-là ?

— Oui, monsieur le curé.

— Alors, où est le problème ? demanda abruptement Damien Perreault en regardant Paul dont le visage était devenu rouge.

— Le problème est qu'on a neuf enfants et qu'on n'a pas les moyens de le faire instruire, répondit Jeanne, un peu intimidée par le ton sec de son curé. Je me suis demandé si vous pourriez pas nous aider.

— Si votre garçon est sérieux, c'est sûr qu'on peut l'aider. On a juste à faire une demande à l'Œuvre des vocations dirigée par monseigneur Marien. Elle donne des bourses d'études aux jeunes les plus méritants.

— Est-ce que c'est difficile à avoir, monsieur le curé ?

— Ne vous occupez pas de ça. Je m'en charge. Bon, pour le collège, c'est une autre paire de manches. Il faudrait trouver un collège pas trop cher qui prend des externes parce que l'Œuvre des vocations n'offre pas des bourses suffisantes pour couvrir les frais de pension. Le plus près que je peux voir, c'est le collège Sainte-Croix sur la rue Sherbrooke. En plus, ce collège-là n'est pas trop loin.

— Ce serait une vraie chance si Paul pouvait étudier là.

— Je connais le supérieur, le père Lafond, ajouta le pasteur de la paroisse Saint-Vincent-de-Paul.

Il jeta un coup d'œil à sa montre et il mit sa main droite sur le combiné du téléphone noir posé sur le coin de son bureau.

— Je vais l'appeler. Comme ça, on va savoir tout de suite sur quel pied danser, annonça le curé Perreault d'un ton décidé.

— Voulez-vous qu'on sorte dans la salle d'attente, monsieur le curé? demanda Jeanne en esquissant le geste de se lever.

— Ne bougez pas, madame. Ce ne sera pas long, dit Damien Perreault en lui faisant signe de rester assise.

Le curé consulta un répertoire téléphonique et composa un numéro de téléphone. Après des échanges de politesses, il demanda quelques renseignements qu'il nota brièvement sur une feuille placée sur son sous-main, devant lui. Lorsqu'il raccrocha quelques minutes plus tard, le prêtre arborait un sourire satisfait.

— Bon, le supérieur du collège m'a dit que j'ai appelé juste à temps. Les examens d'entrée au collège ont lieu samedi prochain, à huit heures et demie. Ils durent trois ou quatre heures. Te sens-tu capable de les passer? demanda Damien Perreault à Paul.

— Je vais essayer, monsieur le curé, répondit l'adolescent, la gorge sèche.

— S'il réussit ces examens-là, dit le prêtre à Jeanne, votre garçon pourra commencer son cours classique en septembre prochain. Les frais sont de deux cent vingt dollars pour l'année. C'est pas mal raisonnable si on les compare avec les frais des autres collèges… Ne vous inquiétez pas pour l'argent. Il est presque certain que l'Œuvre des vocations va lui accorder une bourse pour couvrir complètement le coût du collège. Il ne vous restera à payer que son transport et ses livres.

Sur ces mots, le prêtre se leva, signifiant ainsi la fin de la rencontre.

— Je te souhaite bonne chance, dit-il à Paul qui trouvait soudainement que tout allait beaucoup trop vite. Ne nous fais pas honte au concours d'entrée.

— Merci beaucoup, monsieur le curé, murmura Paul en se levant.

— Je sais vraiment pas comment vous remercier, renchérit la mère en imitant son fils.

— Ne me remerciez pas, madame Dionne. C'est mon rôle d'aider à l'épanouissement des vocations de ma paroisse.

Damien Perreault les précéda jusqu'à la porte qu'il ouvrit devant eux.

— Ah! j'y pense, ajouta le prêtre à l'adresse de l'adolescent. Si jamais tu réussis tes examens d'entrée, on te fera une petite place en septembre dans le sous-sol du presbytère pour venir étudier tranquille, le soir. Tu pourras travailler là tous les soirs si tu veux.

— Merci beaucoup, monsieur le curé, répéta Paul avant de sortir de la pièce.

Sur le chemin du retour, Paul planait comme sur un nuage et il entendait à peine ce que sa mère lui disait. Il imaginait la belle vie qui allait bientôt s'ouvrir devant lui. Il se voyait déjà quitter la maison chaque soir pour aller étudier dans le calme feutré du presbytère. À ses yeux, échapper aux sautes d'humeur de son père n'avait pas de prix.

Durant le souper, quand Jeanne informa Maurice des résultats de sa visite au presbytère, ce dernier se contenta de dire :

— C'est pas la fin du monde, sacrement ! Il y a pas de quoi s'énerver. Il y a rien de fait. Il faudrait d'abord qu'il soit capable de les réussir, ces examens-là.

—

La réaction brutale de son père remit l'adolescent en contact avec la réalité. Il avait raison ; rien n'était encore fait. Il devait d'abord passer le concours d'entrée.

Ce soir-là, Paul décida de prouver à son père qu'il était capable de commencer son cours classique. Après ses devoirs, il entreprit une révision complète de tout ce qu'il avait étudié durant l'année. Il lui restait quatre jours avant de se présenter au collège.

Ces quelques journées passèrent beaucoup trop rapidement à son goût. Il eut beau mettre à profit chacun de ses moments libres pour revoir toute la matière apprise depuis septembre, il manqua de temps. Lorsque le vendredi soir arriva, il eut du mal à s'endormir tant il ne cessait de penser à tout ce qu'il aurait dû réviser afin d'être prêt pour subir l'épreuve du lendemain.

Très tôt le samedi matin, vêtu de ses plus beaux vêtements, il prit l'autobus au coin des rues Frontenac et Sainte-Catherine. Il arriva au collège Sainte-Croix un peu après sept heures et demie, assez tôt pour voir arriver peu à peu plus de cent cinquante jeunes de son âge qui se réfugièrent, comme lui, dans un coin de la cour. Il se sentait dépaysé, hors de son monde. L'adolescent eut largement le temps d'admirer l'aisance des collégiens facilement repérables à leur pantalon gris et à leur veston bleu marine.

Un peu après huit heures, on invita les candidats à se présenter à la porte qu'on venait d'ouvrir et, en moins de temps qu'il n'en faut pour le dire, chacun se retrouva assis à un pupitre dans une vaste salle d'étude largement éclairée dont les portes furent fermées. Quatre pères Sainte-Croix s'installèrent silencieusement derrière leur bureau placé sur chacun des côtés de la salle pendant que le supérieur, un grand homme à l'air austère, venait adresser un mot de bienvenue aux candidats.

— Messieurs, dit le père Lafond d'une voix de stentor, en replaçant au centre de sa poitrine le crucifix qui ornait sa soutane noire, aujourd'hui, vous avez une occasion unique de vous mériter une place dans l'un des meilleurs collèges de Montréal. Si vous réussissez les tests auxquels nous vous soumettrons tout à l'heure, vous aurez la chance d'étudier chez nous et de devenir l'élite de demain. Il n'appartient qu'à vous de nous montrer que vous désirez faire de Sainte-Croix votre *alma mater*. Bonne chance.

Le cœur de Paul battait la chamade lorsqu'il reçut le premier questionnaire auquel il devait répondre. Ensuite, il n'eut plus le temps de s'attarder sur ce qu'il ressentait.

Lorsqu'il releva la tête, l'horloge indiquait midi trente. Il était en nage et fatigué. Le surveillant principal annonça aux élèves que les examens étaient terminés et que le secrétariat du collège leur ferait parvenir une lettre dans deux ou trois semaines pour leur faire savoir s'ils étaient admis ou non.

Paul revint à la maison avec l'impression d'avoir échoué. Chaque fois qu'il pensait aux divers tests passés, il était persuadé d'avoir commis des erreurs impardonnables.

Le lundi suivant, à l'école, l'adolescent se garda bien de dire à qui que ce soit qu'il était allé passer des examens d'entrée dans un collège classique. Il craignait bien trop d'être ridiculisé s'il devait échouer.

L'adolescent trouva le mois de mai interminable. Il ne vivait plus que dans l'attente du courrier qui allait décider de son avenir. Il avait tant de peine à se concentrer en classe que Marcel Beaudry dut le rappeler à l'ordre plusieurs fois.

Chaque après-midi, au retour de l'école, il se précipitait dans la maison pour savoir si la réponse des autorités du collège était arrivée. Comme cette dernière tardait, il finit par se convaincre qu'elle avait été égarée par le facteur. Il avait presque décidé de demander à sa mère de téléphoner au collège quand, un jeudi après-midi, il vit une enveloppe blanche déposée au centre de la table de la salle à manger. Elle était ornée d'un petit écusson bleu dans le coin supérieur droit.

— M'man, est-ce que ça vient du collège? demanda-t-il soudain fébrile.

— On le dirait. Je t'ai attendu pour l'ouvrir. Ouvre-la.

Après un instant d'hésitation, Paul, la gorge sèche, ouvrit l'enveloppe en tremblant et déplia l'unique feuille qu'il y trouva. Il la lut à haute voix :

« Par la présente, nous vous avisons que votre fils, Paul Dionne, a réussi les épreuves d'admission de notre institution. Par conséquent, il nous fait plaisir de vous informer qu'il est accepté comme étudiant en éléments latins au collège Sainte-Croix pour l'année scolaire 1956-1957.

René Clément

Préfet des études »

Paul ne saisit pas immédiatement toute la portée du message qu'il venait de lire à sa mère. Puis, il réalisa peu à peu que sa vie venait de prendre une toute nouvelle orientation grâce à cette simple lettre. Il se sentit alors submergé par un immense bonheur. L'énorme poids qui pesait sur ses épaules depuis qu'il avait passé les épreuves d'entrée disparut comme par miracle. Il était si ému qu'il en avait le cœur serré comme dans un étau. En septembre, il allait devenir comme les jeunes en veston et cravate qu'il avait vus dans la cour du collège. Il allait étudier et non travailler pour un salaire misérable. Il entendit à peine sa mère lui dire :

— Laisse la lettre sur la table. On va la montrer à ton père quand il arrivera.

Paul obtempéra et il se retira dans sa chambre désertée par ses frères en train de s'amuser à l'extérieur. Il y demeura jusqu'au moment où il entendit freiner la vieille Dodge à l'extérieur. Par la fenêtre, il vit son père pénétrer dans la cour.

Jeanne laissa son mari prendre une bouteille de Coke dans le réfrigérateur et s'allumer une cigarette. Après avoir bu la moitié du contenu de la bouteille, Maurice se leva et alla jeter un coup d'œil aux jumeaux qui dormaient comme des bienheureux dans leurs lits.

— C'est quoi cette lettre-là ? demanda-t-il en apercevant l'enveloppe sur la table.

— Une lettre du collège. Paul a enfin reçu les résultats de ses examens.

Paul quitta sa chambre et vint dans la salle à manger pour connaître la réaction de son père à la bonne nouvelle.

— Puis ? fit Maurice, sans faire un mouvement pour prendre la lettre et la lire.

— Il a réussi les examens, dit Jeanne avec fierté. Les pères l'acceptent.

Le visage de Maurice Dionne se ferma immédiatement. De toute évidence, il avait espéré le contraire. Pendant de longues minutes, il ne dit pas un mot, ne levant même pas les yeux sur Paul qui attendait avec nervosité sa réaction. Le père fit comme si l'adolescent n'était pas là et il s'adressa à sa femme.

— En tout cas, finit-il par lâcher d'un ton hargneux, il est mieux de se trouver une job cet été pour payer ses affaires. Moi, je sortirai pas une maudite cenne pour l'aider. Il va payer lui-même son autobus, son collège et toutes ses affaires.

— Voyons, Maurice, c'est... voulut intervenir Jeanne.

— Il y a pas de «Voyons, Maurice», tu m'entends? Il y a déjà ben assez que je vais être obligé de nourrir ce maudit sans-cœur qui veut pas travailler. Je suis pas pour lui donner de l'argent en plus.

— Maurice!

— Et je t'avertis. Qu'il arrive un seul mois avec un bulletin où il passe pas! Il lâche le collège et, le lendemain matin, il va se trouver une job... Bon, c'est assez! Est-ce qu'on va finir par souper dans cette maison?

Il n'y avait rien à ajouter à cela. Maurice Dionne avait décidé que si son fils aîné étudiait, il le ferait malgré lui et il se débrouillerait sans lui.

Lorsque Paul vint prendre place à table avec ses frères et sœurs, il n'osa pas lever les yeux vers son père, de crainte que ce dernier n'y voie la rage et la haine qui l'habitaient.

———

Dès la fin des classes, le lendemain après-midi, Paul Dionne se mit à faire la tournée des commerçants pour se trouver un emploi d'été. Il restait moins de trois semaines d'école et il ne voulait pas se retrouver sans travail à ce moment-là. Il aurait trop besoin d'argent en septembre pour se permettre de perdre son temps durant l'été.

Les jours suivants, le garçon découvrit avec colère que son père se vantait à tous ceux qui voulaient bien l'écouter qu'il avait un fils qui allait faire son cours classique. Sa haine augmenta encore d'un cran.

Chapitre 36

L'embellie

La fin des classes survint en pleine période de canicule. Depuis plus d'une semaine, le mercure se cantonnait au-dessus de 80 °F et l'humidité rendait toute activité épuisante.

Les cheveux collés sur son front moite, Jeanne Dionne pouvait se vanter d'avoir remporté une seconde victoire sur son mari en lui arrachant l'inscription de Lise en 8ᵉ année à l'école Lartigue.

— Pourquoi tu la gardes pas à la maison avec toi ? lui avait demandé son mari de mauvaise humeur. Elle t'aiderait.

— J'ai pas besoin d'elle.

— Bon. Si c'est comme ça, elle a juste à se trouver une job.

— Maurice Dionne ! avait protesté Jeanne. T'es pas pour envoyer une fille qui a même pas encore quatorze ans laver des planchers et faire du ménage chez les autres. Il y a tout de même des limites.

— Qui te parle de ça ?

— Il y a pas d'autres jobs pour une fille de son âge. On dirait que t'aimes pas tes enfants…

— Christ que t'es niaiseuse ! C'est pas la question. Ça lui a pris tout son petit change pour finir sa 7ᵉ année.

Qu'est-ce qu'elle va faire en 8e? À quoi ça va lui servir de se rendre en 9e année, si jamais elle se rend jusque-là?

— À avoir une meilleure job et un meilleur salaire, tu sauras, avait répliqué Jeanne sur un ton définitif.

— Maudite tête de cochon! Fais donc comme d'habitude! Fais à ta tête pis laisse-nous dans le trou! avait crié Maurice, hors de lui, avant de sortir de la maison en claquant la porte.

Un peu plus tard, calmé, son mari reprit la discussion.

— Je suppose que Lise va passer son été à rien faire?

— Non, sœur de Rome a appelé aujourd'hui. Elle a trouvé de l'ouvrage à l'hospice Gamelin pour Lise et pour Paul. Ils vont gagner vingt piastres par semaine.

— Ils vont faire quoi à l'hospice?

— Elle m'a dit que Paul pourrait travailler à laver la vaisselle à la cuisine. Lise, elle, va travailler sur les étages.

— Enfin une bonne nouvelle. Sacrement! C'est normal que je sois pas tout seul à travailler dans cette maison!

Le lundi suivant, le frère et la sœur commencèrent à travailler à l'hospice Gamelin de la rue Dufresne. Sans le savoir, ils venaient de franchir le pas. Ils disaient définitivement adieu à leur enfance. Par contrecoup, Francine et Claude venaient de perdre une partie de leur liberté en héritant des tâches que les deux aînés accomplissaient auparavant à la maison.

—

Pour Maurice, l'été s'annonçait long et sans surprise. Cet été-là, il n'aurait droit à aucunes vacances. Pas question de trouver une vieille maison à la campagne comme l'été précédent. Non. La majorité de ses clients profitaient de la belle saison pour lui faire exécuter des travaux de peinture tant à l'intérieur qu'à l'extérieur.

Aux Legault, Murray, Simpson, Perron et Desmarais s'ajoutèrent d'autres clients comme les Conroy et les Tremblay, des amis de Julia Desmarais.

La plupart de ses clients ne le considéraient que comme un homme à tout faire travailleur et digne de confiance. Ils se contentaient de lui indiquer le travail à exécuter et de le payer après avoir vérifié si la tâche avait été bien faite.

Julia Desmarais représentait l'unique exception à la règle. Lorsque Maurice se présentait à sa porte à huit heures, le jeudi matin, il n'était pas question qu'il se mette au travail avant d'avoir bu la tasse de café qu'elle lui faisait servir par sa bonne. Le midi, elle l'obligeait à manger un bol de soupe pour accompagner les sandwiches de son dîner. La fortune et la position sociale de son mari, un ami de plusieurs ministres en poste, ne l'avaient pas rendue hautaine. Elle trouvait toujours le temps de venir parler quelques minutes avec lui. La fille du juge Perron s'informait toujours de la santé de la famille de Maurice et elle s'intéressait vraiment à ses enfants.

Maurice était intimidé par la gentillesse inhabituelle de cette grande dame dénuée de toute prétention. Il aurait préféré qu'elle se conduise comme ses autres clientes. Mais comment résister à tant d'amabilité et de désintéressement?

L'homme à tout faire travaillait pour les Desmarais depuis moins de deux mois quand un après-midi, au moment où il s'apprêtait à quitter leur résidence, sa cliente lui demanda:

— Monsieur Dionne, vous m'avez dit que votre femme cousait bien. Est-ce que vous pensez qu'elle accepterait de me confectionner de nouveaux rideaux pour les fenêtres de ma cuisine?

— Je pense que oui, répondit Maurice, secrètement contrarié d'être obligé de demander cela à Jeanne.

— Alors, dites-lui donc de me téléphoner. Je vais attendre son appel.

Jeanne ne se fit pas prier pour appeler la cliente de son mari. Elle accepta de faire le travail, mais elle prévint Julia Desmarais qu'il lui fallait aller mesurer d'abord ses fenêtres. Le lendemain, Maurice dut la conduire à la maison des Desmarais.

À sa grande surprise, Jeanne ne se montra pas plus intimidée par cet environnement luxueux que par Julia Desmarais elle-même. Les deux femmes sympathisèrent immédiatement. L'hôtesse montra à son invitée divers tissus qu'elle avait choisis et Jeanne lui suggéra des modèles originaux de tentures. Au moment de partir, la couturière assura que les rideaux seraient prêts à la fin de la semaine suivante. Julia Desmarais promit alors de venir en prendre livraison chez les Dionne.

Sur le chemin du retour, Maurice laissa éclater sa mauvaise humeur.

— On va avoir l'air fin encore ! Quand elle va voir dans quel trou on reste, qu'est-ce qu'elle va penser de nous autres ?

— Notre maison est peut-être pas neuve, dit Jeanne, mais elle est propre. Moi, j'ai pas honte de laisser entrer quelqu'un chez nous. C'est pas parce que madame Desmarais vient d'Outremont qu'elle est folle. Elle doit bien savoir qu'avec neuf enfants, on reste pas dans un château comme le sien.

— Ça fait rien. Je trouve qu'elle a pas d'affaires chez nous, c'est tout.

Jeanne s'empressa de confectionner les rideaux demandés et dès le mardi matin, elle téléphona chez la cliente de son mari pour la prévenir qu'ils étaient prêts.

Julia Desmarais demanda si elle pouvait venir en prendre livraison l'après-midi même, sans trop déranger.

— Je vous attends, se contenta de lui répondre Jeanne, aimable.

Vers deux heures cet après-midi-là, Julia Desmarais descendit d'une rutilante Oldsmobile noire qu'elle laissa devant la porte, dans la rue Notre-Dame, et elle sonna après avoir vérifié l'adresse des Dionne qu'elle avait écrite sur un bout de papier qu'elle tenait à la main. Malgré la chaleur étouffante qui régnait, la dame était impeccablement vêtue d'un costume bleu marine et d'un chemisier blanc.

Jeanne vint lui ouvrir au premier coup de sonnette.

— Vous n'avez pas peur d'avoir un billet? demanda-t-elle en montrant à son invitée sa voiture stationnée dans une zone interdite.

— Ce ne serait pas bien grave, dit Julia Desmarais avec un petit rire de gorge. Quand j'ai une contravention, ça permet à mon mari de vérifier si ses amis à l'hôtel de ville ont encore de l'influence.

Jeanne fit passer la visiteuse dans le salon en s'excusant pour la chaleur qui régnait dans la pièce.

— On peut pas ouvrir la fenêtre du salon parce qu'avec le trafic, on s'entendrait pas parler. En plus, il y a les vagabonds qui risquent d'entrer dans la maison parce que la fenêtre est pas mal basse.

— On peut bien s'installer ailleurs, proposa Julia à voix basse. Je voudrais pas réveiller vos bébés, dit-elle en montrant de la main les deux lits d'enfant disposés entre la chambre et le salon… Est-ce que je peux les regarder?

— Bien sûr, fit Jeanne avec le sourire.

Julia Desmarais s'approcha doucement des deux lits et contempla les jumeaux âgés de six mois.

— Mais ils sont beaux comme des cœurs! s'exclama-t-elle à mi-voix.

— En tout cas, ils sont en santé, dit Jeanne, toujours heureuse de faire admirer ses enfants. Venez, je vais vous en montrer deux autres.

Jeanne entraîna son invitée dans la salle à manger et lui montra par la fenêtre Martine et Denis en train de s'amuser dans la cour au sol de terre battue.

— À jouer comme ça dans la terre, ils se salissent vite. On dirait pas que je viens de les laver… J'en ai trois autres partis avec des amis et les deux plus vieux travaillent à l'hospice. Mon mari a dû vous dire que Paul commence son cours classique en septembre.

— Oui, fit Julia Desmarais, et il en est pas mal fier.

— Assoyez-vous, lui proposa Jeanne. Je vous apporte vos rideaux.

Pendant qu'elle allait chercher les rideaux qu'elle avait confectionnés, madame Desmarais regardait partout autour d'elle. Elle s'étira le cou pour voir la petite cuisine et une partie de la chambre des garçons. De son siège, elle avait déjà une vue complète de la chambre encombrée des filles.

La fille du juge Perron se déclara enchantée du travail réalisé par Jeanne. Comme la jeune femme refusait de fixer un prix, elle en profita pour lui laisser deux fois la somme qu'elle aurait donnée à sa couturière habituelle pour exécuter ce travail.

— Vous prendrez bien un verre d'orangeade froide, offrit Jeanne, confuse devant tant de générosité.

— Avec plaisir.

— Je vais en donner aussi un peu aux enfants. Ils doivent avoir soif, dit-elle en se dirigeant vers le réfrigérateur.

Julia Desmarais regarda son hôtesse tendre des gobelets en plastique remplis d'orangeade à Martine et à Denis. Son cœur se serra un peu en voyant dans quel milieu les deux enfants devaient vivre.

Quand Jeanne reprit sa place en face de son invitée, cette dernière ne put s'empêcher de dire :

— Toutes les femmes que je connais chez qui votre mari travaille trouvent qu'ils n'ont jamais eu un homme de ménage aussi minutieux.

— Oh ! Je crains rien, dit Jeanne. Maurice a toujours été bien travaillant. Depuis qu'il a perdu sa job au Keefer Building, il se débrouille pour nous faire vivre.

— Je ne voudrais pas me mêler de ce qui ne me regarde pas, madame Dionne, mais est-ce que votre mari accepterait mon aide pour se trouver un emploi régulier ? Vous comprenez ; je ne voudrais pas le blesser dans sa fierté.

— Je pense qu'il accepterait l'aide de n'importe qui pour avoir une paie régulière chaque semaine.

— Je vais voir si je peux faire quelque chose pour lui, promit Julia Desmarais. Est-ce que je peux compter sur vous pour ne pas lui en parler tout de suite ? Je ne voudrais pas qu'il soit déçu si mes démarches n'aboutissent pas.

— Bien sûr. Vous êtes bien fine d'essayer de nous aider.

Il y eut un court instant de silence entre les deux femmes avant que Julia Desmarais reprenne la parole, l'air un peu mal à l'aise.

— Je ne voudrais pas non plus être indiscrète, madame Dionne, mais j'aimerais vous poser une question. Ne vous gênez pas pour me répondre franchement ce que vous pensez.

— Allez-y, l'invita Jeanne, intriguée par le ton de la visiteuse.

— Est-ce que vous tenez vraiment à demeurer dans ce quartier ? Je sais que ça ne me regarde pas, s'empressa-t-elle d'ajouter, mais si on vous offrait un autre appartement ou une maison ailleurs, est-ce que ça vous coûterait beaucoup de quitter cet endroit ?

— Ça me gêne pas de vous répondre. On reste ici parce que c'est la seule place où on peut avoir un grand appartement pour moins de trente piastres par mois. Je sais pas ce qu'en pense mon mari, mais moi, ça me ferait pas de peine pantoute d'aller rester ailleurs.

— Je suis contente de vous entendre dire ça, dit en souriant la fille du juge Perron en se levant. Donc, rien ne m'empêche de voir s'il n'y aurait pas moyen de vous trouver un autre endroit où demeurer en même temps qu'un autre emploi pour votre mari?

— Dites pas ça, vous allez me faire rêver.

— Oh! Bien sûr, il n'y a rien de fait, mais vous pouvez être certaine que je vais voir si je peux vous être utile à quelque chose, promit Julia Desmarais.

Avant de prendre congé, la dame d'Outremont embrassa son hôtesse sur les deux joues et lui souhaita bonne chance.

Évidemment, Jeanne Dionne se garda bien de raconter à qui que ce soit cette conversation qu'elle avait eue avec la fille du juge Perron. Elle se contenta d'espérer sans trop y croire. Quand Maurice s'informa pour savoir si sa cliente était venue chercher ses rideaux, Jeanne se borna à lui dire qu'elle ne s'était arrêtée qu'une minute et qu'elle l'avait bien payée pour son travail.

—

Près d'un mois passa avant que l'épouse de Georges Desmarais ne se manifeste.

Ce jeudi matin là, elle accueillit son homme à tout faire comme d'habitude avant de lui énumérer les divers travaux qu'elle aimerait qu'il fasse durant la journée. Ce n'est qu'à l'heure du dîner, alors que Maurice mangeait ses sandwiches, assis sur une chaise de jardin, sur le balcon arrière de la résidence, qu'elle fit signe à sa bonne de déposer deux grands verres de boisson gazeuse glacée sur la table de jardin et de se retirer.

— Tenez, monsieur Dionne. Ça vous rafraîchira un peu, dit-elle en lui tendant l'un des verres.

— C'était pas nécessaire, madame, dit Maurice, intimidé, en prenant quand même le verre.

Julia Desmarais s'assit en face de lui en arborant un air décidé.

— Monsieur Dionne, j'aimerais vous parler pendant que vous finissez votre dîner.

— Oui, madame, dit Maurice, subitement inquiet.

Pendant un instant, il se demanda quelle erreur il avait bien pu commettre. Il ne pouvait vraiment pas se permettre de perdre une cliente.

— Je me demandais, reprit Julia Desmarais, si vous ne seriez pas intéressé par un travail de concierge d'école. C'est un travail régulier assez bien payé, m'a-t-on dit.

En entendant ces mots, Maurice cessa de mastiquer son sandwich et il avala difficilement sa bouchée.

— Certain que ça m'intéresserait, mais une job comme ça, ça court pas les rues et…

— Mon mari est un ami de Réal Bélanger, le directeur du personnel de la CECM, le coupa Julia Desmarais. Il lui a raconté à quel point vous feriez un bon concierge. Vous savez qu'un petit coup de pouce aide toujours à obtenir ce genre d'emploi.

— Oh oui !

— Si vous vous présentez au bureau du personnel de la commission scolaire sur la rue Sherbrooke, demain matin, à neuf heures, je pense que vous avez de bonnes chances d'avoir le travail. Je dirais même que c'est comme si c'était fait.

La nouvelle coupa définitivement l'appétit à Maurice. Il n'avait pas touché un véritable salaire depuis plus de six mois. Tout à coup, sans qu'il l'ait cherché, un emploi tout à fait dans ses cordes lui était offert sur un plateau.

— Mais demain matin, madame, dit Maurice soudainement paniqué, j'ai promis à votre mère d'aller faire son ménage, comme tous les vendredis...

— Ne vous inquiétez pas pour le ménage de ma mère. Elle est déjà au courant qu'il se pourrait que vous soyez en retard pour faire votre travail demain.

L'homme à tout faire ressentit alors un immense sentiment de gratitude envers cette femme qui s'était donné la peine de faire jouer ses relations pour lui trouver un emploi. C'était bien la première fois de sa vie que lui, Maurice Dionne, avait une telle chance.

— Je sais vraiment pas comment vous remercier.

— Oh! ça, c'est facile, reprit la fille du juge.

— Tout ce que vous voulez, madame, reprit Maurice, obséquieux.

— Bon, commençons par le commencement. Avez-vous déjà entendu parler de la Coopérative d'habitation de Montréal?

— Non.

— Cette coopérative s'est fixé comme objectif de construire plusieurs centaines de bungalows destinés à des familles aux revenus modestes. Simone Legris, la secrétaire de la coopérative, est une amie d'enfance. Elle m'a assurée que les mensualités exigées des acheteurs de ces petites maisons sont très raisonnables parce que la Caisse populaire Desjardins fournit des hypothèques à des taux d'intérêt très bas.

— Ah bon! acquiesça Maurice sans trop savoir à quoi madame Desmarais voulait en arriver.

— En moins de deux ans, cette coopérative a déjà construit plus de cinquante bungalows près de l'église de Saint-Léonard-de-Port-Maurice, dans le nord de la ville, à côté de Ville d'Anjou. Je suppose que vous savez où cela se trouve ?

— Oui, madame, mentit Maurice, tout à fait certain de n'être jamais allé à cet endroit.

— J'aimerais que vous alliez visiter cet endroit cet après-midi ou ce soir avec votre famille et que demain, vous arrêtiez me voir quand vous en aurez terminé avec le ménage de ma mère. Après tout, elle demeure presque à côté.

— C'est certain que je vais y aller, promit Maurice qui ne pensait qu'à l'emploi de concierge que sa cliente venait de lui proposer.

— Bon, je vous laisse continuer, conclut Julia Desmarais en se levant. Moi aussi, j'ai du travail qui m'attend.

Elle se leva et laissa son homme de ménage assez perturbé.

Durant les heures suivantes, Maurice ne cessa d'imaginer à quel point cet emploi à la CECM pourrait changer sa vie. Faute de temps, il devrait, bien sûr, abandonner quelques clientes, mais...

⏤

À son arrivée à la maison à l'heure du souper, il eut beaucoup de mal à cacher son enthousiasme en racontant à Jeanne ce que Julia Desmarais lui avait dit à propos de l'emploi de concierge qu'il allait probablement obtenir le lendemain matin.

— Si jamais j'ai cette job-là, on sera peut-être pas plus riches, mais j'aurai plus à courir les ménages. Je vais garder seulement les clientes qui paient le mieux, déclara-t-il à sa femme.

Cependant, il se garda bien de faire la moindre allusion à ce qui se rapportait à la coopérative. Pourquoi l'aurait-il mentionné ? se disait-il avec une certaine mauvaise foi. Il ne savait même pas exactement pourquoi Julia Desmarais lui en avait parlé.

Pendant un moment, il eut envie de ne pas bouger de la maison après le souper et de mentir à sa bienfaitrice, le lendemain après-midi, en lui racontant être allé voir les maisons de la Coopérative d'habitation de Montréal. Après tout, ça n'avait rien à voir avec le travail de concierge. Pourquoi se rendre là-bas ?

Cependant, la température chaude le fit rapidement renoncer à son idée de demeurer dans la cour à supporter la chaleur dégagée par les vieux murs de brique de la maison.

— Qu'est-ce que tu dirais si on allait faire prendre l'air aux enfants ? demanda-t-il à Jeanne, qui venait à peine de finir de laver la vaisselle. Ça leur ferait du bien.

En quelques minutes, les neuf enfants et leurs parents s'entassèrent dans la vieille Dodge brune qu'on s'était mis à désigner par dérision sous le nom de « boîte à fleurs » parce qu'elle avait gardé des odeurs peu appétissantes depuis qu'on l'avait utilisée pour le transport des déchets accumulés dans la cave.

Maurice se dirigea vers le boulevard Pie IX qu'il emprunta en direction nord jusqu'à la rue Jarry. En tournant vers l'est, il engagea la voiture sous une voûte créée par des arbres centenaires qui bordaient la rue de chaque côté.

— Veux-tu bien me dire où tu nous amènes ? dit Jeanne. On se croirait en pleine campagne.

— C'est la campagne, affirma Maurice. Regarde, il y a des fermes de chaque côté de la rue.

Le conducteur continua à rouler pendant quelques minutes et ce n'est qu'après avoir dépassé d'une centaine de pieds la vieille église en pierre grise du village de Saint-Léonard-de-Port-Maurice qu'il se décida à tourner prudemment à gauche, dans une rue non asphaltée appelée Aimé-Renaud.

Alors, il aperçut quelques dizaines de petits bungalows en brique, chacun flanqué d'une allée et précédé d'une pelouse soigneusement entretenue.

— C'est beau ici! s'exclama Jeanne en montrant les diverses maisons. Toutes ces maisons-là ont des terrains en avant et en arrière. Il y en a même qui ont des arbres.

— Ouais! dit Maurice sans enthousiasme. As-tu pensé à ce que ça peut avoir l'air quand il mouille? Avec des rues en terre, il doit y avoir de la bouette partout.

— Je suppose qu'ils vont finir par poser de l'asphalte un jour.

— En plus, fit son mari, c'est au bout du monde, ici. On n'a pas vu un seul magasin depuis dix minutes.

Le silence se fit dans l'auto, troublé uniquement par Claude et Francine qui se disputaient à voix basse. Maurice parcourut lentement deux autres rues du nouveau développement domiciliaire avant de revenir sur la rue Jarry et continuer vers l'est. Finalement, il longea le Maple Leaf Golf de Ville d'Anjou et il se retrouva, sans trop savoir comment, rue Sherbrooke.

— Il est temps de rentrer à la maison, décida Maurice, on se lève demain pour aller travailler.

Le lendemain matin, Maurice Dionne se présenta dès huit heures au bureau du personnel de la CECM et il dut attendre une heure avant que Réal Bélanger le reçoive. L'entrevue dura à peine dix minutes.

— C'est vous le protégé de mes amis Desmarais? demanda le gros homme retranché derrière de grosses lunettes à monture de corne.

— Oui, monsieur.

— Il paraît que vous travaillez bien?

— Je fais mon possible.

— Bon. Qu'est-ce que vous diriez de devenir concierge de l'école St-Andrews, à Ville Saint-Michel? C'est une belle petite école de dix-huit classes qui n'a que cinq ans. Elle est dirigée par des religieuses. Vous parlez anglais?

— Je me débrouille, monsieur.

— Parfait. Vous commencez lundi prochain. Vous allez passer voir madame Labrie qui va vous faire remplir des papiers. Ensuite, monsieur Sabourin, le responsable de l'entretien des écoles, vous conduira là-bas et vous expliquera en quoi votre travail consistera.

Sur ce, Réal Bélanger se leva et lui tendit la main.

— Bienvenue à la CECM, monsieur Dionne, fit-il avec un sourire. Vous allez vite vous apercevoir que nous avons l'habitude de prendre soin de nos bons employés.

Lorsque Ernest Sabourin le libéra un peu après onze heures, Maurice était un peu étourdi. En deux heures, il avait été engagé et mis au courant du travail qui l'attendait. Il avait même été présenté à la religieuse qui dirigeait St-Andrews.

Il était enthousiaste. L'école lui plaisait. Elle était presque neuve et elle avait été bien entretenue par le vieux concierge qui avait pris sa retraite au début du mois. Il allait avoir un local à lui, un bureau doté d'un petit réfrigérateur et d'une cuisinière électrique. C'était le paradis.

Il aurait aimé aller tout raconter à Jeanne immédiatement, mais il devait d'abord aller faire le ménage chez le juge Perron.

Un peu après quatre heures, Maurice termina son travail. Assis dans sa voiture, il se demanda pendant un instant s'il devait vraiment s'arrêter quelques maisons plus loin, chez Julia Desmarais, pour lui dire qu'il avait obtenu l'emploi et ce qu'il pensait de la Coopérative d'habitation. Finalement, par crainte de mécontenter sa bienfaitrice, il se résigna à aller lui rendre visite.

La bonne vint lui ouvrir et lui dit que madame Desmarais l'attendait dans son bureau, au sous-sol de la résidence.

— Vous connaissez le chemin, dit-elle.

— Merci, fit Maurice en descendant l'escalier qui menait à la salle de jeux et au bureau de Julia Desmarais.

La porte de la grande pièce était ouverte et une femme était assise près de madame Desmarais.

— Entrez, monsieur Dionne. Nous vous attendions, fit l'hôtesse avec un sourire, en le voyant apparaître.

— Merci, madame, fit Maurice, assez mal à l'aise de se retrouver en face des deux femmes.

— Je vous présente madame Simone Legris dont je vous ai parlé hier, dit son hôtesse en lui présentant une petite femme d'environ quarante ans à la figure toute ronde et au sourire chaleureux.

— Bonjour, madame.

— Puis, avez-vous eu votre emploi de concierge? lui demanda Julia Desmarais après l'avoir invité à s'asseoir.

— Oui, madame, je commence lundi prochain. Je tenais à venir vous remercier pour ça, répondit Maurice, déjà prêt à quitter les lieux.

— Parfait, monsieur Dionne. J'ai demandé à mon amie Simone de venir vous montrer quelque chose. D'abord, êtes-vous allé voir les maisons construites par la Coopérative d'habitation de Montréal ?

— Oui, hier soir.

— Qu'est-ce que vous en pensez ?

— C'est des ben belles maisons, mentit Maurice.

— Vous pourriez avoir une maison comme celles que vous avez vues hier, monsieur Dionne, dit à son tour Simone Legris. Laissez-moi vous expliquer comment ça fonctionne. C'est une coopérative. Chaque mois, on tire les noms de cinq membres et on construit la maison de ces membres-là durant le mois. C'est aussi simple que ça. Vous avez remarqué qu'il y a différents modèles. En fait, il y en a six. Les prix vont de 7 500 dollars à 11 600 dollars pour le modèle le plus luxueux, le *split-level*.

Maurice Dionne était un peu dépassé par toutes ces précisions.

— C'est beaucoup d'argent, finit-il par dire.

— C'est vrai, reconnut Simone Legris. Mais avec les hypothèques de vingt ans à un taux d'intérêt très bas consenti par la Caisse populaire, les mensualités varient entre cinquante et soixante-cinq dollars par mois. Ce n'est tout de même pas la mer à boire.

Maurice hocha la tête, persuadé qu'une pareille dépense dépassait de beaucoup ses capacités de payer.

— Nous ne voulons pas nous mêler de ce qui ne nous regarde pas, monsieur Dionne, intervint Julia Desmarais, mais ne trouvez-vous pas qu'il serait temps, maintenant que vous avez un emploi stable, de penser à trouver une maison plus grande pour votre famille ? D'autant plus que mon mari a entendu dire que vous risquez de perdre bientôt votre appartement parce qu'il est question de démolir la maison dans laquelle vous demeurez.

— C'est pas fait encore… Pis, je pense pas que…

— Écoutez, monsieur, dit Simone avec une certaine impatience. Apportez ce dépliant chez vous. Discutez-en avec votre femme et rappelez-moi au numéro que j'ai inscrit dessus pour me dire si vous désirez devenir membre de notre coopérative. N'attendez pas trop. Nous ne prenons plus de nouveaux membres depuis déjà quatre mois, mais je ferai une exception pour vous. Si vous me téléphonez, votre nom va être ajouté à la liste et, à la réunion du premier dimanche de chaque mois, vous risquez de le voir tiré. Il n'y a aucune obligation de votre part. Si vous êtes choisi à un moment qui ne vous convient pas, vous n'aurez qu'à nous appeler pour nous dire que vous ne vous sentez pas prêt à devenir tout de suite propriétaire et nous donnerons votre tour à quelqu'un d'autre.

Cette dernière précision soulagea grandement Maurice qui n'aurait pas aimé avoir à refuser carrément l'offre des deux femmes.

Il remercia Julia Desmarais encore une fois pour le travail de concierge qu'il avait obtenu grâce à son intervention. Il n'oublia pas d'offrir aussi des remerciements à Simone Legris pour son offre de faire partie de la coopérative. Il quitta ensuite la résidence luxueuse des Desmarais, soulagé d'en avoir fini avec cette corvée.

Sa sortie de la maison coïncida avec le début de l'orage qui menaçait depuis le matin. En quelques secondes, des éclairs accompagnés de coups de tonnerre assourdissants déchirèrent le ciel devenu noir. Maurice eut à peine le temps de se mettre à l'abri dans la Dodge avant qu'une forte pluie se mette à tambouriner sur la carrosserie rouillée du véhicule.

Moins d'une heure plus tard, il retrouva les siens dans la salle à manger, l'attendant pour passer à table.

— Puis, comment ça s'est passé ? lui demanda Jeanne. As-tu eu la job ?

— Whow ! Laisse-moi d'abord mettre les pieds dans la maison ! protesta Maurice. Je suis mouillé comme une soupe. Passe-moi une serviette que je m'essuie.

Tout le monde s'entassa autour de la table de la salle à manger et Jeanne se mit à servir des assiettes remplies de rigatoni. On mangea dans un silence uniquement brisé par les coups de tonnerre et le bruit de la pluie.

Quelques minutes plus tard, Maurice se décida à raconter son entrevue avec le directeur du personnel.

— Le bonhomme Bélanger est pas mal *smart*. Il m'a pas fait niaiser longtemps. Il m'a engagé tout de suite. C'est pas le Pérou, mais je vais gagner 3 250 piastres par année.

— Mais c'est un bon salaire ! s'exclama Jeanne, heureuse.

— Juste un salaire qui a du bon sens, la tempéra Maurice.

— Il va falloir remercier madame Desmarais.

— Aïe ! Mêle-toi pas de ça. Je suis pas un sauvage. Je suis arrêté tout à l'heure pour la remercier. Mais si j'ai la job, c'est pas juste à cause d'elle. C'est parce que mon ouvrage est ben fait.

— Ça, tout le monde le sait, Maurice, dit Jeanne pour le calmer.

— Tu devrais voir l'école qu'ils m'ont donnée, poursuivit Maurice sur un ton moins agressif. Un nommé Sabourin me l'a fait visiter. Une belle petite école presque neuve et facile à entretenir, ajouta-t-il, en ne parvenant pas à cacher tout à fait son enthousiasme. Je commence lundi prochain. Si ça te tente, on ira la visiter en fin de semaine. Demain, je dois passer au bureau de la commission scolaire pour aller chercher le trousseau de clés.

Après le repas, la table fut nettoyée et la vaisselle lavée. Comme la pluie venait de cesser, Maurice permit aux enfants d'aller à l'extérieur profiter un peu de l'air rafraîchi par cet orage d'été. Pendant que Jeanne changeait les langes des jumeaux et les préparait pour la nuit, Maurice, assis dans sa chaise berçante, fumait en silence.

— T'as l'air bien jongleur, lui fit remarquer sa femme.

Son mari ne répondit rien et Jeanne n'insista pas. Elle finit par aller déposer chacun des bébés dans son lit avec une bouteille de lait. Quand elle revint, elle vit sur la table un dépliant froissé que Maurice poussa vers elle d'un geste brusque.

— C'est quoi?

— Regarde, fit-il, bourru. C'est une idée de la Desmarais.

Jeanne s'assit à la table et regarda soigneusement le dépliant, attendant de plus amples informations de son mari.

— C'est une vraie folle! s'exclama-t-il. Elle s'est mis dans la tête qu'on pourrait acheter une de ces maisons-là bâties par une coopérative.

— Est-ce que ce sont les maisons qu'on est allés voir hier soir?

— Ouais, admit Maurice. Il faut être niaiseuse en maudit pour pas s'apercevoir qu'on peut pas acheter une maison avec un salaire de soixante-cinq piastres par semaine quand on a neuf enfants.

Jeanne se rendait bien compte que Maurice était ébranlé et elle décida de ne pas risquer de le braquer en prenant le parti de leur bienfaitrice. Elle se fit plutôt l'avocate du diable.

— C'est sûr. Ton frère Adrien te dirait la même chose. Il te dirait que ce serait une vraie folie de faire ça.

— Laisse faire la «moumoute», répondit Maurice, hargneux. J'ai pas besoin de lui pour savoir quoi faire. C'est pas nécessaire d'être «cheuf» chez les pompiers pour avoir sa propre maison, tu sauras.

— Regarde ta sœur Suzanne. Gaston fait un bon salaire comme policier et ils ont pas de maison, eux autres non plus. C'est certain qu'elle aussi serait jalouse si t'avais le front d'en acheter une.

— Ouais ! approuva Maurice qui replongea dans ses pensées.

Un long silence tomba entre les époux. Jeanne continua à scruter le dépliant.

Maurice finit par quitter sa chaise berçante et vint s'asseoir à côté de sa femme.

— Laquelle tu choisirais si on décidait de devenir membre de leur patente ? lui demanda-t-il en pointant le dépliant d'un air faussement détaché.

— C'est sûr que le *split-level* est le plus beau modèle, mais il est cher pour rien et il serait pas pratique avec notre famille. Je pense qu'il nous faudrait le numéro deux.

Maurice se pencha sur le modèle que sa femme lui montrait. Il s'agissait d'une petite maison en brique à un étage au toit pointu.

— Elle a l'air pas mal petite.

— Regarde le plan, lui conseilla Jeanne. En bas, t'as le salon, la cuisine, la salle de bain et trois chambres, comme la plupart des autres modèles. Mais c'est en haut que c'est intéressant. Il y a rien de fait, mais on pourrait facilement en faire un grand dortoir pour les garçons. Il y a deux grandes fenêtres à chaque bout. C'est vraiment la sorte de maison qui ferait notre affaire.

— C'est vrai, approuva Maurice, tout de même peu enchanté par l'aspect quelconque du modèle choisi. En tout cas, ajouta-t-il, les terrains sont tous pareils. C'est marqué quatre-vingt-dix pieds par soixante-quinze. C'est pas grand, mais c'est ben assez.

— Penses-tu qu'on serait pas bien dans une maison comme ça ? lui fit remarquer Jeanne d'une voix rêveuse.

Les enfants auraient de la place pour jouer et on respirerait du bon air.

Le silence retomba entre le mari et la femme. Finalement, Maurice prit une grande respiration comme s'il allait se jeter à l'eau.

— Qu'est-ce que tu dirais si j'appelais la Legris de la coopérative pour lui dire que je veux devenir membre?

Le visage de Jeanne pâlit soudain sous le coup de l'émotion.

— Je dirais que ce serait trop beau pour être vrai.

— Ben, c'est ça qu'on va faire. Je l'appelle à soir et je lui dis qu'on veut avoir une maison numéro deux.

Jeanne, émue, embrassa son mari qui la repoussa doucement.

— Mais je t'avertis, la prévint-il. Il va falloir se serrer la ceinture en maudit pour arriver à nous payer ça.

— On se privera, promit Jeanne.

Quelques instants plus tard, Maurice téléphona à la secrétaire de la Coopérative d'habitation de Montréal pour lui signifier son désir de devenir membre. Tout en communiquant à Simone Legris les renseignements personnels qu'elle demandait, il tentait de se persuader qu'il pourrait toujours faire marche arrière et refuser de faire construire sa maison s'il avait changé d'idée au moment où son nom serait tiré.

Pourtant, au plus profond de lui, une petite voix lui chuchotait qu'il n'oserait jamais agir ainsi. Par la force des choses, il en parlerait aux membres de sa famille et aux Sauvé. Il savait bien que son orgueil allait le pousser à tenter l'aventure.

Ce soir-là, Maurice demeura longtemps silencieux. Il sentait bien que sa vie venait de prendre un nouveau tournant. Après tant d'années de misère, il avait finalement un emploi stable et bien payé. Son fils aîné allait entreprendre son cours classique à l'automne pour devenir prêtre. Il allait même posséder une maison neuve et sortir du bas de la ville. Il était fini le temps où toute la parenté avait pitié de lui. Bientôt, tous, les Sauvé comme les Dionne, allaient être obligés de reconnaître qu'il avait réussi sa vie et qu'il était capable de bien prendre soin de sa famille. Un vague sourire apparut sur son visage quand il se vit au volant d'une nouvelle voiture qui suscitait les regards envieux des passants... Tout à coup, l'avenir lui appartenait.

FIN DE LA DEUXIÈME PARTIE

Table des matières

Suivez-nous

Achevé d'imprimer en janvier 2017
sur les presses de l'imprimerie Marquis-Gagné
Louiseville, Québec